D1450902

HESSE-KOMMENTAR

ZU SÄMTLICHEN WERKEN

VON MARTIN PFEIFER

WINKLER VERLAG MÜNCHEN

Für Gudrun,
Andreas und Anneli

Wahrlich, kein Ding in der Welt hat so viel meine Gedanken beschäftigt wie dieses mein Ich.

SIDDHARTHA

INHALT

VORWORT

Die weltweite und sich in Millionenauflagen widerspiegelnde Wirkung von Hermann Hesses Werk, wie sie sich gerade um die Zeit der hundertsten Wiederkehr seines Geburtstags zeigte, ist in diesem Ausmaß ein bislang in der Literaturgeschichte einmaliges Ereignis. Für kurze Zeit schien dieses Werk in Vergessenheit zu geraten. Mit einem Schlage rückte es wieder – und dies in einer noch nie dagewesenen Stärke – in das Bewußtsein der Leser sowie in die literaturwissenschaftliche und geistesgeschichtliche Auseinandersetzung. Hesses Werk will auch dieser Kommentarband dienen, der sich sowohl an Wissenschaftler und Studenten als auch an Schüler und Leser wendet. Ihnen notwendige Informationen an die Hand zu geben, die der Erschließung dieses Werks förderlich sind, ist die Intention dieses Bands. Der Adressatenkreis – und hier ist nicht zuletzt auch an ausländische Studenten gedacht – macht allerdings eine Kommentierung von Sachverhalten und Begriffen oft selbst dort notwendig, wo sie von deutschen Wissenschaftlern und Lesern nicht für nötig erachtet werden. Hier die Grenzen zu ziehen und ein angemessenes Maß zu finden, war nicht immer leicht.

Einleitung und Zeittafel sollen zunächst einen allgemeinen Überblick ermöglichen. Der erste Teil der Kommentare umfaßt die Bücher Hesses, die von ihm selber oder aus seinem Nachlaß veröffentlicht wurden. Dabei sind nur die Bände kommentiert worden, die bis zu drei Einzelwerke von ihm enthalten. Den kleineren Erzählungen, Essays und Betrachtungen, die in Sammelbänden erschienen sind, gilt der zweite Teil dieser Kommentare. Eine sich anbietende Aufteilung der Einzelkommentare, etwa nach Erzählungen, Märchen, Legenden, Betrachtungen u. ä., wurde nicht vorgenommen, weil damit eine große Anzahl von Verweisen notwendig geworden wäre. Ohnehin kann dieser Band mit Hilfe der Register sowohl nach einzelnen Texten als auch nach Personen leicht erschlossen werden. Gedenkaufsätze, die allgemein bekannte Persönlichkeiten des kulturellen Lebens betreffen, werden in der Regel hier nicht kommentiert.

Sofern zur Kommentierung Hesses eigene Äußerungen aufschlußreich sind, werden diese herangezogen. Ihr Abdruck erfolgt mit freundlicher Genehmigung des Suhrkamp Verlags, Frankfurt a. M. Aussagen in der Sekundärliteratur werden nur insoweit verwendet, als sie Sachverhalte verdeutlichen. Interpretationsaspekte daraus bleiben – schon aus Platzgründen – weitestgehend ausgespart.

Bücher wie Einzeltexte werden chronologisch nach ihrem ersten Erscheinen angeordnet. Sie stehen mit den Überschriften, unter denen sie zuerst erschienen sind; es wird das Jahr ihrer Entstehung, es werden auch die Jahre, in denen sie überarbeitet wurden, und die anderen Überschriften genannt, unter denen sie später in Zeitschriften und Zeitungen veröffentlicht wurden oder Eingang in Werke Hesses gefunden haben. Diese Überschriften stammen einerseits von Hesse selber, andrerseits aber auch von Redaktionen, die oftmals sehr eigenmächtig vorgegangen sind. Damit die Kommentare auch einzeln benutzt werden können, sind Wiederholungen mitunter nicht zu vermeiden gewesen. Dennoch sei, nicht zuletzt auch wegen der abweichenden Überschriften, die Benutzung der Register dringend angeraten.

Mit der Herausgabe der vier Bände *Gesammelte Erzählungen* und der beiden Bände *Die Kunst des Müßiggangs* und *Kleine Freuden* hat Volker Michels einen Zugang zu den meisten der kleineren erzählerischen und essayistischen Texte Hesses geschaffen, die nicht in den sieben Bänden der *Gesammelten Schriften* oder in den zwölf Bänden der *Gesammelten Werke* enthalten sind. Dabei wählte er aus den verschiedenen ihm vorliegenden Versionen für den Abdruck diejenige Fassung aus, die ihm als die beste erschien. Wie dort wird auch hier auf eine Feststellung der Textvarianten verzichtet. Sie bleibt einer historisch-kritischen Ausgabe vorbehalten. Für eine inhaltliche Kommentierung unserer Art ist sie ohnehin nur von geringem Belang, hätte aber den Umfang dieses Bandes erheblich erweitert. Im übrigen kann auf die Bibliographie von Joseph Mileck verwiesen werden, in der sämtliche der Hesseforschung bislang bekannte Abdrucke nachgewiesen sind.

Die Inhaltsangaben zu den Sammelbänden Hesses und die Register ermöglichen notwendige Querverbindungen. Zu jedem Text wird zudem eine Fundstelle angegeben, die heute leicht zugänglich ist: Steht der Text in den *Gesammelten Werken,* so sind der Band und die betreffenden Seiten in dieser Ausgabe genannt; steht der Text dort nicht, wird auf die *Gesammelten Schriften,* auf die *Gesammelten Erzählungen* oder auf *Die Kunst des Mü-*

ßiggangs und *Kleine Freuden* verwiesen. Nur in wenigen Fällen mußten andere Fundstellen genannt werden.

Auf eine Bibliographie wie auch auf Literaturverzeichnisse zu den einzelnen Texten wird bewußt verzichtet. Sofern zur Erläuterung Passagen aus Werken Hesses oder aus der Sekundärliteratur zitiert werden oder auf sie direkt verwiesen wird, sind diese Werke in Klammern genannt. Weitere Literaturangaben hätten den vorgegebenen Umfang dieses Buches nicht nur gesprengt, sie blieben vielmehr auch bloße Wiederholung andernorts vorhandener Bibliographien. Das Werk Hesses ist nämlich sowohl in bezug auf die Primärliteratur als auch auf die Sekundärliteratur außerordentlich gut erschlossen, so ausführlich wie kaum das Werk eines anderen Dichters. Deshalb braucht hier nur auf die vorliegenden Bibliographien verwiesen zu werden.

Helmut Waibler, *Hermann Hesse*. Eine Bibliographie der Werke über Hermann Hesse. Bern, München: Francke 1962. 350 S.

Eine sehr sorgfältig gearbeitete und die erste wissenschaftlichen Ansprüchen genügende Bibliographie, die das Primär- und Sekundärschrifttum mit größtmöglicher Vollständigkeit erfaßt.

Otto Bareiss, *Hermann Hesse*. Teil I (Werke über Hermann Hesse). Basel: (Karl Maier-Bader & Co.) 1962. 116 S. (Neudruck 1964); Teil II (Zeitschriften- und Zeitungsaufsätze). Basel: (Karl Maier-Bader & Co.) 1964. IL, 227 S.

Eine Bibliographie des Sekundärschrifttums, die in der Vollständigkeit dieses Teils noch über die Bibliographie von Waibler hinausgeht.

Martin Pfeifer, *Hermann-Hesse-Bibliographie*. Primär- und Sekundärschrifttum in Auswahl. (Berlin:) Erich Schmidt (1973). 104 S.

Diese Bibliographie, für den Handgebrauch gedacht, nennt summarisch die Gesamtausgaben, die Prosa und die Lyrik Hesses nach Überschriften und gibt einen Überblick über das Sekundärschrifttum, wobei Bücher und Dissertationen über Hesse vollzählig, die Aufsätze über Hesse von 1946 bis 1972 in Auswahl genannt werden.

Joseph Mileck, *Hermann Hesse*. Biography and bibliography. Berkeley, Los Angeles, London: University of California Press (1977). 2 Bände. Zusammen XXIV, VIII, 1402 S.

Eine ganz vorzügliche, das Nachlaßmaterial einschließende Bibliographie des Primärschrifttums, auch des ungedruckten. Partiell erfolgen Hinweise auch auf Sekundärliteratur.

Außerdem hat der Suhrkamp Verlag, Frankfurt a. M., mit seinen Materialienbänden die weitere Erschließung einzelner Werke Hesses gefördert. Bisher liegen solche Bände zu *Siddhartha* (2 Bände), *Der Steppenwolf* und *Das Glasperlenspiel* (2 Bände) vor. Diese Bände enthalten ausführliche Bibliographien des Primär- und Sekundärschrifttums zu diesen Werken.

Die folgenden Teile dieses Kommentarbands behandeln weitere Bereiche von Hesses Werk. Im Teil C werden die Gedichtbände kursorisch kommentiert. Auf erläuternde Kommentierung aller Gedichte wurde verzichtet. Sie ist, was die inhaltliche Seite der Gedichte betrifft, auch nicht notwendig. Hesses Gedichte bereiten in dieser Hinsicht keinerlei Schwierigkeiten. Eine Nennung und Kommentierung der Textvarianten hätte hier zu weit geführt. In eine – vom Suhrkamp Verlag geplante – historisch-kritische Ausgabe müssen allerdings solche Feststellungen eingebracht werden. Sofern einzelne Gedichte aber von besonderer Relevanz für das epische Schaffen Hesses sind, wird an diesen Stellen auf sie verwiesen; das Register der Gedichte gibt darüber Auskunft. Im übrigen nennt Mileck in seiner Bibliographie auch zu den Gedichten alle ihm bekannt gewordenen Abdrucke.

Abweichend von der in diesem Band geübten Gepflogenheit, nur gedruckte Texte zu kommentieren, werden im Teil D auch die dramatischen Dichtungen Hesses genannt, die bloß als Manuskript vorliegen. Da ohnehin nur zehn solcher Versuche bekannt sind – drei von ihnen wurden gedruckt –, konnte damit ein vollständiger Überblick über dieses Teilgebiet von Hesses Schaffen gegeben werden. Solchem Überblick dienen auch die beiden letzten Teile dieses Bandes.

Der kundige Leser wird erkennen, daß dieser Kommentarband nicht nur den Hesseforschern verpflichtet ist, deren Arbeit zitiert oder auf deren Ausführungen verwiesen ist, sondern auch vielen ungenannten, auf deren Aussagen und Forschungen sich diese Kommentierung gründet. Ihnen allen gilt mein herzlicher Dank.

Hanau, im Herbst 1980   Martin Pfeifer

ABKÜRZUNGSVERZEICHNIS

a. a. O.   am angeführten (angegebenen) Ort.

AB   Hermann Hesse, Ausgewählte Briefe. Erweiterte Ausgabe. Zusgest. von Hermann Hesse und Ninon Hesse. (Frankfurt a. M.:) Suhrkamp (1974). 567 S. (suhrkamp taschenbuch, 211.)

e   entstanden (geschrieben).

GB 1   Hermann Hesse, Gesammelte Briefe. (In Zusarb. mit Heiner Hesse hrsg. von Ursula und Volker Michels. Frankfurt a. M.:) Suhrkamp.
1: 1895–1921. (1973.) – 628 S.

GE 1–4   Hermann Hesse, Gesammelte Erzählungen. (Zusgest. von Volker Michels. Frankfurt a. M.:) Suhrkamp.
1: 1900–1905: Aus Kinderzeiten. (1977.) 398 S. (suhrkamp taschenbuch, 347.)
2: 1906–1908: Die Verlobung. (1977.) 381 S. (suhrkamp taschenbuch, 368.)
3: 1909–1918: Der Europäer. (1977.) 370 S. (suhrkamp taschenbuch, 384.)
4: 1919–1955: Innen und Außen. (1977.) 423 S. (suhrkamp taschenbuch, 413.)

GS 1–7   Hermann Hesse, Gesammelte Schriften. (Berlin, Frankfurt a. M.:) Suhrkamp; (Zürich: Fretz & Wasmuth) 1957. (Die Bände 1–6 erschienen 1952 u. d. T. »Gesammelte Dichtungen«.)
1: Frühe Prosa. – Peter Camenzind. – Unterm Rad. – Diesseits. – Berthold. – 885 S.
2: Gertrud. – Kleine Welt. – Roßhalde. – Fabulierbuch. – 900 S.
3: Knulp. – Demian. – Märchen. – Wanderung. – Klingsor. – Siddhartha. – Bilderbuch. – 945 S.
4: Kurgast. – Die Nürnberger Reise. – Der Steppenwolf. – Traumfährte. – Gedenkblätter. – Späte Prosa. – 938 S.

5: Narziß und Goldmund. – Stunden im Garten. – Der lahme Knabe. – Die Gedichte. – 833 S.

6: Die Morgenlandfahrt. – Das Glasperlenspiel. – 687 S.

7: Betrachtungen und Briefe. (Betrachtungen. Briefe. Rundbriefe. Tagebuchblätter.) – 949 S.

GW 1–12 Hermann Hesse, Gesammelte Werke (in zwölf Bänden. Frankfurt a. M.:) Suhrkamp (1970).

1: (Gedichte. – Frühe Prosa. – Peter Camenzind.) – 509 S.

2: (Unterm Rad. – Diesseits.) – 464 S.

3: (Gertrud. – Kleine Welt.) – 469 S.

4: (Roßhalde. – Fabulierbuch. – Knulp.) – 528 S.

5: (Demian. – Klingsor. – Siddhartha.) – 475 S.

6: (Märchen. – Wanderung. – Bilderbuch. – Traumfährte.) – 480 S.

7: (Kurgast. – Die Nürnberger Reise. – Der Steppenwolf.) – 416 S.

8: (Narziß und Goldmund. – Die Morgenlandfahrt. – 567 S.

9: (Das Glasperlenspiel.) – 616 S.

10: (Gedenkblätter. – Betrachtungen.) – 592 S.

11: (Schriften zur Literatur 1.) – 376 S.

12: (Schriften zur Literatur 2.) – 624 S.

H. H.   Hermann Hesse.

Hrsg.   Herausgeber.

hrsg.   herausgegeben.

Jh.   Jahrhundert.

KuJ 1–2 Kindheit und Jugend vor Neunzehnhundert. Hermann Hesse in Briefen und Lebenszeugnissen. (Hrsg. von Ninon Hesse. Fortgesetzt und erweitert von Gerhard Kirchhoff.) Frankfurt a. M.: Suhrkamp.

1: 1877–1895. (1966.) – 599 S.

2: 1895–1900. (1978.) – 688 S.

Mileck   Joseph Mileck, Hermann Hesse. Biography and bibliography. Berkeley, Los Angeles, London: University of California Press (1977). 2 Bände. Zusammen XXIV, VIII, 1402 S.

o. J.   ohne Jahresangabe.

o.O.u.D.   ohne Ortsangabe und Datum.

o.O.u.J.   ohne Orts- und Jahresangabe.

PdG   Hermann Hesse, Politik des Gewissens. Die politischen
             Schriften. Vorwort von Robert Jungk. Hrsg. von
             Volker Michels. (Frankfurt a. M.:) Suhrkamp (1977).
             2 Bände. Zusammen V, 960 S.
             1: 1914–1932.
             2: 1932–1964 (muß heißen: 1962).

S.   Seite(n).

Tdr.   Teildruck.

Tsd.   Tausend.

u. d. T.   unter dem Titel.

Unseld   Siegfried Unseld, Hermann Hesse, eine Werkgeschichte.
             (Frankfurt a. M.:) Suhrkamp (1973). 321 S. (suhrkamp
             taschenbuch, 143.)

VA   Erstveröffentlichung in einer Anthologie.

VB   Erstveröffentlichung in einem Buch Hesses.

VZ   Erstveröffentlichung in einer Zeitschrift oder Zeitung.

vgl.   vergleiche.

Zusarb.   Zusammenarbeit.

zusgest.   zusammengestellt.

EINLEITUNG
HERMANN HESSE.
INTENTIONEN EINES
LEBENS

»Am Montag, 2. Juli 1877, nach schwerem Tag, schenkt Gott in seiner Gnade abends halb sieben Uhr das heiß ersehnte Kind, unsern Hermann«, lautet der Tagebucheintrag seiner Mutter, die seit zweieinhalb Jahren mit Johannes Hesse verheiratet ist. Calw, die kleine Schwarzwaldstadt, ist Hermann Hesses Heimat. Hier verlebt er die ersten Jahre seiner Kindheit in einem pietistisch geprägten, der Mission dienenden Elternhaus und die schwierigste Phase seiner Jugend. Calw ist es auch, das in den Bildern seiner Dichtung als Gerbersau immer und immer wiederkehrt.

Basel, wo er mit seinen Eltern von seinem vierten bis zu seinem neunten Lebensjahr wohnt, ist die Stadt seiner Sehnsucht. Hierhin zieht es ihn nach schicksalvollen Schuljahren, abgebrochener Lehr- und Praktikantenzeit und durchgestandener Ausbildung als Buchhändler. Hier erreicht er das Ziel seines ersten intensiven Strebens, Dichter, freier Schriftsteller zu werden.

Später, nach dem Ersten Weltkrieg, findet er die ihm gemäße Landschaft, das Tessin. Hier verbringt er über vier Jahrzehnte seines Lebens, unterbrochen nur durch einige Winteraufenthalte in Zürich, regelmäßige Badekuren, meist im Herbst, im Verenahof in Baden bei Zürich und Ferienaufenthalte in den letzten Jahren im Hotel Waldhaus in Sils Maria im Engadin.

Zwei tiefgreifende Prozesse bilden die Schwerpunkte seiner Entwicklung: der Weg durch eine krisenreiche Jugend zum Dichterberuf und das Erwachen zur politischen Wirklichkeit im Ersten Weltkrieg.

»Von meinem dreizehnten Jahr an war mir das eine klar, daß ich entweder ein Dichter oder gar nichts werden wolle«, berichtet er 1924 in seinem *Kurzgefaßten Lebenslauf*. Für seine Eltern und nicht zuletzt auch für ihn steht freilich zunächst etwas ganz anderes fest: die Theologenlaufbahn. Drei wesentliche Voraussetzungen dafür sind vorhanden: die Tradition und Ausrichtung seines Elternhauses, die Bildungsfähigkeit des Knaben und die Möglichkeit, dieses Vorhaben innerhalb des württembergischen Bildungssystems dieser Zeit verwirklichen zu können.

Hesses Vater, Sohn eines Kreisarztes und Staatsrats im damals russischen Estland, hatte sich nach dem Besuch der Ritter- und Domschule in Reval als Achtzehnjähriger um Aufnahme in das Basler Missionshaus beworben, war angenommen, 1868 in Heilbronn zum Missionsprediger ordiniert und ein Jahr später nach Indien geschickt worden. Vier Jahre später mußte er aus Gesundheitsgründen nach Deutschland zurückkehren. Er wurde nach Calw beordert. Hier fand er im Hause des Calwer Verlagsvereins nicht nur eine Arbeitsstätte, sondern im Leiter dieses Hauses, Dr. Hermann Gundert, einen erfahrenen Missionar und Indologen und in dessen Tochter, der in Talatscheri (Tellicherry im indischen Staat Kerala) geborenen Marie verw. Isenberg, seine spätere Frau. Hermann Gundert war selbst lange Jahre gemeinsam mit seiner Frau, der aus der Welschschweiz stammenden Julie geb. Dubois, in Indien tätig gewesen; in Calw widmete er sich neben der überseeischen Mission auch der inneren, er hielt Bibel-, Bet- und Missionsstunden und empfing Besuche aus aller Welt. Dieser christliche und nahezu völlig unnationalistische Geist des elterlichen und großelterlichen Hauses hat Hesse nachhaltig geprägt; hier liegen Wurzeln und Triebkraft seiner Konflikte und Erkenntnisse.

Die anfänglichen Schulschwierigkeiten, die es beim vierjährigen Hesse gibt, als er die Knabenschule im Basler Missionshaus besucht, sind bald überwunden. Er lernt leicht, und während seiner Calwer Schulzeit gibt ihm sein Vater zusätzliche Latein- und Griechischstunden. In Göppingen findet er in Rektor Bauer einen Lehrer, den er »verehren und lieben« kann und von dem er als ein »wohl begabter Schüler von gutem Charakter u[nd] guter Gemütsart« charakterisiert wird, dem es freilich »bisweilen am nötigen Ernst« fehlt. Jedenfalls besteht er das Landexamen, eine Prüfung mit sehr hohen Anforderungen, bei der aus den Besten eines Schülerjahrgangs des Landes wiederum die Besten herausgefiltert werden.

Wer diese Prüfung bestanden hatte, wurde in eines der vier Seminare – Maulbronn, Schöntal, Blaubeuren, Urach – aufgenommen und machte hier eine Ausbildung durch, die den vier Oberklassen eines humanistischen Gymnasiums entspricht, um dann das evangelisch-theologische Stift an der Universität Tübingen zu besuchen. Das alles hatte nicht nur Tradition, wenn man allein an Namen wie Kepler, Hölderlin, Mörike, Waiblinger denkt, Tradition auch in der Familie – seine Vettern Hermann und Wilhelm Gundert waren Zöglinge der Seminare Schöntal und Urach, sein Großvater Hermann Gundert, sein Onkel Paul Gundert und sein Stiefbruder Karl Isenberg waren vor ihm in Maulbronn –, das alles war vielmehr auch völlig kostenfrei.

Ein halbes Jahr nur bleibt Hesse in Maulbronn. Mit seinem plötzlichen Verschwinden aus dem Internat wird etwas deutlich, was Hesse später – im *Demian* – in ein dichterisches Bild gebracht hat: »Der Vogel kämpft sich aus dem Ei. Das Ei ist die Welt. Wer geboren werden will, muß eine Welt zerstören.« Über die Eltern ist damit eine Katastrophe hereingebrochen, deren sie bei aller Anstrengung nicht mehr Herr werden. In der Hesseliteratur wird dieses Ereignis in der Regel als Flucht apostrophiert, und dem Leser bleibt es überlassen, damit Begriffe wie Resignation, Protest oder Abenteuer zu assoziieren. Hesses Großvater Gundert hat es viel treffender »Geniereise« genannt. Hier zeigt sich Hesses Ungenügen an der bisher erfahrenen Wirklichkeit, Neugier auch, vor allem aber Offenheit für neue Ansprüche des Lebens. »Eine gewisse bald ängstliche, bald spöttische Ablehnung dieser Wirklichkeit war mir früh geläufig, und der brennende Wunsch war, sie zu verzaubern, zu verwandeln, zu steigern«, schreibt er später als Mann von 46 Jahren.

Der Wunsch, Wirklichkeit zu verzaubern, muß entstehen, wenn die magischen Bezirke der Kindheit verlassen werden und eine Welt bewußt erfahren wird, die zur Anpassung an die Wirklichkeit zwingt. Nur dem Träumer, dem Dichter ist es möglich, mit seinem Dichten den Zauber vergangener Kindheit aufs neue zu beschwören. Wie aber wird man Dichter? »Man konnte Lehrer, Pfarrer, Arzt, Handwerker, Kaufmann, Postbeamter werden, auch Musiker, auch Maler oder Architekt, zu allen Berufen der Welt gab es einen Weg, gab es Vorbedingungen, gab es eine Schule, einen Unterricht für den Anfänger. Bloß für den Dichter gab es das nicht!« stellt er im *Kurzgefaßten Lebenslauf* verzweifelt fest, und er fährt fort, indem er ein Stück Lebenserfahrung auf eine knappe Formel bringt: »Ein Dichter zu *werden* aber, das war unmöglich, es werden zu *wollen*, war eine Lächerlichkeit und Schande, wie ich sehr bald erfuhr.«

Der Entschluß, Dichter zu werden, fällt in Hesses Göppinger Schulzeit. Hesse hat damit ein Ziel, ein ganz festes, aber er weiß weder wie noch ob er je dieses Ziel erreichen wird. Was nun in seinem Leben an Konflikten kommt, was sich in vehementer Empörung gegen Schule und Lehrer, gegen die Eltern und nahezu alles, was ihn umgibt, ausdrückt, was wie Unstetigkeit und Schwachheit aussieht, ist aus späterer Sicht freilich leicht als ein Weg zur Selbstfindung zu deuten. Als ihn Hesse durchleben muß, sind ihm und seinen Eltern diese Kämpfe ausweglos erscheinendes Unglück, bis an die Grenze der Belastbarkeit reichende Qual, nicht zu begreifendes Schicksal. Seine Eltern nehmen ihn aus dem Klosterseminar, bringen ihn zu einem Exorzisten nach Bad Boll; dessen Bemühungen bleiben jedoch so erfolglos wie die seiner Betreuer in der Nervenheilanstalt Stetten im Remstal, wohin er dann kommt. Schließlich gelingt es den Eltern, ihn in einem Gymnasium unterzubringen. Ein halbes Jahr später besteht er dort das Einjährig-Freiwilligen-Examen; aber wenig später müssen ihn seine Eltern von der Schule nehmen, weil er über unaufhörliche Kopfschmerzen klagt. Es findet sich sogleich auch eine Lehrstelle bei einem Buchhändler in Eßlingen; drei Tage bleibt er, dann läuft er weg. Ein gutes halbes Jahr hält er sich im Elternhaus auf, hilft im Garten und gelegentlich seinem Vater im Büro, dann beginnt er eine Praktikantenzeit in der Mechanischen Werkstätte Perrot in Calw. Aber das ist keine Beschäftigung, die ihn befriedigt und der er auf Dauer gewachsen ist. Im Oktober 1895 bewirbt er sich auf ein Inserat der Heckenhauerschen Buch- und Antiquariatshandlung in Tübingen und wird als Lehrling angenommen.

Nicht nur, daß er diese Lehrzeit durchhält, nicht nur, daß er sein autodidaktisches Studium der Weltliteratur, das er in der väterlichen und großväterlichen Bibliothek begonnen hat, nun intensiv fortsetzt, er schreibt, er dichtet, und es gelingt ihm, nach Abschluß seiner Lehrzeit eine kleine Gedichtsammlung *Romantische Lieder*, wenn auch mit Druckkostenbeteiligung, und in einem angesehenen Leipziger Verlag den Prosaband *Eine Stunde hinter Mitternacht* zu veröffentlichen. Damals kann er erleichtert notieren: »Mein dichterisches Ziel hat sich mir in den letzten Monaten immer einheitlicher und reiner festgestellt, und mich erfüllt trotz aller Schwächen eine restlos gespannte, süße Energie, jene letzte Säule der Rennbahn zu erreichen, an deren Fuß der Kranz für mich gelegt ist ... Ich weiß, daß dieser Kranz mir weder Gold noch Ruhm bringen wird.«

An Gold und Ruhm scheint ihm auch wenig gelegen zu sein. Er

bleibt noch ein Jahr in Tübingen, dann wechselt er als Buchhändler nach Basel. Hier veröffentlicht er im Verlag seines Brotherrn *Hinterlassene Schriften und Gedichte von Hermann Lauscher. Herausgegeben von Hermann Hesse*, ein Bändchen von 83 Seiten, das nur in Basel, nicht jedoch im allgemeinen Buchhandel vertrieben wird. Es gerät aber in die Hände Samuel Fischers, jenes Berliner Verlegers, der, wie so oft, auch diesmal literarischen Spürsinn verrät und Hesse auffordert, sein nächstes Werk ihm zu schicken.

1904 erscheint im Verlag S. Fischer Hesses Erzählung *Peter Camenzind* und wird ein Bucherfolg. Mit einem Schlag ist Hesses Name im ganzen deutschen Sprachraum bekannt. »Jetzt also war, unter so vielen Stürmen und Opfern, mein Ziel erreicht: ich war, so unmöglich es geschienen hatte, doch ein Dichter geworden und hatte, wie es schien, den langen zähen Kampf mit der Welt gewonnen.« Dichter zu sein ist ihm seit seinem dreizehnten Lebensjahr die intensivste Form der Selbstverwirklichung. Jetzt kann er triumphierend aufatmen, er hat dieses Ziel erreicht.

Seitdem ist Hesse als Autor erfolgreich. Zu Beginn des Ersten Weltkriegs überschreiten die Buchausgaben des *Peter Camenzind* das 60. Tausend. Das ist mehr als das Gesamtwerk von Strauß, Stehr und Schaffner zusammen, Autoren, mit denen man Hesse damals zu nennen pflegt. Schon 1903 gibt er seinen Brotberuf auf, 1904 heiratet er und zieht mit seiner Frau, der um neun Jahre älteren Maria Bernoulli, in ein ehemaliges Bauernhaus in Gaienhofen am Bodensee; 1907 kann er in diesem Ort ein eigenes Haus beziehen. Drei Kinder kommen zur Welt. Hesse ist ein gemachter und geachteter Mann. Und er ist produktiv. Kurz nach dem *Peter Camenzind* ist sein Schülerroman *Unterm Rad* fertig, es folgen die Erzählungsbände *Diesseits, Nachbarn, Umwege* und der Roman *Gertrud*.

Plötzlich verläßt er dieses scheinbare Idyll etablierter Bürgerlichkeit am Bodensee und fährt nach Indien. Was sich damals in ihm vorbereitet hat und nun sichtbar geworden ist, sein ausgeprägter Wille, in neue Lebensbereiche vorzudringen, wird von seinen Lesern lange nicht begriffen. Sie beurteilen Hesse, wie es Hans Bethge 1916 tut: »Hesse geht keine neuen Wege, er sucht auch keine, seine Formenwelt ist die einer soliden Tradition, und seine ganze lyrische Poesie ist von einem sinnenden, warmen, liebevollen Herzen diktiert.«

Auf Grund seiner am Bodensee entstandenen Bücher ist Hesse
in den Ruf eines verträumten Heimatschriftstellers und sentimentalen Innerlichkeitsromantikers gekommen. Sein Roman
Roßhalde mag dieses Fehlurteil noch verstärkt haben. Auch die
Begeisterung der Anhänger der Wandervogelbewegung nach
dem Erscheinen der drei Erzählungen aus dem Leben Knulps
vermag die Wirkung dieses Klischees nicht auszuräumen. Als
Hesse während des Ersten Weltkriegs dann mit seinen politischen Appellen und Aufsätzen hervortritt, stößt er erst recht auf
Geringschätzung und erbitterte Anfeindungen. Seine Gegner
und auch manche seiner vorherigen Leser bedienen sich erstmals
eines dann noch lange Zeit strapazierten Vokabulars, mit dem
man ihn bestenfalls als »begabten und gutmütigen Spinner«
abtut oder – und das vor allem in chauvinistischen Kreisen –
als »Vaterlandsverräter« und »Gesinnungslumpen« ins politische wie ins literarische Abseits stellt.
Der Weg durch eine krisenreiche Jugend zum Dichterberuf hat
Hesse Erfolg und Anerkennung eingebracht, Anerkennung frei-
lich als ein der Romantik und dem Volkslied verhafteter Lyriker
und als ein Erzähler kleinbürgerlicher oder märchenhafter
Schicksale. Sein Erwachen zur politischen Wirklichkeit im
Ersten Weltkrieg führt ihn in eine tiefe Krise und trägt ihm
Geringschätzung, Verkennung und Verketzerung ein.
In seinem 1946 geschriebenen Geleitwort zum Band *Krieg und
Frieden* steht eine Äußerung, die das Urteil eben dieser seiner
Zeitgenossen zu bestätigen scheint: »Ich hatte meinen politischen
Weg begonnen, sehr spät, als Mann von bald vierzig Jahren,
erweckt und aufgerüttelt durch die grauenhafte Wirklichkeit
des Krieges, tief befremdet durch die Leichtigkeit, mit der sich
meine bisherigen Kollegen und Freunde dem Moloch zur Verfügung stellten ...« Diese späte Selbstdarstellung Hesses trifft zu
und auch wieder nicht. Wenn sie später im Sekundärschrifttum
paraphrasiert wiederholt wurde, fühlte sich Hesse verkannt.
»Sie sagen z. B., ich habe meinen polit[ischen] Weg ›sehr spät‹
begonnen. Ich begann ihn weit früher als beinah alle deutschen
Dichter meiner Generation. Ich habe nicht nur während des
ersten Krieges meine Botschaft der Kriegshetze entgegengestellt,
sondern habe schon im kaiserlichen Deutschland des Friedens
die demokratisch-antiwilhelminische Zeitschrift ›März‹ mitbegründet«, hielt er 1952 in einem Brief dem Verfasser eines Aufsatzes über ihn entgegen und deutete damit an, wie er es selber

einschätzte, bereits 1907 an einer Zeitschrift, wie es der *März* war, verantwortlich mitgearbeitet zu haben.

Freilich bezieht sich sein Engagement hauptsächlich auf den literarischen Teil dieser Zeitschrift. Auch die Tatsache, daß er bereits 1912 Deutschland verläßt und in der Schweiz seßhaft wird, ist von ihm selbst und von vielen seiner Interpreten als Emigration gedeutet worden, die es nun wieder nicht war. Hellerau bei Dresden und München sind damals ebenso im Gespräch gewesen wie Bern, und es ist auf das Drängen seiner aus Basel stammenden Frau zurückzuführen, daß die Wahl auf Bern gefallen ist.

Als der Weltkrieg ausbricht, fühlt sich Hesse nach wie vor als Deutscher. »Ich hoffe, selber bald einberufen zu werden, und doch graust mir davor«, notiert er unterm 8. August 1914 in sein Tagebuch, am 29. August stellt er sich als Kriegsfreiwilliger zur Verfügung, und im Februar 1915 heißt es in einem seiner Briefe: »Die letzte große masurische Schlacht [bei der die russische 10. Armee vernichtend geschlagen wurde] hat wieder gutgetan!« Aber dann vollzieht sich eine Wandlung, langsam, zunächst nur für Hellhörige vernehmbar, aber zunehmend deutlicher werdend und zuletzt eine Schärfe erreichend, die zum Aufhorchen zwingt.

Am 3. November 1914 veröffentlicht er in der *Neuen Zürcher Zeitung* den Aufsatz »O Freunde, nicht diese Töne!« und fordert dazu auf, den Frieden wenigstens im Reich des Geistes zu erhalten. Das trägt ihm die Anerkennung und spätere Freundschaft Romain Rollands ein. Vom Militärdienst wegen hochgradiger Kurzsichtigkeit zurückgestellt, richtet er mit Richard Woltereck bei der deutschen Gesandtschaft in Bern eine Abteilung zur Versorgung der deutschen Kriegsgefangenen mit Literatur ein und baut sie bis zum Kriegsende immer weiter aus. Und er leitet den *Sonntagsboten für deutsche Kriegsgefangene*, die *Deutsche Internierten-Zeitung*, eine *Bücherei für deutsche Kriegsgefangene*, die auf 22 Bände anwächst, und die *Heimatbücher für deutsche Kriegsgefangene* mit sieben Bänden. Dieser Einsatz in der Kriegsgefangenenfürsorge fordert seine ganze Arbeitskraft, macht ihm aber auch zunehmend die Problematik des Krieges deutlich. Hesses Augenmerk und seine Kritik richten sich immer stärker auf Gefahren, die sich im eigenen Lager zeigen und einer aus dem Kriegsgeschehen resultierenden, zu Einsicht und Versöhnung führenden Entwicklung nach dem Kriege entgegenstehen.

Als am 10. Oktober 1915 in der *Neuen Zürcher Zeitung* sein Bericht »Wieder in Deutschland« erscheint, muß er eine Flut von Anfeindungen über sich ergehen lassen: »Daß seine einzige Sorge in dieser Zeit aber die Beziehungen zum *Auslande* und nicht zu seinem *eigenen Volkstum* sind, wird das deutsche Volk hoffentlich nicht vergessen«, schreibt ein anonymer Publizist im *Kölner Tageblatt*, und viele tun es ihm gleich. Hesses Sorge ist eine ganz andere. In seinem berühmten Aufruf »O Freunde, nicht diese Töne!« klingt sie bereits an: »Uns andern, die es mit der Heimat gut meinen und an der Zukunft nicht verzweifeln wollen, uns ist die Aufgabe geworden, ein Stück Frieden zu erhalten, Brücken zu schlagen, Wege zu suchen, aber nicht mit dreinzuhauen (mit der Feder!) und die Fundamente für die Zukunft Europas noch mehr zu erschüttern.« Seine Sorge betrifft sowohl die internationalen Beziehungen, weil »an ein baldiges neues Zusammenarbeiten der jetzt kämpfenden Nationen gedacht werden muß«, als auch die mitmenschliche Problematik und die soziale Frage: »Der Mann, der heute neben mir oder meinem Bruder im Felde steht, darf mir nicht morgen wieder ein aus der Ferne bemitleideter Proletarier werden.«

Zu den Erschütterungen durch den Krieg kommen Schmähschriften und Haßartikel, die ihm seine Einsicht eher festigen als rauben, die ihn andererseits aber auch spürbar treffen. Die Nervenkrankheit seiner Frau und seines Sohnes Martin verstärkt die Belastung. »Es war zweifelhaft, ob ich durchhalten, ob ich nicht an dem Konflikt zugrunde gehen werde, der mein bis dahin eher glückliches und über Verdienst erfolgreiches Leben jetzt zur Hölle machte«, schreibt Hesse damals.

Daß er einen Weg findet, der es ihm ermöglicht, die Belastungen zu erkennen und auszuhalten, daß er an Schwierigkeiten und Depressionen nicht zerbricht, hat letztlich die Ursache in seinem Verhalten, seiner Offenheit und Bereitschaft Neuem gegenüber, wie er sie seit seiner Jugend an den Tag gelegt hat, wie sie in seiner Indienreise zum Ausdruck gekommen ist und wie sie sich jetzt wieder zeigt: Im April 1916 begibt er sich in psychoanalytische Behandlung, zunächst und später noch oft bei dem Luzerner Arzt Josef Bernhard Lang, dann auch bei Johannes Nohl, einem Bruder des bekannten Göttinger Pädagogen und Philosophen Hermann Nohl, dann auch bei Carl

Gustav Jung, dem Lehrer Langs. »Bei Jung erlebe ich zur Zeit, in einer schweren und oft kaum ertragbaren Lebenslage stehend, die Erschütterung der Analyse. Es geht bis aufs Blut und tut weh. Aber es fördert«, schreibt er damals an Hans Reinhart. »Psychoanalyse ist nicht ein Glaube oder eine Philosophie, sondern ein Erlebnis. Dies Erlebnis bis auf den Grund auszukosten und im Leben die Folgen daraus zu ziehen, ist das einzige, was eine Analyse wertvoll macht. Andernfalls bleibt sie eine hübsche Spielerei«, heißt es in diesem Briefe weiter.

Solches Verhalten im Leben wird nun zum Grundmuster im Prozeß seines literarischen Schaffens. Am deutlichsten zeigt er dies mit seiner Erzählung *Demian*, seiner entscheidenden Antwort auf seine persönlichen und die drängenden Fragen dieser Zeit. 1917 geschrieben und 1919 unter dem Pseudonym Emil Sinclair veröffentlicht, wird *Demian* zu einem von Hesses größten Bucherfolgen. Man nennt das Werk eine »Bibel der Jugendbewegung«, die »Bibel« einer zu neuem Aufbruch bereiten Jugend. »Wir alle kannten Hermann Hesse schon lange«, schreibt Lulu von Strauß und Torney 1922 in der *Tat*. »Vielleicht hat uns in Werdejahren die Wolkenpoesie und träumende Weltinnigkeit seines Peter Camenzind entzückt ... Wir liebten ihn, aber wir erwarteten nichts Neues mehr von ihm. Wir horchten darum betroffen auf, als der Name dieses längst Einklassierten, literarisch Abgestempelten uns mit einem neuen Ton ins Ohr schlug.« Erst jetzt also beginnt man zu spüren und zu erkennen, wie es tatsächlich um diesen Autor beschaffen ist und was sich etwa im Maulbronner »Geniereisle«, mit dem Aufbruch nach Indien und in Hesses Kriegsaufsätzen angekündigt hat.

Diesmal hat sich Hesse als Autor selbst in Frage gestellt. Das Pseudonym Emil Sinclair soll ihm zeigen, ob sein Werk die Zustimmung der Leser auch ohne seinen bekannten Namen findet. »Unter dem Zeichen ›Sinclair‹ steht für mich heute noch jene brennende Epoche, das Hinsterben einer schönen und unwiederbringlichen Welt, das erst schmerzliche, dann innig bejahte Erwachen zu einem neuen Verstehen von Welt und Wirklichkeit, das Aufblitzen einer Einsicht in die Einheit im Zeichen der Polarität, des Zusammenfallens der Gegensätze, wie es vor tausend Jahren die Meister des ZEN in China auf magische Formeln zu bringen versucht haben«, heißt es im 1962 geschriebenen Vorwort zu einer Neuauflage von *Sinclairs Notizbuch*. Parallel dazu weitet sich mit der zunehmenden Rigorosität des

Anspruchs, den Hesse an sich selber stellt, der menschliche Bezug zu einem gesellschaftlichen aus. Wir können aus Hesses schon 1919 veröffentlichter Äußerung »Zu ›Zarathustras Wiederkehr‹« unschwer erkennen, daß die Establishment-Verachtung der jungen Generation keine Erscheinung ist, die es erst seit unseren Tagen gibt. Hesse hat »die bis zu Verachtung und bitterstem Haß gesteigerte Auflehnung unserer Jungen gegen alles, was ihnen als bisherig, als gestrig, als impressionistisch bekannt ist«, gekannt, und weil er zu Recht vermuten muß, daß er zu diesem Establishment gezählt wird, scheint es ihm außer Zweifel, daß deshalb eine Schrift mit seinem Autornamen gerade von denen nicht gelesen wird, die er sich als seine Leser vorstellt, nämlich »vom lebendigsten Teil der Jugend«.

Das inzwischen auch gedruckt vorliegende essayistische und Briefmaterial Hesses macht deutlich, wie wach und lebendig er in seinem gesellschaftlichen Verantwortungsbewußtsein und wie klar er in seinem politischen Denken seit seinem Erwachen im Ersten Weltkrieg geblieben ist. »An kleinen Anzeichen spürte man zuerst, daß dieser Mensch nicht in sich, nicht in seinem Erfolg ruhte, daß er immer etwas anderes Wesentlicheres wollte, daß er – um Goethes geniale Diagnose des wahrhaft dichterischen Menschen zu gebrauchen – einer von jenen war, die eine mehrmalige Pubertät haben, ein immer Neubeginnen der Jugend.« Diese feine Beobachtung, diese treffende Bemerkung, die Stefan Zweig gemacht hat, bestätigt sich immer wieder. Indem Hesse bisherige Lebensstufen zu überschreiten gewillt, zu Aufbruch und Vorstoß ins Neue, Wesentlichere bereit ist, indem er, was ihn neugierig macht oder bedrängt, sublimiert, gibt er ein Beispiel wahrhaftiger Emanzipation. Solche Haltung literarisch manifestiert zu haben, ist ein entscheidender Grund für die bleibende Wirkung seines Werkes.

Aus solchem Blickwinkel zeigt sich plötzlich, daß Hesses Werk nicht bloß ein in höchstem Maße autobiographisches ist, das, gleichsam zwanglos und organisch entstanden, sein Wachstum und seine Wandlungen sichtbar macht. Bislang hat man in der Hesseforschung das Autobiographische fast ausschließlich in der identifizierbaren Übereinstimmung von realen Personen, Orten und Ereignissen mit denen seiner Dichtung gesehen, Entsprechungen, die auf der Hand lagen oder mit dem Forscherglück eines Detektivs aufgespürt wurden. Längst ist bekannt, wie stark *Unterm Rad* und *Narziß und Goldmund* von Hesses

Maulbronner Erlebnissen geprägt sind, daß der Zerfall von
Hesses erster Ehe und seine Indienreise im Roman *Roßhalde*
wiederkehren, in welchem Maße der *Steppenwolf* Ausdruck
seiner persönlichen Lebenskrise in den zwanziger Jahren ist und
welch vielfältige Bezüge zwischen gesellschaftlich-politischer
Zeitsituation und persönlichen Bedrängnissen Hesses im *Glasperlenspiel* deutlich werden.

Daß solche Sublimierung – nicht von Erlebnissen, sondern von
Verhalten und Verhaltensweisen – nicht immer und überall
sogleich an einer Dichtung ablesbar ist, bedarf gewiß keiner
Begründung. Ohne daß Bedeutung und Wert dieser Erzählungen, Schilderungen und Betrachtungen geschmälert werden,
lassen die Bände *Märchen* (1919), *Klingsors letzter Sommer*,
Wanderung (beide 1920), *Kurgast* (1925), *Bilderbuch* (1928),
Die Nürnberger Reise (1927), *Betrachtungen* (1928), *Diesseits*
(1930), *Weg nach Innen* (1931), *Kleine Welt* (1933), *Fabulierbuch* (1935), *Gedenkblätter* (1937), *Traumfährte* (1945), *Krieg
und Frieden* (1946), *Späte Prosa* (1951) und *Beschwörungen*
(1955) solche Sublimierung nicht ohne weiteres erkennen, obwohl einzelne Erzählungen darunter sind, etwa *Klein und
Wagner* oder *Kinderseele*, die geradezu Musterbeispiele für diese
Sublimierung genannt werden können. Hesse sieht das; er verweist deshalb bereits 1921 in einem Brief auf das Wesentliche
seines künstlerischen Gestaltens: »In Büchern wie etwa meiner
Wanderung sehen die meisten Leser angenehme Idyllen, etwas
lyrische Musik und ahnen nichts von der Konzentration, von
dem Verzicht, dem Schicksal, das dahinter steht ... Natürlich
kommt all mein Tun aus Schwäche, aus Leiden, nicht aus
irgendeinem vergnüglichen Übermut, wie die Laien ihn zuweilen beim Dichter vermuten.« Noch weniger wird solche
Sublimierung an den neun Gedichtbänden Hesses ablesbar sein,
die zwischen 1920 und 1961 erscheinen, obwohl gerade hier
expressis verbis Sublimierung »aus Schwäche, aus Leiden« zu
einem allgemeinverbindlichen Postulat erfolgt, wenn es in dem
Gedicht *Stufen* heißt:

> »Wir sollen heiter Raum um Raum durchschreiten,
> An keinem wie an einer Heimat hängen,
> Der Weltgeist will nicht fesseln uns und engen,
> Er will uns Stuf' um Stufe heben, weiten.
> Kaum sind wir heimisch einem Lebenskreise

Und traulich eingewohnt, so droht Erschlaffen,
Nur wer bereit zu Aufbruch ist und Reise,
Mag lähmender Gewöhnung sich entraffen.
Es wird vielleicht auch noch die Todesstunde
Uns neuen Räumen jung entgegensenden,
Des Lebens Ruf an uns wird niemals enden ...
Wohlan denn, Herz, nimm Abschied und gesunde!«

Mit dem Pseudonym Emil Sinclair wird zum erstenmal literarisch faßbar, wie Hesse von nun an Schritt für Schritt bisherige Grenzen überschreitet. Zwar behauptet er, der es im Understatement gelegentlich zu frappierender Meisterschaft gebracht hat, daß »die meisten meiner größeren Erzählungen nicht, wie ich bei ihrer Entstehung glaubte, neue Probleme und neue Menschenbilder aufstellten, wie das die wirklichen Meister tun, sondern nur die paar mir gemäßen Probleme und Typen variierend wiederholten, wenn auch von einer neuen Stufe des Lebens und der Erfahrung aus«, doch zeigt sich zunehmend deutlicher, wie die Intentionen seines Lebens zu Stationen seiner Arbeit und damit auch seines literarischen Schaffens werden. So gewinnt sein Mutterbild vom *Demian* zu *Narziß und Goldmund* hin wesentlich deutlichere Züge. Die Vorstellung von Art und Wirkung des magischen Theaters macht vom *Steppenwolf* über *Die Morgenlandfahrt* zum *Glasperlenspiel* hin eine Entwicklung durch, die zu einer immer höher entwickelten, verallgemeinerungsfähigen Darstellung führt, verallgemeinerungsfähig, weil nicht an einen Drogenrausch gebunden wie im *Steppenwolf,* nicht an ein fiktiv bleibendes Lebensbuch, ein Archiv wie in der *Morgenlandfahrt,* sondern dem Denken und damit für alle Bereiche menschlicher Einsicht zugänglich, wie es *Das Glasperlenspiel* darstellt.
Ähnliches gilt von der Gestaltung der polarischen Spannungen. Begonnen hat sie mit der Erzählung *Unterm Rad,* wo er in Hans Giebenrath und Hermann Heilner nicht nur zwei antithetische Wesenszüge seiner selbst zu fassen sucht, sondern damit gleichzeitig die Frage gestellt hat, wie sich eine echte Synthese im Leben gewinnen läßt. Gespürt hat er diese Problematik in früher Kindheit, seine 1948 geschriebene Erzählung *Der Bettler* berichtet von der »kleinen heiteren Welt«, in der er lebt, und der »geheimnisvollen und abgründigen Seite der Welt«, aus der eben jener Bettler stammt. Im *Demian* bereits ist das erste Ka-

pitel, in dem er von dem hellen und lichten Elternhaus und dem Dunklen des Draußen erzählt, »Zwei Welten« überschrieben. *Der Steppenwolf* wird geradezu ein Musterbeispiel für die Persönlichkeitsspaltung, wenn von den tausend und abertausend Unter-Ichs in dem Protagonisten Harry Haller die Rede ist und von der Neugestaltung der Persönlichkeit durch Selbsterkenntnis.

Tatsächlich unternimmt Hesse, scheinbar nur ihm gemäße Probleme und Typen variierend, weitere Versuche, Antwort auf diese Frage, die eine seiner Kernfragen ist, zu finden; er weiß, daß hinter allen Erscheinungsformen des Lebens eine Einheit steht, und er weiß auch, daß das Leiden in der Welt nur daraus resultiert, daß sich der Mensch nicht mehr als unlösbaren Teil dieser Einheit empfindet. Wie aber eine Synthese im Leben gefunden werden kann, darum kreisen seine Gedanken und seine literarischen Bemühungen. Denkerisch ist dieses Problem beschreibbar, aber nicht lösbar. Indem er aber schöpferisch gestaltet, kann sich Hesse einer Lösung so weit annähern, daß sie einsehbar wird. In der Erzählung *Narziß und Goldmund* hat er diese Polpaare gleichsam exemplarisch gegenübergestellt; der Weg zu einer Synthese wird allerdings nur vom Denken her, in den Äußerungen des Narziß und später auch in denen Goldmunds, angedeutet. In Handeln umzusetzen, was seither angeklungen ist, gelingt ihm freilich erst im *Glasperlenspiel*. Hier unternimmt er einen Vorstoß von außerordentlichem Ausmaß, indem er in einen Bereich vordringt, den er als noch nicht vorhandene Möglichkeit des Lebens erahnt und als Wirklichkeit erobern will. Was von den einen als bloße Utopie zwar wohlwollend anerkannt, aber als nicht realisierbar beiseite geschoben wurde, erfaßten andere als Notwendigkeit, wenn sie, den Wunsch als Hoffnung ausdrückend, meinten, dem Buch von Josef Knecht müsse jetzt ein weiteres folgen, das etwa den Titel *Titus Designori* trägt. Was sie damit meinten, war nichts anderes als dies: Indem sich Josef Knecht von Kastalien löste und sich der Erziehung Tito Designoris zuwandte, unternahm er den Versuch, Geist und Welt zu versöhnen. Wenn je einem Dichter, dann müsse es Hesse jetzt – und damit erstmalig – möglich sein, nach dem Tode Josef Knechts in dessen Zögling Tito Designori darzustellen, wie die zumindest seit Goethes Wort von den zwei Seelen in der Menschenbrust bekannte polarische Spannung als harmonische Einheit neue Lebensmöglichkeit eröffnet und bisher unerfahrene Kräfte freisetzt.

Dies zu leisten ist ihm allerdings verwehrt. Die Grenzen, an die Hesse stößt, kann auch er nicht überwinden. Daß er sich aber dieser Grenze des Gestaltbaren soweit genähert hat, wie es irgend möglich ist, bleibt nicht nur signifikantes Merkmal für die schöpferische Qualität seiner Dichtung, sondern verdeutlicht auch, wie in ihm seit seinem Erwachen zur politischen Wirklichkeit die Erkenntnis gesellschaftlicher Verantwortung gewachsen ist.

Zwei Ereignisse sind es, die ihn seinerzeit wachgerüttelt haben: »die Schmach des Ultimatums an Serbien anno 14, eines der gemeinsten Dokumente der Geschichte«, und der Durchmarsch deutscher Truppen durch das neutrale Belgien. Dieses Erwachen Hesses zur politischen Wirklichkeit lassen seine Kriegsaufsätze und, detaillierter noch, seine Briefe aus dieser Zeit erkennen. Der Gedanke an den Krieg hat ihn danach nie mehr verlassen, und es ist unverkennbar, daß alle späteren Bücher Hesses auch Warnungen vor einem neuen Krieg und Mahnungen zur Menschlichkeit enthalten. In einem *Steppenwolf*-Band steht als persönliche Widmung: »In diesem Buch habe ich den zweiten Weltkrieg mit lauten Warnungszeichen an die Wand gemalt und bin dafür ausgelacht worden.«

Wieder und wieder erweist sich seine Sicherheit im Einschätzen der politischen Situation. Bewährt aber hat sich ihm die konkrete Praxis, im Ersten Weltkrieg journalistisch in über zwanzig politischen Aufsätzen und Mahnrufen, praktisch im Dienst der Kriegsgefangenenfürsorge, während der Hitlerherrschaft in praktizierter überparteilicher Menschlichkeit, die gleichermaßen den Emigranten wie denen zukommt, welche Deutschland nicht verlassen können. Es gibt Hunderte Beispiele dafür. Doch hat Hesse noch eine andere, eine öffentliche Aufgabe übernommen: seine Buchberichte für *Bonniers Litterära Magasin* und für die *Neue Rundschau*. Er ist der einzige deutsche Kritiker, der es wagt, auch Bücher von Juden zu besprechen und solche von Katholiken und Protestanten, deren Gesinnung und Geist dem herrschenden System entgegengesetzt sind. Gerade durch diese Tätigkeit gerät er zwischen die Fronten. Während Will Vesper ihm vorwirft, er stehe »in jüdischem Sold«, denunzieren ihn Emigranten als »verkappten Hitlerianer«. Hesse ist verzweifelt: »Den halben Tag muß ich mich für arme Emigranten bemühen,

um Geld, um Aufenthaltserlaubnis, um Versorgung halbver-
hungerter Kinder (das Elend ist oft grauenhaft), und die andre
Hälfte des Tages kann ich mich dann mit dem beschäftigen,
was dieselben Emigranten mir als giftige Antwort zurück
schicken.«

Hesse hat sich den Anforderungen des Aktuellen nicht nur gestellt und selber Hand angelegt wie wenige andere, sondern
überdies noch ein Antitoxin entwickelt, die Verzweiflung produktiv gemacht. »Sache des Dichters ist es ja nicht, sich irgendeiner aktuellen Wirklichkeit anzupassen und sie zu verherr-
lichen, sondern über sie hinweg die Möglichkeit des Schönen,
der Liebe und des Friedens zu zeigen. Sie können niemals voll
verwirklicht werden, diese Ideale, so wie ein Schiff auf stür-
mischer See nie den idealen Kurs einhalten kann. Es muß aber
dennoch seinen Kurs nach den Sternen richten. Und wir müssen
dennoch und trotz allem den Frieden wünschen und dem Frieden dienen, jeder auf seinem Wege und in seiner Umwelt«, heißt
es in Hesses *Dankadresse* 1955 anläßlich der Verleihung des
Friedenspreises des Deutschen Buchhandels. Dies ist sein Postulat. Er hat es immer zuerst an sich selber gerichtet.

Am 9. August 1962 stirbt Hermann Hesse in Montagnola,
85 Jahre alt.

1877 Am 2. Juli, 18.30 Uhr, wird Hermann Hesse in Calw an der Nagold (Württemberg) geboren. Geburtshaus: Marktplatz 6, das die Eltern 1874 bezogen haben und bis 6. April 1881 bewohnen.

Vater: Karl Otto *Johannes* Hesse, am 14. Juni 1847 als fünftes Kind des Kreisarztes und Staatsrats Dr. Karl *Hermann* Hesse und der Jenny Agnes geb. Lass in Weißenstein (Estland) geboren. Nach dem Besuch der Ritter- und Domschule in Reval 1865–1867 Zögling und bis 1868 Gehilfe im Basler Missionshaus, am 11. August 1868 in Heilbronn zum Missionsprediger ordiniert. 1869 Abreise an die Malabarküste (Vorderindien), Missionsgehilfe, Berufung an das Predigerseminar in Mangalur. 1872 Erkrankung an Dysenterie, 1873 Abreise aus Indien, Gehilfe des Dr. Hermann Gundert im Calwer Verlagsverein. Am 31. August 1874 Verlobung und am 22. November 1874 Heirat mit dessen Tochter Marie. Kinder: Adele (1875–1949), Hermann, Paul (geb. und gest. 1878), Gertrud (1879–1880), Maria (*Marulla,* 1880–1953), Johannes (*Hans,* 1882–1935).

Mutter: Marie geb. Gundert, am 18. Oktober 1842 in Talatscheri (Indien) als Tochter des Dr. Hermann Gundert und der Julie geb. Dubois geboren. 1845–1857 und 1860–1865 Aufenthalte in Deutschland. Am 22. November 1865 in Talatscheri Heirat mit dem am 29. November 1840 in London geborenen Charles W. Isenberg. Kinder: Theodor, Hermann, Karl. 1869 Abreise aus Indien. 1870 stirbt Charles W. Isenberg in Stuttgart. Marie Isenberg zieht zu ihrem Vater in das Haus des Calwer Verlagsvereins.

3. August: Taufe durch den Großvater Dr. Hermann Gundert.

1881 Johannes Hesse wird als Herausgeber des Missionsmagazins nach Basel berufen; daneben soll er an der Missionsschule Unterricht in deutscher Sprache und Literatur geben.

6. April: Umzug nach Basel. Hermann Hesse besucht die Knabenschule im Missionshaus.

1882   Wegen Erziehungsschwierigkeiten kommt Hermann Hesse in die Kinderschulklasse im Knabenhaus von Pfarrer Pfisterer. Johannes und Marie Hesse werden auf ihr Gesuch hin aus der russischen Staatsbürgerschaft entlassen, in die deutsche aber nicht aufgenommen, weil sie im Ausland leben.
Mai: Die Familie Hesse erwirbt die Schweizer Staatsangehörigkeit.

1884   Vom 21. Januar bis 5. Juni ist Hermann Hesse ganz im Knabenhaus und bringt bloß die Sonntage zu Hause zu.

1886   Übersiedlung der Familie Hesse nach Calw, Bischofstraße 4, wo Johannes Hesse wieder als Gehilfe von Dr. Hermann Gundert im Verlagsverein tätig wird.

1888   Eintritt in das Reallyceum Calw. Zusätzliche Latein- und Griechischstunden durch seinen Vater zur Vorbereitung auf das Landexamen.

1889   22. Februar: Erste Geigenstunde.
16. September: Umzug der Familie Hesse in das Staudenmeyersche Haus in Calw, Lederstraße 24.
4. Dezember: Erste Gedichte.

1890   1. Februar bis 20. Mai 1891: Besuch der von Rektor Bauer geleiteten Lateinschule in Göppingen.
25. November: Erster dramatischer Versuch *Ein Weihnachtsabend. Trauerspiel in einem Aufzug.*
15. Dezember: Er schreibt die Geschichte *Aus deutscher Vorzeit.*
17. Dezember: Auf Antrag seines Vaters wird Hermann Hesse in das Württembergische Bürgerrecht aufgenommen.

1891   12. April: Konfirmation Hermann Hesses in Calw.
14./15. Juli: Teilnahme am Landexamen; es findet im Eberhard-Ludwig-Gymnasium in der Kronprinzenstraße statt. (Das Gebäude wurde nach dem Ersten Weltkrieg abgebrochen.)
15. September: Eintritt in das Seminar Maulbronn.
27. Oktober: Hesse läßt sich hypnotisieren.

1892   7. März, 14 Uhr: Hesse entweicht aus dem Seminar Maulbronn, er ist 23 Stunden unterwegs »in Württemberg, Baden und Hessen«. »Außer der Nacht vom Abend 8 Uhr bis morgens 1/25 Uhr, die ich auf freiem Feld [bei Kürnbach in einem Strohhaufen] bei 7 Grad minus zubrachte, war ich die ganze Zeit auf den Füßen.«

8. März: Gegen Mittag kehrt er, von einem Landjäger begleitet, nach Maulbronn zurück.

12. März: Am Vormittag schriftliche Semesterprüfung im Kollegsaal; von 12.30 bis 20.30 Uhr sitzt Hermann Hesse »wegen unerlaubten Entweichens aus der Anstalt« im Karzer.

23. März bis 22. April: Auf ärztlichen Rat hin Aufenthalt Hesses im Elternhaus.

23. April bis 7. Mai: Hermann Hesse nimmt wieder am Unterricht in Maulbronn teil.

7. Mai: Hermann Hesse wird zur Betreuung durch Pfarrer Christoph Blumhardt nach Bad Boll gebracht. Nach einem Selbstmordversuch (am 20. Juni) bringt seine Mutter ihn am 22. Juni in die Nervenheilanstalt Stetten im Remstal.

Sommer: Er schreibt 23 Gedichte unter dem Titel *Kleine Lieder für Frln. E. Kolb von Hermann* (»Eugenie Kolb..., die ich eben durch meinen Bruder Theo kennen gelernt und öfter in Cannstatt besucht hatte«).

5. August: Er kehrt nach Calw zurück.

15. August: Rektor Dr. Friderich lehnt die Aufnahme Hesses ins Gymnasium Reutlingen ab.

22. August: Hesse kommt erneut nach Stetten.

14. September: Selbstmorddrohung.

5. Oktober bis 4. November: Erholungsaufenthalt in Basel.

7. November: Eintritt ins Cannstatter Gymnasium in der Brunnenstraße.

1893   20. Januar: Hesse kauft einen Revolver.

4. Mai: Johannes Hesse wird als Nachfolger Dr. Hermann Gunderts zum Leiter des Calwer Verlagsvereins gewählt.

19. Juni: Die Familie Hesse zieht wieder ins Haus des Calwer Verlagsvereins Bischofstraße 4.

8. Juli: Hermann Hesse besteht das Einjährig-Freiwilligen-Examen.

15. Oktober: Er wird auf seinen Wunsch hin (unaufhörliche Kopfschmerzen) von seinen Eltern aus der Schule genommen.

26.–28. Oktober: Nur drei Tage arbeitet Hesse als Lehrling in der Buchhandlung S. Mayer in Eßlingen.

3. November: Zur Untersuchung seines Gemütszustands bei Oberamtsarzt Dr. Zeller in Winnenden.

November bis Mai 1894 hilft Hesse seinen Eltern im Garten, seinem Vater gelegentlich bei Büroarbeiten und liest in der Bibliothek seines Großvaters und seines Vaters.

1894 5. Juni bis 19. September 1895: Praktikant in der mechanischen Werkstätte (Turmuhrenfabrik) Heinrich Perrot in Calw.

1895 Juni: Er lernt bei seiner Schwester Adele mit Eifer Englisch, will in Mathematik und Landwirtschaft das Nötige lernen und in ein paar Jahren nach Rio Grande do Sul (Brasilien) auswandern.

4. Oktober: Die Buchhandlung Heckenhauer bietet ihm auf ein Inserat im Stuttgarter *Merkur* (Nr. 232) hin eine Lehrstelle an.

7. Oktober: Er reicht einen kurzen Lebenslauf ein und wird angenommen.

17. Oktober: Beginn der Lehrzeit. Vom ersten selbstverdienten Geld kauft er sich einen Gipsabguß des Hermes von Praxiteles.

1896 1. März: Erste Gedichtveröffentlichung: *Madonna*, in *Das deutsche Dichterheim*, Wien.

1897 22. November: Beginn der Korrespondenz mit Helene Voigt, der späteren Frau des Verlegers Eugen Diederichs.

1898 24. August: Hesse wird aus dem Basler Bürgerrecht entlassen.

Oktober: Nach Beendigung seiner Lehrzeit bleibt er als Sortimentsgehilfe bei Heckenhauer.

November: Die Gedichtsammlung *Romantische Lieder* erscheint in E. Pierson's Verlag, Dresden und Leipzig, mit der Jahresangabe 1899.

1899 14. Juni: Der Prosaband *Eine Stunde hinter Mitternacht* erscheint im Verlag Eugen Diederichs, Leipzig.

31. Juli: Beendigung der Gehilfentätigkeit bei Heckenhauer.

August: 10tägiger Aufenthalt mit einem Tübinger Freundeskreis, »le petit cénacle«, in Kirchheim u. T.; Begegnung mit Julie Hellmann (»Lulu«).

15. September bis Ende Januar 1901: Soritimentsgehilfe in der Reich'schen Buchhandlung in Basel. Hesse verkehrt im Hause des Historikers und Stadtarchivars Rudolf

Wackernagel. Er lernt Hans Trog, Joël, Wölfflin, Bertholet und Johannes Haller kennen.

1900 21. Januar: Hesses erste Buchbesprechung (*Novalis*) erscheint in der Sonntagsbeilage der *Allgemeinen Schweizer
Zeitung*, Basel.

8. Juli: Er hat sich im Bezirksamt Lörrach zur Musterung
zu stellen. Wegen hochgradiger Kurzsichtigkeit wird er
zurückgestellt und am 26. Juli dem Landsturm zugeteilt.
Hesse lernt die Maler Otto Blümel und Max Bucherer
kennen.

Dezember: *Hinterlassene Schriften und Gedichte von Hermann Lauscher. Herausgegeben von H. Hesse* erscheinen
im Verlag der Buchhandlung R. Reich, vormals C. Detloff
in Basel mit der Jahresangabe 1901.

1901 Ende Januar: Hesse kündigt seine Stellung in der Buchhandlung R. Reich.

25. März bis 19. Mai: Erste Italienreise: Mailand – Genua –
Florenz – Bologna – Ravenna – Padua – Venedig.

1. August: Nach längerem Aufenthalt in Calw tritt er als
Buchhändler in das Antiquariat Wattenwyl in Basel ein.

November: Als 3. Band in der von Carl Busse heraus-
gegebenen und eingeleiteten Sammlung *Neue Deutsche
Lyriker* erscheinen Hesses *Gedichte* im Berliner Verlag
Grote mit der Jahresangabe 1902.

1902 März: Hesse schlägt nach längerem Zögern das Angebot
einer Assistentenstelle am Buchgewerbemuseum in Leipzig
aus.

September/Oktober: Hesse in Calw.

1903 30. Januar: Der Berliner Verleger Samuel Fischer tritt
auf Anregung des Hesse nicht nahestehenden Schriftstellers Paul Ilg an Hesse mit dem Ansinnen heran, gelegentlich Arbeiten einzureichen.

Frühjahr: Hesse gibt den Antiquariatsberuf auf.

1.–24. April: Zweite Italienreise, diesmal mit Maria Ber-
noulli, die gemeinsam mit ihrer Schwester in Basel ein
Photoatelier führt, in dem häufig Künstlertreffen statt-
finden. Die Reise führt über Mailand, Florenz, Pisa nach
Genua. Von dort kehrt Maria Bernoulli am 14. April nach
Basel zurück. Hesse reist noch nach Venedig.

31. Mai (Pfingsten): Hesse verlobt sich trotz Einspruchs
ihres Vaters mit Maria Bernoulli.

10. Juni: Erster Verlagsvertrag zwischen Hesse und S. Fischer.

Herbst: Hesse besucht Emil Strauß in Bernrain bei Emmishofen. Er erhält die erste Aufforderung zu einer Lesung aus seinem Werk; die Einladung erfolgte vom Präsidenten des Literarischen Klubs in Zürich.

1904 15. Februar: *Peter Camenzind* erscheint.

April: *Boccaccio* erscheint. Hesse hält sich drei Wochen in München auf. Erste Begegnung mit Samuel Fischer, der ihn mit Thomas Mann bekannt macht. Besuch bei Ricarda Huch.

2. August: Heirat mit Maria Bernoulli (* 7. 8. 1868) in Basel.

10. August: Einzug in ein leerstehendes Bauernhaus im badischen Dorf Gaienhofen am unteren Bodensee.

Herbst: Hesse erhält den Wiener Bauernfeldpreis. *Franz von Assisi* erscheint (wie *Boccaccio* im Verlag Schuster & Loeffler, Berlin und Leipzig). Bekanntschaft mit dem Konstanzer Zahnarzt Alfred Schlenker; durch ihn lernt er den Komponisten Othmar Schoeck, den Musikdirektor Fritz Brun und den Komponisten Volkmar Andreä kennen. Beginn der Freundschaft mit Albert Welti. Umgang mit Ludwig Finckh, Emanuel von Bodman, Wilhelm Schussen u. a.

1905 Oktober: *Unterm Rad* erscheint im S. Fischer Verlag (Jahresangabe 1906).

9. Dezember: Geburt des Sohnes Bruno.

1906 Mai: Besuch von Ludwig Thoma und Albert Langen in Gaienhofen; Besprechung des Planes, gemeinsam mit Kurt Aram die Zeitschrift *Süddeutschland – Halbmonatsschrift für deutsche Kultur* zu gründen. Der Titel wird noch geändert. Im Oktober erscheint das erste Heft (1/1907) *März. Halbmonatsschrift für deutsche Kultur* im Verlag Albert Langen in München.

Sommer: Italienreise mit dem Maler Fritz Widmann.

1907 März/April: Hesse weilt knapp einen Monat zur Kur in Locarno und als Gast bei den Anhängern des Vegetabilismus auf dem Monte Verità bei Ascona.

Frühjahr: Bau eines eigenen Hauses in Gaienhofen am Erlenloh, von dem Schweizer Architekten Hans Hindermann aus Steckborn entworfen.

5. April: *Diesseits* erscheint im S. Fischer Verlag.

1908 1. Februar: Der zwischen Hesse und dem S. Fischer Verlag
geschlossene Verlagsvertrag wird mit einem »Nachtrag«
verlängert, der Hesse verpflichtet, von seinen nächsten
vier Werken drei an Fischer zu geben.
15. Oktober: *Nachbarn*, ein Band Erzählungen, erscheint
im S. Fischer Verlag.
Mitte Oktober: Hesse fährt zu einer Lesung nach Wien,
die von Stefan Zweig vermittelt worden ist. Auf der
Rückreise Aufenthalt in München wegen *März*-Konferen-
zen. Er lernt Conrad Haußmann kennen.
Beginn der Freundschaft mit Helene Welti geb. Kam-
merer und Otto Blümel.
Anfang Dezember: Hesse ist vier Tage in Darmstadt; er
nimmt dort als Trauzeuge an der Vermählung Jakob
Schaffners teil.

1909 1. März: Geburt des Sohnes Hans *Heiner*.
Ende Juni bis Ende Juli: Badekur zur Behebung von »Störungen des Nerven- und Stimmungslebens« bei Professor
Albert Fraenkel in Badenweiler.
Anfang November: Lesereise nach Hannover, Hildesheim,
Goslar, Bremen, Braunschweig; er besucht in Braunschweig
den 78jährigen Wilhelm Raabe. Auf der Rückreise Besuch
der Frankfurter Internationalen Luftfahrt-Ausstellung.
8. November: Hesse unterzieht sich in Frankfurt einer
Blinddarmoperation.
10. November: Hesse, Ludwig Finckh und Cäsar Flaisch-
len werden vom Schwäbischen Schillerverein zu korre-
spondierenden Mitgliedern ernannt.
Dezember: Hesse beginnt zu malen. Otto Blümel, Leiter
der Schnitzschule in Garmisch-Partenkirchen, hat ihm
Malfarben besorgt.

1910 Herbst: Der Roman *Gertrud* erscheint im Verlag Albert
Langen in München.
Dezember: Reise nach Basel, Zürich, Heidelberg, Frank-
furt a. M.

1911 Ende April: Hesse reist mit Fritz Brun und Othmar
Schoeck nach Mailand zur italienischen Erstaufführung
der *Matthäuspassion*. Er lernt die Altistin Ilona Durigo
kennen. Aufenthalt in Spoleto und Orvieto.
22. Juli: Hesse fliegt mit Dr. Eckener im neuen Luftschiff
»Schwaben« über den Bodensee und den Arlberg.

26. Juli: Geburt des Sohnes Martin.

Der Gedichtband *Unterwegs* erscheint im Verlag Georg Müller in München.

4. September bis 11. Dezember: Hesse fährt mit dem Maler Hans Sturzenegger durch die Schweiz und Oberitalien nach Genua und von dort mit dem Dampfer »Prinz Eitel Friedrich« des Norddeutschen Lloyd durchs Mittelmeer und Rote Meer nach Penang, Singapur und Südsumatra. Mit dem Dampfer »York« kehren sie aus Indien zurück. Auf der Indienreise lernt er Fritz Leuthold kennen.

1912 Frühjahr: Der Erzählungsband *Umwege* erscheint im S. Fischer Verlag.

März: Hesse fährt wieder auf Vortragstournee, diesmal nach Wien, Prag, Brünn und Dresden. »Hauptzweck der Reise ist das Ansehen von Hellerau bei Dresden, das eventuell als späterer Wohnort für uns in Betracht kommt. Außerdem denken wir abwechselnd an Zürich (das aber zu teuer ist), Bern und München.«

August: Erneute Kur bei Professor Fraenkel in Badenweiler.

September: Hesse zieht mit seiner Frau und seinen drei Söhnen in das Landhaus des verstorbenen Malers Albert Welti am Melchenbühlweg in Ostermundigen bei Bern oberhalb von Schloß Wittigkofen.

Dezember: Hesse stellt seine Mitherausgebertätigkeit beim *März* zur Verfügung, bleibt aber Mitarbeiter.

1913 Frühjahr: *Aus Indien* erscheint im S. Fischer Verlag.

März: Hesse fliegt mit dem Schweizer Flugpionier Oskar Bider in einem Eindecker.

Mitte März bis 19. April: Italienreise mit Fritz Widmann und Othmar Schoeck: Como – Bergamo – Cremona – Mantua – Padua – Verona – Vicenza – Mailand.

1914 Anfang März: Martin Hesse erkrankt an einem Nervenleiden.

16. März: Der Roman *Roßhalde* erscheint im S. Fischer Verlag.

Juli: Hesse ist seit seiner Schülerzeit zum ersten Mal wieder in Maulbronn. Besuch bei dem ehemaligen Maulbronner Mitseminaristen Wilhelm Häcker.

29. August: Musterung für den Landsturm auf dem deut-

schen Konsulat in Bern, nachdem er sich als Freiwilliger gemeldet hatte; er wird wegen »hochgradiger Kurzsichtigkeit« zurückgestellt.

3. November: Hesses Aufsatz *O Freunde, nicht diese Töne!* erscheint in der *Neuen Zürcher Zeitung.*

Ende: Das Gedichtbändchen *Musik des Einsamen* erscheint im Verlag Eugen Salzer, Heilbronn (Jahresangabe 1915).

1915 Januar: Hesse überarbeitet den Text von *Romeo und Julia* nach der Übersetzung von August Wilhelm von Schlegel zu einem Libretto für ein Singspiel, das Volkmar Andreä komponiert.

Frühjahr: Ausbrechen des Gemütsleidens bei Maria Hesse.

Juli: *Knulp* erscheint im S. Fischer Verlag. *Am Weg,* Erzählungen, erscheint im Verlag Reuß & Itta in Konstanz.

Sommer: Beginn der Zusammenarbeit mit Richard Woltereck in der Kriegsgefangenenfürsorge.

Ende August: Einberufung und Freistellung für die Kriegsgefangenenfürsorge.

12. August: Erster Besuch Romain Rollands bei Hesse.

September: Reise nach Stuttgart, Freiburg i. Br. und Lörrach. Begegnung mit Emil Molt.

10. Oktober: Hesses Bericht *Wieder in Deutschland,* veröffentlicht in der *Neuen Zürcher Zeitung,* löst erneut polemische Hetzartikel in der deutschen Presse aus.

1916 *Schön ist die Jugend,* ein Bändchen mit zwei Erzählungen, erscheint im S. Fischer Verlag.

Januar: *Der Sonntagsbote für die deutschen Kriegsgefangenen,* Redaktion Hermann Hesse, erscheint, vom 1. Juli an um die *Deutsche Internierten-Zeitung* erweitert.

13. Januar: Neue Musterung Hesses; er ist weiterhin nicht felddiensttauglich; der Arzt stellt ein Lungenemphysem fest.

Anfang Februar: Hesse fährt zu hospitalisierten Kriegsgefangenen nach Davos. Plan zur Errichtung von Gefangenenbibliotheken.

8. März: Tod des Vaters. Reise nach Korntal zur Beerdigung. Krankheit Maria Hesses und des Sohnes Martin. Maria Hesse muß zeitweise in einer Heilanstalt untergebracht werden.

April bis Ende Mai: Elektrotherapie und zwölf analytische Sitzungen, teils im Kurhaus Sonnmatt bei Luzern, teils in der Luzerner Wohnung des Arztes Dr. Josef Bernhard Lang.

Anfang Juni: Hesse verläßt Sonnmatt, nimmt seine Berner Tätigkeit in der Kriegsgefangenenfürsorge wieder auf, wiederholt aber nahezu allwöchentlich seine Besuche bei Lang. Von Juni 1916 bis November 1917 sollen etwa 60 Sitzungen stattgefunden haben. – Beginn der Freundschaft mit Alice Leuthold-Sprecher.

Sommer: Hesse beginnt häufiger zu malen, »keine Natur, nur Geträumtes«.

September/Oktober: Hesse in Locarno-Monti zu Gast im Hause Neugeboren.

1917 Januar/Februar: Auf ärztliches Anraten und nach Einladung durch Emil Molt dessen Gast in der Chantarella in der Nähe von St. Moritz.

März/April: Hesse in Locarno-Monti Gast im Hause Neugeboren und in Locarno-Minusio.

31. Mai: Hesse wird Beamten-Stellvertreter ohne Feldwebelsrang.

Dezember: Hesse kommt mit deutschen Politikern zusammen, u. a. mit Conrad Haußmann und Johannes Wilhelm Muehlon. Gründung der *Bücherei für deutsche Kriegsgefangene*.

1918 März bis Juni: Aufenthalt im Hause Neugeboren in Locarno-Monti; um Ostern analytische Sitzungen bei Johannes Nohl.

18. November: Hesse erhält von Emil Molt folgendes Telegramm: »wir brauchen dich als geistigen mitarbeiter in unsere neue bewegung, bitte sofort kommen.« Hesse sagt wegen seiner »nächsten und primitivsten Pflichten und Sorgen« aus Zürich ab. Weiter schreibt er: »Mein Dienst und göttlicher Beruf ist der der Menschlichkeit. Aber Menschlichkeit und Politik schließen sich im Grunde immer aus. Beide sind nötig, aber beiden zugleich dienen, ist kaum möglich. Politik fordert Partei, Menschlichkeit verbietet Partei.«

Erste Exemplare seiner Gedichthandschriften mit Aquarellen (1 Titelblatt, 12 Gedichte, 12 Aquarelle) entstehen. Er verkauft sie für 200 bis 250 Franken zuerst zugunsten der deutschen Kriegsgefangenen; seit 1919, um seinen eigenen Unterhalt zu bestreiten.

1919 Anfang: *Die Heimkehr. Erster Akt eines Zeitdramas* entsteht in Bern. Abdruck im ersten Heft der Zeitschrift *Vivos voco.*

Anfang Februar: *Zarathustras Wiederkehr. Ein Wort an die deutsche Jugend. Von einem Deutschen* erscheint anonym im Verlag Stämpfli in Bern.

11. März: Hesse erhält ein mündliches Angebot, in der bayerischen Regierung der »Räterepublik« mitzuwirken, nachdem am 21. Februar Kurt Eisner ermordet und J. W. Muehlon vom Restkabinett gebeten worden war, die Ministerpräsidentschaft zu übernehmen. Hesse lehnt ab.

15. April: Ende der Amtstätigkeit Hesses in der Kriegsgefangenenfürsorge.

Mitte April: Hesse trennt sich von seiner Familie. Er fährt ins Tessin nach Lugano, bewohnt zunächst ein kleines Bauernhaus am Ortseingang von Minusio bei Locarno, dann lebt er vom 25. April bis 11. Mai in Sorengo. Am 11. Mai bezieht er als Mieter vier kleine Räume in der Casa Camuzzi in Montagnola, die er bis August 1931 bewohnt.

Frühjahr: Beginn der Freundschaft mit Joseph Englert.

Juni: *Demian. Die Geschichte einer Jugend von Emil Sinclair* erscheint im S. Fischer Verlag. *Kleiner Garten. Erlebnisse und Dichtungen* erscheint im Verlag Tal in Wien. Der Band *Märchen* erscheint im S. Fischer Verlag.

22. Juli: Erster Besuch Hesses bei Familie Theo und Lisa Wenger in Carona.

24. Juli: Hesse lernt Ruth Wenger, eine Konzertsängerin und Malerin, kennen.

August: Hesses Frau Maria kauft sich in Ascona ein Häuschen.

Mitte September: Maria Hesse muß erneut in eine Nervenklinik eingeliefert werden. Die frühere gemeinsame Wohnung in Bern wird auf den 1. Oktober gekündigt.

Oktober bis 1922: Mitherausgeber der Zeitschrift *Vivos voco.*

Ende Oktober: »Emil Sinclair« erhält den mit 600 Mark dotierten Fontane-Preis, den Hesse nach der Aufdeckung seines *Demian*-Pseudonyms durch Otto Flake wieder zurückgibt.

1920 10.–31. Januar: Erste öffentliche Ausstellung von Aqua-
      rellen Hesses (in der Basler Kunsthalle). Von den zwanzig
      Aquarellen wird »einzig eine kleine Zeichnung« verkauft.
      19. Januar: Hesse erhält die Niederlassungsbewilligung
      im Kanton Tessin.
      4. März: Der Gemeinderat Calw beschließt, den Brunnen
      beim »Rößle« Hermann-Hesse-Brunnen zu nennen.
      März: Ausstellung eigener Aquarelle in Lugano.
      April: Maria Hesse erkrankt erneut. Martin Hesse hat
      eine ernste Psychoneurose.
      Mai: Der Erzählungsband *Klingsors letzter Sommer* er-
      scheint im S. Fischer Verlag.
      10.–12. Mai: Der Maler Louis Moilliet besucht Hesse auf
      der Rückreise von Tunis.
      Juni: Die Dostojewski-Essays erscheinen unter dem Titel
      Blick ins Chaos im Seldwyla Verlag, Bern.
      20. Juni: Maria Hesse wird aus der psychiatrischen Klinik
      entlassen; sie läßt sich in Ascona nieder.
      4. Juli: Eduard Korrodi fordert Hesse auf Grund eines
      Hinweises von Otto Flake auf, sich zu dem Pseudonym
      Emil Sinclair zu bekennen.
      26. September: Treffen mit Romain Rolland in Lugano.
      Oktober: Der Band *Wanderung*, 13 Prosastücke, 10 Ge-
      dichte und 14 aquarellierte Zeichnungen, erscheint im
      S. Fischer Verlag. Der Band *Gedichte des Malers*, 10 Ge-
      dichte mit aquarellierten Zeichnungen, erscheint im Seld-
      wyla Verlag, Bern.
      2. Dezember: Bei seinem Freund Joseph Englert begegnet
      Hesse zum ersten Mal Hugo Ball und Emmy Hennings-
      Ball.
      4. Dezember: Erster Besuch Hesses bei Hugo Ball und
      seiner Frau in Agnuzzo.
      23. Dezember: Besuch bei Othmar Schoeck in Brunnen.

1921 Anfang: Die Gedichtmappe *Elf Aquarelle aus dem Tessin*
      erscheint im Verlag Recht, München.
      19.–24. Februar: Psychoanalyse bei C. G. Jung in Küsnacht
      bei Zürich.
      Mai: Ruth Wenger besucht Hesse in Montagnola.
      19.–25. Mai: Erneute Psychoanalyse bei C. G. Jung in
      Küsnacht.

16. Juni bis etwa 2. Juli: Besuch bei Balls in Agnuzzo, danach nochmals analytische Sitzungen bei C. G. Jung.

12. Juli: Hesse kehrt aus Zürich nach Montagnola zurück. Häufige Besuche bei Wengers in Carona; Ruth Wengers Vater drängt auf Eheschließung Hesses mit Ruth.

August: Hesse bespricht in Ascona mit seiner Frau die Scheidung.

Oktober: Autoreise mit Emil Molt und Ruth Wenger nach Stuttgart zu einer Lesung in Molts »Waldorf-Astoria«-Fabrik mit Stationen in Calw und Maulbronn; dort Treffen mit ehemaligen Konpromotionalen. Auf der Rückreise bei Albert Steffen in Dornach.

November: *Ausgewählte Gedichte* erscheinen im S. Fischer Verlag.

17. November: Lesung in Olten; dort Treffen mit Cuno Amiet.

30. November: Besuch bei Georg Reinhart in Winterthur.

12. Dezember bis 4. Januar 1922: Bei Familie Wenger in Delsberg.

1922 Januar: Ausstellung eigener Aquarelle in Winterthur (zusammen mit Aquarellen von Emil Nolde).

20.–22. März: Bei Familie Wenger in Delsberg.

24.–27. März: Lesung in Davos; dort Begegnung mit Klabund.

April: Ausstellung 35 eigener Aquarelle in Leipzig.

9. Mai: Besuch bei Wengers in Delsberg.

28. Mai: T. S. Eliot besucht Hesse in Montagnola.

Juni: Annette Kolb und René Schickele besuchen Hesse in Montagnola.

Juli: Richard Huelsenbeck besucht Hesse in Montagnola.

18. August bis 2. September: Friedenskongreß der internationalen Frauenliga in Lugano mit Georges Duhamel, Frederic van Eeden, Harry Graf Kessler, Romain Rolland, Bertrand Russell u. a. Hesse liest dort (am 21. August) den Schluß von *Siddhartha* vor. Anschließend gemeinsames Essen mit Romain Rolland und Kalidas Nag (Professor für Geschichte an der Universität Kalkutta).

September: Die ersten Exemplare des Märchens *Piktors Verwandlungen* entstehen. Jedes Exemplar ist ganz von der Hand des Dichters hergestellt.

Oktober: *Siddhartha* erscheint im S. Fischer Verlag.

31. Dezember: Hesse bei Cuno Amiet in Oschwand bei
Bern.

1923 Januar: *Sinclairs Notizbuch* erscheint im Verlag Rascher,
Zürich.

8. Mai bis Mitte Juni: Erster Kuraufenthalt in Baden bei
Zürich. Hesse läßt sich gegen Ischias und Rheumatismus
behandeln und nimmt Schwefelkuren. Diesmal und später
wohnt er im Verenahof. Besitzer dieses Hotels ist Franz
Xaver Markwalder; dessen Bruder ist der Arzt Josef
Markwalder.

14. Juli: Hesses Ehe mit Maria geb. Bernoulli wird ge-
schieden.

18. September bis 19. Oktober: Nachkur in Baden bei
Zürich. Von nun an ist Hesse fast jedes Jahr, immer im
Spätherbst, hier zur Kur.

Ende November bis März 1924: Aufenthalt in Basel; Ruth
Wenger hat hier im Hotel Krafft eine kleine Mansardenwohnung gemietet.

1924 11. Januar: Heirat mit Ruth Wenger. Langwierige Biblio-
theksarbeit für die von Hesse und seinem Neffen Karl
Isenberg bei S. Fischer herausgegebene Reihe *Merkwürdige
Geschichten und Menschen.*

28. März: Rückkehr nach Montagnola.

Anfang Mai: Bei Cuno Amiet.

9. Mai: Der Stadtrat der Einwohnergemeinde Bern sichert
Hesse gegen Entrichtung einer Einkaufssumme von 300 Fr.
das Gemeindebürgerrecht zu.

Juni: Seine Frau Ruth, die befreundete Sängerin Ilona
Durigo und Klabund kommen nach Montagnola.

August: Besuche von Samuel Fischer und Martin Buber
in Montagnola.

September: Die Betrachtung *Psychologia Balnearia oder
Glossen eines Badener Kurgastes* erscheint als Privatdruck.
Das Buch ist den Brüdern Josef und Franx Xaver Mark-
walder gewidmet.

Oktober: Dreiwöchiger Kuraufenthalt in Baden bei Zürich.

Mitte November: Hesse mietet bei Fräulein Martha Ringier in Basel, Lothringer Straße 7, eine kleine möblierte
Mansardenwohnung mit zwei Räumen.

26. November: Hesse erhält das Gemeindebürgerrecht der
Stadt und des Kantons Bern.

Ende November/Anfang Dezember: Reise mit seiner Frau Ruth nach Süddeutschland. In Ludwigsburg Besuch bei seinem Halbbruder Karl Isenberg. Anschließend Aufenthalt in Basel.

13. Dezember: Hesse zahlt an den Gemeinderat der Stadt Bern die Einkaufssumme von 300 Fr.

1925 Januar: Langwierige Bibliotheksarbeit an dem Projekt einer zwölfbändigen Anthologie *Das klassische Jahrhundert deutschen Geistes 1750–1850.*

24. Januar: Hesse besucht Thomas Mann.

Von diesem Jahr an erscheinen im S. Fischer Verlag Hesses *Gesammelte Werke in Einzelausgaben,* in Unger-Fraktur gesetzt, kartoniert in blauem Umschlag oder gebunden in blauem Leinenband mit schwarzem Rückenschild und HH-Initialen von E. R. Weiß auf dem Vorderdeckel. Der Band *Kurgast,* Aufzeichnungen von einer Badener Kur, erscheint im Frühjahr als erster Titel dieser neuen Ausgabe.

Mai: Bei seiner Frau wird Lungentuberkulose festgestellt. Hesses erste Frau wird wieder gemütskrank, nachdem sich ihr älterer Bruder Adolf Bernoulli das Leben genommen hat. Sie und ihr jüngerer Bruder Fritz Bernoulli müssen in eine Nervenklinik eingeliefert werden.

Ende September bis 30. Oktober: Kur in Baden bei Zürich.

1. bis Mitte November: Lesereise über Locarno, Zürich, Baden, Tuttlingen nach Blaubeuren, Ulm, Augsburg, Nürnberg, München, Ludwigsburg, Blaubeuren und Calw. In München trifft er Reinhold Geheeb, Otto Blümel, Thomas Mann und Joachim Ringelnatz. In Calw besucht er Heinrich Perrot; er hört sich dessen Glockenspielimprovisationen an.

19. Dezember: Hesse bezieht seine Zürcher Wohnung, Schanzengraben 31; sie wurde von Fritz und Alice Leuthold für ihn gemietet und bleibt bis 1931 sein Winterdomizil.

1926 Januar: Erneute psychoanalytische Sitzungen bei J. B. Lang.

20. Februar: Mit Hans Arp, Hermann Hubacher, Ernst Morgenthaler, Julia Laubi-Honegger, Othmar Schoeck, Volkmar Andreä auf einem Maskenball im Hotel Baur au Lac.

Februar: Das *Bilderbuch* erscheint im S. Fischer Verlag.

Frühjahr: Hesse schließt nähere Bekanntschaft mit Ninon Dolbin geb. Ausländer, die mit ihm seit 1920 in Briefwechsel stand.

Anfang Oktober: Hugo Ball beginnt mit der Monographie: *Hermann Hesse. Sein Leben und sein Werk.*

27. Oktober: Hesse wird als auswärtiges Mitglied in die Sektion für Dichtkunst der Preußischen Akademie der Künste gewählt.

Mitte November bis Mitte Dezember: Deutschlandreise nach Ulm, Stuttgart, Darmstadt, Marburg und Frankfurt a. M.

Ab Mitte Dezember: in Zürich.

1927 1. Januar: Seine Frau Ruth wünscht die Scheidung.

Mitte Januar bis Anfang Februar: Krank in Baden bei Zürich.

8. Februar: Treffen mit S. Fischer in Zürich.

Februar: Hesse besucht wieder Maskenbälle.

18. März: Scheidungsklage von Ruth trifft ein.

Mitte April: Rückkehr nach Montagnola. *Die Nürnberger Reise* erscheint im S. Fischer Verlag.

2. Mai: Scheidung von seiner Frau Ruth. Sie heiratet 1929 Erich Haußmann, wohnt später in Wengen im Allgäu und dann in Berlin (Ost). Sie nennt sich Claudia Haußmann.

Juni: *Der Steppenwolf* und Hugo Balls Hesse-Monographie erscheinen im S. Fischer Verlag.

Sommer: Ninon Dolbin bei Hesse zu Besuch.

2. Juli: 50. Geburtstag in Montagnola mit J. B. Lang, Louis Moilliet, Tilly und Max Wassmer, Ninon Dolbin u. a.

14. September: Hugo Ball stirbt.

Ende Oktober bis Ende November: Hesse krank in Baden bei Zürich.

Dezember: Wieder in Zürich, schmerzhafte Augenbehandlung mit Operation.

1928 März: Deutschlandreise mit Ninon Dolbin nach Ulm, Blaubeuren, Maulbronn, Calw, Heilbronn, Würzburg, Darmstadt, Weimar und Berlin. Dort trennt sich Ninon Dolbin von Hesse, um nach Paris zu fahren.

25. März bis 6. April: Hesse krank in Lankwitz bei Berlin.

11. April: Rückflug von Berlin über Stuttgart nach Zürich.

April: Der Gedichtband *Krisis* erscheint im S. Fischer Verlag.

Sommer: Heinrich Wiegand wohnt 14 Tage in Agnuzzo im ehemaligen Hugo-Ball-Haus; er kommt nahezu täglich mit Hesse und Ninon Dolbin zusammen. – Der Band *Betrachtungen* erscheint im S. Fischer Verlag.

Winter: Hesse in Zürich.

1929 Januar: Der Gedichtband *Trost der Nacht* erscheint im S. Fischer Verlag.

Sommer: Die Betrachtung *Eine Bibliothek der Weltliteratur* erscheint als Nr. 7003 in Reclams Universal-Bibliothek.

1930 Gespräch im Haus – »Zur Arch« in Zürich – des Freundes Hans C. Bodmer; im Verlaufe dieses Gesprächs sagt Bodmer zu, Hesse auf Lebenszeit ein Haus in Montagnola zur Verfügung zu stellen.

Juli: Die Erzählung *Narziß und Goldmund* und die erweiterte Ausgabe des Erzählungsbandes *Diesseits* erscheinen im S. Fischer Verlag. Der Bildhauer Hermann Hubacher gestaltet eine Bronzebüste Hesses.

10. November: Hesse tritt zusammen mit Emil Strauß, Wilhelm Schäfer und Erwin Guido Kolbenheyer aus der Sektion Dichtkunst der Preußischen Akademie der Künste aus.

1931 Ende Januar bis 20. Februar: Hesse im Hotel Chantarella in St. Moritz im Engadin.

Mitte April: Hesse in Zürich.

17. April: Deutschlandreise mit seinem Sohn Bruno, u. a. nach Calw.

Sommer: Der Band *Weg nach Innen* erscheint im S. Fischer Verlag.

Juli bis 10. August: Umzug von der Casa Camuzzi in das neue, von Hans C. Bodmer erbaute und Hesse auf Lebenszeit zur Verfügung gestellte Haus in Montagnola.

26. August: Romain Rolland besucht Hesse.

14. November: Eheschließung in Montagnola mit Ninon Dolbin geb. Ausländer. Sie war 1895 in Czernowitz als Tochter eines Rechtsanwalts geboren, hatte in Wien und Berlin Kunstgeschichte und Archäologie studiert, war in 1. Ehe (1918–1931) mit dem Zeichner und Karikaturisten B. F. Dolbin verheiratet. Als Vierzehnjährige hatte sie erstmals an Hesse geschrieben.

November: Hesse in Zürich.

Anfang Dezember: Hesse in Baden bei Zürich zur Kur.

1932 Bis Mitte Januar: Hesse in Zürich.

20. Januar bis Mitte Februar: Hesse mit Frau Ninon im Hotel Chantarella in St. Moritz; dort Begegnung mit Thomas Mann, Jakob Wassermann und Samuel Fischer.

März: *Die Morgenlandfahrt* erscheint im S. Fischer Verlag.

2. März bis Mitte April: Hesse mit Frau Ninon in Zürich.

18. April: Hesse verläßt endgültig sein Zürcher Winterquartier am Schanzengraben. Bis Ende April bleibt er in Baden bei Zürich.

Juni: Besuch des Indologen Heinrich Zimmer bei Hesse.

August: Hans Carossa besucht Hesse.

1933 Anfang Januar: J. B. Lang ist einige Tage Gast Hesses in Montagnola.

19. März: Kurt Wolff, Bertolt Brecht, Kurt Kläber und Thomas Mann besuchen Hesse.

20. März bis 2. April: Hesse beherbergt als ersten Flüchtling aus Deutschland Heinrich Wiegand; Wiegand stirbt am 28. Januar 1934 in Lerici bei La Spezia (Italien).

Mitte bis Ende März: Thomas Mann ist mehrfach bei Hesse zu Besuch.

April: Der Maler und Graphiker Gunter Böhmer aus Dresden läßt sich in Montagnola nieder.

Anfang Juni: Hermann Kasack zu Besuch bei Hesse.

9. Juni: Samuel und Brigitte Fischer zu Besuch bei Hesse.

Juli: Sein Neffe Carlo Isenberg zu Besuch bei Hesse.

14. August: Der Indologe Heinrich Zimmer zu Besuch bei Hesse.

17. September: Romain Rolland und Maria Koudacheff zu Besuch bei Hesse.

Herbst: Carl Hofer und Otto Basler zu Besuch bei Hesse.

Dezember: Kuraufenthalt in Baden bei Zürich.

6. Dezember: Thomas und Katia Mann besuchen Hesse in Baden bei Zürich.

Ende Dezember: Anni Carlsson zu Besuch bei Hesse in Montagnola.

1934 Januar: Hesse wird Mitglied des Schweizerischen Schriftstellervereins.

29. Januar: Augenbehandlung bei Dr. Wiser in Egern am

Tegernsee. In München Zusammentreffen mit Reinhold Geheeb, Olaf Gulbransson und Annette Kolb.

31. März: Die Redaktion der Zeitschrift *Propyläen,* München, deren Mitarbeiter Hesse seit 1904 ist, verzichtet auf die Rezensententätigkeit Hesses.

Juni: Als zweiter Auswahlband seiner Gedichte erscheint das Insel-Bändchen *Vom Baum des Lebens.*

August: Carlo Isenberg ist vierzehn Tage Hesses Gast.

19. August: Martin Buber zu Besuch bei Hesse.

August: Petition Hesses für den des Landes verwiesenen Arthur Holitscher.

13. Oktober bis Anfang Dezember: Hesse zur Kur in Baden bei Zürich; dort besucht ihn des öfteren Thomas Mann.

15. Oktober: Samuel Fischer stirbt.

13. Dezember: Hesse lehnt es dem Reclam-Verlag gegenüber ab, »zeitgemäße Änderungen« in dem Bändchen *Eine Bibliothek der Weltliteratur* vorzunehmen.

1935 Januar: Da das Rezensieren von Neuerscheinungen für Hesse in deutschen Blättern unmöglich wird, sagt er der schwedischen Zeitschrift *Bonniers Litterära Magasin* zu, regelmäßig Bücherberichte zu liefern.

Februar: Das *Fabulierbuch* erscheint im S. Fischer Verlag. Besuch von Hans Carossa.

März: In *Bonniers Litterära Magasin* erscheint der erste von Hesses zeitkritischen Berichten über zeitgenössische deutschsprachige Literatur.

20. April: Treffen mit Tutti und Gottfried Bermann Fischer in Zürich.

Mitte April: Christoph Schrempf besucht Hesse in Montagnola.

Ab Mitte November: Hesse zur Kur in Baden bei Zürich.

November: In der Zeitschrift *Die Neue Literatur* wird Hesse von Will Vesper wegen seiner schwedischen Literaturberichte angegriffen.

1936 18. Januar: Gemeinsam mit Thomas Mann und Annette Kolb unterzeichnet Hesse einen *Protest* zugunsten Gottfried Bermann Fischers in der *Neuen Zürcher Zeitung.*

19. Januar: In seinem Leitartikel *Der Fall S. Fischer* im *Pariser Tageblatt,* dem Organ der deutschen Emigranten in Frankreich, wirft Georg Bernhard fälschlich Annette

Kolb und Hesse vor, durch Mitarbeit an der *Frankfurter Zeitung,* dem »Feigenblatt des 3. Reiches«, Goebbels »zum Zweck der Auslandstäuschung« zu unterstützen.

März: Joachim Maass besucht Hesse.

28. März: Hesse erhält den Gottfried-Keller-Preis der Martin-Bodmer-Stiftung Zürich.

22. August: Karl und Magda Kerényi besuchen Hesse zum ersten Mal.

25. August: Hesse (fliegt von Zürich nach Hannover) zur Augenbehandlung bei Graf Wiser in Bad Eilsen.

31. August: In Bad Eilsen erste Begegnung mit Peter Suhrkamp.

4. September: Rückreise von Bad Eilsen.

8. September: Begegnung mit Franz Schall, Carlo Isenberg u. a.

September: *Anmerkungen zu Büchern,* Hesses letzter Bücherbericht während des Dritten Reiches, erscheint in der *Neuen Rundschau.* In *Bonniers Litterära Magasin* erscheint sein sechster und letzter Literaturbericht.

Mitte September: Die Hexameterdichtung *Stunden im Garten* erscheint im Bermann Fischer Verlag in Wien.

1937 26. Februar: Der Band *Neue Gedichte* erscheint im S. Fischer Verlag.

Mitte April: Peter Suhrkamp besucht Hermann Hesse.

Juni: Der Band *Gedenkblätter* erscheint im S. Fischer Verlag.

2. Juli: Feier von Hesses 60. Geburtstag in Berstenberg mit Hermann, Ninon, Bruno, Heiner und Martin Hesse, Fritz und Alice Leuthold, Elsy Bodmer, Louis Moilliet und Max Wassmer.

August: Carlo Isenberg besucht Hesse.

September: Max Herrmann-Neiße und Wilhelm Haecker besuchen Hesse.

9. Oktober: Rudolf G. Binding und sein Sohn Karl besuchen Hesse.

23. oder 24. Oktober: Besuch von Max Picard und Ernst Wiechert, dem Hesse empfiehlt, nicht nach Deutschland zurückzukehren. Wiechert kommt 1938 für zwei Monate in das KZ Buchenwald.

November: Kur in Baden bei Zürich.

1. Dezember: Nach der Kur in Baden besucht Hesse Thomas Mann in Küsnacht.

1938 August: Erfolglose Intervention Hesses zugunsten der Emigranten bei der Schweizerischen Fremdenpolizei. Albert Ehrenstein einige Tage Gast bei Hesse.

Oktober: Peter Weiss kommt nach Montagnola und wohnt in der Casa Camuzzi, Hesses ehemaliger Wohnung.

November: Hesse setzt sich bei der Schweizerischen Fremdenpolizei für Robert Musil ein.

1939 20. Februar bis 1. März: Joachim Maass zu Besuch bei Hesse.

Mai: Hermann Kasack mehrere Tage zu Besuch bei Hesse.

Juli: Peter Suhrkamp besucht Hesse, um eine Vertragsverlängerung mit dem S. Fischer Verlag vorzubereiten.

25. September: Hesse verlängert seinen Verlagsvertrag mit Peter Suhrkamp (S. Fischer Verlag KG).

1940 14. Februar bis 1. März: Rudolf Jakob Humm Gast bei Hesse.

15. März: Kurt Kläber besucht Hesse.

17. März: Josef Bernhard Lang besucht Hesse.

Mai: Josef Bernhard Lang besucht wiederholt Hesse.

1941 Februar: Hesse wird aufgefordert, in seinem Gedichtband *Trost der Nacht* die Widmungen an Juden und an Romain Rolland zu streichen.

Juli: Hesse macht in einem Spital in Zürich eine Bienengiftkur.

1942 20. März bis Mitte April: Kur in Baden, wo Hesse mit seiner Frau Ninon das Manuskript der ersten Gesamtausgabe *Die Gedichte* vorbereitet.

28. Mai: Hesse lehnt eine durch John Knittel überbrachte »Berufung« in die geplante »Europäische Autorenvereinigung« ab, wo ihm »die Ehre zugedacht war, neben Hamsun und den übrigen Kollaborationisten Europas in Hitlers tausendjähriges Reich einzugehen«.

1. Juli: Zwangsweise Umbenennung der S. Fischer Verlag KG in »Suhrkamp Verlag, vormals S. Fischer«.

Ab 16. November: Kur in Baden bei Zürich. Peter Suhrkamp kommt nach Baden und bringt das in Berlin abgelehnte Manuskript des *Glasperlenspiels* zurück.

Dezember: Der Band *Die Gedichte*, die erste chronologisch geordnete Gesamtausgabe der Gedichte Hesses, erscheint im Verlag Fretz & Wasmuth in Zürich.

1943 März: Peter Suhrkamp gibt Hesse die Auslandsrechte an seinen Büchern zurück und autorisiert ihn, einem Schweizer Verlag Publikationsrechte seiner Bücher in deutscher Sprache zu geben.

20. März: Verlagsvertrag zwischen Hesse und dem Fretz & Wasmuth Verlag, Zürich, über die Publikation des *Glasperlenspiels*.

Ende Mai: Peter Suhrkamp drei Tage zu Besuch bei Hesse.

November: Kuraufenthalt Hesses in Baden bei Zürich.

18. November: *Das Glasperlenspiel. Versuch einer Lebensbeschreibung des Magister Ludi Josef Knecht samt Knechts hinterlassenen Schriften. Herausgegeben von Hermann Hesse* erscheint in zwei Bänden im Verlag Fretz & Wasmuth in Zürich.

1944 April: Beginn der Freundschaft mit dem Maler Hans Purrmann, der im Juni 1943 eine Wohnung in der Casa Camuzzi in Montagnola bezogen hat.

11. April: Peter Suhrkamp wird wegen »dringenden Verdachts der Vorbereitung zum Hochverrat« von der Gestapo verhaftet und nach Ravensbrück gebracht. Hermann Kasack übernimmt die Verlagsleitung.

August: Hesse in Bremgarten.

1945 Februar: Ernst Morgenthaler besucht Hesse. Er malt insgesamt acht Bilder von Hesse. – Das Romanfragment *Berthold* erscheint im Verlag Fretz & Wasmuth in Zürich.

Ende Mai: Der »Schutzverband deutscher Schriftsteller in der Schweiz« wird gegründet; Hesse tritt ihm bei.

13. Juni: Ernst Morgenthaler zeichnet Hesse.

Juni: Der Band *Traumfährte* erscheint im Verlag Fretz & Wasmuth in Zürich.

August: Während eines Aufenthalts in Rigi-Kaltbad entsteht das *Rigi-Tagebuch*. Hier stellt er die dritte von ihm besorgte Auswahl seiner Gedichte *(Der Blütenzweig)* zusammen.

17. Oktober: Peter Suhrkamp erhält als erster deutscher Verleger die Lizenz zur Weiterführung seines Verlags.

Oktober: Theodor Heuss besucht Hesse.

Herbst: Die Gedichtauswahl *Der Blütenzweig* erscheint im Verlag Fretz & Wasmuth in Zürich.

Bis Mitte Dezember: Hesse zur Kur in Baden bei Zürich. – Im Verlaufe der nationalsozialistischen Herrschaft durften folgende Bücher Hesses nicht nachgedruckt werden: *Unterm Rad* (1938 letztmals während des Dritten Reiches aufgelegt), *Der Steppenwolf* (1940 letztmals während des Dritten Reiches aufgelegt), *Betrachtungen* (seit 1928 nicht mehr aufgelegt), *Eine Bibliothek der Weltliteratur* (nach der 2. Auflage von 1930 erst 1957 wieder aufgelegt) und *Narziß und Goldmund* (1941 letztmals während des Dritten Reiches aufgelegt). Insgesamt waren während der Jahre 1933 bis 1945 in Deutschland 20 Hessetitel (einschließlich der Nachdrucke) erhältlich, die im Verlauf der 12 Jahre eine Gesamtauflage von 481 000 Exemplaren erreichten, wobei allerdings 250 000 auf das 1943 erschienene Reclambändchen *In der alten Sonne* und 70 000 auf die 1934 in der Insel-Bücherei erschienene Gedichtauswahl *Vom Baum des Lebens* entfielen.

1946   1. März: Der württembergische Landesbischof Th. Wurm besucht Hesse.

28. August: Verleihung des Goethepreises der Stadt Frankfurt a. M. an Hesse durch Oberbürgermeister Kolb.

Oktober: Hesse zieht sich in das Sanatorium Préfargier in Marin am Neuenburger See zurück. Er wird von seiner Frau Ninon begleitet.

Anfang November: Hesse erhält den Nobelpreis für Literatur.

Dezember: Die Essaysammlung *Krieg und Frieden* erscheint im Verlag Fretz & Wasmuth in Zürich.

1947   Februar bis 18. März: Kuraufenthalt in Baden bei Zürich.

2. Juli: Hesse wird Ehrenbürger der Stadt Calw. Die Philosophische Fakultät I der Universität Bern verleiht Hesse die Ehrendoktorwürde.

Ende Juli bis Anfang August: Hesse in Wengen über Lauterbrunnen.

12. November bis Mitte Dezember: Hesse zur Kur in Baden bei Zürich.

1948   Februar: Peter Suhrkamp besucht Hesse.

Der Band *Frühe Prosa* erscheint im Verlag Fretz & Wasmuth in Zürich.

1949   Ende November bis Mitte Dezember: Hesse zur Kur in

Baden bei Zürich. Begegnung mit Peter Suhrkamp im Bahnhofsrestaurant Zürich.

1950 7. Mai: Gottfried Bermann Fischer trägt Hesse in einer mehrstündigen Sitzung seinen Streit mit Peter Suhrkamp vor.

21. Mai: Thomas Mann besucht Hesse.

Ende Mai: Erneuter Besuch Thomas Manns bei Hesse.

12. Juni: Peter Suhrkamp besucht Hesse, um mit ihm zum ersten Mal persönlich über die Trennung der Verlage und über die neue Verlagsarbeit zu sprechen. Seit diesem Besuch datiert das Du in ihrer Beziehung.

Mitte Juli bis Mitte August: Aufenthalt in Sils Maria im Engadin.

Mitte August bis Anfang September: Aufenthalt Hesses auf Schloß Bremgarten bei Bern.

Anfang Oktober: Peter Suhrkamp besucht Hesse.

November: Hermann Kasack und Frau sind sechs Tage zu Besuch bei Hermann und Ninon Hesse.

13. November bis Mitte Dezember: Kuraufenthalt in Baden bei Zürich.

15. November: Hesse erhält den Wilhelm-Raabe-Preis der Stadt Braunschweig.

1951 15. März: Der Band *Späte Prosa* erscheint im Suhrkamp Verlag Berlin und Frankfurt a. M.

Juli bis 16. August: Hesse in Sils Maria; dort besucht ihn am 15. August sein Maulbronner Schulkamerad Otto Hartmann.

17. August bis 2. September: Hesse zu Besuch bei Max Wassmer auf Schloß Bremgarten.

30. September: Erika Mann zu Besuch bei Hesse.

22. Oktober: Die erste Serie der »Bibliothek Suhrkamp« erscheint; erster Band dieser Serie ist Hesses *Morgenlandfahrt.*

12. November bis 10. Dezember: Hesse zur Kur in Baden bei Zürich.

1. Dezember: Peter Suhrkamp besucht Hesse in Baden.

1952 Ende Mai: Eine sechsbändige Ausgabe des Gesamtwerks Hesses erscheint als *Gesammelte Dichtungen in 6 Bänden.*

Juni: Auf Anregung des Stuttgarter Oberstaatsanwalts Dr. Walter Müller rufen 16 Persönlichkeiten des öffentlichen Lebens in Baden-Württemberg zu einer »Hermann-

Hesse-Wald-Sammlung« auf. Die Aktion dauert vom 2. Juli
bis 31. Dezember und erbringt Geld für 10 000 Eukalyp-
tusbäume, die in einem Wüstengebiet am Neronsee ange-
pflanzt werden. Der Wald trägt den Namen des Dichters.
29. Juni: Feier anläßlich des 75. Geburtstags Hesses im
Schauspielhaus Zürich.
2. Juli: Hesse verbringt den Tag mit seiner Frau in San
Giacomo im Misox. Festakt zur Feier des 75. Geburtstags
Hesses im Großen Haus des Württembergischen Staats-
theaters in Stuttgart. In Calw wird am Geburtshaus Hesses
eine Gedenktafel enthüllt. Der Band *Zwei Idyllen* erscheint als Festgabe im Suhrkamp Verlag Berlin und
Frankfurt a. M.
Juli bis 11. August: Hesse hält sich für etwas mehr als
drei Wochen in Sils Maria auf.
13. bis 22. August: Hesse zu Besuch bei Max Wassmer
auf Schloß Bremgarten.
September: Letztes Zusammensein Hesses mit Otto Hartmann.

1953 Mai: Friedrich Schnack besucht Hesse.
Ab 17. Juli: Hesse in Sils Maria.
15. September: Thomas Mann besucht Hesse in Montagnola.

1954 April: Hesse wird in die Friedensklasse des Ordens »Pour
le Mérite« aufgenommen.
Mai: Der Briefwechsel zwischen Hermann Hesse und Romain Rolland erscheint im Verlag Fretz & Wasmuth in
Zürich.
Ab Ende Juli: Hesse im Hotel Waldhaus in Sils Maria;
dort häufiges Zusammentreffen mit Thomas Mann.

1955 Ende Juli bis Ende August: Hesse in Sils Maria.
Sommer: Gregor Rabinowitsch, Schwiegervater von
Hesses Sohn Heiner, porträtiert Hesse.
Oktober: Der Band *Beschwörungen. Späte Prosa – Neue
Folge* erscheint im Suhrkamp Verlag, Berlin und Frankfurt a. M., aus Anlaß der Verleihung des Friedenspreises
des Deutschen Buchhandels.
9. Oktober: Der Friedenspreis des Deutschen Buchhandels
wird in der Frankfurter Paulskirche an Hesse verliehen.
Ninon Hesse nimmt den Preis in Empfang und verliest
eine Grußadresse Hesses.

November: Carl J. Burckhardt, Richard Benz und Arthur Georgi besuchen Hesse.

1956 28. Mai: Dr. med. Dr. h. c. Hans C. Bodmer, Freund und Gönner Hesses, stirbt im Alter von 65 Jahren in Zürich.

Juni: Siegfried Unseld besucht Hesse. – Die 1951 gegründete »Förderungsgemeinschaft der deutschen Kunst Baden-Württemberg e.V.«, Sitz Karlsruhe, stiftet einen Hermann-Hesse-Preis in Höhe von DM 10 000,–, der in Abständen von fünf Jahren für ein bisher unveröffentlichtes Werk eines deutschsprachigen Autors mit Wohnsitz in Deutschland, Österreich oder der Schweiz verliehen werden soll.

24. Juli bis Mitte August: Hesse in Sils Maria.

12. August: Am ersten Jahrestag des Todes Thomas Manns wird in Zürich die Thomas-Mann-Gesellschaft gegründet. Hesse gehört dem Gründungskomitee an.

Ende des Jahres: Hesse erklärt seinen Beitritt zum Schutzverband der Schriftsteller deutscher Sprache im Ausland (SDS).

1957 12. Mai bis 15. Oktober: Umfangreiche Hermann-Hesse-Ausstellung im Schiller-Nationalmuseum in Marbach a. N.

Ende Mai: Peter Suhrkamp besucht Hesse.

24. Juni: Peter Suhrkamp sendet Hesse das einzige in Pergament gebundene Exemplar der ansonsten in Leder oder rotes Leinen gebundenen sieben Dünndruckbände der *Gesammelten Schriften*.

28. Juni: Stiftung einer Hermann-Hesse-Spende der deutschen Bundesländer für notleidende Dichter in Höhe von DM 50 000,–.

29. Juni: Festakt zur Feier des 80. Geburtstags Hesses in der Stuttgarter Liederhalle. Martin Buber spricht über »Hermann Hesses Dienst am Geist«.

2. Juli: Hesse feiert seinen Geburtstag mit seinen Söhnen, Schwiegertöchtern und Enkeln in Ambri-Piotta am Gotthard in einem gediegenen alten Tessiner Gasthaus.

Sommer: Aufenthalt in Sils Maria. Dort besucht ihn Theodor Heuss.

12. September: Ludwig Finckh besucht Hesse in Montagnola.

November: Wilhelm Gundert, der »japanische Vetter«, besucht Hesse.

1958 Juni: Hermann Kasack zum letzten Mal zu Besuch bei Hesse.

1959 31. März: Peter Suhrkamp stirbt im Alter von 68 Jahren in Frankfurt a. M.

23. Juli bis Mitte August: Hesse in Sils Maria.

1960 Mitte Juli bis Mitte August: Hesse in Sils Maria.

1961 Der vierte von Hesse zusammengestellte Auswahlband seiner Gedichte *Stufen* erscheint im Suhrkamp Verlag Frankfurt a. M.

Mitte Juli bis Mitte August: Hesse in Sils Maria.

14. Dezember: Hesse erkrankt an einer Grippe. Seine Leukämie wird virulent.

1962 30. Juni: Die »Filarmonia Liberale« bringt Hesse ein Ständchen; Hesse dankt mit einer kurzen italienischen Ansprache.

1. Juli: Die Gemeinde Montagnola verleiht Hesse das Ehrenbürgerrecht; Hesse dankt mit einer Rede in italienischer Sprache.

2. Juli: Hesse feiert seinen 85. Geburtstag. Der Arzt hilft ihm mit Bluttransfusionen, Hesse fühlt sich wohl. Mit Interesse verfolgt er die Ehrungen, die ihm zuteil werden. Er erhält viele Geschenke und über 900 Postsendungen. Max Wassmer hat Hesse sowie Ninon Hesse und die Söhne Bruno, Heiner und Martin mit ihren Frauen und einige Freunde zu einer festlichen Geburtstagsfeier in ein Hotel nach Faido am Gotthard eingeladen. Abends – wieder in Montagnola – hört Hesse die Hessefeier von Radio Beromünster, die ihn sehr erfreut.

9. August: Hesse stirbt im Schlaf gegen 10 Uhr an Gehirnschlag. Gegen 11 Uhr wird sein Tod festgestellt. Isa Hesse, seine Schwiegertochter, zeichnet den Verstorbenen auf dem Totenbett. Anfertigung der Totenmaske Hesses. Am 11. August wird er auf dem Friedhof S. Abbondio beigesetzt.

KOMMENTAR

A. DIE ROMANE UND DIE GRÖSSEREN ERZÄHLUNGEN

Eine Stunde hinter Mitternacht

Leipzig: Eugen Diederichs 1899. 600 Expl. – GS 1, 9–65 (mit Geleit-wort, e 1941); GW 1, 159–215.

Motto von Novalis: Strophe 2 des Gedichts *Der Fremdling*.

»Zur Zeit schreibe ich Seminar-Erinnerungen auf. Es soll daraus eine kleine, wahre Dichtung, ein Stück Seelengeschichte und Freundschafts-idyll, werden. Wenn das zarte, mit mir noch innig verwachsene Bild fertig wird, will ich es Ihnen senden und falls Sie es billigen, Ihrem Manne zum Druck anbieten.« (Aus einem Brief an Helene Voigt-Diederichs vom 4. 9. 98; KuJ 2, 280)

»Herbst 98 bis Oktober 99 lebte ich freiwillig in völliger, arbeits-reicher Stille, ohne irgend einen Verkehr mit Menschen. Winter 1898/99 entstand das im Juli 99 erschienene Buch ›eine Stunde hinter Mitter-nacht‹ [...] In Calw erregt mein Buch lediglich Entrüstung.« (In: *Hermann Hesse* [1899–1903], Bagel's Geschäfts-Kalender 1899; Hesse-Nachlaß, Marbach a. N.)

»Die kleinen Prosadichtungen [...] sind in den Jahren 1897 bis 1899 in Tübingen entstanden [...] Was den Titel meines ersten Prosa-buches betrifft, so war seine Bedeutung mir selbst wohl klar, nicht aber den meisten Lesern. Das Reich, in dem ich lebte, das Traumland meiner dichterischen Stunden und Tage, wollte ich damit andeuten, das geheimnisvoll irgendwo zwischen Zeit und Raum lag, und ur-sprünglich sollte es ›Eine Meile hinter Mitternacht‹ heißen, doch klang mir das gar zu unmittelbar an die ›Drei Meilen hinter Weih-nachten‹, des Märchens, an. So kam ich auf die ›Stunde hinter Mitter-nacht‹ [...] In den Prosastudien der ›Stunde hinter Mitternacht‹ hatte ich mir ein Künstler-Traumreich, eine Schönheitsinsel geschaffen, sein Dichtertum war ein Rückzug aus den Stürmen und Niederungen der Tageswelt in die Nacht, den Traum und die schöne Einsamkeit, und es fehlte dem Buch nicht an ästhetenhaften Zügen. Wilhelm von Scholz meinte in seinem Aufsatz darüber, es stehe sehr unter dem Einfluß von Maeterlinck und Stefan George. Was Maeterlinck be-trifft, hatte er recht, ich hatte den ›Schatz der Armen‹ und den ›Tintagiles‹ gelesen. Von George dagegen war mir, als mein Buch erschien, noch keine Zeile bekannt, ich habe die ersten Verse von ihm – es waren die Hirtengedichte – erst einige Monate später in Basel

kennengelernt. Und wenn mir in jenen frühen Dichtungen Maeter-
lincks, so sehr ich sie damals liebte, eine gewisse künstliche Dämmerung, eine etwas kränkliche, in sich selbst verliebte Form der Intro-
version gelegentlich verdächtig wurde, denn gerade diese Gefahr bestand auch für mich und meine Dichtung, so lernte ich bald darauf
in dem beginnenden George-Kult eine andere, mir noch fatalere Art
des Ästhetentums kennen, die Pflege eines geheimbündlerischen Pathos,
einer überheblichen Cliquen-Esoterik, die ich gefühlsmäßig von Anfang an ablehnte.« (Aus »Geleitwort« zu *Eine Stunde hinter Mitternacht,* e 1941; GW 11, 17–19)

> »Was heut modern und raffiniert,
> Ist übermorgen antiquiert,
> Was gestern wunderbar und gold,
> Ist heute alt und überholt.
> Ich seh' schon, wie mein Enkel lacht
> Der alten wunderlichen Welt,
> Wenn er einmal in Händen hält
> Die ›Stunde hinter Mitternacht‹!«
> (Briefgedicht Hesses um 1900; S. Unseld, *Hermann Hesse,
> eine Werkgeschichte.* Frankfurt a. M. 1973, S. 12)

»[...] in dem schwarzen Wachstuchheft ›Zum 14. Juni 1898‹ auf-
geschrieben (zum Geburtstag des Vaters) [...] standen auch weitere
Gedichte und Prosa, die in H. Hs. erstem Vers- bzw. Prosabuch ›Eine
Stunde hinter Mitternacht‹ [...] erschienen. Vor allem die Prosa ist
mit den gedruckten Texten nicht voll identisch. Eine Untersuchung
des frühen Stils sollte beide Quellen, die handschriftliche wie die gedruckte, beachten.« (G. Kirchhoff in KuJ 2, 320) – Vgl. auch das Gedicht *Eine Stunde hinter Mitternacht,* e 1897.

Der Inseltraum

»Dieses Märchen dokumentiert Hesses endgültige Entscheidung für
den Weg des Dichters.« (F. Böttger, *Hermann Hesse.* Berlin 1974,
S. 72)
lag mein Spiegelbild gebreitet: »An Hour beyond Midnight« has on its
first page a narcissus image which is to run throughout this author's
work.« (M. Boulby, *Hermann Hesse.* Ithaca, New York 1967, S. 5)
Ich lag auf den Knien und beugte mein Haupt: Vgl. das Gedicht
An das Lulumädele II (»Ich will mich tief verneigen . . .«) in *Hinter-
lassene Schriften und Gedichte von Hermann Lauscher* (GS 1, 160–161;
GW 1, 284–285; Abweichungen in: H. H., *Helene Voigt-Diederichs,
Zwei Autorenporträts in Briefen 1897 bis 1900.* Düsseldorf 1971,
S. 178).
Duft des Jasmin: Vgl. das Gedicht *Julikinder* (»Wir Kinder im Juli
geboren . . .«).

Elise: »Elise, die Du mein ›Civilverhältnis‹ nennst, hat – leider oder zum Glück – wenig Fleisch und Blut. Sie ist ein liebenswürdiges Weib, das ich seit Monaten nimmer gesehen habe. Elise war meine erste Liebe, und da diese durch ihren dunklen Verlauf auf mich entscheidend eingewirkt hat, ist mir die Gestalt jenes Mädchens zum innern Eigentum geworden. Gewiß, diese erste Liebe ist vorüber, aber Elisens Name und Bild ist mir teuer geblieben. Sie wurde in mir zu einer Wunderblume, indem ich ihrem Bild allmählich fremde, an andern mir liebe Züge und Eigenheiten lieh [...]« (Aus einem Brief an Eberhard Goes, Februar 1897; KuJ 2, 166) – Es ist anzunehmen, daß Elise in Elisabeth La Roche ihr Urbild hat. Elisabeth La Roche, geb. 1876, gest. 1965, viertes und jüngstes Kind des Basler Pfarrers La Roche-Stockmeyer, traf mit H. H. erstmals 1883 zusammen, als die Familie Hesse in Basel wohnte und die Familien Wackernagel und La Roche mit der Familie Hesse Ferien auf dem Rechtenberg verbrachten. 1899 traf die 23jährige Elisabeth La Roche den 22jährigen H. H., der damals im Reich'schen Sortiment als Buchhandelsgehilfe arbeitete, im Kreis um Dr. Rudolf Wackernagel wieder. H. Hs. Schilderungen seiner Begegnungen mit Elisabeth La Roche finden sich auch im *Hermann Lauscher* und im *Peter Camenzind.* (Nach G. Kirchhoff, KuJ 2, 550–551) – Vgl. auch: M. Dietschy, *H. H. und Elisabeth,* in: *Basler Nachrichten,* Nr. 425 v. 10. 10. 1971

Frau Gertrud: Vgl das Gedicht *Frau Gertrud* (»Frau Gertrud mir am Bette stand ...«). Die Gestalt einer Gertrud kehrt wieder in *An Frau Gertrud* (in *Eine Stunde hinter Mitternacht*), *Gertrud* (Fragment, e 1905/06) und im Roman *Gertrud.*

das Kloster: Anspielung auf das Kloster Maulbronn und seine eigene Seminaristenzeit.

Liedsänger Blondel: Blondel de Nesle, pikard. Trouvère des 12. Jhs., von dem etwa 30 meist die Leiden der Liebe besingende Lieder erhalten sind. Mit dem Sänger Blondel, der den gefangenen Richard Löwenherz in Dürnstein entdeckt haben soll, hat er nur den Namen gemein.

Notturno von Chopin: In seiner Tübinger Zeit gilt Hesses musikalische Vorliebe Chopin. »Was für Nietzsche Wagner war, ist für mich Chopin, – oder noch mehr.« (Aus einem Brief an seine Eltern v. 25. 9. 1897; GB 1, 33) – Chopin gelten drei Gedichte, die er 1897 geschrieben hat: »Schütte wieder ohne Wahl ...«, »Ein kerzenheller Saal ...«, »Sing mir dein liebes Wiegenlied ...«.

Ariost: Ludovico Ariosto (1474–1533 verfaßte die ersten regelmäßigen italienischen Komödien; in seinem Hauptwerk, dem Stanzenepos *Der rasende Roland,* entfaltet sich in sinnlicher Anschauung und unerschöpflicher Darstellungsgabe die Renaissancepoesie in vollem Glanze.

Orlando: Orlando furioso [ital. *Rasender Roland*], Epos von Ariost.

Albumblatt für Elise

Elise: Vgl. *Der Inseltraum,* ferner das Gedicht *Ein Traum pocht an die Pforte mir* (»Tritt ein, mein Gast! Ich bin allein . . .«)
Sandro Botticelli: eigentlich Sandro Filipepi (1444/45–1510), italienischer Maler; sein *Frühling* hängt in den Uffizien von Florenz.

Die Fiebermuse

»Die ›Fiebermuse‹ meide als eine Schlange, sie ist dieselbe, die ins Paradies schlich und noch heute jedes Liebes- und Poesie-Paradies gründlich vergiften möchte. Von ihr sprach Gott zu Kain: ›Laß du ihr nicht den Willen!‹ O mein Kind, fliehe sie, hasse sie, sie ist unrein und hat kein Anrecht auf dich, denn du bist Gottes Eigentum [. . .]« (Aus einem Brief von Marie Hesse an H. H. v. 15. 6. 1899; KuJ 2, 357–358)
vagieren: [veraltet für] beschäftigungslos umherschweifen, sich unruhig bewegen.
Chopin: Siehe *Der Inseltraum.*

Incipit vita nova

Incipit vita nova: beginnt ein neues Leben. Aus dem ersten Satz in Dantes *Vita nuova (Das neue Leben).*

Das Fest des Königs

»›Des Königs Fest‹ ist schlechte Lektüre.« (Aus einem Brief von Marie Hesse an H. H. v. 15. 6. 1899; KuJ 2, 358)
Posilippo: Hügelzug aus Tuffstein südwestlich von Neapel.

Gespräch mit dem Stummen

Zu den beiden in diesem Monolog enthaltenen Märchen vgl. H. Hs. Gedicht *Moritat* (»Ein Ritter und sein Knappe . . .«), e 1901/02.

An Frau Gertrud

Gertrud: Vgl. *Der Inseltraum.* »Geschrieben habe ich fast nichts, als einige Gespräche mit Maria, und einige mit ›Frau Gertrud‹. Diese beiden Frauen beschäftigen meine Dichterpläne, – beide haben durch Schönheit und seltene Eigenart mich beeinflußt und vielfach bewegt. Beide waren lange in meinen Träumen, eine stark, vornehm, von ruhig kräftiger Art, die andere blaß, schmalhändig, mir durch die Liebe zu Chopin verwandt. Und beide, in allem fast Gegensätze, haben für mich etwas von der Schönheit und Bedeutsamkeit der Beatrice Dantes.« (Aus einem Brief an Helene Voigt-Diederichs v. 23. 6. 1898; KuJ 2, 269) – G. Kirchhoff bemerkt dazu ebenda: »Maria und Frau Gertrud waren wohl Traumgestalten. Briefe von Carl Hammelehle, z. B. vom 3. 1. 1898 (Original im Literaturarchiv, Marbach) weisen darauf hin. Da ist die Rede von H. H. als ›romantischen Dichter und Einsamen, der heimlich Wache hält, daß nichts Unsauberes eingeht in sein Wunderland der Träume‹.«

Notturno

»Ein mehr mythisch-romantisches Nebenstück« (Ch. I. Schneider, *Das Todesproblem bei Hermann Hesse*. Marburg 1973, S. 141) zum *Fest des Königs*. – »Dem Mangel an Erfindungsgabe ist es wohl anzurechnen, daß der Abschnitt ›Notturno‹ eine erzählende Wiedergabe von Böcklins Toteninsel darstellt [...]« (Hans Rudolf Schmid, *Hermann Hesse*. Frauenfeld, Leipzig 1928, S. 30).

Der Traum vom Ährenfeld

Vgl. dazu das Gedicht *Sommerwanderung* (»Weites, goldenes Ährenmeer ...«), e zwischen 1903 und 1910; auch hier wird das Ährenfeld als Bild der Seele gesehen.

Hinterlassene Schriften und Gedichte von Hermann Lauscher.
Herausgegeben von Hermann Hesse

Basel: R. Reich Buchhandlung, vormals C. Detloff 1901. – Düsseldorf: Verlag der Rheinlande 1907 (um *Lulu* und *Schlaflose Nächte* erweitert). – GS 1, 92–215; GW 1, 216–339, beide ohne *Letzte Gedichte*.

»Der Name Hermann Lauscher tritt mit der vorliegenden Publikation zum erstenmal in die Öffentlichkeit. Lauschers Dichtungen, unter fremdem Namen im Druck erschienen, sind einem bestimmten engeren Leserkreise wohlbekannt. Leider hat der verstorbene Dichter mir verboten, sein Geheimnis preiszugeben und seine früher gedruckten Schriften ihm zu vindizieren.« (Aus dem »Vorwort des Herausgebers«; GW 1, 216)

»›Hinterlassene Schriften und Gedichte von Hermann Lauscher‹ war der Titel einer kleinen Schrift, die ich Ende 1900 in Basel erscheinen ließ und in der ich pseudonym über meine damals zu einer Krise gediehenen Jünglingsträume abrechnete. Ich dachte damals, mit dem von mir erfundenen und totgesagten Lauscher meine eigenen Träume, soweit sie mir abgetan schienen, einzusargen und zu begraben. Das Büchlein erschien, in kleinster Auflage, beinahe mit Ausschluß der Öffentlichkeit, und ist kaum über meinen Freundeskreis hinaus bekannt geworden.« (Aus der »Vorrede zu dieser Ausgabe«, e 1907; GW 1, 20–21)

»... wie denn der ›Lauscher‹ überhaupt ein Versuch war, mir ein Stück Welt und Wirklichkeit zu erobern und den Gefahren einer teils weltscheuen, teils hochmütigen Vereinsamung zu entgehen.« (Aus »Geleitwort« zu *Eine Stunde hinter Mitternacht*, e 1941; GW 11, 19–20)

Hermann Lauscher: »Hermann Lauscher steht für Hermann Hesse ... Er, der als Briefschreiber bekannte, ›nackte Konfessionen‹ zu verabscheuen, transponierte seine Selbsterfahrung in den Nachlaß des verstorbenen Hermann Lauscher. Zweimal wird Hesse als Mitspieler genannt. Im Kapitel ›Tagebuch 1900‹ bekennt er die Ähnlichkeit zwischen Herausgeber und Verfasser. Er nimmt noch eine dritte Gestalt hinzu, ein Vorbild, in dem Lauscher und Hesse sich treffen: Ludwig Tieck, den Romantiker, dem Hesse neben Novalis sich am verwandtesten gefühlt hat.« (H. Bender in »Nachwort« zu *Hermann Lauscher.* Stuttgart: Reclam 1974, S. 132)

Meine Kindheit

In der Erstausgabe ist 1895 als Entstehungsjahr angegeben; auf einer von ihm gemachten Abschrift *Hinterlassene Schriften und Gedichte* steht: »Geschrieben: Kindheit 1895/96« (Hesse-Nachlaß, Marbach a. N.); spätere Ausgaben nennen 1896 als Entstehungsjahr.

Wenn jetzt noch die Kindheit: Kindheitserinnerungen begleiten Hesse sein Leben lang. Noch in hohem Alter hat er seine Kindheit beschworen, etwa in *Der Bettler* (e 1948) und in *Unterbrochene Schulstunde* (e 1948).

Stadt [...], in der wir wohnten: Basel. Zu H. H. und Basel vgl. *Basler Erinnerungen* (KuJ 2, 614–618).

Schall der Orgel: Vgl. das Gedicht *Orgelspiel* (»Seufzend durchs Gewölbe zieht, und wieder dröhnend ...«).

dies älteste Bild von meinem Vater: »Als Hermann Hesse seine im Jahr 1916 aufgezeichnete Erinnerung an das Begräbnis seines Vaters als Sonderdruck [Hermann und Adele Hesse, *Zum Gedächtnis unseres Vaters.* Tübingen 1930; auch GW 10, 121–133] erscheinen ließ, gab er diesem ein Nachwort mit. Er entsann sich ›der vielen Seiten in meinen Büchern, auf welchen die Gestalt meines Vaters erscheint. Oft habe ich diese Gestalt nachzuzeichnen versucht, in ihrer zarten Reinheit und Ritterlichkeit, und auch noch in jenen Sätzen, in denen ich mich gegen diese Gestalt wehren und Kritik an ihr üben mußte, wird kein Leser die Ehrfurcht vermissen.‹ Unmittelbar und ohne dichterische Absichten habe er nur an zwei Stellen von seinem Vater gesprochen. Die Stellen sind: ›Meine Kindheit‹, geschrieben im Jahr 1896 (GS 1, Hermann Lauscher, S. 94 ff.), und ›Zum Gedächtnis‹ (GS 4, S. 475 f.). Das Versagen des Vaters hat H. H. in ›Kinderseele‹ geschildert (1919). GS 3, (›Klingsors letzter Sommer‹), S. 429 ff. ›[...] Er wußte ja alles! Und er ließ mich tanzen, ließ mich meine nutzlosen Kapriolen vollführen, wie man eine gefangene Maus in der Drahtfalle tanzen läßt, ehe man sie ersäuft. Ach, hätte er mir gleich zu Anfang, ohne mich überhaupt zu fragen und zu verhören, mit dem Stock über den Kopf gehauen, das wäre mir im Grunde lieber gewesen, als diese Ruhe und Gerechtigkeit, mit der er mich in meinem dummen Lügengespinst einkreiste und langsam erstickte.‹ Viel später hat er in der Erzählung ›Der Bettler‹ ein Bild des Vaters gezeichnet, kritisch – distanziert – liebend – ein Gendenkblatt.« (N. Hesse, KuJ 1, 553–554)

meiner Mutter: »Immer wieder hat er in seinen Büchern die Mutter geschildert – das ›glühend dunkeläugige, in Hingabe und Liebe unerschöpfliche, in Herzlichkeit und Werbung strahlende Wesen der Mutter‹ nennt er es im Gedenkblatt für Adele, 1949. Im ›Hermann Lauscher‹ (Meine Kindheit) beschreibt er die Erzählkunst seiner Mutter, in den ›Märchen‹ ist es ›Eine Traumfolge‹, in der ihr Bild erscheint (GS 3, S. 340). Nicht mehr individuell, sondern entrückt und distanziert erscheint ›die Mutter‹ in ›Demian‹ und ›Narziß und Goldmund‹.« (N. Hesse, KuJ 1, 559)

orbis pictus: Titel einer Bilderfibel von Joh. Amos Comenius (1658).
der Geburtstag einer kleinen Schwester: Marullas Geburtstag. Marulla Hesse, geb. 27. November 1880 in Calw, gest. 17. März 1953 in Korntal. »H. H. schrieb nach ihrem Tode den ›Nachruf für Marulla‹ [...] Schon in der frühen Jugend hatte H. H. beiden Schwestern [Adele und Marulla] Briefe geschrieben und Briefe von ihnen empfangen. Nach dem Tod der Mutter wurde der Briefwechsel mit den Schwestern intensiver und dauerte das ganze Leben lang. 1887, in Calw, hatte H. H. eine Erzählung ›Für Marulla‹ geschrieben: ›Die beiden Brüder‹.« (N. Hesse, KuJ 1, 572) – *Die beiden Brüder* ist enthalten in *Weihnacht mit zwei Kindergeschichten* (GW 8, 522–530); *Nachruf für Marulla* (GS 7, 927–935).
nur ein einziger Lehrer: Otto Bauer (1830–1899), Rektor der Göppinger Lateinschule.
Eingang der gelehrten Klosterpforte: Maulbronn.

Die Novembernacht. Eine Tübinger Erinnerung

e 1899. Auf die Titelseite einer eigenen Abschrift *Hinterlassene Schriften und Gedichte* schrieb H. H.: *Novembernacht 1900* (Hesse-Nachlaß, Marbach a. N.).
Tübingen: »Die Stadt gefällt mir wohl, besonders da ich nicht drin, sondern vor derselben draußen wohne. [H. H. wohnte während seiner ganzen Tübinger Zeit bei Frau Dekan Leopold, Herrenberger Straße 28.] Eng und winklig, mittelalterlich romantisch, voll Richterscher Bildchen, aber auch etwas dunstig und schmutzig. Das Schloß ist prächtig, vor allem der Ausblick vom Schloßberg, und die Alleen sind herrlich.« (Aus einem Brief an seine Eltern v. 19. bis 20. 10. 1895; KuJ 2, 20–21) »Von außen, besonders von meiner Straße aus, bietet die bucklige, altertümliche Stadt mit Schloß und Stiftskirche überhaupt einen reizenden Anblick, innen ist's eng und duster und jetzt beim Regen ist in mehreren Straßen, durch die ich gehen muß, ein Kot, gegen welchen der Platz vor dem Morofschen Haus in Calw

der reinste Parkettboden ist.« (Aus einem Brief an seine Eltern v. 23.
bis 27. 10. 1895; KuJ 2, 26) »Um mich zu heilen und weil ich in
Tübingen kein Genüge mehr fand, verließ ich Stadt und Stelle am
1. August [1899] in Freundschaft, nachdem ich für Herbst schon
eine Stelle bei Reich in Basel gefunden [...]« (Aus H. Hs. Notizen
in *Bagels Geschäftskalender* 1899, das sind Aufzeichnungen, in denen er wichtige Daten seines Lebens nachträglich registrierte. Erste
Eintragung: 24. 3. 1899; letzte Eintragung: Okt./Nov. 1902. KuJ 2,
384)

der Kandidat Otto Aber: cand. theol. in Tübingen. Vgl. KuJ 2, 175 u.
221.

Säbelwetzer: »It is impossible to say whether Säbelwetzer and Elenderle were the actual nicknames of two of Hesse's friends, or whether
Hesse himself coined these names.« (J. Mileck, Names and the creative
process. In: *Monatshefte.* Madison, Wisc., 53, 1961, 4, S. 168)

Elenderle: Paul Eberhardt, Mitzögling H. Hs. im Maulbronner Seminar, später Student in Tübingen, erschoß sich Anfang März 1898.
H. H. greift diese Begebenheit im *Tagebuch 1900,* in der Erzählung
Der Trauermarsch, e 1956, und im *Bericht an W. K,* e 1957, wieder
auf. Sie findet auch Erwähnung in einem Brief an Helene Voigt-Diederichs v. 8. 3. 1898 (KuJ 2, 243–244). Vgl. M. Pfeifer, Freitod in Tübingen. In: *Text + Kritik.* München, 1977, 10/11, S. 78–85.

cénacle: Anspielung auf den Tübinger Freundeskreis, von dem H. H.
in *Lulu* erzählt.

Lulu

e Februar bis Juni 1900. VZ 1906; VB *Hermann Lauscher* 1907. Ursprünglicher Titel: *Prinzessin Lilia.*

Lulu: Julie Hellmann, geb. 8. Mai 1878, gest. 8. Mai 1972 in Heilbronn, kam im Sommer 1899 zusammen mit ihrer Schwester Sophie
als Waise zu ihrem Vetter, dem Kronenwirt Müller in Kirchheim unter
Teck. Bis in ihr hohes Alter hinein hat sie die Erinnerung an jene
Kirchheimer Zeit – die Schikanen der Frau ihres Vetters und die
Zuneigung der Jugendfreunde, vor allem H. Hs. und Ludwig Finckhs –
in ihrem Gedächtnis lebendig erhalten. Hesse schrieb ihr aus Basel
etliche Briefe. 1918, als ihr die *Musik des Einsamen* in die Hände kam,
hat sie die briefliche Verbindung mit Hesse wieder aufgenommen; sie
bestand – mit Unterbrechungen – bis zu Hesses Tod. 1928 hatte sie
H. H. zum letztenmal gesehen. Vgl. auch: Julie Hellmann, *Erzählung aus der Hessezeit.* KuJ 2, 612–614. Ludwig Finckh hat 1950 in
seiner Erzählung *Verzauberung* jene Kirchheimer Tage noch einmal
beschworen.

E. T. A. Hoffmann: Vgl. dazu GW 11, 107, 132, 171, 184 f.; GW 12,
38, 134, 239 ff., 267 f.

1

Kirchheim: Kirchheim unter Teck, Stadt im Regierungsbezirk Nordwürttemberg.

Ludwig Ugel: Ludwig Finckh, geb. 21. 3. 1876 in Reutlingen, gest. 8. März 1964 in Gaienhofen. H. H. und Finckh lernten sich 1896 in Tübingen kennen. Nachdem Hesse sich 1904 in Gaienhofen niedergelassen hatte, folgte ihm Finckh dorthin.

Karl Hamelt: Karl Hammelehle, Ökonomensohn von der Rauhen Alb, Mitzögling in Maulbronn, Jurastudent in Tübingen, war später Rechtsanwalt in Stuttgart. H. H. charakterisierte ihn 1892 als »einen seltsamen Schwärmer, der mir nicht nahe steht, da wir uns in manchen Punkten widersprechen. Er ist hervorragend als Charakterkritiker [...] Er ist oft schwermütig, kämpft dann wütend und ist selten mit sich zufrieden, aber aus einem andern Grund als aus Pflichtgefühl.« (KuJ 1, 173–174) Im Deutschen Literaturarchiv Marbach a. N. befindet sich eine Reihe seiner Briefe aus den Jahren 1898 bis 1907.

Hexe Zischelgift: Diese Märchenfigur ist eine Anspielung auf Charakter und Verhalten der Kronenwirtin, der Frau von Julie Hellmanns Vetter.

Silberlied muß schweigen: Gedicht von H. H.

»Zur Königskrone«: Gastwirtschaft »Zur Krone« in Kirchheim.

Drehdichum: erfundene Gestalt.

petit cénacle: »Während der beiden letzten Tübinger Jahre schloß sich Hesse einem kleinen Freundeskreis an, der sich ›petit cénacle‹ nannte und zu dem außer ihm drei Studenten der Jurisprudenz gehörten. Einer davon ist Ludwig Finckh [...], Carlo Hammelehle [ist] der zweite [...] und Oskar Rupp [...] Später stoßen noch Schönig und Otto Erich Faber zu dem Kreis.« (B. Zeller, *Hermann Hesse.* Reinbek 1963, S. 39)

Pfarrvikar Wilhelm Wingolf: »Der Pfarrvikar im Lauscher ist zwar schon lange tot, aber er hat einmal wirklich gelebt und dem Lauscherkreis angehört, und die Verse [*Vollkommenheit, / Man sieht dich selten, aber heut!*] stammen wirklich von ihm.« (H. H., Postkarte an M. Pfeifer; Poststempel: Stuttgart, 30. 5. 1949, unveröffentlicht) H. H. hat den Namen Wingolf entlehnt. In Tübingen in der Gartenstraße 38 gab es damals das 1894 eingeweihte Haus der christlich-konservativen Studentenverbindung »Wingolf«. Tatsächlich handelt es sich um seinen Jugendfreund Schönig.

2

Erich Tänzer: Otto Erich Faber. »Dann ist Faber da, ein gewandter, eleganter, aber durchaus harmloser, naiver Kamerad, voll von Lust und Talent zum Mimen, von Respekt und Sarkasmen gegen die hohe Wissenschaft, dabei in Sachen der Kunst, besonders in Einzelheiten, ein Versteher und Kenner.« (Aus einem Brief an die Eltern v. April 1898; KuJ 2, 250) – »Kurz gesagt: es ist alles Fantasie und Dichtung – im

Sinn etwa E. Th. A. Hoffmanns. Die ›zweite Auflage‹ der Geschichte von Finckh kommt noch weniger in Frage. Sie ist ganz ex post gesehen und nicht historisch.« (Aus einem Brief von O. E. Faber an M. Pfeifer v. 15. 9. 1951, unveröffentlicht)
Frau Müller: Kronenwirtin in Kirchheim u. T.

3
Ich weiß einen alten Reigen: Gedicht von H. H.

4
Regierungsreferendar Oskar Ripplein: Oskar Rupp, »ein ruhiger, sehr fleißiger, abgeklärter Mensch; er hört mehr zu, als er spricht, und fehlt einem doch, wenn er nicht da ist«. (KuJ 2, 221) Rupp starb als Landrat a. D. in Korntal.

5
Aller Friede senkt sich nieder: Gedicht von H. H.
O Brünnlein unterm Laube, du feiner Silberquell: Gedicht von Ludwig Finckh.
Der müde Sommer senkt das Haupt: Gedicht von H. H.
Mein Vater hat viele Schlösser: Gedicht von H. H.

6
Pandekten: Hauptteil des *Corpus iuris civilis,* der Sammlung römischen Rechts, die Kaiser Justinian 528–534 zusammenstellen ließ.
Herrin, wirst du lachen müssen: Gedicht von H. H.
Ich stehe hier und harre: Gedicht von H. H.
Die Fürstin heißt Elisabeth: Gedicht von Ludwig Finckh.
Ich will mich tief verneigen: Gedicht von H. H.

8
Ein König lag in Banden: Gedicht von H. H.

Schlaflose Nächte

Teil von *Der Dichter. Ein Buch der Sehnsucht.* Autograph im Hesse-Nachlaß, Marbach a. N. e 1901. VB. *Hermann Lauscher* 1907.
Maria: Bereits in den *Romantischen Liedern* hat H. H. fünf Marien-Lieder veröffentlicht. Zwei weitere Marienlieder stehen im *Lauscher*-Buch; diese beiden und ein weiteres im Band *Gedichte.* Vgl. Stichwort *Gertrud* in *An Frau Gertrud* der *Stunde hinter Mitternacht.*
Hermes Trismegistos: [griech. »Hermes, der dreimal Größte«] griechische Benennung des ägyptischen Gottes Thot, der als Urheber aller Bildung, Künste und Wissenschaften galt.
Salzfaß des Cellini: Benvenuto Cellini (1500–1571), italienischer Goldschmied und Bildhauer. Von seinen Goldschmiedearbeiten ist das überreich geschmückte Salzfaß für König Franz I. erhalten.
Rossetti: Gabriel Charles Rossetti (1828–1882), englischer Maler und

Dichter, gehörte der von ihm mitbegründeten Gemeinschaft der Präraffaeliten an. Er malte weibliche Gestalten und Köpfe in Darstellungen aus der Bibel und aus Dichtungen.

Jugendflucht: Vgl. dazu das Gedicht mit dieser Überschrift (»Der
müde Sommer senkt das Haupt ...«) in *Romantische Lieder* und –
ohne Überschrift – in *Lulu,* Kapitel 5.

Wir wollen ihnen [...] *rufen:* »rufen« mit Dativ wird vor allem in
Süddeutschland und in der Schweiz gebraucht.

Das war im Kloster: Gemeint ist Maulbronn.

Freund Wilhelm: Wilhelm Lang (1876–1938), besuchte 1891–1895 die
Seminare Maulbronn und Blaubeuren, studierte an der Universität
Tübingen, promovierte in Botanik, kam an die Württembergische Lan-
desanstalt für Pflanzenschutz, wurde deren Leiter und am Botanischen
Institut der Landwirtschaftlichen Hochschule Hohenheim Professor.
»Meine Bekannten, die Studenten sind, sind zu beschäftigt mit Studieren und Kommersieren, als daß sie mich aufsuchen könnten. Nicht so
mein lieber Lang, der mit rührender Aufmerksamkeit sich jede Woche einen Abend (meist freitags) im Stift losmacht und den weiten Weg
zu mir kommt, um bis 10 Uhr auf meiner Bude zu bleiben. Ich rechne
das ihm hoch an, besonders da er Fuchs und Stiftler ist.« (Aus einem
Brief an seine Eltern v. 20. 11. 1895; KuJ 2, 34)

Bern: H. H. war am 14. November 1900 mit seinem Kollegen Sche-
helig in Bern. Über seine Eindrücke berichtet er in einem Brief an seine
Eltern v. 18. 11. 1900 (KuJ 2, 508).

Elise: Siehe *Der Inseltraum* und *Albumblatt für Elise* in *Eine Stunde
hinter Mitternacht.*

Lilia: Siehe *Lulu.* Diese Erzählung sollte ursprünglich *Prinzessin Lilia*
heißen.

Eleonor: Vgl. dazu das Gedicht *Eleanor* (»Herbstabende erinnern mich
an dich ...«), e 1895–1898.

Beatrice: die von Dante in seinen Dichtungen verklärte Jugendge-
liebte.

Nausikaa: In der *Odyssee* die Tochter des Phäakenkönigs Alkinoos,
die den schiffbrüchigen Odysseus am Strand trifft und ins Haus ihres
Vaters führt.

Donatello: eigentlich Donato di Niccolo di Betto Bardi (1386–1466),
italienischer Bildhauer.

Tagebuch 1900

Auf die Titelseite einer eigenen Abschrift *Hinterlassene Schriften und
Gedichte* (Hesse-Nachlaß, Marbach a. N.) schrieb H. H.: »Tagebuch
Sommer 1900«. »In den paar Seiten ›Tagebuch‹ steht schon alles ausgesprochen, was ich nachher noch 30 Jahre lang weiter zu formulieren versucht habe, ohne doch viel weiter zu kommen.« (H. H. in
einem Widmungsexemplar des *Lauscher* für Hans C. Bodmer, 1931;

zit. nach S. Unseld, *Hermann Hesse, eine Werkgeschichte.* Frankfurt a. M. 1973, S. 14)

Tolstois »Auferstehung«: »Bei jeder Durchsicht des ›Lauscher‹ sind mir im Lauf der Jahre Stellen aufgefallen, die ich gern gestrichen oder geändert hätte, zum Beispiel jene jugendlich-hochfahrenden, törichten Worte über Tolstoi am Anfang des Tagebuches. Es schien mir jedoch nicht erlaubt, mein eigenes Jugendbildnis nachträglich umzufälschen.« (Aus dem »Geleitwort« zu *Hermann Lauscher* 1933; GW 11, 23)

Riehenhof: Das ist der Wenkenhof in Riehen bei Basel, das Landhaus von Dr. Rudolf Wackernagel. »Ich war viel spazieren und sonntags immer auswärts, gewöhnlich im Wenkenhof bei Riehen, wo ich immer die freundlichste Aufnahme und einen Stuhl am Abendtisch für mich bereit finde, auch etwa ein Bett zum Übernachten.« (Aus einem Brief an seine Eltern v. 13. 5. 1900; KuJ 2, 464) Vgl. *Wenkenhof. Eine romantische Jugenddichtung.*

Doktor Nagel: Dr. Rudolf Wackernagel (1855–1925), Staatsarchivar.

Fritz Burger: H. H. lernte ihn im Hause Wackernagel kennen.

Sag nicht, daß du mich liebst: Strophe 2 des Heineschen Gedichts *In meiner Erinnrung erblühen* ... (*Neuer Frühling,* 30).

Axenstein: Am 15. und 16. April 1900 war H. H. mit Ludwig Finckh am Vierwaldstätter See. Vom 15. bis 24 Juli 1900 hielt sich Hesse wieder am Vierwaldstätter See auf.

Elisabeth. Ich traf sie im Garten: »[...] Elisabeth, die mich zu halber Liebe reizt, deren sehr wahre Schilderung ›Lauschers Tagebuch‹ enthält.« (Aus H. Hs. Notizen in *Bagels Geschäftskalender* 1899, Eintragung vom 5. 2. 1901; KuJ 2, 524) Am 19. 5. 1900 traf H. H. Elisabeth La Roche im Haus von Dr. Rudolf Wackernagel.

Frau Dotkor: Elisabeth Wackernagel-Burckhardt, Frau von Dr. Rudolf Wackernagel.

Schopenhauer: »[...] Schopenhauer kenne ich fast gar nicht.« (Aus einem Brief an seine Eltern v. 14. und 15. Juni 1896; KuJ 2, 117) – »Um zu wissen, wie ich zu Schopenhauer stehe, müßte ich ihn erst wieder einmal lesen, was ich seit 10 Jahren nicht mehr getan habe. Damals las ich die ›Welt als Wille und Vorstellung‹ mit hohem Genuß.« (Aus einem Brief an Hugo Busch v. 6. 12. 1917; GB 1, 364).

Den Cäsarius hab ich zu Ende: »Eben las und übersetzte ich folgendes Stück aus dem *dialogus miraculorum* des Heisterbacher Mönchs Caesarius: de domino Gerardo Abbate etc.« (Aus einem Brief an seine Eltern vom 1. 2. 1900; KuJ 2, 442) – Vgl. H. H., Cäsarius von Heisterbach. In: *März.* München. 2, 1908, III, S. 33–39; auch GW 12, 62–69. Übersetzungen aus dem *Dialogus Miraculorum* veröffentlichte H. H. 1908, 1921 und 1925.

Vitznau: H. H. ist von Ende August bis etwa Mitte Sepetmber 1900 in Vitznau.

Buochser See: Teil des Vierwaldstätter Sees bei Buoch, einem Dorf und Kurort im Kanton Nidwalden.

Plato: In Vitznau liest H. H. Platos *Gorgias; Phaidon* und das *Gastmahl* kannte er schon. (KuJ 2, 489)

Bölsche: Wilhelm Bölsche (1861–1939), Schriftsteller, schrieb Romane und volkstümliche naturkundliche Schriften. Weitere Äußerungen H. Hs. über ihn sind nicht bekannt.

Hesse: Feststellung der geistigen Identität zwischen Lauscher und H. H.

Jugendfreund Elenderle: Siehe *Die Novembernacht* in *Hinterlassene Schriften und Gedichte von Hermann Lauscher.*

Letzte Gedichte (Sommer und Herbst 1900)

Auf die Titelseite seiner eigenen Abschrift *Hinterlassene Schriften und Gedichte von Hermann Lauscher* (Hesse-Nachlaß, Marbach a. N.) schrieb H. H.: *Gedichte 1899/01.* GS 5 enthält diese 10 Gedichte.

Peter Camenzind

Berlin: S. Fischer 1904. – GS 1, 217–372; GW 1, 341–496.

Seit der Aufnahme in die *Gesammelten Werke* von 1925 als »Erzählung«, in den *Gesammelten Werken* seit 1950 und in der Ausgabe des Aufbau-Verlags als »Roman« bezeichnet. Zunächst »Meinem Freund Ludwig Finckh«, seit 1942 »Fritz und Alice Leuthold gewidmet«.

Erste Studien in Vitznau am 29. 8. 1900. Anfang 1902 beginnt H. H. mit der Niederschrift des *Peter Camenzind.* Ende 1902 empfiehlt der Schweizer Heimatschriftsteller Paul Ilg, der weder zu den Autoren des S. Fischer Verlags gehört, noch H. H. persönlich kennt, dem S. Fischer Verlag das Bändchen *Hinterlassene Schriften und Gedichte von Hermann Lauscher.* Samuel Fischer ist insbesondere von den Gedichten beeindruckt und fordert H. H. auf, neuere Arbeiten einzureichen. Am 2. 2 1903 antwortet H. H., er könne Fischer im Augenblick nichts schicken, doch verspreche er, ihm »eine kleinere Prosadichtung« einzusenden, an der er seit Jahren arbeite. Am 9. 5. schreibt Fischer an H. H., er erwarte das angekündigte Manuskript »mit Spannung«; am 18. 5. hat er es bereits gelesen. Am 9. 6. wird ein Verlagsvertrag über das Buch geschlossen. Vom September bis November erscheint das um ein Fünftel gekürzte Werk in drei Heften der *Neuen Rundschau.* Die Buchausgabe kommt am 15. 2. 1904 heraus. Im Herbst erhält H. H. für *Peter Camenzind* den Wiener Bauernfeld-Preis. Das Manuskript der Kapitel 3 bis 6 (70 S.) befindet sich in der Hesse-Sammlung von Frau Lene Gundert, Korntal.

»Ich bin sehr fleißig und habe unter anderem eine Dichtung begonnen, welche alles umfassen soll, was an Natur, Kunst, Freude, Liebe,

Musik und Ironie auf Erden lebt.« (Aus einem Brief an Rudolf Wak-
kernagel v. 3. 10. 1900; KuJ 2, 498)

»Seit fast einem Jahr arbeite ich an einem Roman, der, wenn er im bisherigen Tempo fortschreitet, vielleicht in 10 bis 12 Jahren fertig sein
kann.« (Aus einem Brief an Rudolf Wackernagel v. 19. 10. 1902;
GB 1, 91)

»Peter Camenzinds Unzufriedenheit und Sehnsucht richtet sich nicht
auf die politischen Verhältnisse, sondern teils auf die eigene Person,
von welcher er mehr verlangt, als sie vermutlich wird leisten können,
teils auf die Gesellschaft, an der er auf jugendliche Weise Kritik übt.
Die Welt und Menschheit, die er allerdings kennen zu lernen noch
wenig Gelegenheit hatte, ist ihm zu satt, zu selbstzufrieden, zu glatt
und normiert, er möchte freier, heftiger, schöner, edler leben als sie,
er fühlt sich zu ihr von Anfang an im Gegensatz, ohne eigentlich zu
merken, wie sehr sie ihn doch lockt und anzieht.

Da er Lyriker ist, wendet er sich in seinem unerfüllten und unerfüll-
baren Verlangen der Natur zu, er liebt sie mit der Leidenschaft und
Andacht des Künstlers, er findet zeitweise bei ihr, in der Hingabe an
Landschaft, Atmosphäre und Jahreszeiten eine Zuflucht, einen Ort
der Verehrung, Andacht und Erhebung.

Darin nun ist er [...] durchaus ein Kind seiner Zeit, der Zeit um
1900, der Zeit der ›Wandervögel‹ und Jugendbewegungen. Er strebt
von der Welt und Gesellschaft zur Natur zurück, er wiederholt im
kleinen die halb tapfere, halb sentimentale Revolte Rousseaus, er wird
auf diesem Wege zum Dichter.

Aber, und das ist wohl das unterscheidende Merkmal dieses jugendlichen Buches, er gehört dennoch nicht zu den Wandervögeln und
Jugendgemeinschaften, im Gegenteil, nirgends würde er schlechter
eingeordnet sein, als in diesen teils treuherzig-biederen, teils lärmend
selbstbewußten Gruppen und Bünden, die bei Lagerfeuern entweder
Gitarre spielen oder die Nächte hindurch disputieren. Sein Ziel und
Ideal ist es nicht, Bruder in einem Bunde, Mitwisser in einer Ver-
schwörung, Stimme in einem Chor zu sein. Sondern statt Gemeinschaft, Kameraderie und Einordnung sucht er das Gegenteil, er will
nicht den Weg vieler, sondern eigensinnig nur seinen eigenen Weg
gehen, er will nicht mitlaufen und sich anpassen, sondern in seiner
eigenen Seele Natur und Welt spiegeln und in neuen Bildern erleben.
Er ist nicht für das Leben im Kollektiv geschaffen, er ist ein einsamer
König in einem von ihm selbstgeschaffenen Traumreich.

Ich glaube, hier haben wir den Anfang des roten Fadens gefunden,
der durch mein ganzes Werk geht. Ich bin zwar nicht bei der etwas
kauzigen Eremitenhaltung Camenzinds geblieben, ich habe mich im
Lauf meiner Entwicklung den Problemen der Zeit nicht entzogen und
nie, wie meine politischen Kritiker meinen, im elfenbeinernen Turm
gelebt – aber das erste und brennendste meiner Probleme war nie der

Staat, die Gesellschaft oder die Kirche, sondern der einzelne Mensch, die Persönlichkeit, das einmalige, nicht normierte Individuum.« (Aus *Über ›Peter Camenzind‹. Gruß an die französischen Studenten zum Thema der diesjährigen Agrégation*, e 1951; GW 11, 25–26)
Camenzind: In der Reiseschilderung *Am Gotthard*, e Jan./Febr. 1905 (GS 3, 913–918), erwähnt H. H. einen Kolumban Camenzind als ehemaligen Wirt der »Krone« in Andermatt.

1
Im Anfang war der Mythus: Anspielung auf Joh. 1, 1.
Flühe (od. Fluh): [schweiz. für] Fels(wand).
Rüfe: [schweiz. für] Erdrutsch, Steinlawine; Plural: die Rüfen od. die Rüfenen.
Nimikon: »Hesse wählte die deutsche Schweiz zum Schauplatz. Das ergab sich aus seinem Aufenthalt in diesem Lande, insbesondere aus der Tatsache, daß seine Landschaftserlebnisse, die er schildern wollte, mit der Alpenszenerie und den Bergseen verbunden waren. Bei allem Wechsel der Örtlichkeiten erzeugte dieser geographische Raum doch eine stimmungsmäßige Einheit und eine gewisse poetische ›Dichte‹. Außerdem gewann seine Geschichte an Überzeugungskraft. Denn gerade die Schweiz hatte ähnliche Gestalten wie Camenzind bereits hervorgebracht. So stammte der Dichter Heinrich Leuthold, der Sohn eines Sennhirten, aus einem Dorf des Kantons Zürich. Unter Entbehrungen hatte er sich den Weg zum Universitätsstudium erkämpft. Auch ihm war das poetische Talent zum Verhängnis geworden. Er zog nach Italien, geriet auf die Bahn der Boheme und des Journalismus und litt stets schmerzlich unter der Einsamkeit und der fragwürdigen Stellung des Künstlers in der kapitalistischen Gesellschaft. Welch frappante Parallele zu Camenzind! Im Jahre 1910 rezensierte dann Hesse Leutholds Gedichte und schrieb 1922 ein Vorwort zu der Leuthold-Auswahl ›Der schwermütige Musikant‹. Vielleicht hat Leutholds Geburtsort Wetzikon gar zu der Bildung des Dorfnamens ›Nimikon‹ geregt.« (F. Böttger, *Hermann Hesse.* Berlin 1974, S. 99–100) – »Er [H. H.] entdeckt die Camenzinds in einem Dorf, das von Camenzinds voll steckt. Nimikon nennt er das Dorf, Gersau [im Kanton Schwyz am Nordufer des Vierwaldstätter Sees] muß wohl das Vorbild sein.« (W. Bürgi, Zum Hermann-Hesse-Jahr: »Peter Camenzind«. In: *Luzerner Neueste Nachrichten.* 3. 8. 1977) – Die Parallelität zur Namensgebung Kellers – Seldwyla – ist unverkennbar.
Oheim Konrad: erfundene Gestalt.
Bäcker Füßli: erfundene Gestalt.
der Beck: Kurzform für Bäcker; hier Spitzname des Sohnes vom Bäcker Füßli.
Weidling: [südwestdeutsch für] Fischerkahn.
Nemesis: griechische Göttin, die als Wahrerin des rechten Maßes, aber auch als Rächerin des Frevels galt.

Herakles: Dieser berühmteste Held der griechischen Sage verrichtete im Dienste des Königs Eurysteus die Taten, die unter dem Namen »Die zwölf Arbeiten des Herakles« bekannt sind: Herakles erlegte den Nemeischen Löwen, die Lernäische Schlange, er jagte die Kerynitische Hirschkuh, fing den Erymanthischen Eber, reinigte in einem Tage die Ställe des Königs Augias von Elis, tötete die stymphalischen Vögel, bändigte den kretischen Stier, brachte die menschenfressenden Rosse des thrakischen Königs Diomedes zu Eurystheus, erwarb für Admete, die Tochter des Eurystheus, den Gürtel der Amazonenkönigin Hippolyte, holte die Rinder des Geryon, erwarb die goldenen Äpfel der Hesperiden und führte den Höllenhund Kerberos aus der Unterwelt.

Bise: Nordostwind.

Steinbrech: Saxifraga, Pflanzengattung der Steinbrechgewächse, meist niedrige Stauden mit strahligen Blüten und zweifächeriger Kapsel.

Phäaken: In Homers *Odyssee* glücklich und sorglos lebendes Seefahrervolk auf der Insel Scheria (angeblich Korfu); [übertragen für] sorglose Genießer.

Welsdörfer Klöster: Ort nicht nachweisbar. Anklang an welsch = fremdländisch. Der Pater lehrt Peter Camenzind »das welsche Zeug« (»Lateinisch, biblische Geschichte, Botanik und Geographie«).

viri illustres: [lat.] berühmte Männer. H. H. gehörte in Göppingen und Maulbronn zu den besten Lateinern seines Jahrgangs; auch später gebrauchte er noch gern lateinische Floskeln.

die Unfähigkeit, mit Geld zu wirtschaften: H. H. bezeugt diese Unfähigkeit seines Vaters in der Erzählung *Der Bettler* (GE 4, 233–251).

Kaspar Hauri: erfundene Gestalt; ihr Name erinnert an Kaspar Hauser.

Rösi Girtanner: erfundene Gestalt.

Heines »Buch der Lieder«: »Ich will einen eigenen Brief benutzen, um Dir die eigenartigste, einflußreichste Gestalt der Literatur seit Goethes Tod zu zeigen. Du weißt wohl, wen? Heinrich (od. Harry) Heine. Ich bekämpfe den moralischen schlimmen Einfluß dieses Genies, ich wünschte fest, er hätte nie gedichtet, aber hassen, hassen im Herzen kann ich ihn nicht; lese ich seine Lieder, so umstrickt mich wunderbar ein buntes Zaubernetz mit geheimem Bann [...]« (Aus einem Brief an Theodor Rümelin, vor dem 7. 2. 1895; KuJ 1, 429–430) – »Ihr telegraphischer Gruß hat mich gefreut und berührt, ich sage Ihnen dafür schönen Dank und dachte der Zeiten um 1895, wo ich den gegen meines Vaters Verbot erworbenen Heine in einer Schublade hielt (wo er später dennoch entdeckt und konfisziert wurde) und von seinen Versen, von der Harzreise, vom Buch Le Grand ganz berauscht war [...]« (Aus einem Brief an den Heinrich-Heine-Bund vom 9. 7. 1947; AB 237–238)

Chemisette: gestärkte Hemdbrust an Frack- und Smokinghemden.

Lenau, Schiller, dann Goethe und Shakespeare: Solche Leseerlebnisse rühren aus H. Hs. Maulbronner und Cannstatter Zeit her. »Aber die Rechnungen sind enorm, er hat sich Goethe, Lenau, Heine und einen Haufen Belletristisches angeschafft [...]« (Aus einem Brief Marie Hesses an Adele Hesse vom 1. 8. 1893; KuJ 1, 384)

Hefte mit Versen, Entwürfen und kleinen Erzählungen: Von H. H. sind solche Hefte noch erhalten, etwa *Plauderabende* (1897).

Gottfried Keller: »Ich verbummle mein bißchen Zeit im Baselland oder in den Basler Kirchen und Sammlungen, und wenn ich lese, so ist's Gottfried Keller oder was Kunstgeschichtliches.« (Aus einem Brief an Eugen Diederichs v. 5. 11. 1899; KuJ 1, 63)

2

Mädchenbildnis aus der Familie der Fugger: Bislang konnte noch nicht ermittelt werden, um welches Bild es sich handelt. Von H. Hs. erstem Aufenthalt in München, Anfang März 1899, ist jedoch bekannt, daß er mit dem Besuch einer Ausstellung der Sezession verbunden war.

juchezen: (od. juchzen) [Nebenform von] jauchzen.

Donquichotterie: H. H. verwendet den Vergleich mit dem Helden des Cervantes auch später häufig, und zwar in zweierlei Sinn: bezogen auf sein eigenes Tun, etwa: »Ich habe auch meinen Weg und meine Wandlungen hinter mir. Es ist vielleicht der Weg eines Don Quichote, jedenfalls ist es der eines Leidens und Sichverantwortlichwissens, er hat mir ein sehr empfindliches Gewissen gegeben [...]« (Aus einem Brief an R. J. Humm vom März 1933; PdG 480); mit abwertendem Bezug auf andere, etwa: »Meint Ihr Mitarbeiter, der Verleger hätte, bloß der Gebärde wegen, Buch und Autorin preisgeben, das Buch verbieten und eventuell sich selber ins Konzentrationslager bringen sollen? Vom Auslande her sind solche Don Quichottesken Forderungen leicht und billig zu stellen.« (Aus einem Brief an Otto Kleiber v. 17. 1. 1935; PdG 530)

Homer: »Von den griechischen Dichtern ist es Homer, den ich am meisten liebe [..]« (1957. GW 12, 61) – »In der Hauptsache ist mein Plan, die antike Dichtung, in die mich jetzt Vergil einleitet, in großen Hauptzügen (Homer, Sophokles, Euripides – Vergil, Ovid) zu erfassen [...]« (Aus einem Brief an seine Eltern v. 27. 2. 1896; GB 1, 18) – Von seinem ersten selbstverdienten Geld hatte sich H. H. 1895 einen Gipsabguß des Hermes von Praxiteles gekauft und in seinem Zimmer in der Herrenberger Straße 28 in Tübingen aufgestellt.

Plato: Ende 1898 treibt H. H. erste Plato-Studien. Vgl. *Hermann Lauschers hinterlassene Schriften und Gedichte (Tagebuch 1900).*

die erste Bekanntschaft mit den alten [italienischen] Novellisten: Im Sommer 1903 schrieb H. H. an Cesco Como: »Auch sonst habe ich oft italienische Studien vor, in letzter Zeit übersetzte ich z. B. einige alte Novellen des Matteo Bandello.« (GB 1, 101. In der 1925 von H. H. herausgegebenen Sammlung *Merkwürdige Geschichten und Menschen* erschien auch ein Band *Die Geschichte von Romeo und Julie. Nach den italienischen Novellenerzählern Luigi da Porto und Matteo Bandello* [S. Fischer Verlag, Berlin].)

Kufe: [mundartlich für] Gefäß.

Absinth: Wermutbranntwein.

Jaß: schweizerisches und süddeutsches Kartenspiel mit 36 Blättern.

Kredenz: Anrichte, Anrichteschrank.

3

je und je: von H. H. auch später mit Vorliebe gebrauchte Wendung in Anlehnung an Luthers Bibeldeutsch 2. Mos. 4, 10; Ri. 2,13; Jer. 31,3.

Buckskin: [engl.] gewalkter, leicht gerauhter Herrenanzugstoff in Köper-, Diagonal- oder Fischgratbindung.

ich grüner Peter: Anspielung auf Kellers grünen Heinrich.

ich hatte in meinem Leben nie ein Instrument berührt: nicht autobiographisch. Zu seinem 9. Geburtstag hatte H. H. von seinen Eltern eine Geige bekommen. Im Dezember 1897 schenkte er sie seinem Bruder Hans. Am 2. Oktober 1898 schrieb er an Helene Diederichs: »Denken Sie! ich habe mir wieder eine Geige gekauft und stümpere glücklich darauf und bin froh an dieser harmlosen Art der Selbstbetrachtung und Vertiefung.« (GB 1, 43)

Richard: erfundene Gestalt.

Schroff: (Nebenform von Schroffen) Felsklippe.

Nietzsche: »Ich kenne ihn einigermaßen und im ganzen ist mir seine vornehme, ästhetische Art nicht zuwider, man kann bei ihm hie und da ein paar Züge Höhenluft genießen.« (Aus einem Brief an seinen Vater v. 25. 6. 1896; GB 1, 25)

Wagner: Im Brief an seinen Vater vom 15. 6. 1896 nennt H. H. Wagner den Lehrmeister Nietzsches.

»Dies Wort drang ihm in die Natur ...«: Aus Wilhelm Busch, *Die fromme Helene.*

Franz von Assisi: Siehe *Franz von Assisi.*

Erminia Aglietti: erfundene Gestalt.

Gorgonzola: nach einem Ort in Oberitalien benannter vollfetter Blauschimmelkäse.

der stummen Natur in Dichtungen Ausdruck zu gewähren: H. H. charakterisiert damit eigene Bemühungen in dieser Erzählung (Wolken, Föhn u. ä.). Vgl. Kap. 7: *eine größere Dichtung, in welcher überhaupt keine Menschengestalten auftreten.*

Fußwanderungen: Vgl. dazu die im Oktober 1905 entstandenen, u. d. T. *Eine Fußreise im Herbst* zusammengefaßten neun Schilderungen.

A rivederla: [ital.] Auf Wiedersehen!

A rivederci domani: [ital.] Auf Wiedersehen bis morgen!
öhmden: nachmähen.

4
Schopenhauer: »Schopenhauer kenne ich fast gar nicht.« (Aus einem
Brief an seinen Vater v. 15. 6. 1896; GB 1, 26) – Nach seiner Beschäf-
tigung mit Nietzsche fand H. H. über Schopenhauer den Weg zu
Jacob Burckhardt. (Vgl. M. Pfeifer, »Bildungskräfte im Leben Her-
mann Hesses« in *Wissenschaftliche Zeitschrift der Friedrich-Schiller-
Universität Jena*, 8, 1958/59, 4/5, S. 483–490.)
Buddha: Siehe *Siddhartha.* »Ich habe jahrelang Buddha verehrt.«
(Aus einem Brief an Alice Leuthold v. 26. 7. 1919; GB 1, 409)
Zarathustra: altiranischer Religionsstifter (um 630–um 553 v. Chr.)
und eine mit gleichem Namen versehene Figur, die Nietzsches Philo-
sophie vorträgt. Die Auseinandersetzung H. Hs. mit der Lehre
Zarathustras fällt in die Zeit des Ersten Weltkriegs. 1919 veröffentlichte er im Verlag Stämpfli & Cie., Bern, anonym die Schrift
*Zarathustras Wiederkehr. Ein Wort an die deutsche Jugend. Von
einem Deutschen.*
Zeus von Otrikoli: Otrikoli ist eine Gemeinde in der ital. Provinz Ter-
ni und der Fundort einer Zeusbüste (nach einem griech. Original des
4. Jh. v. Chr.), die sich heute in den Vatikanischen Museen befindet.
Tolstoi: H. H. hat Tolstoi zeitlebens geschätzt, er hielt ihn »für sehr
deutsch« (GB 1, 469)
präraffaelitische Ekstasen: Die Präraffaeliten (»Gemeinschaft der Präraffaeliten«, gegr. 1848) versuchten, der Kunst einen neuen Gehalt
zu geben; ihre mangelnde Gestaltungskraft läßt ihre Kunst oft sentimental übersteigert erscheinen.
Freundschaft zwischen Männern: In Hesses Dichtungen kommen
neben Knabenfreundschaften (Hans Giebenrath – Hermann Heilner;
Demian – Emil Sinclair) Männerfreundschaften des öfteren vor; die
bekanntesten sind Narziß und Goldmund, Josef Knecht und Plinio
Designori.
»Fromme Helene«: Dichtung von Wilhelm Busch.
Loreley: Name des kurz vor St. Goarshausen aus dem Rhein 132 m
hoch aufsteigenden Schieferfelsens. Die Sage von einer die Menschen
ins Verderben lockenden Zauberin Loreley, die durch Heines, von
Silcher vertontes Gedicht besonders bekannt geworden ist, gehört zu
den unechten Rheinsagen und ist vermutlich eine Erfindung Clemens
Brentanos (Ballade *Die Lore Lay,* 1802).
»Ziehet hin in Frieden!«: Mehrfach im Alten (2. Mos. 4, 18; 1. Sam.
1, 17; 2. Kön. 5, 19.) und im Neuen Testament (Mark. 5, 34; Luk.
7, 50; Apg. 16, 36.) vorkommende Wendung, von Luther »Gehe hin
mit Frieden« übersetzt.
Charade: (Scharade) Wort- und Silbenrätsel; das zu erratende Wort
ist in seine Silben zerlegt.

Pan: in der griechischen Mythologie meist ein Hirten- oder Weide-gott, besonders in Arkadien verehrt, dargestellt mit Bocksbeinen, -hörnern und -ohren und halbtierischem Gesicht. Pan galt als Erfinder der Syrinx (Panflöte) und Urheber plötzlicher und unerklärlicher (panischer) Schrecken.

Laudato si, misignore, per frate vento e per aere e nubilo e sereno et onne tempo!: Gepriesen seist du, o Herr, durch den Wind, unseren Bruder, auch durch die Luft und durch die Wolken und heitere und jegliche Witterung. (Übersetzung H. Hs., »wortgetreu verdeutschet«. In: H. H., *Franz von Assisi.* A. a. O. S. 75.)

Übername: Spitzname. In den Ausgaben von *Peter Camenzind* als »suhrkamp taschenbuch«, Band 161, fälschlich »Übernahme« geschrie-ben.

ihn als Führer nach Oberitalien zu begleiten: Seine erste Italienreise unternahm H. H. allein.

Fiale: (gotisches) Spitztürmchen.

jaloux: eifersüchtig, mißgünstig, neidisch. Französisch lernte H. H. in Maulbronn und Basel (GB 1, 63).

Palazzo Vecchio: burgartiger Profanbau mit schlankem Turm und schönem Säulenhof (1298–1314) in Florenz.

Bargello: das Nationalmuseum in Florenz, die bedeutendste Samm-lung italienischer Skulpturen.

Quattrocento: ([ital.] »vierhundert«, Abkürzung für 1400) italieni-sche Bezeichnung für das 15. Jh. und seinen Stil (Frührenaissance).

die ganze schäbige Lächerlichkeit der modernen Kultur: »[...] ich habe an ebendiesem Kulturjahrmarkt schon hundertmal meinen Spaß gehabt. Aber heute ist mir gerade nicht zum Lachen, nicht einmal zum Schelten«, heißt es in H. Hs. Betrachtung *Am Ende des Jahres* (GW 10, 7), e Dezember 1904. Im *Steppenwolf* nennt H. H. diese Kulturwelt einen Friedhof und berichtet von Tagen, »an denen uns, inmitten der zerstörten und von Aktiengesellschaften ausgesogenen Erde, die Menschenwelt und sogenannte Kultur in ihrem verlogenen und gemeinen blechernen Jahrmarktsglanz auf Schritt und Tritt wie ein Brechmittel entgegengrinst [...]« (GW 7, 206).

ertrank er beim Baden: Der Tod im Wasser ist ein von H. H. häufig gebrauchtes Motiv, Hans Giebenrath erleidet ihn in *Unterm Rad,* der Beamte Klein in *Klein und Wagner,* Josef Knecht im *Glasperlen-spiel.* Auch in *Siddhartha* und *Narziß und Goldmund* wird der Tod im Wasser erwähnt.

Nun sie eine um die andere mich verlassen hatten [...]: seltener Gebrauch von »nun« als subordinierende kausale Konjunktion.

5
Paris: »Nur ist das Berliner- und Parisertum ein wenig dünn und unerlebt ausgefallen. Gekannt hat Hesse vom internationalen Ge-triebe, als er den ›Camenzind‹ schrieb, nur jenen Ausschnitt, den man

mit einem Euphemismus Basler Boheme nennen könnte.« (Hugo Ball, *Hermann Hesse.* Berlin: S. Fischer 1927, S. 112)

einen starken Tobak rauchen: etwas Schlimmes tun.

Bois: [französisch] Wald. Bois de Boulogne: 850 ha großer Park englischen Stils mit künstlichen Seen im Westen von Paris.

sich das Leben zu nehmen: Vgl. M. Pfeifer, Freitod in Tübingen. In: *Text + Kritik.* München. 1977, 10/11, S. 78–85. Das Selbstmordproblem wird für H. H. in der *Steppenwolf*-Zeit wieder relevant.

daß der Tod unser kluger und guter Bruder ist: ein vor allem in H. Hs. Lyrik ausgeprägtes Motiv. Vgl. Chr. I. Schneider, *Das Todesproblem bei Hermann Hesse.* Marburg/Lahn: N. G. Elwert 1973 (Marburger Beiträge zur Germanistik. 38). *Bruder Tod* (»Auch zu mir kommst du einmal ...«) ist die Überschrift eines 1918 entstandenen Gedichts.

Cour d'amour: Liebeshof; bekannt durch Eleonore von Aquitanien (um 1122–1204), an den von ihr eingerichteten Liebeshöfen wurde über Probleme der Liebe gesprochen.

Ich übernachtete in Schlössern, in Mühlen, in Scheunen [...]: Das trifft auch auf Goldmund *(Narziß und Goldmund)* zu.

In Basel mietete ich eine Vorstadtbude: H. H. wohnte in Basel vom 16. 9. 1899 bis 13. 10. 1899 Eulerstraße 18, bis 17. 4. 1900 Holbeinstraße 21, bis 2. 5. 1901 Mostackerstraße 10, bis 25. 11. 1901 Burgfelder Straße 12, bis 31. 7. 1902 Stiftsgasse 5, bis 2. 1. 1903 Albanvorstadt 7, bis 29. 9. 1903 Feierabendstraße 37.

Er empfahl mich einem Gelehrten: Durch die Empfehlung seines Vaters lernte H. H. den Staatsarchivar und Historiker Dr. Rudolf Wackernagel kennen, in dessen gastfreundlichem Haus er bald lebhaften Verkehr mit mehreren Basler Familien, die alle der Universität nahestanden, erhielt und die meist jüngeren Gelehrten, so z. B. Joël, Wölfflin, Mez, Bertholet und Joh. Haller kennenlernte.

ein sehr schlankes, dunkles Mädchen, später *das schwarze junge Mädchen:* Elisabeth. Vgl. dazu »Hermann Hesse und Elisabeth«, nach unveröffentlichten Aufzeichnungen von Elisabeth La Roche (1876–1965), dargestellt von Marta Dietschy. In: *Basler Nachrichten* Nr. 425 v. 10. 10. 1971 (Sonntagsblatt): »Unmöglich konnte Elisabeth La Roche, die Ledige, selbst wenn sie damals den ›Camenzind‹ gelesen haben sollte, sich in dieser Familienmutter erkennen.« Vgl. Kommentar zu *Eine Stunde hinter Mitternacht (Der Inseltraum).*

Temperenz: Mäßigkeit (im Alkoholgenuß).

der Haeckelsche Monismus: Ernst Haeckel (1834–1919), zunächst Mediziner, 1862–1909 Professor der Zoologie in Jena, 1909 Gründer des dortigen Phyletischen Museums, stellte das Biogenetische Grundgesetz auf, kämpfte für Darwins Abstammungslehre und baute sie aus. In Erweiterung des Entwicklungsgedankens begründete er seinen Monismus, die Lehre, daß die Wirklichkeit auf ein einziges (geistiges

oder materielles) Prinzip zurückführbar sei. Der 1906 gegründete
Deutsche Monistenbund machte aus der Lehre Haeckels eine religions-
feindliche, aufklärerische Weltanschauung, die zur Freidenkerbewe-
gung führte.

Ich las den Simplizissimus: Am *Simplicissimus,* einer 1896 gegründeten Wochenschrift, arbeitet H. H. seit 1907 mit.

Dessinateur: Musterzeichner (im Textilgewerbe).

Brissago: nach dem Schweizer, am Lago Maggiore gelegenen Her-
stellungsort benannte Zigarrensorte.

Knopf: [umgangssprachlich für] Mensch.

der geschmacklose Heinesche Atlas: Das Gedicht Heines aus dem
Jahr 1823 lautet:

> »Ich unglücksel'ger Atlas! eine Welt,
> Die ganze Welt der Schmerzen, muß ich tragen,
> Ich trage Unerträgliches, und brechen
> Will mir das Herz im Leibe.
>
> Du stolzes Herz! du hast es ja gewollt!
> Du wolltest glücklich sein, unendlich glücklich
> Oder unendlich elend, stolzes Herz,
> Und jetzo bist du elend.«

homo socialis: Mensch mit ausgeprägtem Hang zur Gemeinschaft.

Vedute: naturgetreue Darstellung einer Landschaft.

San Clemente: Vgl. das zwischen 1899 und 1902 entstandene Gedicht
Die Zypressen von San Clemente (»Wir biegen flammend schlanke
Wipfel im Wind . . .«).

die schöne Segantiniwolke: Giovanni Segantini (1858–1899) malte
in der Schweiz Hochgebirgstäler mit arbeitenden Menschen und wei-
dendem Vieh; er entwickelte eine eigene, dem Neoimpressionismus ver-
wandte Technik, indem er ungemischte Farben in dicht nebeneinander
gesetzten Strichlagen auftrug.

der Mensch ist die Krone der Natur: Umformung der Redensart »Der
Mensch ist die Krone der Schöpfung«.

das wunderbare Wort vom »unaussprechlichen Seufzen« der Natur:
in Anlehnung an Röm 8, 26: »Der Geist selbst vertritt uns aufs beste
mit unaussprechlichem Seufzen.«

Camposanto: (in Italien) Friedhof.

Einsiedler in der thebaischen Wüste: Vgl. dazu H. Hs. *Drei Legenden
aus der Thebais* (*Der Feldteufel. Die süßen Brote. Die beiden Sünder*),
e 1907–1909, *Eine thebaische Legende* (auch u. d. T.: *Vater Daniel
und Daniel und das Kind*), e 1911, und *Der Beichtvater* (Lebenslauf
im *Glasperlenspiel*), e 1936.

Ludwig Richter: deutscher Maler und Zeichner (1803–1884).

Tizian: eigentlich Tiziano Vecelli(o) (gestorben 1576), italienischer
Maler, einer der Hauptmeister der Hochrenaissance.

Dante: Dante Alighieri (1265–1321), der größte Dichter Italiens. »Am ungernsten denke ich an Tasso oder gar an Dante, da ich fürchte, wenn ich sie beginne, werden sie mich in einen Wust neuer Studien verwickeln und mehr ablenken als vorbereiten.« (Aus einem Brief an seine Eltern v. 27. 2. 1896; GB 1, 17) – In einem Brief an Helene Voigt-Diederichs vom 23. 6. 1898 schreibt er »von der Schönheit und Bedeutsamkeit der Beatrice Dantes« (GB 1, 37). Zwischen 1895 und 1898 ist sein Gedicht *Ich habe den Fuß zu setzen* ... entstanden, das als Motto ein Wort Dantes trägt.

»seinen lieben Bruder, das Feuer«: aus dem *Sonnengesang.*

»seinen lieben Bruder, den Wein: im *Sonnengesang* wie in H. Hs. Übertragung nicht enthalten.

6

Elisabeth sei seit kurzem Braut: Elisabeth La Roche ist ledig geblieben.

Lorenzo Medici: Lorenzo I. (1449–1492), der Prächtige (il Magnifico), Stadtherr von Florenz, begabter Dichter.

selbander: [veraltet für] zu zweit.

Annunziata Nardini: erfundene Gestalt.

die heilige Klara: Siehe *Franz von Assisi.*

Arnolds »Leben der Altväter und anderer gottseliger Personen«: Gottfried Arnold (1666–1714), protestantischer Theologe, Anhänger des Pietismus, Dichter geistlicher Lieder; er schrieb eine *Unparteiische Kirchen- und Ketzerhistorie.*

Fiasko: [germanisch-italienisch] Flasche, (hier:) Trinkgefäß.

Perugino: eigentlich Pietro Vanucci (1445–1523), der bedeutendste Maler Umbriens vor Raffael, dessen Lehrer er war.

Matteo Spinelli: erfundene Gestalt; eine Assoziation H. Hs. zu dem italienischen Medailleur Niccolò Spinelli, genannt Fiorentino (1430–1514), ist nicht anzunehmen. Eine Anspielung auf Spinell in Thomas Manns Novelle *Tristan* ist sicherlich auszuschließen, da H. H. diese Novelle Manns nicht vor November 1903 gelesen haben kann.

»Poverino!«: [ital.] »Armer Kerl!«

7

Zola: Émile Zola (1840–1902), französischer Schriftsteller, dessen Werk zur frühen Lektüre H. Hs. gehört.

eine größere Dichtung, in welcher überhaupt keine Menschengestalten auftreten: H. H. erkennt frühzeitig, daß der Versuch literarischer Wirklichkeitsbewältigung ohne Einbeziehung des Menschen scheitern muß. »Für die Hauptfigur unseres Romans bedeutet dies, daß er eine entscheidende Wandlung seines Lebens erfährt: aus der Welt der ästhetisierenden Ideen und Probleme weg strebt er nun entschieden nach Teilhaberschaft an der Schicksalswelt seiner Mitmenschen, nach Teilhaberschaft vor allem am einfachen, unkomplizierten, naturverbundenen Dasein, wie es sich ihm zuerst überwältigend in Italien ofenbart.« Und »dies ist eigentlich erst die Erkenntnis, die aus dem wesentlich lyrischen Dichter Hesse den Epiker erwachsen läßt« (H. Stolte, *Hermann Hesse. Weltscheu und Lebensliebe.* Hamburg: Hansa-Verlag 1971, S. 38).

Handwerksburschenherbergen: Vgl. dazu die Gedichte *Landstreicher-herberge* (»Wie fremd und wunderlich ist das ...«), *Handwerksbur-schenpenne* (»Das Geld ist aus, die Flasche leer ...«), beide e zwischen 1899 und 1902, und *Handwerksburschenlied* (»Was rechte Wander-bursche sind ...«), bisher nur im *Simplicissimus* Nr. 19 v. 6. 8. 1906 veröffentlicht.

auf der Walze: auf Wanderschaft. – *Auf der Walze. Aus den Auf-zeichnungen eines wandernden Sattlergesellen,* e 1904, erschien in Prosa aus dem Nachlaß in den *Geschichten um Quorm.*

Durlach: Ort bei, seit 1938 Stadtteil von Karlsruhe.

Padrona: [italienische Bezeichnung für] Gebieterin, Wirtin, Haus-frau.

Straubingerlieder: Landstreicherlieder. Bruder Straubinger: [scherz-haft für] Landstreicher.

Agnes: Eine andere Agnes ist eine Figur in *Narziß und Goldmund.*

rief man ihr: Rufen ist ein Verb mit schwankender Rektion; vor allem süddeutsch und schweizerisch ist auch der Dativ noch ge-bräuchlich.

Stündler: einer, der regelmäßig an Gebets- oder Bibelstunden teil-nimmt.

Wie eine weiße Wolke ...: Drittes von vier Gedichten des *Elisabeth-* Zyklus. Der Neudruck des *Peter Camenzind* als Suhrkamp-Taschen-buch bringt die Verse wie in *Die Gedichte* (1942) und folgt damit dem Erstdruck in *Gedichte* (1902). Die Fassung in *Peter Camenzind* lautet (in Klammern Fassung *Gedichte*): V. 3: So licht (weiß) und schön und ferne; V. 8: Geht sie bei (in) dunkler Nacht; V. 9: Geht und erglänzt so selig (silbern).

Menotte: erfundene Gestalt.

Marietta: erfundene Gestalt.

Giangiacomo: erfundene Gestalt.

Boppi: erfundene Gestalt.

Pfründhaus: Altersheim oder Armenhaus.

die Seldwyler: Vgl. Gottfried Kellers Novellenzyklus *Die Leute von Seldwyla.*

Schmoller Pankraz: Titelfigur der Novelle Gottfried Kellers *Pankraz, der Schmoller.*

Albertus Zwiehan: Person aus der 2. Fassung des Romans *Der grüne Heinrich,* 3. Teil, 10. Kapitel: Der Schädel.

die gerechten Kammacher: Personen aus der Novelle Gottfried Kellers *Die drei gerechten Kammacher.*

Petrus Cunctator: Peter, der Zögerer.
Wertherische Gefühle: Weltschmerz aus hoffnungsloser Liebe.
Malice: boshafte Äußerung.
ars amandi: die Kunst zu lieben.
ars moriendi: die Kunst des Sterbens. Häufiger Titel alter Trostbücher.
Rütimann: erfundene Gestalt.
»Lueg, der Peter isch cho«: »Schau, der Peter ist da.«
mein etwas ins Feiste gediehener Adam: [humorvoller Ausdruck für] mein zu dick gewordener Körper.
Lisbeth: erfundene Gestalt.
Kuoni: erfundene Gestalt.
Cenzine: erfundene Gestalt.

Boccaccio

Berlin und Leipzig: Schuster & Loeffler (1904). (Die Dichtung. Hrsg. von Paul Remer. Band VII.) – An den Verlag gesandt am 4. 3. 1904, erschienen im April 1904. 4. Tsd. 1905, seither kein Nachdruck.
»Nach tagelangem Kopfzerbrechen glaube ich nun die beste Lösung der nicht leichten Boccaccio-Aufgabe gefunden zu haben: ich trage Bs. Leben u. eine kompakte Darstellung des Dekameron in Bs. Sprache, d. h. ungefähr im Stil des Dekameron vor. Die altmodisch-pikante Art ist mir vom vielen Übersetzen her ganz geläufig [...]« (Auf einer Postkarte an Paul Remer; in *Autographen,* Auktionskatalog J. A. Stargardt, Marburg, 13. 5. 1958, S. 27)
»Ich lese es nach Jahrzehnten, langsam wieder, der Zeit denkend, in der ich, etwas jugendlich-leichtfertig das Büchlein schrieb. Es war in Calw, 1903 bis 1904, einige Monate vor meiner ersten Heirat.« (Aus einem unveröffentlichten Brief an Wilhelm Theil vom Dezember 1957; Wilhelm-Theil-Nachlaß, Karl-Marx-Universität, Universitätsbibliothek, Leipzig, Zit. nach Mileck 161)
Vgl. *Einiges über Giovanni Boccaccio als Dichter des Dekameron,* e 1904, zuerst *Frankfurter Zeitung* v. 28. 5. 1904, GW 12, 74–86; *Nochmals Boccaccio* in *Neue Zürcher Zeitung* Nr. 293 v. 22. 10. 1904; ferner die zahlreichen bei Mileck nachgewiesenen Äußerungen H. Hs. über Boccaccio in seinen Buchbesprechungen.
Widmung an Maria Bernoulli, seine Braut. Der »Spaziergang im Mugnonetal« bei Florenz fand in der ersten Aprilhälfte 1903 während H. Hs. zweiter Italienreise statt.
Das Motto ist ein Zitat aus dem ersten Tag des *Dekameron.*
Rinascimento: Wiedergeburt, Renaissance.
Niccolò Acciaiuoli: (1310–1365), florentinischer Adliger.
Ghirlandajo: Domenico Ghirlandajo (1449–1494), florentinischer Ma-

ler, schuf Tafelbilder und monumentale Freskomalereien, u. a. im Chor von Santa Maria Novella 1486–1490.

Millais: John Everett Millais (1829–1896), englischer Maler aus der Bruderschaft der Präraffaeliten.

Keats: John Keats (1795–1821), englischer Dichter. Die »Schöne Dichtung« ist seine 1818/19 geschriebene Verserzählung, in der er Boccaccios Geschichte von Isabella aufgriff.

Franz von Assisi

Berlin und Leipzig: Schuster & Loeffler (1904). (Die Dichtung. Hrsg. von Paul Remer. Band XIII.) – Geschrieben April/Mai, erschienen im Herbst 1904. 5. Tsd. o. J. (vermutl. 1905), seither kein Nachdruck.

»Lange wünschte ich, den heiligen Franziskus poetisch zu behandeln, doch ist dies unmöglich, da seine lichte Erscheinung selbst eine reine, süße Dichtung ist, an der ich nichts verderben darf.« (Aus einem Brief an Karl Ernst Knodt v. 7. 11. 1902; GB 1, 92)

»Franz von Assisi ist wenig später als Boccaccio geschrieben, beide in Calw in den Monaten vor meiner Heirat und dem Umzug nach Gaienhofen.« (Aus einem unveröffentlichten Brief an Joseph Mileck vom April 1962; Mileck 162)

»Boccaccio und Fr. v. Assisi, kleine Anfängerarbeiten, sind belanglos, aber auch sehr selten.« (Aus einem unveröffentlichten Brief an Martin Pfeifer v. 21. 11. 1949)

Der *Blütenkranz des heiligen Franziskus von Assisi* (die ältesten Legenden um Franz von Assisi), übersetzt von Otto v. Taube, erschien 1905 im Eugen Diederichs Verlag, Jena. H. H. hat dieses Buch in der *Neuen Zürcher Zeitung* Nr. 140 v. 21. 5. 1905 *(Franz von Assisi und die »Fioretti«)* und in der Zeitschrift *Propyläen*, München, am 2. 6. 1905 *(Der Blütenkranz des heiligen Franz von Assisi)* besprochen und 1920 in *Velhagen & Klasings Monatsheften* eine Betrachtung *Aus der Kindheit des heiligen Franz von Assisi* (GW 4, 214–223) veröffentlicht.

er sprach wie ein Bauersmann mit Bauern [...]: Vgl. 1. Kor. 9, 19–23.

Egidius: Ägidius von Assisi, gest. 1262.

joculatores Domini: Den Beinamen »Spielmann Gottes« erhielt Franz von Assisi wegen seines *Sonnengesangs.*

il Poverello: der Arme.

Innozenz III.: Lothar (1160/61–1216), Sohn eines Grafen von Segni, Papst 1198–1216, führte das mittelalterliche Papsttum auf den Gipfel seiner Macht.

Klara Sciffi: Stifterin des Ordens der Klarissinnen, 1194–1253.

Sonnengesang: Die von V. Michels (GB 1, 93) genannte Übersetzung des *Sonnengesangs* ist bereits in dieser Monographie enthalten.

Minoriten: Franziskaner.

Giotto: Giotto di Bondone (1266–1337), italienischer Maler, war in Florenz, Assisi, Rom, Padua und Neapel tätig.

Thomas von Celano: Tommasso da Celano (um 1190–nach 1255), mittelalterlicher Lyriker und Biograph, seit 1215 Franziskaner, verfaßte als erster Biograph des heiligen Franziskus 1228 die »Legenda prima« und 1248 die »Legenda secunda« der *Sancti Francisci Assisiensis vita et miracula* sowie einen *Tractatus de miraculis S. Francisci.*

Jacopone da Todi: Jacobus de Benedictis (um 1230–1306), italienischer Dichter, seit 1278 Franziskaner.

Unterm Rad

Berlin: S. Fischer 1906. – GS 1, 373–546; GW 2, 5–178. Von Anfang Oktober 1903 bis Anfang August 1904 lebt H. H. in Calw. Noch im letzten Viertel des Jahres 1903 entsteht seine Erzählung *Unterm Rad.* Am 28. Dezember schickt er das Manuskript an S. Fischer und hofft auf einen Vorabdruck in der *Neuen Rundschau.* Am 9. Januar 1904 bestätigt S. Fischer den Eingang des Manuskripts, stellt einen Vorabdruck in der *Neuen Rundschau* jedoch erst für das nächste Jahr in Aussicht. Im März bietet H. H. das Manuskript der *Neuen Zürcher Zeitung* zum Vorabdruck an. Im April zieht er das Manuskript von S. Fischer zur Überarbeitung zurück. Vom 5. April bis 17. Mai 1904 erscheint *Unterm Rad* in 35 Folgen als Fortsetzungsroman in der *Neuen Zürcher Zeitung.* Die überarbeitete Fassung erscheint im Oktober (mit der Jahresangabe 1906) in Buchform im S. Fischer Verlag. *Unterm Rad* eröffnet 1909 die zweite Jahresreihe von »S. Fischers Bibliothek zeitgenössischer Romane«. Mit der 1927 erfolgten Aufnahme dieses Werkes in die 1925 begonnene Reihe der *Gesammelten Werke* wird *Unterm Rad,* das bisher als Roman bezeichnet worden ist, Erzählung genannt; Ausnahme bildet eine Ausgabe des Verlags Fretz & Wasmuth in Zürich von 1951.

Nach 1938 darf *Unterm Rad* im nationalsozialistischen Deutschland nicht mehr erscheinen. In bearbeiteter und leicht gekürzter Fassung erscheint *Unterm Rad* im Suhrkamp Verlag Berlin und Frankfurt am Main 1951 im 152.–156. Tausend. Mit dem Text der in der *Neuen Zürcher Zeitung* veröffentlichten Erstfassung erscheint *Unterm Rad* 1977 bei der Büchergilde Gutenberg, Frankfurt am Main, Wien, Zürich.

Das Manuskript von *Unterm Rad* befindet sich im Stadtarchiv Reutlingen.

»Die Schule ist die einzige moderne Kulturfrage, die ich ernst nehme und die mich gelegentlich aufregt. An mir hat die Schule viel kaputtgemacht, und ich kenne wenig bedeutendere Persönlichkeiten, denen es nicht ähnlich ging. Gelernt habe ich dort nur Latein und Lügen,

denn ungelogen kam man in Calw und im Gymnasium nicht durch –
wie unser Hans [H. Hs. jüngerer Bruder] beweist, den sie ja in Calw,
weil er ehrlich war, fast umbrachten. Der ist auch, seit sie ihm in der
Schule das Rückgrat gebrochen haben, immer unterm Rad geblieben.«
(Aus einem Brief an Karl Isenberg v. 25. 11. 1904; GB 1, 130)

»Die Lateinschule, welche auch mir viele Konflikte gebracht hatte,
wurde für ihn [H. Hs. Bruder Hans] mit der Zeit zur Tragödie,
auf andere Weise und aus anderen Gründen als für mich, und wenn
ich später als junger Schriftsteller in der Erzählung ›Unterm Rad‹
nicht ohne Erbitterung mit jener Art von Schulen abrechnete, so war
das leidensschwere Schülertum meines Bruders dazu beinah ebensosehr
Ursache wie mein eigenes. Hans war durchaus gutwillig, folgsam und
zum Anerkennen der Autorität bereit, aber er war kein guter Lerner,
mehrere Lehrfächer fielen ihm sehr schwer, und da er weder das
naive Phlegma besaß, die Plagereien und Strafen an sich ablaufen
zu lassen, noch die Gerissenheit des Sich-Durchschwindelns, wurde
er zu einem jener Schüler, von denen die Lehrer, namentlich die
schlechten Lehrer, gar nicht loskommen können, welche sie nie in
Ruhe lassen können, sondern immer wieder plagen, höhnen und
strafen müssen. Es sind mehrere recht schlechte Lehrer dagewesen,
und einer von ihnen, ein richtiger kleiner Teufel, hat ihn bis zur
Verzweiflung gequält.« (Aus *Erinnerung an Hans*, e 1936; GW 10,
211)

»[. . .] über ›Unterm Rad‹ urteilte ein Lehrer unter anderm: Schopenhauer und Nietzsche seien ja Muster von gehässigen Grobianen, aber
gegen mich seien sie Waisenknaben.« (Aus einem Brief an die Familie
in Calw v. 2. 4. 1911; GB 1, 191–192)

»In der Geschichte und Gestalt des kleinen Hans Giebenrath, zu dem
als Mit- und Gegenspieler sein Freund Heilner gehört, wollte ich die
Krise jener Entwicklungsjahre darstellen und mich von der Erinnerung
an sie befreien, und um bei diesem Versuche das, was mir an Über-
legenheit und Reife fehlte, zu ersetzen, spielte ich ein wenig den An-
kläger und Kritiker jenen Mächten gegenüber, denen Giebenrath er-
liegt und denen einst ich selber beinahe erlegen wäre: der Schule,
der Theologie, der Tradition und Autorität.

Wie gesagt, es war ein verfrühtes Unternehmen, auf das ich mich
mit meinem Schülerroman einließ, und es ist denn auch nur sehr
teilweise geglückt [. . .]

Aber, ob geglückt oder nicht, das Buch enthielt doch ein Stück wirklich erlebten und erlittenen Lebens, und solch ein lebendiger Kern
vermag zuweilen nach erstaunlich langer Zeit und unter völlig anderen, neuen Umständen wieder wirksam zu werden und etwas von
seinen Energien auszustrahlen.« (Aus *Begegnungen mit Vergangenem*,
e 1951; GW 10, 352–353)

»Ich habe mit der Schule im allgemeinen nicht viel Glück gehabt,

aber die einstige Göppinger Lateinschule ist mir durch einen origi-
nellen, geliebten und auch gefürchteten Lehrer in genauer und teurer
Erinnerung geblieben.
Ohne ihn und den Geist, der damals die beiden von Rektor Bauer
aufs Landexamen vorbereiteten Schulklassen beherrschte, hätte meine
Phantasie keinen Anlaß gehabt, sich mit der Conception einer Ideal-
schule zu beschäftigen, wie ich sie dann als alter Mann im Glas-
perlenspiel beschrieben habe.
So durchs ganze Leben nachwirkend und fruchtbar kann die Be-
gegnung eines Knaben mit einem überlegenen Lehrer-Genie sein.«
(Aus einem Brief an die Schüler der Hohenstaufen-Oberschule in
Göppingen v. 9. 6. 1953; KuJ 1, 152–153)
»Es ist mir manchmal ein sympathischer Gedanke, daß inmitten des
zerrütteten Deutschland und Europa da und dort solche Zellen des
Aufbaus bestehen wie die Klosterschulen.« (Aus einem Brief an
Ephorus D. Fausel, etwa 1946. In: *Hermann Hesse. Werk und Per-
sönlichkeit.* Sonderausstellung zum 80. Geburtstag des Dichters im
Schiller-Nationalmuseum, Marbach a. N. Stuttgart 1957, S. 11)
»Lehrer brauchen wir nötiger als alles andre, Männer, die der Jugend
die Fähigkeit des Messens und Urteilens beibringen und ihr Vorbilder
sind in der Ehrfurcht vor der Wahrheit, im Gehorsam gegen den
Geist, im Dienst am Wort.« (Aus dem *Glasperlenspiel*; GW 9, 398)
Unterm Rad: »Unter die Räder geraten (kommen)« bedeutet soviel
wie »zugrunde gehen«.

1

Joseph Giebenrath: Neben dem Haus des Calwer Verlagsvereins in
der Bischofstraße 4, in dem der Großvater Gundert lebte und die
Familie Hesse in den Jahren 1886–1889 und ab 1893 wohnte und wo
Kinderseele, Demian und viele andere Erzählungen H. Hs. spielen,
befand sich das alte Postamt und, durch eine schmale Gasse getrennt,
das Giebenrathsche Haus mit der Aufschrift »Wirtschaft u. Baeckerei
Heinrich Giebenrath«. Außer der Namensverwandtschaft besteht zwi-
schen diesem und Joseph Giebenrath keine Beziehung.
Adler: »Hotel Adler«, jetzt abgebrochen, befand sich in Calw an der
Einmündung der Stuttgarter Straße in die Bahnhofstraße.
Voressen: [schweizerisch für] Ragout (Mischgericht).
Metzelsuppe: [süddeutsch für] Wurstsuppe.
Philister: [hier in übertragenem Sinne für] Spießbürger.
Hans Giebenrath: Der Vorname macht den Bezug zu Hesses Bruder
Hans deutlich. Von ihm erzählt H. H. in *Schön ist die Jugend.* Nach
dem Tod seines Bruders schrieb H. H. das Gedicht *Nach dem Be-
gräbnis* (1. »Am Sarge reiben sich die nassen Seile ...«; 2. »In jener
Nacht, nachdem du fortgegangen ...«; 3. »Seither indessen hab in
manchen Stunden ...«) und die *Erinnerung an Hans.*
das kleine Schwarzwaldnest: Gemeint ist Calw.

sie war seit Jahren tot: nicht autobiographisch. Auch Goldmunds *(Narziß und Goldmund)* und Josef Knechts *(Das Glasperlenspiel)* Mutter war früh gestorben.

die Reden Zarathustras: Nietzsches philosophische Dichtung *Also sprach Zarathustra* (1883 ff.)

Landexamen: Prüfung der landesbesten Schüler eines Jahrgangs zur Aufnahme in eine der protestantischen Klosterschulen. Die Prüfung, an der H. H. teilnahm, fand im Eberhard-Ludwig-Gymnasium Stuttgart am 14. und 15. Juli 1891 statt.

Seminar: »Unmittelbar nach dem Augsburger Religionsfrieden begann Herzog Christoph, einer der bedeutendsten württembergischen Fürsten, das Kirchen- und Schulwesen seines Landes zu ordnen und neu aufzubauen. Die folgenreichste Neuerung war die Verwandlung der vierzehn württembergischen Mannsklöster zu protestantischen Klosterschulen, an denen vierzehn- bis achtzehnjährige Knaben des Landes als Stipendiaten zum Studium der evangelischen Theologie vorbereitet werden sollten. Diese Neuordnung, 1565 durch Landtagsbeschluß feierlich bestätigt, trug ungeahnte Früchte, denn der Einfluß der Seminare, deren Zahl zwar im Laufe der Jahrhunderte auf vier Internate in Maulbronn und Schöntal, Blaubeuren und Urach zusammenschmolz, reicht weit über den der alten Schulen Württembergs hinaus. Die besondere, in manchem zweifellos sehr einseitige Prägung der württembergischen Geistigkeit ist zu einem wesentlichen Teil durch die Seminare und dann durch das evangelisch-theologische Stift an der Universität Tübingen, das die Seminaristen aufnahm, erfolgt.« (B. Zeller, *Hermann Hesse.* Reinbek: Rowohlt 1963, S.22)

Hekatombe: großes Opfer (ursprünglich von 100 Stieren); [auch für] große Menschenverluste durch Krieg, Seuchen usw.

Prosodion: ein im Chor gesungenes altgriechisches Prozessionslied; prosodisch (die Prosodie betreffend) bedeutet silbenmessend.

der Brenzische Katechismus: Johann Brenz (1499–1570), schwäbischer Reformator, ordnete das schwäbische Kirchen- und Schulwesen. Der Brenzische Katechismus, ein Leitfaden der christlichen Glaubenslehre in Frage und Antwort, war noch bis ins 20. Jh. in Gebrauch.

Botticelli: eigentlich Sandro Filipepi (1444/45–1510), italienischer Maler.

die großen Kirchberglinden: in Calw 1817 zur Erinnerung an die dreihundertjährige Wiederkehr der Reformation gepflanzt.

beide große Brunnen: Tatsächlich stehen zwei Brunnen auf dem Calwer Marktplatz.

zur alten Brücke: Nikolausbrücke in Calw.

die kleine gotische Brückenkapelle: die über dem mittleren Pfeiler im 14. Jh. errichtete Brückenkapelle St. Nikolaus.

Schuhmacher Flaig: erfundene Gestalt; sie erscheint wieder in *Walter Kömpff.*

Kronengasse: Gasse zwischen Marktplatz und Lederstraße.

einen Bretterstall gezimmert: »Es war ein Lattenverschlag in meines Vaters kleinem Garten, da hatte ich Kaninchen und einen gezähmten Raben leben. Dort hauste ich unendliche Stunden, lang wie Weltzeitalter, in Wärme und Besitzerwonne, nach Leben dufteten die Kaninchen, nach Gras und Milch, Blut und Zeugung [...]« (Aus *Kindheit des Zauberers;* GW 6, 374)

Schulfreund August: erfundene Gestalt.

Herr Giebenrath stak in einem schwarzen Gehrock: Nicht der Vater, sondern die Mutter H. Hs. war mit in Stuttgart; H. H. war aber direkt von Göppingen nach Stuttgart gefahren.

einhundertachtzehn Kandidaten: »Es seien 79 Bewerber.« (Hermann Gundert in einem Brief an seinen Sohn Hermann v. 13. 7. 1891; KuJ 1, 101)

Rasch und fast fröhlich machte er sein Konzept: »Beim Lateinischen gestern war Hermann der Zweite, der fertig wurde und bald nach elf Uhr heimwanderte und ins Volksbad [...]« (Marie Hesse an Hermann Gundert und Johannes Hesse in einem Brief v. 15. 7. 1891; KuJ 1, 101)

irrte zwei Stunden in den heißen Stadtstraßen umher: nicht autobiographisch.

Bei einem derselben fanden sie einen schwarzgekleideten schüchternen Buben, der von Göppingen hergekommen war, ebenfalls um das Landexamen zu machen: »Auch heute Abend sind Hermann und ich zu Nestles eingeladen, wo auch ein Landexaminand logiert, ein Oehler aus Cannstatt.« (KuJ 1, 102)

der Primus auch ein Göppinger: »[...] daß ein Göppinger Kieser Primus wurde [...]« (KuJ 1, 103)

Xenophon: griechischer Schriftsteller (um 400 v. Chr.). »Ich will Euch alle meine Fächer schreiben und welche ich gern habe. N. T. (schön!), Arithmetik (Au!), Geschichte (nett!), Livius (fein!), Deutsch (fein!), Französisch (!!!???), Singen (köstlich!), Xenophon (schön!), Religion (schön!), hebräisch(?), Turnen (unterschiedlich); Homer (famos!), Ovid (fein!), Geometrie (o weh!), Aufsatz (Ah!!!); Perioden (schön). Griechische Composition (minus); Geigen anständig.« (Aus einem Brief an seine Eltern v. 30. 11. 1891; KuJ 1, 142)

Aorist: Form des Zeitwortes, die eine in der Vergangenheit geschehene Handlung ausdrückt; im Griechischen die erzählende Zeitform; in den meisten indogermanischen Sprachen geschwunden.

die alte Anna: Vgl. dazu die Frauengestalt gleichen Namens in *Kindheit des Zauberers* (GW 6, 371–390).

Händler Sackmann / Kirchnerscher Zimmerplatz / Inspektor Geßler / Tochter Emma / Nascholds Liese / der Strohmeyer / »Herr Beck«: vermutlich allesamt damals wirklich existierende Namen und Bezeichnungen. Emma Geßler ist die Emma Meier der Erzählung *Auf dem Eise,* e 1900 (GE 4, 307–310).

Schnappsack: [veraltet für] Vorratsranzen.

Kommerzienrat: bis 1919 verliehener Titel für Männer aus Handel und Industrie.

Chrestomathie: für den Unterricht in einer Sprache geeignete Auswahl aus (Prosa-)Schriftstellern.

Hanfried: vermutlich damals wirklich existierende Person.

2

Öhmd: [südwestdeutsch für] das zweite Mähen, die Grasnachschur.

vom Becken: lautet in der 1. Fassung »vom Bäcker«.

Vakanz: [mundartlich für] Ferien.

Wenn i's no au so hätt: volkstümliches Spottlied.

Öhrn: Eren oder Ern [oberdeutsch für] Hausflur, -gang.

Bengel: Johann Albrecht Bengel (1687–1752), Pietist, Schöpfer der neutestamentlichen Bibelkritik in Deutschland.

Oetinger: Friedrich Christoph Oetinger (1702–1782), lutherischer Theologe, brachte Jakob Böhmes und Bengels Gedanken in ein zusammenhängendes Weltbild. Werke Bengels und Oetingers gehörten zum Maulbronner Lehrstoff: »Während Du in Deiner Klause, / Ferne von der Welt Gebrause, / In des Klosters stiller Enge / Liest hebräische Gesänge, / Während Du im Hörsaal sitzest, / Über Kautzsch und Plato schwitzest, / Bengel, Oetinger studierest, / Auch in Mozart Dich verlierest, / Hat Dein ferner Freund bei Nacht / Warm und treu an Dich gedacht [...]« (H. H. Anfang 1895 an Theodor Rümelin; KuJ 1, 436–437)

Steinhofer: Friedrich Christoph Steinhofer (1701–1761), evangelischer Kirchenliederdichter und Verfasser mehrerer Erbauungsschriften.

Mörike: Eduard Mörike (1804–1875), besuchte in seiner Jugend die Uracher Klosterschule und das Tübinger Stift. In seiner 1852 geschriebenen Idylle *Der alte Turmhahn* heißt es: »Da stehn in Pergament und Leder / Vornan die frommen Schwabenväter: / Andreä, Bengel, Rieger zween / Samt Ötinger sind da zu sehn.«

Früher war ihm ein Gang von drei, vier Stunden doch gar nichts gewesen: Der stellenweise stark autobiographische Charakter dieser Erzählung wird hier besonders deutlich. In einem Brief der Mutter H. Hs. an H. Hs. Schwester Adele vom 19. 8. 1891 heißt es: »Dienstag Morgen früh vor 6 Uhr stiefelten Carl und Hermann insgeheim fort nach Wildberg und kamen wieder zu Fuß heim bis gegen 1 Uhr zum Essen, als wir eben damit fertig waren. Hermann war dann so kaputt und müde, daß Carl keine Lust mehr hat, größere Märsche mit diesem gern groß sprechenden und wenig leistenden Burschen zu machen.« (KuJ 1, 104)

Homer: »Im Homer lesen wir zuerst die Odyssee. Ich lerne manche Verse daraus auswendig.« (Aus einem Brief an seine Eltern vom 11. 10. 1891; KuJ 1, 120)

Prosodie: in der Antike die Lehre von dem, was bei der Aussprache

zu den bloßen Lauten noch »hinzugetönt« wurde, vor allem relative
Tonhöhe und Quantität.
fuhren Vater und Sohn nach Maulbronn ab: H. H. wurde am 19. 9.
1891 von seiner Mutter nach Maulbronn gebracht.

3
Zisterzienserkloster Maulbronn: Diese ehemalige Zisterzienserabtei
ist 1147 gegründet worden und heute das besterhaltene mittelalterliche
Kloster in Deutschland. ». . . ich war auch selber Klosterschüler in
Maulbronn. Es war die Zeit meiner wildesten Stürme, zwischen
Knaben- und Jünglingsalter, und auf diese mächtigen Klostermauern
und Kreuzgänge häuft meine Erinnerung allen unwiederbringlichen
Glanz, der jener Zeit der ersten Ideale und Sehnsucht eigen ist. Wie
voll genoß ich da die sich erschließenden Wunder Homers, wie lebte
ich mich in die gotische Kühle der herrlichen steinernen Räume ein
und litt doch zugleich unter der Klausur! Damals wußte ich noch
nicht, daß das Ziel meiner brennenden Sehnsucht nirgends mit Händen zu greifen sei, ich sah die ›Welt‹ in lockenden Farben liegen
und schob alles Elend auf die strenge Verbannung in den Klostermauern. Es war der erste wichtige Schritt meines Lebens, als ich
damals, voll glühenden Durstes nach Licht, Schönheit, Freiheit, aus
dem Kloster entfloh, und ich leide noch heute unter dieser knaben-
haften Geniereise. Was ich fand, das lohnte wahrlich diese ver-
zweifelte Sehnsucht nicht. Dort liegt nun, im Schatten der Linden,
mit den Bogenfenstern, Kreuzgängen und Kapellen, weltabgeschieden
ein Stück meiner Jugend unerlöst und blickt mit Vorwurf mich an.«
(Aus einem Brief an Helene Voigt-Diederichs v. 24. 4. 1899; GB 1,
55-56).
Namensmäßig verfremdet hat H. H. Maulbronn in *Narziß und Goldmund* Mariabronn genannt. H. H. war am 15. 9. 1891 ins Maulbronner
Seminar aufgenommen worden. Zum Tode König Carls von Württemberg deklamiert H. H. auf der Stube »Hellas« ein eigenes Gedicht
Auf des Königs Tod. Am 12. 12. 1891 hat er eine Auseinandersetzung
mit einem Mitschüler: »Noch etwas Unangenehmes habe ich zu sagen.
Ich will nichts verschweigen, sondern offen sagen: Ich hatte gestern
den ersten Zerfall mit einem ›Kameraden‹, mit O. Knapp. Er hatte
meinen Berner Bären, in den ich vernarrt bin, aus Mutwillen zu Grund
gerichtet. Als ich mich beschwerte, forderte er mich in aller Form
heraus, und ein Schiedsgericht erklärte mich für ›schandbar feig‹,
wenn ich nicht kämpfte. Knapp war stark und mir war bei der Sache
nicht wohl; obwohl ich den Herausforderer unendlich verachtete,
wußte ich wohl, daß er mich, wenn er alle Kraft anstrenge, leicht
werfen könne. Da ich meinen schwachen Beinen nicht traute, ver-
langte ich einen Faust-, keinen Ringkampf. ›Los!‹ Beim ersten Schlag
flog meine Brille weit hinaus, war aber noch ganz. Jetzt hieben wir
einander ohne Rührung, wo wir trafen, nur die Augen waren in

Garantie. Kinn, Stirne, Hinterkopf, Brust und Magen erhielten unglaublich viel Prügel. Der Kerl (nicht bös gemeint!) boxte mich mit
dem Ellbogen in den Bauch, das brachte mich so in Wut, daß ich mich
hoch aufrichtete, alle Kräfte krampfhaft anstrengte und ihm einen
Hieb auf die Brust versetzte, daß er wankte und fiel. Doch war er
unbesiegt, da seine Schultern den Boden nicht berührten. So schlugen
wir noch lange, bis wir einfach gar keine Kraft mehr hatten und ich
kaum mehr schreiten konnte. Blut floß ganz wenig. Doch beruhigt
Euch, außer Beulen und handbreiten blauen Zeichnungen hats nichts
abgesetzt und wir – *sind versöhnt*. Ich habe den Hergang möglichst
richtig geschildert.« (Aus einem Brief an seine Eltern v. 13. 12. 1891;
KuJ 1, 148–149) –

Am 7. 3. 1892 verschwand H. H. aus dem Seminar; er wurde von
einem Landjäger anderntags gefunden und zurückgebracht; danach
saß er acht Stunden im Karzer ab. Am 23. 3. 1892 wurde H. H.
vom Arzt nach Hause zu seinen Eltern geschickt. Am 23. 4. kehrte er
nach Maulbronn zurück. Am 7. 5. reiste Marie Hesse nach Maulbronn,
um H. H. abzuholen. »Herr Ephorus hat von zwei Vätern von
Seminaristen Zuschriften bekommen, wegen H. Drei Lehrer und der
Arzt hatten um Hs. Entfernung gebeten, nur der Ephorus und Professor Walz glaubten *nicht* an Geistesstörung und hofften, er komme
bald wieder zurecht.« (Aus dem Tagebuch von Marie Hesse; KuJ 1,
206–207)

Oratorium: [im Sprachgebrauch der katholischen Kirche] ein gottes-
dienstlicher Raum, der im Unterschied zu einer Kirche nicht für den
allgemeinen öffentlichen Gottesdienst bestimmt ist.

Parlatorium: der Sprechraum, also der Raum, in dem die sonst zu
völliger Schweigsamkeit verpflichteten Klosterinsassen ihren Oberen
wichtige Mitteilungen machen durften.

Laienrefektorium: Im Gegensatz zum Herrenrefektorium, dem großen
Speisesaal der Vollmönche, war das in allen mittelalterlichen Zister-
zienserklöstern davon streng geschiedene Laienrefektorium der Speisesaal der Konversen, der Laienbrüder.

Wer beim Eintritt ins Klosterseminar noch eine Mutter gehabt hat . . .:
Auch Goldmund (in *Narziß und Goldmund*) hat beim Eintritt in die
Klosterschule keine Mutter mehr.

Dorment: Schlafsaal im Kloster.

Famulus: Diener; hier: Gehilfe der Lehrer.

Nürnberger Trichter: Georg Philipp Harsdörffer (1607–1658), ein
Nürnberger Gelehrter, Dichter und Ratsherr, schrieb 1648–53 drei
Bände seines in Nürnberg erschienenen Buches *Poetischer Trichter.
Die Teutsche Dicht- und Reimkunst ohne Behuf der lateinischen
Sprache in VI Stunden einzugießen.* Jetzt wird der Ausdruck scherz-
haft für Lehrverfahren gebraucht, durch das auch dem Dümmsten
etwas beigebracht (eingetrichtert) werden kann. Andererseits rät man

einem, der etwas nicht begreift, den Nürnberger Trichter zu Hilfe zu nehmen.

Stube Hellas: »Ich bin auf der größten Stube (Hellas). Auf unsrer Stube haben wir, was viel heißen will, den Primus, den 2t., den Fiskar und den Bibliothekar, ich selbst bin Censor, d. h. Sittenrichter für diese Woche (bis Samstag Abend).« (KuJ 1, 109) – Die Stube Hellas war von 13 Seminaristen bewohnt: Robert Gabriel, Theodor Gehring, Robert Geiges, Wilhelm Häcker, Karl Hammelehle, Otto Hartmann, H. H., August Hinderer, Hugo Hochstetter, Hermann Kieser, Johannes Klaiber, Otto Knapp, Wilhelm Lang.

Ephorus: Leiter eines evangelischen Seminars.

Otto Hartner: »Da ist einmal mein Nachbar *Hartmann,* ein fleißiger, ordnungsliebender Jüngling, der in allem eine gewisse nachlässige Würde zeigt, an der man den Residenzler erkennt. Er steckt seinen Zwicker mit graziösem Anstand in die Tasche, macht hie und da einen isolierten Witz, ist sehr schwer von einer einmal gefaßten Meinung abzubringen.« (Aus einem Brief an seine Eltern v. 14. 2. 1891; KuJ 1, 171) – Otto Hartmann, geboren 1877 in Stuttgart, gestorben 1952 in Ludwigsburg, besuchte von 1891 bis 1895 die Seminare Maulbronn und Blaubeuren, studierte Jura in Tübingen, Berlin und Leipzig, war ab 1904 Rechtsanwalt in Eßlingen a. N., von 1919 bis 1933 Oberbürgermeister in Göppingen, wurde von den Nationalsozialisten des Amtes enthoben, war von 1943 bis 1946 Direktor der Landesdienststelle Württemberg des Deutschen Gemeindetages in Stuttgart. – H. H. gedenkt seines Freundes Otto Hartmann in *Herbstliche Erlebnisse,* e 1952. Darin beschreibt er sein letztes Zusammensein mit dem Freund, der ihn 1952 in Montagnola besuchte. Er erzählt seinem jüngsten Sohn, daß sie sich im Kloster Maulbronn kennengelernt hatten. »Dort wurde Otto mein Schulkamerad, noch nicht aber mein Freund. Das ergab sich erst bei späteren Wiederbegegnungen, aber es wurde eine feste, unsentimentale, aber herzliche Freundschaft daraus.« (H. H., *Briefe an Freunde.* Frankfurt a. M. 1977, S. 122)

Karl Hamel: Siehe *Hinterlassene Schriften und Gedichte von Hermann Lauscher (Lulu).* Dort trägt er den Namen Karl Hamelt.

Hermann Heilner: Mit- und Gegenspieler von Hans Giebenrath. Der Vorname Hermann und die Initialen H. H. lassen die autobiographische Assoziation erkennen. H. Hs. Vorliebe für den Vornamen Hermann *(Hermann Lauscher),* Hermine *(Der Steppenwolf)* und H. H. *(Die Morgenlandfahrt)* ist unverkennbar. Wieweit das Verb »heilen« in Heilner zur Interpretation herangezogen werden kann, ist umstritten.

Aufsatz im Landexamen in Hexametern: »Ein Rechenexempel muß ihm nicht gelungen sein, dagegen hieß es, den Aufsatz habe er gleich auch in Verse verwandelt (ohne doch dieses Version einzureichen).« (Aus einem Brief Hermann Gunderts an seinen Sohn Hermann v. 20. 7. 1891; KuJ 1, 102)

Emil Lucius: Assoziationen zu einem Maulbronner Schulkameraden sind nicht nachgewiesen.

Musiklehrer Haas: Musiklehrer Haasis, der auch Turnen und (fakultativ) Zeichnen in Maulbronn unterrichtete. »Alle unsre Lehrer (resp. Rep. Traub) sind beliebt, ausgenommen Herr Turn- und Musiklehrer Haasis. Lieber wollte ich 2 oder 3 Stunden Cicero schaffen, als eine solche Turnstunde durchmachen [...] Bei Herrn Haasis haben wir auch Singstunde [...]« (Aus einem Brief an seine Eltern v. 4. 10. 1891; KuJ 1, 113–114) »Ich wollte, es wäre schon Ostern, dann könnte ich das Geigen aufstecken; es ist eine Qual bei Herrn Haasis.« (Aus einem Brief an seine Eltern v. 25. 10. 1891; KuJ 1, 126) Eine Auseinandersetzung H. Hs. mit dem Musiklehrer Haasis hatte wohl dazu beigetragen, daß H. H. am 7. 3. 1892 das Seminar unerlaubterweise verließ. Nach seiner Rückkehr gab H. H. den Geigenunterricht bei Haasis auf.

Waldsee: Gemeint ist der Haurker Waldsee nahe beim Kloster Maulbronn. H. H. suchte ihn damals gern und häufig auf. »Mein Lieblingsplatz ist am ›Haurker See‹. Denkt Euch einen alten, schönen Buchenwald und mitten zwischen den uralten Bäumen ein reizender schilfumkränzter Waldsee mit niedrigen, üppig bewachsenen Ufern.« (Aus einem Brief an seine Eltern v. 4. 10. 1891; KuJ 1, 116–117) »Unser Kloster war von mehreren kleinen Seen umgeben. Unter diesen war der kleinste, ein brauner, verschilfter Waldweiher, mein Liebling. Eingefaßt von Buchen, Eichen und Erlen lag er unbewegt in ewiger Windstille dunkel im breiten Schilfgürtel, überhängende Äste und ein rundes Stück Himmel spiegelnd.« (H. H., *Erwin.* 8. Oltner Liebhaberdruck. Olten 1965. Diese Erzählung H. Hs. befand sich in seinem Nachlaß und wurde vermutlich 1907 oder 1908 geschrieben.)

über Wälder und Dörfer und Oberämter und Länder weg: In *Erwin* (a.a.O. S. 19) heißt es: »Aber stell dir vor – so eine helle Wolke, die immer weiter reist und die Sonne auf dem Rücken hat und unter sich die Städte und Oberämter und Länder und Erdteile.«

wie schöne Schiffe: Vgl. dazu die Wolkenbilder in *Peter Camenzind* und das Gedicht *Wolken* (»Wolken, leise Schiffer, fahren . . .«).

die geheimnisvolle, sonderbare Kunst, seine Seele in Versen zu spiegeln: Vgl. dazu H. Hs. Märchen *Der Dichter* (GW 6, 32–39).

Otto Wenger: Assoziation zu einem Maulbronner Schulkameraden ist nicht nachgewiesen. Kein Bezug zum Mädchennamen von H. Hs. zweiter Frau (Ruth Wenger).

Schiller: Die Lektüre Schillers begann auf der Lateinschule. »Ein bedeutender Schlauch ist es auch, Schillers Wallenstein ins Lateinische zu übersetzen, was wirklich unsre Klasse stark in Anspruch nimmt.« (Aus einem Brief an seine Eltern v. 25. 1. 1891; KuJ 1, 79) In seiner Maulbronner Zeit erfüllt es H. H. mit Freude und Stolz, wenn er bei den abendlichen Deklamationen auf den Zimmern Schiller vortragen darf. Man liest auch Schillersche Dramen *(Fiesko, Parasit)*, »den herrlichen Schiller« (KuJ 1, 166), mit verteilten Rollen. Nach Stetten wünscht er sich im August 1892 »einen oder zwei von meinen Schiller-bänden« (KuJ 1, 250). H. Hs. »Ratschlag zum Schillerfest: Schiller sollte aus dem Lehrplan der Gymnasien gestrichen und womöglich auch noch den Schülern verboten werden. Dann wäre er bald wieder unerhört populär und wirksam. Uns allen ist er von den Schullehrern verleidet worden und wir mußten ihn uns später – oft schon zu spät – mühsam wieder erobern«. (1905. GW 12, 199)

Pentateuch: Bezeichnung für die fünf Bücher Mosis im Alten Testament.

Livius: Lucius Livius Andronicus, der älteste bekannte lateinische Dichter, ein Grieche aus Tarent, lebte im 3. Jh. v. Chr. »Aber auch der alte Livius, der Ovidius, sogar der alte Homer und der hebräische Grammatiker Strack, sind im Freien draußen viel unterhaltender, als sie einem am Stehpult im Kloster erscheinen.« (Aus einem Brief an seine Eltern v. 4. 10. 1891; KuJ 1, 118)

Heine-lesende Jünglinge: Heine als Leseerlebnis für H. H. beginnt Mitte 1893 und erreicht einen ersten Höhepunkt Anfang 1895. Vgl. H. Hs. Briefe an Theodor Rümelin in KuJ 1.

Ossian: Held eines südirischen (ossianischen) Sagenkreises.

Shakespeare: Shakespeare gehörte zur Schullektüre.

Promotion: Jeweils ein Jahrgang in den Klosterschulen wurde als Promotion bezeichnet. Dazu gab man das Jahr des Beginns und der Beendigung der Seminarausbildung an. H. H. gehörte zur Maulbronner Promotion 1891/95 (allerdings nur bis 1892); diese Promotion war am 19. 9. 1893 ins Seminar Blaubeuren übergewechselt, um hier den letzten Teil der Schulzeit zu verbringen.

»Lieder eines Mönches«: Ein Wachstuchheft oder andere Aufzeichnungen mit diesem Titel sind nicht überliefert.

»Per aspera ad astra!«: Über rauhe Pfade zu den Sternen! (Lateinische Redensart).

4

Hindinger: August Hinderer, von Böblingen, später Pfarrer in Stuttgart bei der Evangelischen Gesellschaft, gestorben als Professor in Berlin. »Dann ist da der *Hinderer*, mein andrer Nachbar, ein winziges Männlein mit Mausäuglein, leicht wie ein Schmetterling, lacht viel und denkt wenig, ist gutmütig und musikalisch. Neulich spannte er über ein Brettchen mit einem Steg kleine Gummischnürchen, die er zu zwei Tonleitern stimmte; auf dieser Guitarre spielt er Volkslieder, Akkorde, sogar Tänze.« (Aus einem Brief an seine Eltern v. 14. 2. 1892; KuJ 1, 171) »Hier wie in allen seinen Büchern ging es Hesse ganz offensichtlich nicht um das Abbild, sondern um das Sinnbild, und er bediente sich der Vorlagen aus der Wirklichkeit nur insoweit, als sie vom Grundsätzlichen seiner Thematik nicht abwichen.« (Volker

Michels in: Hermann Hesse, *Unterm Rad.* Frankfurt a. M., Wien, Zürich: Büchergilde Gutenberg 1977, S. 214)

Professor Meyer: Ob es in Maulbronn einen Lehrer dieses Namens gab, konnte bislang nicht geklärt werden.

Lenau: Nikolaus Lenau, eigentlich Nikolaus Niembsch, Edler von Strehlenau (1802–1850), deutscher Dichter. »Lenaus träumende Lieder« (KuJ 1, 166) wurden von H. H. während der Maulbronner Zeit gern deklamiert.

eine tiefe Kluft befestigt: nach Luk. 16, 26.

Doktor Faust: der Schwarzkünstler der Sage, in Wirklichkeit wahrscheinlich Georg Faust, entweder in Knittlingen (Württ.) oder Helmstadt im Kraichgau um 1480 geboren; an ihn erinnert im Kloster Maulbronn noch heute der Faustturm.

differendum est inter et inter: das Entscheidende (der Unterschied) liegt genau dazwischen.

Dunstan: Eine persönliche Assoziation H. Hs. konnte noch nicht festgestellt werden.

Fast alle Schüler beteiligten sich nun einige Tage lang am Xenienkampf: »Am nächsten Morgen war die Türe von oben bis unten mit Xenien beklebt, kaum Einer war verschont oder hatte geschwiegen.« (H. H., *Erwin.* A.a.O. S. 27)

der famose Aretiner: Pietro Aretino (1492–1556), wegen seiner Schmähschriften und Briefe gefürchteter italienischer Renaissanceschriftsteller.

kleine Nervengeschichten: »Schon am 23. März kam Hermann – acht Tage vor der Vakanz – wegen Kopfweh und Schlaflosigkeit vom Arzt heimgeschickt.« (Aus dem Tagebuch von Marie Hesse, Ende März 1892; KuJ 1, 196)

abends, auf dem Eis: Vgl. dazu H. Hs. Erzählung *Auf dem Eise,* e 1900; GE 4, 307–310).

kleine Geniereise: Über die »schwerste Krise« seines Schullebens, das Davonlaufen aus Maulbronn und die Folgen, berichtet H. H. 1952 in dem Gedenkblatt *Großväterliches* (GW 10, 302–311). Dort zitiert er, was ihm sein Großvater nach dem Davonlaufen aus Maulbronn gesagt hat: »So, du bist's, Hermann? Ich habe gehört, du habest neulich ein Geniereisle gemacht.«

Femegericht: im Erstdruck »Fehmegericht« geschrieben.

5

Repetent Wiedrich: Gottlob Wüterich (1866–1943), seit 1891 Repetent in Maulbronn, 1896 Pfarrer in Stetten am Heuchelberg; Jugendpfarrer in Stuttgart, zugleich vierter Pfarrer an der Hospitalkirche Stuttgart bis 1904. 1913 vierter Pfarrer an der Leonhardskirche Stuttgart, 1918 erster Jugendpfarrer und zweiter Pfarrer an der Gedächtniskirche Stuttgart, Leiter der Landesjugendstelle, 1929 Kirchenrat. 1929 D. theol. h. c. der Theologischen Fakultät der Universität Tübingen. – Nachdem Repetent Traub von Maulbronn weggegangen war, erhielt H. Hs. Gruppe den Repetenten Wüterich, er »scheint aber durchaus kein solcher zu sein« (KuJ 1, 126). »Der neue Repetent Wüterich ist sehr, sehr freundlich. Wir haben einen vorzüglichen Lehrer verloren und einen liebreichen dafür bekommen.« (KuJ 1, 131)

Schußwaffe: in der ersten Fassung »Schießwaffe«. Am 20. 6. 1892, also drei Monate nach seiner Entlassung aus Maulbronn, unternahm H. H. einen Selbstmordversuch. Vgl. dazu KuJ 1, 220: »Verehrter Herr Brodersen! Das Geld borgte ich von Ihnen zur Anschaffung eines Revolvers; seit einigen Tagen bin ich entschlossen, mich zu erschießen. Sie werden mich wohl nimmer sehen. Schicken Sie den Brief an meine Eltern! H.«

Ach, ich bin so müde: Verfasserfrage ungeklärt.

Großjohann, genannt Garibaldi: Schorsch Großjohann, Hauptgestalt der 1904 geschriebenen Erzählung H. Hs. *Garibaldi* (GE 1, 256–268).

Das Giebenrathsche Haus: Siehe Erläuterung zu Kapitel 1.

Gerbergasse: H. H. nennt Calw andernorts Gerbersau. Mit Gerbergasse bezeichnet er die Bischofstraße.

der drollige Putzpulverhändler Hottehotte: Hauptgestalt der Erzählung H. Hs. *Eine Gestalt aus der Kinderzeit* (u. d. T.: *Der Hausierer* in GE 1, 7–11). Diese Erzählung, e 1900, wurde 1911 und 1934 überarbeitet. »Im Hotte Hotte habe ich ein einziges Mal im Leben eine wirkliche Calwer Erinnerung mit wirklichem Namen genannt ... Alle meine anderen Geschichten, soweit sie überhaupt mit Calwer Erinnerungen etwas zu tun haben, spielen *nie* in Calw, sondern in Gerbersau oder einem anderen erfundenen und poetischen Ort, und Reichert täuscht sich sehr, wenn er meint, die Figuren meines Gerbersau seien Nachbildungen von Wirklichkeiten, und er könne die Originale zu meinen Zeichnungen nachweisen und meine Fehler im Nachzeichnen aufzeigen.« (Aus einem Brief an Ernst Rheinwald vom Dezember 1930. Abschrift in der Hesse-Sammlung des Deutschen Literaturarchivs Marbach a. N. Teilveröffentlichung in Mileck 281.)

der Scherenschleifer Adam Hittel: erfundene Gestalt.

Lotte Frohmüller: erfundene Gestalt.

Unschlittkerze: Talgkerze.

Dolf und Emil Finkenbein: erfundene Gestalten.

Hermann Rechtenheil: Er ist der lahme Knabe der Dichtung H. Hs. in Hexametern *Der lahme Knabe,* e November 1935.

Briefträger Rötteler: erfundene Gestalt.

Mechaniker Porsch: erfundene Gestalt.

Schlosser Brendle: erfundene Gestalt.

aus der hellen, breiten Gerbergasse in den finstern, feuchten »Falken«: Vgl. dazu das erste Kapitel »Zwei Welten« von H. Hs. *Demian:* »Die eine Welt war das Vaterhaus ...« und »Die andere Welt indessen be-

gann schon mitten in unserem eigenen Hause und war völlig anders . . .« (GW 5, 9)
die Geschichte von Sankt Christoffel: Christophorus, Heiliger, nach der Legende ein Riese, der das Christuskind durch den Strom trug und von ihm getauft wurde.

6
Grimmen: Bauchweh.
Anno Duback: [umgangssprachlich für] in alter Zeit.
Goßners Schatzkästlein: Johannes Goßner (1773–1858), bis 1819 katholischer, seit 1829 evangelischer Geistlicher.
Emma: erfundene Gestalt.
Mechaniker Schuler: erfundene Gestalt. H. H. selbst war Praktikant in der Calwer Turmuhrenwerkstatt des Heinrich Perrot.
Sedansfest: zur Erinnerung an die Schlacht und Kapitulation, bei der sich eine französische Armee unter MacMahon und der französische Kaiser Napoleon III. am 2. 9. 1870 ergaben.

7
Landexamensschlosser: H. H. mußte gleich Giebenrath manchen Spott als Landexamensschlosser ertragen. »Vor den Augen kleinstädtischer Neugier und Schadenfreude ist aus dem ehemals so vielversprechenden Lateinschüler, dem Absolventen des Landexamens, einer kleinen Lokalberühmtheit also, am Ende ein trauriger, blasser, geistig anscheinend versimpelter Lehrbube im blauen Schlosseranzug geworden, warnendes Beispiel dafür, daß Hochmut vor dem Fall kommt und daß die Bäume nicht in den Himmel wachsen und daß das Studieren überhaupt von Übel ist.« (H. Stolte, *Hermann Hesse. Weltscheu und Lebensliebe.* Hamburg: Hansa-Verlag 1971, S. 21) – Fritz Böttger überschreibt ein Kapitel seiner Hesse-Biographie »Der Landexamensschlosser« (F. Böttger, *Hermann Hesse.* Berlin 1974, S. 57–61).
Bielach: fiktiver Ort; möglicherweise Assoziation zu Bulach (südl. von Calw).
Morgen muß ich fort von hier: Volkslied, bekannt in der Vertonung von Friedrich Silcher (1789–1860).
O du lieber Augustin: Volkslied (hier nur der Kehrreim).
Meerrohr: [veraltet für] spanisches Rohr, eigentlich Spazierstock; die Rute.

Diesseits

Erzählungen. Berlin: S. Fischer 1907.
Widmung: »Meiner lieben Frau Mia«.
Aus Kinderzeiten – Die Marmorsäge – Heumond – Der Lateinschüler – Eine Fußreise im Herbst (Seeüberfahrt, Im goldenen Löwen, Sturm, Erinnerungen, Das stille Dorf, Morgengang, Ilgenberg, Julie, Nebel).

»Auf Ihre freundliche Anfrage über die Entstehung meines ›Diesseits‹ fällt mir die Antwort schwer. Wie eine Dichtung zustande kommt, das kann man nicht erzählen, der Dichter kommt dazu wie die Frau zum Kind. So will ich wenigstens die trockenen Daten nennen. Die fünf Erzählungen sind in derselben Reihenfolge entstanden, wie sie im Buch stehen. Das ist ein Zufall, denn im Buch ordnete ich die Reihenfolge nach ganz anderen, nicht chronologischen Gesichtspunkten, und ich bemerke erst heute, da ich das Buch daraufhin ansehe, daß zufällig die Anordnung auch chronologisch stimmt. Die Entstehungszeit der fünf Stücke liegt zwischen Herbst 1903 und Herbst 1906. Am raschesten (in etwa 3 Wochen) ist die ›Fußreise‹ geschrieben, am langsamsten der ›Heumond‹, bei dem zwischen Beginn und Fertigwerden mehr als ein Jahr liegt. Mir persönlich ist die Erzählung ›Aus Kinderzeiten‹ die liebste, die Kritik hat meist den ›Heumond‹ und zu meiner Verwunderung den ›Lateinschüler‹ vorgezogen.« (Aus H. Hs. Antwort auf eine Umfrage der *Allgemeinen Buchhändlerzeitung*, 1908; GB 1, 501)
Siehe auch Einzelkommentare.

Nachbarn

Erzählungen. Berlin: S. Fischer 1908.
Die Verlobung – Karl Eugen Eiselein – Garibaldi – Walter Kömpff – In der alten Sonne.
»Die beiden ersten [Erzählungen] sind vorwiegend humoristisch und stofflich anspruchslos. Die dritte ist eine Kindererinnerung, fast ganz nach dem Leben. Die beiden letzten Erzählungen sind mir die wichtigsten, obwohl ich die vorletzte als mißglückt empfinde. Am meisten Wert lege ich auf die letzte, die Geschichte von den Armenhäuslern, die mir mehr zu denken gab und mehr Freude machte als das meiste, was ich sonst geschrieben habe.
Die beiden ersten Erzählungen versuchen, wirklich erzählerisch zu sein, und hatten darum für mich ein besonderes technisches Interesse. Strenge Richter werden freilich finden, es sei mir auch hier wieder mißglückt, und sie werden wohl recht haben, da ich selber mich nicht für einen richtigen Erzähler halten kann. Ich benutze darum gern, wie zum Beispiel in den beiden letzten Erzählungen der ›Nachbarn‹, die Freiheit unserer Novellenform, um statt des eigentlichen Erzählens einem beschaulichen Betrachten der Natur und merkwürdiger Menschenseelen nachzugehen. Daß dabei wie in allen meinen bisherigen Büchern das Idyllische vorwiegt, mag zum großen Teil in meinem Wesen liegen, dem alles Dramatische fremd ist; zum Teil ist es aber auch bewußte Beschränkung auf ein Gebiet, dem ich mich bis jetzt noch besser gewachsen fühle als der Darstellung mancher gar nicht idyllischer Stoffe, zu der mir das Vertrauen noch fehlt.

Mehr kann ich in der Kürze nicht sagen. Nur noch das, daß ich trotz der letzten Notiz keineswegs der Meinung bin, ein aufrichtiger Autor könne seine ›Stoffe‹ absolut frei wählen. Vielmehr bin ich durchaus davon überzeugt, daß die Stoffe zu uns kommen, nicht wir zu ihnen, und daß daher die scheinbare ›Wahl‹ kein Akt eines losgebundenen persönlichen Willens, sondern gleich jeder Entschließung Folge eines lückenlosen Determinismus ist. Nur möchte ich damit nicht den Anschein erwecken, als halte ich nun jeden Einfall und jede Arbeit eines Dichters für sanktioniert, sondern gebe gern und mit Überzeugung zu, daß hier wie im übrigen Leben der Glaube an die Determination keineswegs die persönliche Verantwortlichkeit aufhebt. Dafür haben wir einen untrüglichen Maßstab im Gewissen, und das dichterische Gewissen ist darum das einzige Gesetz, dem der Dichter unbedingt folgen muß, und dessen Umgehung ihn und seine Arbeit schädigt.«
(*Westermanns Monatshefte.* 53, 1908, S. 481)
Siehe auch Einzelkommentare.

Gertrud

Roman. München: A. Langen 1910. – GS 2, 7–192; GW 3, 5–190. – 1955 vom Suhrkamp Verlag Berlin in die *Gesammelten Werke in Einzelausgaben* aufgenommen.

»Es liegen in meinem Tisch verborgen zwei große Manuskripte von je etwa 100 Seiten, in welchen beiden versucht ist, die ›Gertrud‹ nicht im Ich-Ton zu erzählen, sondern rein episch. Das war die Arbeit zweier Winter, und im dritten schrieb ich, nach achtmonatlichem Besinnen, die ganze Sache neu und im Ich-Ton.« (Aus einem Brief an Theodor Heuss v. 17. 11. 1910; GB 1, 184)
Zu *Gertrud* gibt es drei Vorarbeiten. Von den beiden in der 3. Person geschriebenen Fragmenten ist nur eine bekannt: *Gertrud,* e 1905/06, zuerst veröffentl. in *Prosa aus dem Nachlaß* (1965). 84 S. Manuskript und 17 S. Typoskript im Hesse-Nachlaß Marbach a. N. Mileck (S. 1044) nimmt an, dies sei die zweite Fassung von *Gertrud,* und schlägt vor (S. 439), dieses Fragment auf 1907/08 zu datieren. Diese Fassung unterscheidet sich stark von der späteren Romanfassung.
»Kuhn, der im Roman eine Hauptperson ist, hat keine direkte Entsprechung im Fragment – es sei denn, Haueisen habe ein Stück von ihm, ein Stück von Muoth in sich.« (Ninon Hesse, Anmerkungen der Herausgeberin. In: H. H., *Prosa aus dem Nachlaß.* Frankfurt a. M.: Suhrkamp 1965, S. 601) – H. H. hat dem Fragment ein Personenverzeichnis beigegeben:
Rudolf Haueisen, Architekt
Gertrud Flachsland
Adolf Beyer, Haueisens Freund, Selbstmörder

Martha, Haueisens zweite Liebe und Frau
Richard Jehlin, Maler, Haueisens Freund
Mia Wendel, Malerin, Gertruds Freundin. In ihrem Atelier treffen sich die Künstler oft
Peter Lohbauer, Gertruds Schwager, Arzt, Seine Frau Else. –

Preise für die hiesige Festhalle: »Ein anderer neugewonnener Freund, mit dem ich eine Zeitlang auch eine gemeinsame Wohnung in der Holbeinstraße hatte, war der junge, rheinländische Architekt [Heinrich] Jennen, der soeben den ersten Preis in der Konkurrenz um die Erweiterungsbauten des Rathauses gewonnen hatte, ein Neugotiker, Schüler von Schäfer in Karlsruhe und ein überschäumend lebensfroher junger Mensch, der mich Einzelgänger und Asketen in manche Genüsse und Behaglichkeiten des materiellen Lebens einführte.« (Aus H. H., *Ein paar Basler Erinnerungen.* In: *National-Zeitung.* Basel. Nr. 301 v. 4. 7. 1937) – Vgl. auch Marta Dietschy, *Hermann Hesse und das Basler Rathaus.* In: *Basler Woche.* 11. 2. 1977.

Mia Wendel: H. Hs. erste Frau Maria, von ihm Mia genannt, führte vor ihrer Verheiratung zusammen mit ihrer Schwester an der Basler Bäumleingasse ein Photoatelier, wo häufig Künstlertreffen stattfanden.

Flachsland: Goethe wanderte oft von Frankfurt nach Darmstadt, wo ihn Merck im Frühjahr 1772 in den schöngeistigen Zirkel »Gemeinschaft der Heiligen« einführte. Diesem Kreis gehörte auch die Braut Herders, Caroline Flachsland, an.

Zopfstil: die Stilstufe besonders der deutschen Kunst im Übergang vom Rokoko zum Klassizismus. Die Bezeichnung geht auf die Mode des Zopfes zurück, der später als Merkmal für Steifheit und Unnatürlichkeit galt.

die Martha sein: Anspielung auf Luk. 10, 40.

Am Brunnen vor dem Tore: Gedicht von Wilhelm Müller (1794–1827).

Beisel: [österreichisch, bayerisch mundartlich für] Kneipe.

Eine weitere Vorarbeit zu *Gertrud* liegt vor im *Fragment aus der Jugendzeit,* e 1907, das wie der Roman *Gertrud* in der 1. Person erzählt ist; zuerst veröffentlicht 1913 in *Velhagen & Klasings Monatsheften;* jetzt GE 2, 83–101. Manuskript 123 S. in der Hesse-Sammlung Marbach a. N. Es handelt sich um die erste Fassung des 1. Kapitels des späteren Romans.

Direktor Gelbke: erfundene Gestalt.

Eustachius Zizibin: erfundene Gestalt.

Freund Hein: durch Matthias Claudius eingeführte volkstümliche Bezeichnung des Todes.

Elisabeth Chevalier: Möglicherweise Assoziation zum Vornamen der Elisabeth La Roche. Siehe *Elise* in *Eine Stunde hinter Mitternacht (Der Inseltraum).*

»Ich war der Meinung, stofflich in der ›Gertrud‹ insofern Neues zu probieren, als das Buch von der schwierigen Balance handelt, die im echten Künstler zwischen Liebe zur Welt und Flucht vor der Welt einerseits, andererseits zwischen Befriedigung und Durst beständig vibriert. Äußerlich ist das kein großer Stoff, aber psychologisch doch.« (Aus einem Brief an Theodor Heuss v. 21. 11. 1910; GB 1, 186)

»Daß Gertrud selbst als Person zu sehr im Halblicht bleibt, mag stimmen, sie war für mich weniger ein Charakter als ein Symbol und zugleich ein Stimulans, dessen Kuhn zu seiner ganzen Entwicklung bedurfte.« (Aus einem Brief an Conrad Haußmann v. 27. 12. 1910; Teilveröffentl. in S. Unseld, *Hermann Hesse, eine Werkgeschichte*. Frankfurt a. M.: Suhrkamp 1973, S. 32)

»Die Auffassung des Lebens, die darin [in *Gertrud*] steht, wird sich mir wohl nicht wesentlich mehr verändern, mit dem Buch als Dichtung, als Form bin ich aber unzufrieden. Der Weg, den ich suche und brauche, führt vom Sentimentalen weg zum Humor, eine andere Steigerung und Lösung meines Wesens kann ich mir kaum denken.« (Aus einem Brief an Frau L. du Bois v. 4. 6. 1911; Teilveröffentl. in S. Unseld, *Hermann Hesse, eine Werkgeschichte*. Frankfurt a. M.: Suhrkamp 1973, S. 32)

»Diesen Winter wird ein altes Buch von mir bei einem Schweizer Verlag neu erscheinen, es ist der Roman ›Gertrud‹. Ich hab dies Buch nicht gern und habe es deshalb weder in die Ges. Werke bei S. Fischer aufgenommen, noch einen neuen Druck veranlaßt ... Seit mehr als 20 Jahren gehören die Rechte an diesem Buch leider nicht mir und auch nicht dem Verlag Fischer oder Suhrkamp, sondern der Deutschen Buch-Gemeinschaft ... Ich hätte lieber dies Buch überhaupt nie mehr drucken lassen,« aber ich bin machtlos ...« (Aus einem unveröffentlichten Brief an den Verlag Fretz & Wasmuth, Zürich, v. 9. 9. 1947; zit. nach Mileck 167)

»Am 1. Februar 1908 wurde der 1903 auf fünf Jahre geschlossene Verlagsvertrag mit einem ›Nachtrag‹ verlängert, und dieser Nachtrag enthielt Bestimmungen, wie sie Fischer noch nie vorher einem Autor zugestanden hatte und nie nachher zugestehen sollte: Hesse verpflichtete sich, von seinen nächsten vier Werken drei Fischer zu übergeben, und behielt sich das Recht vor, eines an Albert Langen zu geben. Außerdem bestimmte der Nachtrag:

›Als Äquivalent für die hier eingeräumten Rechte verpflichtet sich die Firma S. Fischer, Verlag, Herrn Hesse während der nächsten drei Jahre eine Gesamtsumme von 5400.– Mark in monatlichen Raten von je M 150.– zu bezahlen. Diese Summe wird auf das Honorar nicht angerechnet.‹

Dieser abgeänderte Verlagsvertrag wurde am 30. März 1912 durch einen zweiten Nachtrag neuerlich verlängert, und am 19. April 1918 durch einen dritten auf weitere sechs Jahre, während deren Hesse

sich verpflichtete, Fischer ›mindestens seine nächsten sechs erzählen-
den Werke‹ zu übergeben, und als ›Äquivalent‹ während dieser sechs
Jahre insgesamt 900.– Mark in vierteljährlichen Raten von je 375.– M.
erhielt, die wiederum auf das Honorar nicht angerechnet wurden.

Einen solchen Verlagsvertrag hatte es in der Bülowstraße noch nie
gegeben. Es war nicht unüblich, jungen Autoren eine bescheidene Mo-
natsrente zu gewähren, um sie der dringendsten materiellen Sorgen
zu entheben und ihnen das Weiterarbeiten zu erleichtern; doch wurden solche Raten natürlich gegen die Buchantiemen aufgerechnet.
Hier geschah das Umgekehrte: Fischer zahlte Hesse, wie er es in
einem späteren Brief ausdrückte, ›eine Art Prämie, um meinem Verlag
Ihre Produktion auf eine gewisse Zeit zu sichern‹. Hesse war zeit
seines Lebens ein sehr sparsamer Mann, um, wie Hedwig Fischer
schrieb, ›auf jeden Fall unabhängig zu bleiben‹. Wenn er sich dieser
Unabhängigkeit, von einem Buch zum nächsten neu entscheiden zu
können, begab, mußte der Verleger, der auf dieser Fesselung bestand,
ihn für diese Freiheitsberaubung entschädigen. Fischer scheint diese
Argumentation eingeleuchtet zu haben; zumindest fügte er sich ihr.
Die monatliche ›Prämie‹ war an sich nicht hoch und ließ sich tragen;
doch belief sie sich im Oktober 1913, wie Fischer anläßlich einer
Differenz Hesse vorzurechnen genötigt war, inzwischen immerhin auf
nahezu 18 000 Mark, und das war keine Unerheblichkeit mehr. Es
gab Autoren des Verlags, die den sorgfältig rechnenden Fischer rund-
heraus ›knausrig‹, ja geradezu ›geizig‹ nannten; aber es gab auch
einige, bei denen seine Hochachtung vor ihrer geistigen und künstlerischen Existenz ihm geldliche Erwägungen schlechtweg verboten;
er hing so an ihnen, daß er geschäftliche Gewinneinbußen gar nicht
als ›Opfer‹ zu betrachten vermochte.

Tatsächlich erschien Hesses nächstes Buch, der Musikerroman *Gertrud*,
1910 bei Albert Langen, und der Grund, warum Hesse schon 1908
dieses Buch aus dem Vertrag mit Fischer ausklammerte, läßt sich vermuten. Schon im Juni 1906 hatte Fischer auf einem Umweg eine
Warnung des ›Simplicissimus‹-Zeichners Thomas Theodor Heine erhalten, der ihn wissen ließ, ›daß Albert Langen sehr eifrig bemüht ist,
ihm den Schriftsteller Hermann Hesse abwendig zu machen und in
seinen Verlag zu bekommen. Auch den Schriftsteller Emil Strauß
besuchte er kürzlich in Überlingen. Albert Langen wird auch eine
süddeutsche politisch-literarische Monatsschrift herausgeben und sucht
Hermann Hesses Mitarbeit zu gewinnen. Ich theile das mit, damit
diese vorzüglichen Autoren nicht bei Albert Langen so hereingelegt
werden wie manche anderen Leute. Selbstverständlich bitte ich darum,
diese Mittheilung durchaus diskret zu behandeln. Wenn man erfahren
würde, daß ich Ihnen das geschrieben habe, hätte ich noch mehr
Unannehmlichkeiten als ich jetzt schon habe.‹

Der raunzige Maler hatte richtig gehört, und Fischer war gewarnt.

Als Langen 1907 seine politisch-kulturelle Halbmonatsschrift ›März‹ gründete, gewann er Hesse nicht nur als Mitarbeiter, sondern auch als verantwortlichen Mitherausgeber. Möglicherweise machte Langen die Überlassung eines Werkes für seinen Buchverlag zur Bedingung, vielleicht empfand Hesse selbst eine solche moralische Verpflichtung – in jedem Fall war er Langen freundschaftlich verbunden und blieb bis zum Dezember 1912, als er von Gaienhofen nach Bern übersiedelte, Mitherausgeber dieser ausgezeichneten, mutigen liberalen Zeitschrift. Fischer fürchtete, die ›Neue Rundschau‹ könne dadurch zu kurz kommen; er bot Hesse eine Verbesserung der ›Rundschau‹-Honorare an und schrieb: ›Als Herausgeber einer Zeitschrift, die nicht in einem Concurrenzverhältnis zu unserer Zeitschrift steht, wird doch wohl Ihrer zukünftigen Mitarbeit bei uns nichts im Wege stehen.‹ Auch bemühte Fischer sich in späteren Jahren mehrmals, als Hesses Verbindung mit dem Verlag Langen nicht mehr bestand, den Roman *Gertrud* um der Vollständigkeit des Werkes willen von Langen zu erwerben, aber es gelang ihm trotz Hesses Einverständnis nicht, so daß es in den zu Fischers Lebzeiten veranstalteten *Gesammelten Werken in Einzelausgaben* fehlt.« (P. de Mendelssohn, *S. Fischer und sein Verlag.* Frankfurt a. M.: S. Fischer 1970, S. 391–392)

Gertrud Imthor: erfundene Gestalt. Vgl. *Frau Gertrud* und *Gertrud* in *Eine Stunde hinter Mitternacht (Der Inseltraum* und *An Frau Gertrud).*

1

gewünscht, ein Dichter zu sein: »[...] von meinem dreizehnten Jahr an war mir das eine klar, daß ich entweder ein Dichter oder gar nichts werden wolle.« (*Kurzgefaßter Lebenslauf;* GW 6, 393–394)

bis zu [...] den Quellen meiner frühesten Erinnerungen: Zu denken ist an die zahlreichen Kindheitserinnerungen von den *Hinterlassenen Schriften und Gedichten von Hermann Lauscher* bis zu denen, die H. H. im Alter geschrieben hat (*Der Bettler, Unterbrochene Schulstunde, Schulkamerad Martin* u. a.).

als ein unbeliebter und wenig begabter, doch ruhiger Schüler: nicht autobiographisch. »Hermann Hesse [...] ist ein wohlbegabter Schüler von gutem Charakter u. guter Gemütsart, doch fehlt es bisweilen am nötigen Ernst«, heißt es in einem von Rektor Bauer am 20. Mai 1891 in Göppingen ausgestellten Zeugnis.

vor meinem zwölften Jahre kein Instrument: nicht autobiographisch. Vgl. *ich hatte in meinem Leben nie ein Instrument berührt* in *Peter Camenzind* (3).

Gesanglehrer(s) H.: möglicherweise Anspielung auf den Musiklehrer Haasis; vgl. *Musiklehrer Haas* in *Unterm Rad* (3).

Liddy: erfundene Gestalt.

Doch war unser Verhältnis nie sehr innig gewesen: Vgl. *meiner Mutter* in *Hinterlassene Schriften und Gedichte von Hermann Lauscher (Meine Kindheit).*

Heinrich Muoth: erfundene Gestalt. »Muoth is of course Bavarian and archaic for *Mut* (=courage), the quality exemplified in the singer who must fight obstacles within and without to project his role day after day. The name Kuhn is an unumlauted variant of *kühn* (= bold) and reminds one of Adrian Leverkühn (live boldly) with its Nietzschean echo. Hesse's Kuhn, however, is ambivalent. Taken in the Nietzschean sense the implication would be ironic, for he is a shrinking violet facing life. On the other hand, it is possible to see ›boldness‹ in his impetus to pursue art without restraint.« (G. W. Field, *Hermann Hesse.* New York: Twaine 1970, S. 176)

Kuhn: erfundene Gestalt. J. Mileck (*Hermann Hesse. Dichter, Sucher, Bekenner.* Biographie. München: C. Bertelsmann 1979, S. 56–57) vergleicht Kuhn mit H. H.: »Konrad Lohe, Kuhns Griechischlehrer in der vierten Klasse, war der reizbare Professor Schmid, Hesses Griechischlehrer in derselben Klasse in Calw. Kuhn fängt mit zwölf Jahren an Geige zu spielen; Hesse hat kurz vor dem zwölften Geburtstag damit begonnen. Mit sechzehn wird die Musik für Kuhn zu der Leidenschaft, zu der das Schreiben im gleichen Alter für Hesse geworden war. Hesse hatte seine ersten Liebesgedichte während der letzten beiden Jahre in der Schule geschrieben, und Kuhn komponiert die ersten Liebeslieder im letzten Schuljahr. Kuhns Eltern sind ebenso besorgt wegen der Berufswahl ihres Sohnes, wie es Hesses Eltern wegen seines Entschlusses, Schriftsteller zu werden, gewesen waren. Sein Vater ähnelt dem Hesses stark. Sein Interesse an Schmetterlingen war das Hesses wie auch die kurze Beschäftigung mit der Theosophie. Kuhns Oper war zweifellos Hesses *Bianca,* das Libretto, das für Othmar Schoeck geschrieben, jedoch nicht verwendet worden war. Und Hesses schwierige Ehe diente als Modell für die schlechte Ehe von Kuhns engem Freund Heinrich Muoth und Gertrud. Kuhn ist die Person, die Hesse in Basel gewesen war [...]« (Aus dem Amerikanischen übersetzt von Jutta und Theodor A. Knust. Die Originalausgabe erschien u. d. T.: *Hermann Hesse. Life and art.* Berkeley, Los Angeles, London: University of California Press 1970.)

Daß bei jedem Föhn: U. d. T. *Im Leide* zuerst veröffentlicht in *Jugend,* München, 1909, S. 360. – »Im übrigen sind die meisten Gedichte, die in Erzählungen von mir stehen, ungefähr gleichzeitig mit dem Prosabuch, aber nicht ad hoc geschrieben. Zu einigen Erzählungen existiert ein ganzer Cyklus gleichzeitiger Lyrik, besonders zu ›Gertrud‹ und zum Steppenwolf. Später hat sich das im Glasperlenspiel wiederholt.« (Auf einer Postkarte an M. Pfeifer; Poststempel: Stuttgart, 30. 5. 1949, unveröffentlicht) – Dieses Gedicht ist das *Lawinenlied.*

Stefan Kranzl: erfundene Gestalt.

Marion: erfundene Gestalt.

Präzeptor Konrad Lohe: Hugo Ball (in *Hermann Hesse. Sein Leben und sein Werk*) und G. W. Field (in *Hermann Hesse. Kommentar zu sämtlichen Werken.* Stuttgart: Akademischer Verlag Hans-Dieter Heinz 1977, S. 20) schreiben fälschlich »Lohse«. Erfundene Gestalt. Field (a.a.O. S. 82) deutet an, daß der Namen Lohe »eine verschleierte Anspielung auf Laotse sein mag«. Mileck stellt eine Parallelität zu Professor Schmid, H. Hs. Calwer Griechischlehrer, her. Von diesem Lehrer berichtet H. H. in *Aus meiner Schülerzeit* und in *Unterbrochene Schulstunde.* »Zweimal während meiner Schülerjahre habe ich einen Lehrer gehabt, den ich verehren und lieben konnte, dem ich ohne Sträuben die höchste Autorität zugestand und der mich mit einem Augenzwinkern lenken konnte. Der erste hieß Schmid und war Lehrer an der Calwer Lateinschule [...]« (Aus *Aus meiner Schülerzeit;* GS 4, 596)

Lehre vom Karma: Hauptglaubenssatz des Brahmanismus, Buddhismus und Dschainismus; er besagt, daß das Schicksal des Menschen nach dem Tod von seinem abgelaufenen Dasein oder seinen früheren Daseinsformen abhängt. Die Lehre vom Karma soll die Verschiedenheit der menschlichen Anlagen und Schicksale erklären und eine ausgleichende Gerechtigkeit wahrscheinlich machen.

jeder Glaube heilig und jeder Pfad zum Licht willkommen: Dieser Gedanke erfährt in H. Hs. *Morgenlandfahrt* dichterische Gestaltung.

4

Kapellmeister Rößler: erfundene Gestalt.

Lotte: erfundene Gestalt.

Teiser: erfundene Gestalt.

Muoth hatte etwas, [...] was mich mit ihm verband. Das war das ewige Begehren, die Sehnsucht und Ungenüge: Vgl. M. Pfeifer, Alles Neue war ihm wichtig. In: *Blätter für den Deutschlehrer.* Frankfurt a. M. 1977, 2, S. 33–39. Hier wird dieser Charakterzug an H. H. selbst gezeigt.

Ich habe meine Kerzen ausgelöscht: U. d. T.: *Nacht* zuerst veröffentlicht in *Jugend,* München, 1907, S. 550; Vers 1 »Kerze« statt »Kerzen«; Vers 2 »offenen« statt »offnen«.

Hans H.: möglicherweise Assoziation zu H. Hs. Bruder Hans.

5

Brigitte Teiser: erfundene Gestalt.

hatte ich beschlossen, nicht weiterzuleben: H. H. trug sich, nachdem er Maulbronn verlassen hatte, und in der *Steppenwolf*-Zeit mehrfach mit Selbstmordgedanken.

ich beschloß, es mit einem Revolver zu tun: »Das Geld borgte ich von Ihnen zur Anschaffung eines Revolvers; seit einigen Tagen bin ich entschlossen, mich zu erschießen.« (H. H. an Herrn Brodersen in

Boll am 20. 6. 1892; KuJ 1, 220)
Buchhalter Klemm: erfundene Gestalt.

6

Ja. Sie haben eine Krankheit: »Als Hesse diese Sätze schreibt, 1909
oder vielleicht noch früher, hat er weder Jung noch Freud gelesen.
Aber er kennt, von Basel her, die romantische Philosophie und hat
einen Weg in sich selbst. Schon in ›Gertrud‹ weiß er, daß es gilt,
eine Brücke zwischen Ich und Du zu finden; die allzu versunkene
Innerlichkeit aufzuheben; den mystischen Protestantismus, das Erbe
vom Vaterhaus her, zu durchbrechen. Sein Zustand ist ihm bewußt.
Nur frägt er sich, für wen er seine Blätter beschreibe; ›wer eigentlich
so viel Macht über mich hat, daß er Bekenntnisse von mir fordert
und meine Einsamkeit durchbrechen kann‹. Also am Freunde und
Arzte fehlt es. Und am richtigen Weg, der dann zu gehen wäre;
denn schon ist in ›Gertrud‹ auch der Weg zu einer noch entschlos-
seneren Einsamkeit und Arbeitswut als falsch erkannt.« (Hugo Ball,
Hermann Hesse. Berlin 1927, S. 155–156)
moral insanity: moralische Abnormität bei normaler Intelligenz,
auch moralischer Schwachsinn, moralische Gemütlosigkeit genannt.
Lucie Schniebel: erfundene Gestalt.
Der Föhn schreit jede Nacht: U. d. T.: *Vorfrühling* zuerst veröffentlicht in *Simplicissimus,* München, 1909, S. 830. In späteren Gedichtbänden fehlt die 2. Strophe. »Warum ich [...] in den ›Gedichten‹
eine Strophe eines Gedichtes aus ›Gertrud‹ weggelassen habe, weiß
ich heute nicht mehr, kann auch nicht nachsehen, ich bin bis zur
Verzweiflung überlastet. Vieleicht ist es auch nur ein Versehen des
Setzers. Das Leben ist zu kurz, um mich mit diesem Kram zu be-
fassen.« (Aus einem Brief an M. Pfeifer; Poststempel: Stuttgart, 18. 4.
1959)

Umwege

Erzählungen. Berlin: S. Fischer 1912.
Ladidel – Die Heimkehr – Der Weltverbesserer – Emil Kolb – Pater
Matthias.
»[...] namentlich sind mir Ladidel und Konsorten wirklich gar nicht
Nebenfiguren, sondern ebenso lieb oder fast lieber als alle Helden.
Gerade die Geschichte von dem Gehirnfatzke Reichardt [Hauptfigur
der Erzählung *Der Weltverbesserer*], die Ihnen des Stoffes wegen
lieber ist als die anderen, ist mir die am wenigsten sympathische [...]
(Aber) ich habe zum Leben der Kleinen und Anspruchslosen, der
Ladidel und Seldwyler, von Kind auf ein halb humoristisches, halb
neidisches Verhältnis, das mich immer wieder locken wird [...] Ein
Lehrbub, der seinen ersten Sonntagsrausch erlebt, und ein Laden-

mädel, das sich verliebt, sind mir, offen gestanden, eigentlich ganz
ebenso interessant wie ein Held oder Künstler oder Politiker oder
Faust, denn sie leben nicht auf Gipfeln seltener Ausnahmeexistenzen,
sondern atmen die Luft aller und stehen den Dingen näher, auf
denen das natürliche menschliche Leben ruht und aus denen wir in
schlechten Zeiten den Trost der Gemeinsamkeit und Zugehörigkeit
schöpfen.« (Aus einem Brief an Walter Schädelin v. 30. 5. 1912; GB 1,
207)

»Die altmodischen unter meinen Freunden, speziell die Berner, loben
am meisten den Matthias und finden den Kolb schlecht. Die Gemüt-
vollen finden den Ladidel und Matthias zu kühl, den andre deswegen
loben, und die Modernen, die mich sonst als alten Onkel betrachten
und nicht ernst nehmen, lassen gerade den Kolb des Psychologischen
wegen gelten.« (Aus einem Brief an Conrad Haußmann, ca. 10. 6.
1912; GB 1, 209)
Siehe auch Einzelkommentare.

Aus Indien
Aufzeichnungen von einer indischen Reise

Berlin: S. Fischer 1913; GS 3, 786–850 (außer *Architektur, Sozietät*
und *Die Gräber von Palembang*); GS 2, 355–394 (*Robert Aghion*);
GS 5, 558–565 (Gedichte [*Von einer asiatischen Reise*]); GW 6, 224–
288 (außer *Architektur, Sozietät* und *Die Gräber von Palembang*;
ferner fehlen die Gedichte); GW 3, 353–392 (*Robert Aghion*).
Nachts im Suezkanal – Abend in Asien – Spazierenfahren – Augen-
lust – Der Hanswurst – Architektur – Singapur-Traum – Überfahrt –
Pelaiang – Sozietät – Nacht auf Deck – Waldnacht – Palembang –
Wassermärchen – Die Gräber von Palembang – Maras – Spaziergang
in Kandy – Tagebuchblatt aus Kandy – Pedrotallagalla – Rückreise –
Reisende Asiaten – Gedichte (Gegenüber von Afrika – Abend auf
dem Roten Meer – Ankunft in Ceylon – Nachts in der Kabine –
Fluß im Urwald – Kein Trost – Nachtfest der Chinesen in Singapur –
Im malayischen Archipel – Bei Nacht – Pelaiang – Vor Colombo) –
Robert Aghion.
H. H. unternimmt die Indienreise mit dem Malerfreund Hans Sturzen-
egger (1875–1943) aus Schaffhausen. Am 4. 9. 1911 brechen sie auf
und fahren durch die Schweiz und das versengte Oberitalien nach
Genua. Dort schiffen sie sich auf dem Dampfer »Prinz Eitel Fried-
rich« des Norddeutschen Lloyd ein, der am 7. 9. ablegt. Ziel sind die
Straits Settlements, wie damals die britischen Kolonialgebiete an der
Straße von Malakka hießen. Die Fahrt ging durch das Mittelmeer
und das Rote Meer. Zuerst legt das Schiff in Colombo an. »Daran
erinnert das Gedicht ›Ankunft in Ceylon‹, das die ungeahnte farbige

Pracht der ersten Landschaftseindrücke und die hohe Stimmung des von märchenhaften Erwartungen berauschten Reisenden festhält [...] Einen längeren Aufenthalt auf der Insel hatte Hesse erst für die Rückfahrt vorgesehen. Jetzt drängte es ihn, die östlichsten Punkte seiner Reise zu erreichen. Das war zunächst Penang, der Hauptort auf der gleichnamigen hinterindischen Insel, die heute zu der Malaiischen Föderation gehört und bereits damals den Ruf genoß, ein Eldorado des Fremdenverkehrs zu sein [...] Das nächste Ziel war Singapur, die bedeutendste Hafenstadt an der Durchfahrt vom Stillen zum Indischen Ozean [... Er] fährt dann auf einem kleinen holländischen Küstenschiff nach Südsumatra, um den Urwald und die Krokodilflüsse zu erleben [...] Ähnlich wie seinem Vater bekam auch Hesse das tropische Klima nicht gut [... Mit dem chinesischen Dampfer ›Maras‹] fuhr er in zweiunddreißig Stunden nach Singapur zurück und trat von dort die Heimreise an [...] So wurde aus seiner Absicht, sich längere Zeit in Hinterindien aufzuhalten und auch die Malabarküste – das Geburtsland seiner Mutter – zu besuchen, nichts. Die letzte Unternehmung war die Besteigung des 2528 Meter hohen Pidurutalagalla, der höchsten Erhebung der Insel« [Ceylon]. (F. Böttger, *Hermann Hesse*. Berlin 1974, S. 164–167) – Die Rückreise unternimmt er mit dem Dampfer »York«. Am 11. 12. 1911 trifft er wieder in Gaienhofen ein.

Die Aufzeichnungen *Aus Indien* entstehen 1911–1913. Bezüge zu H. Hs. Indienreise finden sich auch in *Erinnerung an Asien*, e 1914, *Erinnerung an Indien*, e 1916, in *Besuch aus Indien*, e 1922, und in *Siddhartha*.

»Vom Briefwechsel über die Indienfahrt sind keine Briefe Hesses [an S. Fischer] und nur einige von Fischers Antworten erhalten; doch auch sie verraten Hesses kauzige Empfindlichkeit. Hesse fragte offenbar Anfang Juli 1911 an, ob wohl ein Reisezuschuß zu haben wäre, wenngleich er nicht versprechen könne, daß die Reise literarisch ertragreich sein werde. Fischer antwortete am 7. Juli: ›Ich stelle Ihnen gern einen Reisezuschuß von viertausend Mark zur Verfügung, auch für den Fall, daß sich keine unmittelbare Verwertung aus der Reise ergibt. Schreiben Sie aber über die Reise etwas, so würden die 4000 Mark durch Vorabdruck in der »Rundschau« – zu dem Satz von M. 40 pro Seite – auszugleichen sein [...] Sie übernehmen also mit dem Reisezuschuß von 4000 Mark gar keine Verpflichtung; wenn Sie nichts konkretes schreiben, werde ich mich damit zufrieden geben, daß die Eindrücke der Reise dazu beigetragen haben, Ihre Stoffwelt zu bereichern.‹

Hesse reiste Anfang September 1911 nach Hinterindien. Die Reise tat nicht die erhoffte befreiende Wirkung, und es kam nicht sogleich etwas Verwertbares dabei heraus. Doch empfand er offenbar eine Verpflichtung gegenüber Fischer (obwohl Fischer sie ihm ausdrücklich abgenommen hatte) und stellte ein Manuskript Reisenotizen zusammen, das er Bie [Oskar Bie, Hrsg. der *Neuen Rundschau*] sandte. Bie spürte aus dem Manuskript anscheinend eine gewisse Unlust heraus und schlug vor, nur einen Teil (über Sumatra) zu bringen. Hesse schloß hieraus, daß die ›Rundschau‹ ihm nicht wohlgesonnen sei, und schickte Fischer die viertausend Mark zurück. Fischer antwortete am 18. März 1912:

›Sie haben damals, bei der Übersendung des Manuskripts, auf Ihre Notizen über die Reise kein besonderes Gewicht gelegt, und da mir Bie gesagt hat, daß Sie kein starkes Interesse für die Reise aufgebracht haben, daß sich das in Ihren Notizen äußert und daß Sie selbst in Ihren Notizen wiederholt eine Unlust bekennen, so mußte es mir scheinen, als ob Sie Ihrerseits auf den Abdruck der Notizen kein so großes Gewicht legen, während wir unsererseits uns sagen mußten, daß mit dem Abdruck auch den Lesern nicht besonders gedient sein kann [...] Sie waren gar nicht verpflichtet, über Indien etwas zu schreiben [...] Der Reisezuschuß ist kein Vorschuß, er ist ein einmaliger Zuschuß, den ich, mich als Ihr Verleger fühlend, Ihnen auch für den Fall dargeboten habe, daß sich daraus nichts anderes ergibt, als eine Bereicherung des Lebensgefühls und eine Erweiterung Ihres Stoffgebiets [...] so liegt ja auch moralisch kein Grund vor, daß Sie mir die 4000 Mark zurückgeben. Ich hoffe, Sie überzeugen sich davon, daß die »Rundschau« kein Hindernis für unsere zukünftige Verbindung ist [...]‹

Fischer zahlte die leidigen viertausend Mark neuerlich auf Hesses Konto ein – ›für mich war die Sache in dem Moment, wo ich Ihnen den Zuschuß zugesagt habe, erledigt‹ – die ›Rundschau‹ brachte das Fragment *Auf Sumatra* im Maiheft 1912, und das Einvernehmen war wiederhergestellt. Außerdem behielt Fischer auf längere Sicht recht: die Indienreise brachte für Hesse nicht nur ›eine Bereicherung des Lebensgefühls‹, sondern auch eine ›Erweiterung des Stoffgebietes‹. Hesse entschloß sich, die Reiseaufzeichnungen doch zu einem Buch auszugestalten, und am 28. Juli schrieb ihm Fischer: ›Ihr indisches Buch will ich natürlich gern drucken; es ist ja eine Frucht der Reise [...]‹ *Aus Indien. Aufzeichnungen von einer indischen Reise* erschien im Frühjahr 1913, erzielte sofort sechs Auflagen und blieb über die Jahre hinweg hinter Hesses anderen Büchern nicht zurück.« (P. de Mendelssohn, *S. Fischer und sein Verlag*. Frankfurt a. M.: S. Fischer 1970, S. 577–578)

Wie stark H. H. an der Veröffentlichung seiner Reiseaufzeichnungen interessiert war, läßt sich bereits an der Tatsache ablesen, daß allein im Jahr 1912 in der Zeitschrift *Die Schweiz* fünf, in der Zeitschrift *Die Rheinlande*, im *Simplicissimus*, in *Westermanns Monatsheften* und im *Neuen Wiener Tagblatt* je zwei, in den *Propyläen*, der *Schaubühne*, dem *Schwabenspiegel*, in *Zeit im Bild* und in der *Königsberger*

Zeitung je eine der *Aufzeichnungen von einer indischen Reise* erschienen sind.

»Ich hatte Gaienhofen erschöpft, es war dort kein Leben mehr für mich, ich reiste nun häufig für kurze Zeiten weg, die Welt war so weit draußen, und fuhr schließlich sogar nach Indien, im Sommer 1911. Die heutigen Psychologen, der Schnoddrigkeit beflissen, nennen so etwas eine ›Flucht‹, und natürlich war es unter anderem auch dies. Es war aber auch ein Versuch, Distanz und Überblick zu gewinnen.« (H. H., *Beim Einzug in ein neues Haus;* GW 10, 148)

»Ich habe ein Billett nach Singapore bestellt, ein Freund reist mit, wir wollen Sumatra bereisen, und dann will ich noch im Urwald bei Kwala Lumpur, einer Chinesenstadt von 160 Tausend Einwohnern, eine Zeitlang Schmetterlinge fangen, ein dort einsam hausender Schweizer Techniker hat mich eingeladen. Im Rückweg kommt ein Besuch von Ceylon und bei günstigen Umständen etwa auch noch ein Stückchen von Vorderindien dran.« (Aus einem Brief an Conrad Haußmann v. 9. 7. 1911; GB 1, 194)

»Vorderindien, wo ich ohnehin nur eine Reise im Süden geplant hatte, mußte ich aufgeben, teils weil das Leben und Reisen hier draußen weit über meine Verhältnisse und Erwartungen teuer ist, teils weil Magen, Darm und Nieren streiken. Dagegen sah ich die Strait Settlements und Malay States ziemlich gründlich, ebenso den Südosten von Sumatra, und war zuletzt noch 14 Tage, leider meist krank und bei Regen, im Gebirg von Ceylon. Die Inder haben mir im ganzen wenig imponiert, sie sind wie die Malayen schwach und zukunftslos. Den Eindruck unbedingter Stärke und Zukunft machen nur die Chinesen und die Engländer, die Holländer etc. nicht.« (Aus einem Brief an Conrad Haußmann v. Ende November 1911; GB 1, 201)

»Sie nehmen an, daß ein gewisser geistiger Zug zum Asiatischen bei mir das Resultat meiner kurzen Indienreise sei. Das ist nicht so. Ich bin seit vielen Jahren davon überzeugt, daß der europäische Geist im Niedergang steht und der Heimkehr zu seinen asiatischen Quellen bedarf. Ich habe jahrelang Buddha verehrt und indische Literatur schon seit meiner frühesten Jugend gelesen. Später kamen mir Lao-Tse und die anderen Chinesen näher. Zu diesen Gedanken und Studien war meine indische Reise bloß eine kleine Beigabe und Illustration, mehr nicht.« (Aus einem Brief an Alice Leuthold v. 26. 7. 1919)

»Ja, meine Beziehungen zu Indien sind alt. Der Vater meiner Mutter sprach neun oder zehn indische Sprachen, lebte Jahrzehnte in Indien, sprach mit den Brahmanen Sanskrit, meine Mutter war auch einen Teil ihres Lebens dort, sprach drei indische Sprachen, und auch mein Vater war kürzere Zeit in Indien als Missionar. Bücher über Indien, über Buddha etc. sah und las ich fast schon von den Bubenjahren an in der riesigen Bibliothek meines Großvaters, sah indische Bilder, sah zuweilen auch Hindus, und schließlich war ich ja selber einmal kurz in Indien.« (Aus einem Brief an Lisa Wenger v. 10. 2. 1921; GB 1, 466)

»Aber als ich vor elf Jahren eine Reise nach Indien machte, da sah ich wohl die Palmen und Tempel stehen, roch den Weihrauch und das Sandelholz, aß die herben Mango und die zarten Bananen; aber zwischen alledem und mir war noch ein Schleier, und mitten in Kandi unter den Buddhapriestern hatte ich nach dem wahren Indien, nach Indiens Geist, nach einer lebendigen Berührung mit ihm das ungestillte Heimweh wie vorher in Europa. Indiens Geist gehörte noch nicht mir, ich hatte noch nicht gefunden, ich suchte noch. Darum floh ich damals auch Europa, denn meine Reise war eine Flucht. Ich floh es und haßte es beinahe, in seiner grellen Geschmacklosigkeit, seinem lärmigen Jahrmarktbetrieb, seiner hastigen Unruhe, seiner rohen, tölpelhaften Genußsucht.« (Aus *Besuch aus Indien*, e 1922; GW 6, 294–295)

Nachts im Suezkanal

Shi-King: die älteste lyrische Sammlung der Chinesen (12.–7. Jh. v. Chr.).

Chinese(n) aus Schanghai: »Von diesem chinesischen Gelehrten war Hesse sehr beeindruckt. Seine Beschreibung enthält, neben den sachlichen Angaben zur Person, eine starke Idealisierung, die zuweilen an Figuren seiner Dichtung wie den Fährmann in *Siddhartha* oder an den Musikmeister im *Glasperlenspiel* erinnert.« (A. Hsia, *Hermann Hesse und China*. Frankfurt a. M.: Suhrkamp 1974, S. 62)

daß in China [...] die große Revolution beginnt: »Am 10. 10. 1911 war aus dem chinesischen Kaiserreich eine Republik geworden. Wir können annehmen, daß er [Hesse] durch Zeitungen und Gespräche über die Vorgänge in China unterrichtet wurde, auch wenn wir bis heute darüber noch keinen schriftlichen Beleg haben. Nach seiner Rückkehr konnte sich Hesse aus Ku-Hung-Mings Buch *Chinas Verteidigung gegen europäische Ideen* über die politisch-kulturellen Probleme Chinas, vornehmlich die der zweiten Hälfte des 19. Jahrhunderts, etwa vom Opiumkrieg bis zum Boxeraufstand, einigermaßen systematisch orientieren.« (A. Hsia, *Hermann Hesse und China*. A.a.O. S. 77) – H. H. besprach das Buch von Ku-Hung-Ming im *März* v. 10. 2. 1912.

Abend in Asien

Betel: Kau- und Genußmittel aus einem Stück Betelnuß, einem Blatt vom Betelpfeffer und etwas gebranntem Kalk; schmeckt bitter, wirkt erfrischend, färbt den Speichel rot, die Zähne schwarz.

Geschichte von Ali Baba: Märchen aus *Tausendundeine Nacht*.

Spazierenfahren

Tamilen: die sehr dunkelhäutige Bevölkerung Südostasiens und Nordceylons.

Augenlust

Sarong: rockähnliches Kleidungsstück der Malaien.
Tikal: thailändisches Gewicht; seit etwa 1860 Silbermünzen.

Der Hanswurst:

Stückefabrikant: keine Anspielung auf Bertolt Brecht!

Singapur-Traum

»Ihr Vater ist hier und ist dort, er ist in Ihnen und außer Ihnen, Ihr Vater ist überall«: ähnlich dem Mutterbild in *Demian* und *Narziß und Goldmund*.
Miß Annie Wells: erfundene Gestalt.
mein Reisekamerad, der Maler: Hans Sturzenegger.
Darunter das Herze sich naget und plaget: Verse 5 und 6 der ersten Strophe des Liedes *Eins ist not! Ach Herr, dies eine ...* von Johann Heinrich Schröder (1667–1699).
Kunstgriff echt chinesischer Mechanik: Vorform der Gestaltung des »Magischen Theaters« im *Steppenwolf*, in der *Morgenlandfahrt* und im *Glasperlenspiel*.

Pelaiang

Kampong: malaiische Dorfsiedlung.

Sozieteit

Sozieteit: Genossenschaft.
Multatuli: Pseudonym von Eduard Douwes Dekker (1820–1887), niederländischer Schriftsteller, schrieb den Anklageroman *Max Havelaar* gegen die Ausbeutung der Javanen in den niederländischen Kolonien.

Nacht auf Deck

Batang: [malaiisch] Hauptstrom eines Flußsystems.

Waldnacht

Düten: Tüten; in GS und GW auch so gedruckt.
Kubu: vormalaiischer Volksstamm auf Südsumatra, z. T. noch nicht seßhafte Jäger.
Atschi: Bewohner des Nordwestteils Sumatras.
Gaurisankar: Gipfel des Himalaja, 7145 m hoch.
in die Augen von Sterbenden [...] gesehen: Vgl. dazu dasselbe Bild in *Narziß und Goldmund*.

Palembang

Prau: ein malaiisches Segelboot mit Ausleger.
Talmiware: [übertragen für] Unechtes.
der Sinn für Musik: »Sie haben es auch darum schwerer, weil Sie
zu wenig Musik hören, zu wenig in der Bibel und in großen Dichtern
lesen.« (Aus *An einen Staatsminister*, e 1917; GW 10, 419)
Habituee: Habitué [veraltet für] ständiger Besucher, Stammgast.

Die Gräber von Palembang

von der blutigen Schlacht: 217 v. Chr.
Garibaldi: Giuseppe Garibaldi (1807–1882), italienischer Freiheits-
held.

Tagebuchblatt aus Kandy:

Seit einigen Tagen lebe ich von Rotwein und Opium: von H. H. als
Mittel gegen Dysenterie verwendet. Vgl. dazu den Rauschgiftgebrauch
beim Einstieg ins »Magische Theater« des *Steppenwolf.*

Rückreise

Paria: eine niedrige, auf die Urbevölkerung zurückgehende Kaste von
Webern, Landarbeitern, Totengräbern und Dienern in Südindien;
[verallgemeinert] unterdrückter, rechtlos gewordener Mensch.

Reisende Asiaten

Hadschi: Mekkapilger.

Robert Aghion

In dieser Erzählung nimmt H. H. zum Beruf des Missionars Stellung,
den sein Großvater und sein Vater mit ganzem Einsatz in Indien aus-
geübt hatten. Ingeborg Jalkotzy sieht 1963 (in ihrer Wiener Dissertation *Hermann Hesse. Der Einfluß des Ostens in seinen Werken*,
S. 14) in der Gestalt des Robert Aghion einen konkreten biographischen Bezug zu den Anfängen der Laufbahn von H. Hs. Großvater
Gundert, der auch durch einen englischen Kaufmann als junger Doktor
der Philosophie nach Indien kam und Land und Leute kennen und
lieben lernte. Albrecht Oepke hingegen hatte 1921 in seinem Büchlein
Moderne Indienfahrer und Weltreligionen (Leipzig: Dörffling &
Franke, S. 14) gemeint: »In Wahrheit ist Robert Aghion kein anderer
als – Hermann Hesse. Denn wer ist Hermann Hesse? Es ist schmerzlich zu sagen. Er ist ein Sohn des bekannten Missionsschriftstellers
J. Hesse und mütterlicherseits ein Enkel des berühmten [...] missio-
narischen Sprachforschers Dr. Gundert. Wie der Sohn an dem, was
den Vätern das Teuerste war, irre geworden ist, das und nichts
anderes hat der Verfasser in Robert Aghion geschildert, ein in seiner
Art ergreifendes Selbstbekenntnis [...] Die religiös-mystischen Nei-

gungen des Weltreisenden und Dichters, sogar dessen Liebhaberei, das Naturstudium, das ›Schmetterlingssammeln‹, alles findet sich bei Robert Aghion wieder.«
Die Erzählung *Robert Aghion* wurde später von H. H. umgeschrieben. Die neue Fassung erschien erstmals im Band *Kleine Welt* (Berlin: S. Fischer 1933) und fortan in allen folgenden Veröffentlichungen. Die Änderungen betreffen vor allem die Einleitung, in der H. H. die Heidenmission charakterisiert (*Aus Indien*, S. 139–142; GW 3, 353–354), und eine Stelle, in der er über »das kalte kaufmännische oder herrisch abenteuerhafte Wesen« der reichen Geschäftsleute schreibt (*Aus Indien*, S. 166; GW 3, 370).

In der alten Sonne

Berlin: S. Fischer 1914. – GS 1, 781–829; GW 2, 413–461.
e März 1904, erste Niederschrift u. d. T. *Die ersten Sonnenbrüder*, VZ 1905, VB *Nachbarn*, veränderte Fassung in *Diesseits* 1930 und den folgenden Veröffentlichungen.
Bärenhäuter: Nichtstuer, Faulenzer.
Lotter: [veraltet für] wilder Kerl, Taugenichts.
Gerbersau: Siehe *Knulp (Das Ende)*.
Karl Hürlin: erfundene Gestalt.
fallitgehen: [veraltet für] zahlungsunfähig werden.
Gant: Konkurs.
Andreas Sauberle: erfundene Gestalt.
Lukas Heller: erfundene Gestalt.
Louis Kellerhals: erfundene Gestalt.
Stefan Finkenbein: erfundene Gestalt.
Bruder Straubinger: [scherzhaft für] Landstreicher.
Kunkel: Spindel, Spinnrocken.
dem fetten Sperling: gemeint ist Finkenbein.
»Stern«: Wirtschaft von Philipp Manz in der Metzgergasse in Calw.

Roßhalde

Berlin: S. Fischer 1914. – GS 2, 469–633; GW 4, 5–169.
Seit 1918 und auch in den *Gesammelten Werken in Einzelausgaben* (dort seit 1925) sowie in GW als Roman, in der Ausgabe von 1931 der *Gesammelten Werke in Einzelausgaben*, in der Ausgabe des Suhrkamp Verlags von 1956 und in GS als Erzählung bezeichnet. Begonnen am 10. 7. 1912 in Gaienhofen, fortgeführt im August 1912 in Badenweiler, beendet im Januar 1913 in Bern. Erstveröffentlichung im Juli und August 1913 in *Velhagen & Klasings Monatsheften*. Die Buchausgabe erschien am 16. 3. 1914.

»Jener Roman, an dessen entscheidendem Kapitel ich 1912 bei Ihnen in Badenweiler arbeitete und zu dem mir Dr. Thorspeken medizinische Aufschlüsse gab, ist im Winter fertig geworden und im August in Velhagens Monatsheften gestanden. Über eine Buchausgabe bin ich noch nicht schlüssig; ich habe bei dieser Arbeit viel gelernt, und sie hat mir manches Persönliche überwinden und verstehen helfen, aber ich weiß nicht, ob sie auch anderen wird wesentlich nützen können.« (Aus einem Brief an Albert Fraenkel v. September 1913; GB 1, 230)

»Mein Roman ›Roßhalde‹ kommt bald als Buch, ich sehe darin aber nur eine Art Schlußpunkt unter meine bisherige Dichterei, die mir kläglicher erscheint als je, und habe das Gefühl, ich müsse nun entweder ganz einpacken oder aber ganz Neues wagen, wozu Ansätze und Ahnungen vorhanden sind.« (Aus einem Brief an Otto Blümel v. 24. 12. 1913; GB 1, 236)

»Heute ist mein neues Buch herausgekommen. Der Roman hat mir viel zu schaffen gemacht und ist für mich ein, wenigstens einstweiliger, Abschied von dem schwersten Problem, das mich praktisch beschäftigt hat. Denn die unglückliche Ehe, von der das Buch handelt, beruht gar nicht nur auf einer falschen Wahl, sondern tiefer auf dem Problem der ›Künstlerehe‹ überhaupt, auf der Frage, ob überhaupt ein Künstler oder Denker, ein Mann, der das Leben nicht nur instinktiv leben, sondern vor allem möglichst objektiv betrachten und darstellen will – ob so einer überhaupt zur Ehe fähig sei. Eine Antwort weiß ich da nicht; aber mein Verhältnis dazu ist in dem Buch möglichst präzisiert; ist darin eine Sache zu Ende geführt, mit der ich im Leben anders fertig zu werden hoffe, und die mir doch überaus wichtig ist.« (Aus einem Brief an seinen Vater v. 16. 3. 1914; GB 1, 242)

»Ich dachte eine Art Edelkitsch zu finden. Aber es war nicht so. Das Buch hat mir gefallen und hat sich bewährt, es sind nur ganz wenige Sätze darin, die ich heute streichen oder ändern würde, und umgekehrt steht eine Menge von Sachen darin, die ich heute nicht mehr vermöchte. Damals, mit diesem Buch, hatte ich die mir mögliche Höhe an Handwerk und Technik erreicht und bin nie weiter darin gekommen. Dennoch hatte es ja seinen guten Sinn, daß der damalige Krieg mich aus der Entwicklung riß und mich, statt mich zum Meister guter Formen werden zu lassen, in eine Problematik hineinführte, vor der das rein Ästhetische sich nicht halten konnte.« (Aus einem Brief an Peter Suhrkamp v. 15. 1. 1942; GW 11, 30)

»Der Roman ›Roßhalde‹ – wenn ich hier eine ganz persönliche Überzeugung ausdrücken darf – ist mir immer als das vollkommenste unter den Erzählwerken Hermann Hesses erschienen, als *die* klassische Leistung seines Lebens, wenn wir das Wort klassisch hier so auffassen wollen, daß es die geglückteste und überzeugendste Harmonie aller besten dichterischen Kräfte eines Autors bedeutet, etwas Exemplarisches, schlechthin Repräsentatives für sein Dichtertum. Die tiefinnere Kongruenz zwischen dem Erzählstoff und seiner Motivik einerseits und der eigenen Lebenslage des Dichters andererseits hat hier ein erstaunliches Maß von Lebensfülle gezeigt, und alle geistigen Bestrebungen des werdenden Künstlers, die ästhetischen sowohl, jene meisterhafte impressionistisch-symbolische Beherrschung der Motivik, wie auch die ethisch-weltanschauliche Lebensdurchdringung, haben in diesem Roman eine Kulmination, einen Höhepunkt der Reife erfahren, jenseits welcher zwar anderes und Neues, aber kaum in diesem Sinne Vollendeteres denkbar scheint. Die Überzeugungskraft, die Dichte der Erzählung ist denn auch erstaunlich.« (H. Stolte, *Hermann Hesse. Weltscheu und Lebensliebe.* Hamburg: Hansa-Verlag 1971, S. 75–76)

Roßhalde: Der ehemalige Landsitz »Hintere Schoßhalde« des seit 1905 mit H. H. befreundeten Malers Albert Welti, geb. 18. 2. 1862, gest. 7. 6. 1912. Der Name Schoßhalde leitet sich von der Form des steilen rechten Uferhangs des Aarebogens her. »[...] wir wollten in der Nähe von Bern ein stilles ländliches Haus suchen, etwa ein ähnliches wie das wunderschöne alte Landgut, das mein Freund Albert Welti, der Maler, seit einigen Jahren bewohnte. Ich hatte ihn mehrmals in Bern besucht, und sein hübsches, leicht verwahrlostes Haus und Gütchen weit draußen vor der Stadt hatte mir sehr gefallen. Und wenn meine Frau ohnehin, aus Jugenderinnerungen her, eine große Liebe für Bern und Bernertum und alte Berner Landsitze hatte, so war für mich der Umstand, dort einen Freund wie Welti zu wissen, mitbestimmend, als ich mich für Bern entschied. Als es aber soweit war und wir wirklich vom Bodensee nach Bern umzogen, da sah schon alles wieder anders aus. Ein paar Monate vor unserer Übersiedlung nach Bern waren Freund Welti und seine Frau rasch hintereinander gestorben, ich war zu seinem Begräbnis in Bern gewesen, und da hatte es sich ergeben, daß es, wenn wir nun schon nach Bern ziehen wollten, das beste wäre, Weltis Haus zu übernehmen. Wir wehrten uns innerlich gegen diese Nachfolgerschaft, es roch uns zu sehr nach Tod, wir suchten auch nach einem andern Unterkommen in der Nähe Berns, aber es fand sich nichts, was uns gefallen hätte. Das Weltihaus war nicht Weltis Eigentum gewesen, es gehörte einer Berner Patrizierfamilie, und wir konnten Weltis Miete übernehmen, zusammen mit einigem Hausrat und mit Weltis Wolfshündin Züsi, die ebenfalls bei uns blieb.« (Aus *Beim Einzug in ein neues Haus;* GW 10, 148–149) – Hesse bezog mit seiner Familie dieses Haus in Ostermundingen bei Bern, Melchenbühlweg 26 (oberhalb von Schloß Wittigkofen) im September 1912. – »Haus und Garten sind ziemlich ähnlich geschildert in meinem Romanfragment ›Das Haus der Träume‹, und der Titel dieser unvollendeten Dichtung ist eine Erinnerung an meinen Freund Albert Welti, der eins seiner merkwürdigsten Bilder so genannt hatte.« (Aus *Beim Einzug in ein neues Haus;* GW 10, 150). H. H. bewohnte dieses Haus bis zum Frühjahr 1919. – 1917 versah H. H. einen Band *Gemälde und Radierungen* von Albert Welti mit einer Einführung.

1

vor zehn Jahren: Als H. H. mit der Niederschrift des Romans begann, hatte er das Weltihaus noch nicht bezogen.

Johann Veraguth: erfundene, aber stark autobiographisch geprägte Gestalt. »Die biographische Bedeutung des Werkes jedoch kann gar nicht überschätzt werden. Es enthält die ganz persönliche Auseinandersetzung des Dichters mit der eigenen unglücklichen Ehe.« (F. Böttger, *Hermann Hesse*. Berlin: Verlag der Nation 1974, S. 186) – »Autobiographical allusions are unmistakable and shattering when fully comprehanded.« (G. W. Field, *Hermann Hesse*. New York: Twayne 1970, S. 37) – »Veraguth ist der Anlage nach der Mensch, der Hesse war, der Romantiker, der in träumerischer Erwartung lebt, von ihrer Verwirklichung rasch übersättigt ist und seine chronische Enttäuschung sorgfältig pflegt.« (J. Mileck, *Hermann Hesse. Dichter, Sucher, Bekenner*. Biographie. München: C. Bertelsmann 1979, S. 79)

älteren Sohn [...] auf auswärtige Schulen zu schicken: nicht autobiographisch. Als H. H. *Roßhalde* schrieb, war erst sein ältester Sohn, Bruno, eingeschult.

Diener Robert: erfundene Gestalt.

eine kleine Leinwand: H. H. hat erst später zu malen begonnen. Vgl. M. Pfeifer, H. H. – ein Dichter als Maler. In: *Literatur in Wissenschaft und Unterricht*. Kiel. 5, 1972, 3, S. 233–239. »Gute Freundschaft schloß Hesse vor allem mit Malern und Musikern [...] Max Bucherer, schon von Basel her bekannt, wohnte eine Zeitlang in Gaienhofen, und nach seinem Weggang bezogen die Maler Otto Blümel und Ludwig Renner die freigewordene Wohnung. Mit Fritz Widmann wanderte Hesse durch Oberitalien, mit Hans Sturzenegger, dessen Atelier in Belair bei Schaffhausen so manches heitere Fest sieht, reist er nach Indien. Auch Albert Welti, Cuno Amiet und Gustav Gamper lernt er kennen, und später gehört besonders Ernst Morgenthaler zum engsten Kreis der Malerfreunde.« (B. Zeller, *Hermann Hesse*. Reinbek: Rowohlt 1963, S. 56)

Otto Burkhardt: erfundene Gestalt. Möglicherweise ist dieser Name angelehnt an den Namen Otto Burchard, dessen Buch *Zibet und Ambra. Phantasien aus dem alten Orient* (Frankfurt a. M.: C. F. Schulz 1910) H. H. in einem Brief an C. F. Schulz vom 4. 5. 1910 (GB 1, 177–178) besprochen hat. Eine gewisse Parallelität dieser Figur mit Hans Sturzenegger ist unverkennbar.

Albert: erfundene Gestalt.

2

Adele Veraguth: Adele ist der Vorname von H. Hs. älterer Schwester. »Adele is the same staid and humorless personality, the same pos-

sessive mother and unresponsive wife that Maria was.« (J. Mileck,
Hermann Hesse: Life and Art. A.a.O. S. 84)
des leichten, holden Badeschauders: »Die von ihm [Hesse] betriebene
Kunst introvertierter Darstellung entbehrte nicht der Sentimentalität,
die sich im lyrischen Kitsch ausdrückt, wenn zum Beispiel von den
holden Badeschauern [sic!] die Rede ist, die in der Männer *Seelen
das grüne helle Tal der Jugendsommerzeiten* erstrahlen lassen.«
(E. Middell, *Hermann Hesse*. Leipzig: Reclam 1972, S. 106)
Meta Heilemann: erfundene Gestalt.

5
»*Daß ich mit meiner Frau [...]*«: Diese Darstellung zeigt H. Hs. Sicht
seiner eigenen Ehe.

6
Du mußt alles, was du hast, wegwerfen: Vgl. Hebbels Tagebuch-
eintragung: »Wirf weg, damit du nicht verlierst!« (19. 10. 1836).
im Herbst fahre ich nach Indien zurück: Auch H. H. brach im Herbst
nach Indien auf.

7
Es waren drei lebensgroße Figuren: »Es ist bürgerliche Malerei aus
der Zeit des Jahrhundertanfangs, und es ist zeitsymptomatische Kunst.«
(F. Böttger, *Hermann Hesse*. Berlin: Verlag der Nation 1974, S. 184)
ein schönes großes Papier: »Als kleiner Knabe habe ich zu Weihnacht
und Geburtstag mir jedesmal Papier gewünscht, als etwa Achtjähriger
tat ich es auf dem Wunschzettel mit den Worten ›Ein Bogen Papier
so groß wie das Spalentor‹.« (Aus *Notiz aus dem Sommer 1949;*
AB 272)

8
Unten sprang der Hund an ihm in die Höhe: H. H. hatte auch Weltis
Wolfshündin Züsi übernommen.

10
Ich habe nur Kopfweh gehabt: H. Hs. jüngster Sohn Martin erkrankte Anfang März 1914, also nachdem der Roman abgeschlossen
war, ebenfalls an Gehirnhautentzündung (Meningitis). »Der kleine
Brüderli [Martin] ist seit einiger Zeit fabelhaft aufgeregt, seit kurzem
begann er auch nachts plötzlich schreiend zu erwachen, aus dem Bett
zu rennen und mit Angstzuständen zu tun zu haben. Es wurde uns
schließlich ängstlich, und jetzt erklärt die Ärztin ihn für nervenkrank,
er ist ganz isoliert, Mia Tag und Nacht allein bei ihm, und viermal
tags kriegt er Brom. Heiner ist bei Schädelins einquartiert, Mia haust
ganz im Schlafzimmer beim Kleinen, bei halb verdunkelten Fenstern,
und kann kaum einen Augenblick weg, ißt sogar meist oben, während
sonst niemand zu Brüdi darf. Das soll Wochen dauern!« (Aus einem

Brief an seine Schwester Adele von Anfang März 1914; GB 1, 241) –
H. H. hatte bereits vorher Kenntnisse über diese Krankheit erworben:
»Und jener andere Fränkel-Schüler, der ganz junge Assistent Heineke,
später Leiter des Sanatoriums Waldeck, der für Brahms schwärmte
und mit einer sehr liebenswerten Tochter der ›Villa Hedwig‹ verlobt
war, hat mir ebenfalls einmal einen wertvollen Dienst erwiesen. Ich
war mit meinem Roman ›Roßhalde‹ beschäftigt, in dem Krankheit
und Sterben eines begabten und liebenswürdigen Knaben zum Gleichnis wird für das Welken und Sterben einer Ehe. Über diese Krankheit, eine Meningitis, und ihre Symptome erbat ich mir von Heineke
medizinische Auskünfte. Er verstand genau, woran mir gelegen war,
und schilderte mir einige Details mit großer Eindringlichkeit, man
findet sie alle treu in meinem Buche verwendet.« (Aus *Ein paar Erinnerungen an Ärzte [Ein Arzt großen Stils]*. In: *Ciba-Symposium*,
Basel, 8, 1960, 5/6, S. 199–200) – Christian Immo Schneider vergleicht
Pierres Tod mit demjenigen Echos in Thomas Manns *Doktor Faustus*:
»Zwar ist die Schilderung Th. Manns, verglichen mit Hesses, beträcht-
lich knapper im Inhalt und Umfang, als Ganzes nur eine kleine
Episode, jedoch die l e t z t e Episode vor dem geistigen Tod Adrian
Leverkühns, dessen gleichnishafte Vorausnahme. Und hierin ist das
Kapitel, das von Echos Tod handelt, nicht nur thematisch, sondern
auch stellenwertmäßig Hesses ausführlicher Darstellung nahe verwandt, bewirkt doch in beiden ansonst so verschiedenen Romanen der
Kindertod die vorläufig endgültige, entscheidende Schicksalswende
der Hauptgestalten. Dabei fällt zunächst auf, daß Th. Mann den
Nachdruck mehr auf die fachmännisch möglichst genaue Wiedergabe
der medizinischen Fakten innerhalb der Krankheitsgeschichte legt,
während es Hesse mehr auf die psychische Entwicklung und Wirkung
der Todeskrankheit auf die Betroffenen ankommt. Die sonst nahezu
kongruenten Übereinstimmungen lassen sich kurz und übersichtlich
durch folgendes Schema fassen:

PIERRE	ECHO
a) *Art der gemeinsamen Todeskrankheit*	
Gehirnhautentzündung. (611) 2	Cerebrospinal-Meningitis. (749)
b) *Körperliche Symptome*	
Appetitlosigkeit. (558)	Ihm ist die Eßlust geraubt. (747)
Seine Augen erloschen. (561 f., 564)	Ein Schnupfen trübte die süße Klarheit seiner Augen, die später sogar zu schielen beginnen. (747, 749)

Das Licht der lieben Frau Sonne ist auf einmal scheußlich gelb (599); P. hält sich die Ohren zu und kann kein Klavierspiel mehr vertragen. (600)	Intoleranz gegen Licht und Töne. (747 f.)
Erbrechen. (569)	Eruptionsartiges Erbrechen. (749)
Kopfschmerzen. (568, 574)	Hauptwehe. (749)
Schreie in ohnmächtiger Empörung gegen unerträgliche Qualen. (618, 635)	Herzzerreißendes Lamentieren und gellendes Aufschreien, der typische ›hydrocephale‹ Schrei. (751)
Das Kind ist während der Agonie nur noch ein mechanisch zuckender Körper; mit unheimlicher Regelmäßigkeit hob und streckte sich unter der Decke das Bein. (627)	Die Ärmchen des Kindes pressen sich enger an die Flanken, es verbiegt in knirschendem Kampf seine Glieder. (756)
Tod bei Bewußtlosigkeit. (627)	Bewußtseinstrübung (Coma) gegen Ende. (762)

c) *Seelische Symptome*

Allgemeine Apathie, scheinbar Zeichen von Blasiertheit. (558)	E. hat von allem, was man ihm anbietet, im voraus genug. (747)
Hilfesuchen bei Vater und Mutter. (561 f., 624)	E. klammert sich an die ihn umsorgenden Menschen an. (748)
»Ich will artig sein, immer, ihr dürft mich nicht schelten!« (624)	»Echo will herzig sein, Echo will herzig sein!« (751)
Furchtbare Einsamkeit des Sterbenden. (626)	Versagen von Ärzten, Medizin, Liebe der Verwandten angesichts des Todes. (752–757)

Der Kindertod hat für die beiden betroffenen Künstler eine grundsätzlich ähnliche Bedeutung: der Maler Veraguth fühlt sich ›schuldig‹ wegen seiner gescheiterten Ehe, der Musiker Adrian Leverkühn aus Gründen seines Paktes mit dem Teufel, der ihm die Liebe verbietet und gegebenenfalls den geliebten Menschen ›mitvergiftet‹. Auch kann in beiden Fällen der Tod des Kindes als Opfer für die Künstlerschaft betrachtet werden. Am Ende jedoch hat das Erlebnis des Kindertodes eine psychologisch jeweils verschiedene Wirkung: Für Leverkühn leitet es die letzte Phase seines geistig-künstlerischen Ruins ein. Die Symptome einer an Wahnsinn grenzenden Verzweiflung zeigen sich auch noch während Echos Todeskrankheit. Veraguth dagegen bleibt nicht

nur bis zuletzt bei Vernunft, sondern nach Einsicht in seine persönliche Schuld gibt ihm Pierres Tod sogar die Möglichkeit zu einem
Neuanfang seines Lebens, indem er sich nunmehr endgültig von seiner
Frau trennen zu dürfen glaubt.« (Ch. I. Schneider, *Das Todesproblem
bei Hermann Hesse.* Marburg: N. G. Elwert 1973, S. 136–138; Marburger Beiträge zur Germanistik, 38. – Schneider zitiert H. H. nach
GS 2, Th. Mann nach der Suhrkamp-Ausgabe des *Doktor Faustus,*
Frankfurt a. M. 1949)

12
Nun kam es zu spät und unnütz: Eine von H. H. später – auch in
abgewandelter Form – des öfteren gebrauchte und auf sich bezogene
Wendung.
Ich las von einem französischen Maler: Paul Gauguin (1848–1903).

17
O *Apotheker Gundermann:* Gundermann ist ein kleinstaudiger, weithin kriechender Lippenblütler in lichten Wäldern Europas, Asiens und
Nordamerikas mit würzigem Kraut und veilchenblauen Blüten; Volksarznei. Günsel ist eine kleinstaudige Lippenblütlergattung; Goldrute
und Fingerkraut werden auch als Günsel bezeichnet.
Geschichte vom Dornröschen: Märchen aus der Sammlung der Brüder
Grimm.

18
Phlox: Zierpflanze mit rispenartigen, farbenprächtigen Blütenständen.

Am Weg

Konstanz: Reuss & Itta 1915. (Die Zeitbücher, Band 24). Juninacht –
Der Wolf – Märchen – Der Brunnen im Maulbronner Kreuzgang –
Eine Gestalt aus der Kinderzeit – Hinrichtung – Vor einer Sennhütte
im Berner Oberland – Herbstbeginn.
Inhalt in Neuausgaben 1943, 1946 und 1970 verändert.
Die Ausgabe 1946 ist »Herrn und Frau Xaver Markwalder gewidmet«.
Siehe auch Einzelkommentare.

Knulp
Drei Geschichten aus dem Leben Knulps

Berlin: S. Fischer 1915. – GS 3, 7–97; GW 4, 435–525.
1907 bis 1914 entstehen die *Drei Geschichten aus dem Leben Knulps*
in Gaienhofen und Bern. Die in H. Hs. Nachlaß gefundenen drei Vor-

studien zum Leben Knulps – *Peter Bastians Jugend,* e 1902, *Brief an Herrn Kilian Schwenkschedel,* e 1902/03, und *Aufzeichnung eines Sattlergesellen,* e 1904 – wurden u. d. T. *Geschichten um Quorm* 1965 von Ninon Hesse im Band *Prosa aus dem Nachlaß* veröffentlicht. Eine andere Fassung von *Knulps Ende* (Manuskript. 18 S.) befindet sich im Nachlaß des mit H. H. befreundet gewesenen Dichters Carl Seelig (Zentralbibliothek Zürich). 1908 erscheint als erstes Stück *Meine Erinnerung an Knulp* in der *Neuen Rundschau,* als zweites 1913 *Vorfrühling* in der Cotta'schen Monatsschrift *Der Greif,* als letztes, 1914, *Das Ende* in der *Deutschen Rundschau.* Die Buchausgabe erscheint im Mai 1915 als 10. Band der 6. Reihe von »S. Fischers Bibliothek zeitgenössischer Romane«. Im 120. Tausend wird *Knulp* 1926 in die *Gesammelten Werke in Einzelausgaben* aufgenommen.

»Ich halte es, im Gegensatz zu manchen Modeprogrammen nicht für die Aufgabe des Dichters, seinen Lesern Normen für Leben und Menschentum aufzustellen und allwissend und maßgebend zu sein. Der Dichter stellt dar, was ihn anzieht, und Gestalten wie Knulp sind für mich sehr anziehend. Sie sind nicht ›nützlich‹, aber sie tun sehr wenig Schaden, viel weniger als manche Nützliche, und sie zu richten ist nicht meine Sache.

Vielmehr glaube ich: wenn begabte und beseelte Menschen wie Knulp keinen Platz in ihrer Umwelt finden, so ist die Umwelt ebenso mitschuldig wie Knulp selbst, und wenn es irgend etwas gibt, was ich den Lesern raten möchte, so ist es dies: die Menschen zu lieben, auch die schwachen, auch die Nichtnützlichen, nicht aber sie zu richten.« (Aus einem Brief an eine Leserin in Stuttgart v. 23. 2. 1935; AB 138)

»Gefreut hat mich auch, daß Du den Knulp wieder gelesen hast. Er gehört nämlich zu den paar wenigen meiner Sachen, die mir über alle Entwicklungen hinweg immer nah und lieb geblieben sind. Als ich, zusammen mit Bruno, einst mein Heimattal und Heimatstädtchen Calw nach vielen Jahren wiedersah, machte ich die mich überraschende Erfahrung: nicht die Gestalten meiner Eltern und Großeltern und auch nicht meine eigene Knabengestalt war es, die ich überall in den Gassen gehen sah oder doch gegenwärtig spürte, sondern es war Knulp. Und da erst wurde mir klar, daß für mich Knulp und die Heimat eins geworden seien. Lediglich der Schluß, mit dem Tod im Schnee, war mir zu Zeiten etwas zu sentimental und kitschig, aber mit der Zeit ist auch dieser Einwand eingeschlafen.« (Aus einem Brief an Ernst Morgenthaler vom Januar 1954. In: S. Unseld, *Hermann Hesse, eine Werkgeschichte.* Frankfurt a. M.: Suhrkamp 1973, S. 44 u. 46)

Vorfrühling

Karl Eberhard Knulp: eine fiktive Figur H. Hs. Mark Boulby sieht in dieser Gestalt einen Vorläufer des Altmusikmeisters im *Glasperlen-*

spiel: There is yet more intriguing matter in *Knulp,* besides this early incarnation of Castalia's Old Music Master: Knulp is not only the wanderer, he is the budding saint.« (M. Boulby, *Hermann Hesse. His Mind and Art.* Ithaca, New York: Cornell University Press 1967, S. 78)

Emil Rothfuß: erfundene Gestalt.

Lächstetten: fiktiver Ort.

Es sitzt ein müder Wandrer: Diese Verse, »die einst ein Jugendfreund von mir gemacht hat« (H. H., Postkarte an M. Pfeifer. Poststempel: Stuttgart, 30. 5. 1949), stammen von Martin Lang (1883–1955, Schriftsteller, Lektor bei der Deutschen Verlagsanstalt).

Gib uns heute unser täglich Brot: Aus dem »Unser Vater« (in der Bergpredigt; Matth. 6, 11).

Eleonora Duse: italienische Schauspielerin (1859–1924), eine der größten Menschendarstellerinnen ihrer Zeit.

Stabelle: [schweizerisch für] hölzerner Stuhl, Schemel.

In einem kühlen Grunde: Gedicht von Joseph von Eichendorff (1788–1857), bekannt in der Vertonung von Johann Ludwig Friedrich Glück (1793–1840).

Achthausen: fiktiver Ort.

Andreas und Barbara Flick: erfundene Gestalten.

Schlotterbeck: erfundene Gestalt. Ein August Schlotterbeck, »der einzige Sohn des Weißgerbers Schlotterbeck an der Badwiese«, ist der Held der 1909 geschriebenen Erzählung H. Hs. *Die Heimkehr.*

Der Herr läßt regnen über Gerechte und Ungerechte: nach Matth. 5, 45.

Des Herrn Wege sind wunderbar: Ps. 25, 10: Die Wege des Herrn sind eitel Güte und Wahrheit denen, die seinen Bund und seine Zeugnisse halten.

Lateinschulen: im ausgehenden Mittelalter von den Städten gegründete Kloster-, Dom- und Stadtschulen, Vorläufer der höheren Schulen.

Ruth, übers Feld: Ruth 2,3.

wie der Heiland sich zu den kleinen Kindern setzt: Matth. 19, 13–15.

Leu: [dichterisch für] Löwe.

Gertelfingen: fiktiver Ort.

Du meinst, ich werd dich nehmen: Verfasserfrage ungeklärt; nach Mileck »part of a Studentenlied« (Mileck 634).

Bald gras' ich am Neckar: Volkslied, mit der Überschrift *Rheinischer Bundesring* in *Des Knaben Wunderhorn* (1806).

Meine Erinnerung an Knulp

Weil ich früh gestorben bin: Diese Verse stammen – auch nach Ansicht der Hesse-Bibliographen Mileck und Waibler – von H. H.

Feuerwerk: Vgl. dazu *Feuerwerk,* e 1930, *Notizen aus diesen Som-*

mertagen, e 1948, beide Texte auch mit anderen Überschriften und in veränderter Fassung wieder abgedruckt.

Tolstoi: Leo Nikolajewitsch Tolstoi (1828–1910), russischer Schriftsteller. H. H. hat einige deutsche Ausgaben Tolstois besprochen; vgl. GW 12, 345 ff.

Nun hab' ich getragen den roten Rock: letzte Strophe des Volkslieds *Es war einmal ein treuer (braver) Husar,* das eine Umdichtung des von Arnim und Brentano überlieferten Liedes *Es war einmal ein junger Knab (Die gute Sieben)* ist.

Henriette, Lisabeth: erfundene Gestalten.

Hell und sonntagsangetan: Diese Verse stammen von H. H.

Einsamkeit: Vgl. dazu das Gedicht *Im Nebel* (»Seltsam, im Nebel zu wandern!«), e 1905.

Das Ende

Bulach: Ort, südlich von Calw.

Machold: erfundene Gestalt.

Berchtoldsegg: fiktiver Ort.

Präzeptor Plocher: erfundene Gestalt.

Gerbersau: H. Hs. »Seldwyla«, eine so liebevolle wie freie Darstellung seiner Heimatstadt Calw. H. Hs. Schulkameraden Ernst Rheinwald und Otto Hartmann gaben 1949 im Rainer Wunderlich Verlag Hermann Leins, Tübingen und Stuttgart, zwei Bände mit frühen Erzählungen H. Hs. unter dem Titel *Gerbersau* heraus. Im »Geleitwort« H. Hs. heißt es: »Je mehr das Alter mich einspinnt, je unwahrscheinlicher es wird, daß ich die Heimat der Kinder- und Jünglingsjahre noch einmal wiedersehe, desto fester bewahren die Bilder, die ich von Calw und von Schwaben in mir trage, ihre Gültigkeit und Frische. Wenn ich als Dichter vom Wald oder vom Fluß, vom Wiesental, vom Kastanienschatten oder Tannenduft spreche, so ist es der Wald um Calw, ist es die Calwer Nagold, sind es die Tannenwälder und die Kastanien von Calw, die gemeint sind, und auch Marktplatz, Brücke und Kapelle, Bischofstraße und Ledergasse, Brühl und Hirsauer Wiesenweg sind überall in meinen Büchern, auch in denen, die nicht ausdrücklich sich schwäbisch geben, wiederzuerkennen . . .« (S. 8). Gotthilf Hafner bemerkt zu diesen Sammelbänden, daß darin die Novelle *Hans Amstein* und die Erzählung *Freunde* fehlen. (G. Hafner, *Hermann Hesse.* Werk und Leben. Nürnberg: Hans Carl [3]1970, S. 30–31)

Haushälterin Lina: erfundene Gestalt.

Haasis: Diese Figur erinnert mit ihrem Namen an den Musiklehrer gleichen Namens im Maulbronner Seminar. Siehe *Musiklehrer Haas* in *Unterm Rad* (3).

Franziska: erfundene Gestalt.

item: [veraltet für] ferner.

Oberstetten: fiktiver Ort, obwohl es tatsächlich Orte dieses Namens in dieser Gegend gibt: Oberstetten über Biberach (Riß) und Oberstetten über Münsingen. Nicht auszuschließen ist auch eine Assoziation zur Heilanstalt Stetten im Remstal.

Die Blumen müssen: Diese Verse stammen von H. H.

Haiterbach: Es gibt tatsächlich den Ort Haiterbach/üb. Nagold.

Nägelein: [hier] Nelke.

Andres Schaible: erfundene Gestalt. H. H. hatte mehrere Bekannte mit diesem Familiennamen. Eine persönliche Anspielung konnte jedoch nicht festgestellt werden.

Bauerswil: fiktiver Ort.

»Dem Andenken Knulps« ist ein Gedicht H. Hs. gewidmet: *Auf Wanderung,* e 1906 oder 1907 (»Sei nicht traurig, bald ist es Nacht . . .«). »Ich wüßte nicht zu sagen, ob Goethens Lied von der Ruh über allen Wipfeln tiefer empfunden, ob es reiner gestaltet ist.« (Hugo Ball, *Hermann Hesse.* A.a.O. S. 114)

Knulps Ende. Fragment

VB: *Knulp. Drei Geschichten aus dem Leben Knulps. Mit dem Fragment ›Knulps Ende‹.* Mit sechzehn Steinzeichnungen von Karl Walser. (Frankfurt a. M.:) Insel Verlag (1979). 135 S. (insel taschenbuch, 394.)

Stammheim: Ort südöstlich von Calw, heute Stadtteil von Calw.

Oberhausen: fiktiver Ort, möglicherweise abgeleitet von Oberhaugstett südwestlich von Calw.

Gengstetter Wald: fiktiver Name, möglicherweise abgeleitet von Althengstett östlich von Calw.

Präzeptor Brüstlein: erfundene Gestalt.

Schön ist die Jugend

Zwei Erzählungen. Berlin: S. Fischer 1916. – Der Zyklon (GS 1, 762–780; GW 2, 394–412) – Schön ist die Jugend (GS 1, 719–761; GW 2, 351–393). [Seit 1961 in der »Bibliothek Suhrkamp«, hier in umgekehrter Reihenfolge.]

Motto: Strophe 1 des Volkslieds »Schön ist das Leben bei frohen Zeiten . . .«

Der Zyklon

e 1913, VZ 1913, veränderte Fassung in *Der Zyklon und andere Erzählungen* (Berlin: S. Fischer) 1929, in *Diesseits* 1930 und den folgenden Veröffentlichungen. Manuskript der ersten, ungedruckten Fassung im Hesse-Nachlaß Marbach a. N.

Volontärdienst in einer kleinen Fabrik meiner Vaterstadt: Anspielung auf seine Praktikantenzeit bei Perrot in Calw.

unsere Gegend von einem Zyklon oder Wettersturm heimgesucht: Am 1. Juli 1895 war ein großes Sturmwetter mit Hagel in Calw. Bei Hesses allein wurden 30 Scheiben zertrümmert. »Ich bin nämlich ohnehin angegriffen, lag letzte Woche 3 Tage zu Bett etc., und dann hab ich heute ein Wetter erlebt, wie selten. Vielleicht siehst Du es in irgend einem Tagesblatt. Es war großartig, ein einziger Windstoß, ein kurzer Hagel, alles zusammen kaum drei Minuten dauernd. Da flogen Scherben überall, zerstörte Läden, Dächer, Ziegel, Fenster etc. In einer einzigen Minute wurden massenhaft starke Bäume entwurzelt oder aber gebrochen, ganze Felder und Gärten total vernichtet.« (Aus einem Brief an Theodor Rümelin v. 1. 7. 1895; KuJ 1, 497)

Schön ist die Jugend

e 1907, VZ 1907, veränderte Fassung in *Diesseits* 1930 und den folgenden Veröffentlichungen.

»... sie [*Schön ist die Jugend*] ist mir, und wohl auch Dir, die liebste meiner frühen Erzählungen aus der Zeit vor den Kriegen und Krisen, weil sie unsre Jugend, unser Elternhaus und unsre damalige Heimat recht treu aufbewahrt und geschildert hat. Was das aber für eine Welt war, in der wir aufwuchsen und die uns geformt hat, das wußte ich damals, als ich die Erzählung schrieb, noch nicht so ganz. Es war eine Welt mit ausgesprochen deutscher und protestantischer Prägung, aber mit Ausblicken und Beziehungen über die ganze Erde hin, und es war eine ganze, in sich einige, heile, gesunde Welt, eine Welt ohne Löcher und gespenstische Schleier, eine humane und christliche Welt [...]« (Aus *Brief an Adele*, e 1946; GW 10, 96–97)

Onkel Matthäus: Prof. Dr. Wilhelm Gundert, der Japanologe (der »Vetter in Japan«) äußerte im Dezember 1955 gegenüber dem Stuttgarter Hessesammler Reinhold Pfau (1887–1975), daß Onkel Matthäus ein Abbild von H. Hs. Onkel Friedrich Gundert (1847–1925) sei.

Bruder Fritz: Diese Gestalt trägt Züge von H. Hs. Bruder Hans.

Schwester Lotte: Diese Gestalt trägt Züge von H. Hs. Schwester Adele.

Helene Kunz: Diese Gestalt erinnert an Emma Meier in *Auf dem Eise.*

die alte steinerne Brücke: die Nikolausbrücke in Calw.

ein böses Mißgeschick: Am 11. April 1892 brannte H. H. auf dem »Hohen Felsen« ein Feuerwerk ab und verbrannte sich Gesicht, Augen und Ohren. Mehrere Tage mußte er einen Verband über das ganze Gesicht tragen.

Hochstein: der »Hohe Felsen« in Calw.

Brühel: Festplatz in Calw.

die Jahreszahl 1877: das Geburtsjahr H. Hs.

»O Täler weit, o Höhen«: Abschied von Joseph von Eichendorff.

Zarathustras Wiederkehr
Ein Wort an die deutsche Jugend
Von einem Deutschen

Bern: Stämpfli & Cie. 1919 (anonym). – Berlin: S. Fischer 1920 (mit Verfassernamen). – Letzte Auflage 1924. – GS 7, 200–230; GW 10, 466–497. e Januar 1919.

Motto von Friedrich Nietzsche (nicht in GS und GW).

(Einleitung ohne Überschrift) – Vom Schicksal – Vom Leiden und vom Tun – Von der Einsamkeit – Spartakus – Das Vaterland und die Feinde – Weltverbesserung – Vom Deutschen – Ihr und euer Volk – Der Abschied.

Den Rezensionsexemplaren der ersten, anonymen Ausgabe war ein Brief H. Hs. beigefügt, in dem er sich als Verfasser der Begleitworte des Verlags bekennt und um baldige, ernsthafte Besprechung dieses Mahnrufs an die geistige Jugend Deutschlands bittet; abgedruckt GB 1, 400–401.

»Mein persönliches Verhältnis zur Politik habe ich versucht darzustellen in der anonymen Broschüre ›Zarathustras Wiederkehr‹, die ich im Januar schrieb. Die Neue Rundschau hat das Büchlein trotz meiner persönlichen Bitte um Beachtung totgeschwiegen, möglicherweise mit Recht. Die Jugend aber hat von vielen Seiten her heftig darauf reagiert, ich bin viel befragt, viel angegriffen, viel mit Vertrauen beschenkt worden.« (Aus einem Brief an Samuel Fischer v. 27. 8. 1919; GB 1, 415) »Ich habe anonym (um nicht die Jugend durch den bekannten Namen eines alten Onkels abzuschrecken) den Zarathustra geschrieben.« (A.a.O. S. 416) – »Daß ich mit dem ›Zarathustra‹ ein ›Versteckspiel‹ habe treiben wollen, wie Sie meinen, ist ein Irrtum. Ich hatte meine guten und tiefen Gründe dafür, dort anonym zu bleiben, bis die erste Wirkung getan war, und die Erfahrung hat mir diese Gründe durchaus bestätigt. Ich bin an diesen Dingen mit keinerlei Spiel und persönlichen Gelüsten beteiligt; sondern mit jeder Faser von Ernst und Energie, die in mir ist [...]« (Aus einem Brief an Hans Reinhart v. 20. 1. 1920; GB 1, 441)

In seinem Aufsatz *Zu ›Zarathustras Wiederkehr‹*, e 1919 heißt es zur Entstehungszeit von *Zarathustras Wiederkehr*: »In den letzten Tagen des Januar schrieb ich, unter dem Druck der Weltereignisse, in zwei Tagen und Nächten die kleine Schrift ›Zarathustras Wiederkehr‹ [...]« (GW 11, 39 u. d. T.: *Über »Zarathustras Wiederkehr«*). »Im Januar schrieb ich [...] innerhalb von drei Tagen und Nächten ›Zarathustras Wiederkehr‹ [...]«, heißt es in *Aus einem Tagebuch des Jahres 1920 (Corona* 3, 1932, S. 203).

»Mir scheint, ein Leser mit zartem Sprachgefühl wird durch meine Schrift zwar an den Zarathustra erinnert werden, wird aber auch sofort erkennen, daß sie gewiß keine Stilnachahmung versucht. Sie erneuert, sie klingt an, aber sie imitiert nicht. Ein Imitator des Zarathustra hätte eine Menge von Stilmerkmalen benutzt, die ich völlig wegließ. Auch muß ich gestehen, daß ich Nietzsches Zarathustra seit nahezu zehn Jahren nicht mehr in Händen gehabt habe.

Nein, der Titel und der Stil meiner kleinen Schrift entstand wahrlich nicht aus dem Bedürfnis nach einer Maske, oder gar aus einer spielerischen Lust zu Stilversuchen. Auch wer den Geist dieser Schrift ablehnt, muß doch – scheint mir – den hohen Druck ahnen, unter dem sie entstand.

Daß sie an Nietzsche anklinge und den Geist seines Zarathustra beschwöre, das merkte ich selbst erst während dem fast bewußtlosen Schreiben, das sich völlig explosiv vollzog. Aber seit Monaten, nein, seit Jahren hatte sich in mir eine andere Einstellung zu Nietzsche gebildet. Nicht zu seinem Gedanken, nicht zu seiner Dichtung. Wohl aber zu Nietzsche, dem Menschen, dem Mann. Mehr und mehr erschien er mir, seit dem jammervollen Versagen unserer deutschen Geistigkeit im Kriege, als der letzte einsame Vertreter eines deutschen Geistes, eines deutschen Mutes, einer deutschen Mannhaftigkeit, die gerade unter den Geistigen unseres Volkes ausgestorben zu sein schien. Hatte nicht seine Vereinsamung zwischen Kollegen voll verantwortungslosen Strebertums ihm den Ernst seiner ›Aufgabe‹ gezeigt? War er nicht im Grimm über den schauerlichen Kulturniedergang Deutschlands während der wilhelminischen Epoche, schließlich zum Antideutschen geworden? Und war nicht er es, der einsame Nietzsche, der vergrollte Verächter des deutschen Kaiserrausches, der letzte glühende Priester eines scheinbar absterbenden deutschen Geistes – war nicht er es, der Unzeitgemäße und Vereinsamte, dessen Stimme stärker als jede andere zur deutschen Jugend sprach? [...] An diesen Geist, als dessen letzten Prediger ich Nietzsche empfand, wollte und mußte ich appellieren.« (Aus *Zu ›Zarathustras Wiederkehr‹*; GW 11, 41–42) – Ähnliches drückt auch der Ankündigungstext H. Hs. zur ersten nicht anonymen Ausgabe von *Zarathustras Wiederkehr* aus (GW 10, 466–467).

Demian
Die Geschichte einer Jugend
von Emil Sinclair

Berlin: S. Fischer 1919. – GS 3, 99–257; GW 5, 5–163.
Seit der 17. Auflage [nicht der 9., wie P. de Mendelssohn in *S. Fischer und sein Verlag*. Frankfurt a. M. 1970, S. 812 angibt] 1920 *Demian. Die Geschichte von Emil Sinclairs Jugend von Hermann Hesse*. 1925 in die *Gesammelten Werke in Einzelausgaben* aufgenommen.
Motto von H. H. aus dem 5. Kapitel.

e September/Oktober 1917 in Bern. Von H. H. als das Romanmanuskript eines Unbekannten namens Emil Sinclair mit einer angelegentlichen Empfehlung sogleich an S. Fischer gesandt. In seinem Begleitschreiben teilt H. H. mit, es handle sich um die Arbeit eines jungen Menschen, der krank in der Schweiz darniederliege, wohl nicht mehr lange zu leben habe und seine Geschäfte mit der Welt nicht selbst besorgen könne. Fischer antwortet H. H. am 19. November 1917: »Mein Lektor, Herr Loerke, hat das Buch von Sinclair gelesen und mir darüber viel Gutes gesagt. Ich komme jetzt während der schweren Arbeitstage nicht so bald zur Lektüre, wollte Sie aber, da der Autor schwer krank ist, auf einen Bescheid nicht so lange warten lassen. Ich bin also bereit, das Buch zu drucken, sobald sich die Papierverhältnisse etwas deutlicher übersehen lassen. Augenblicklich habe ich noch ältere Verpflichtungen zu erfüllen und vor allem: ich muß meine Papierbestände für den Druck neuer Auflagen meines Autorenkreises bereit halten [...] Ich hoffe, daß es, wenn die Verhältnisse sich nicht noch weiter verschlechtern, möglich sein wird, das Buch im Mai oder Juni nächsten Jahres herauszubringen [...] Jedenfalls bitte ich Sie, dem Autor zu sagen, daß ich das Buch gern drucken werde. Sollten Sie den Abdruck des Romans in den ›Weißen Blättern‹ nicht durchsetzen können, so könnten wir auch den Vorabdruck in der ›Neuen Rundschau‹ in Erwägung ziehen.«

P. de Mendelssohn, der diesen Brief Fischers zitiert, schreibt weiter: »Loerkes Lektorenurteil lautete: ›Ein ausgezeichnetes Buch! Sein einziger Fehler ist, daß es sehr stark an Hesse erinnert, doch wird die Abhängigkeit durch innerliche Hoheit und einen besonderen, selbständigen Ernst ausgeglichen.‹ Der arme Sinclair mußte sich gedulden. Die Verhältnisse verschlechterten sich weiter, und das *Demian*-Manuskript blieb das ganze Jahr 1918 über liegen. Auch waren Schickeles ›Weiße Blätter‹ offenbar für den Vorabdruck nicht zu haben, und im Februar 1919 begann die ›Neue Rundschau‹ schließlich mit dem Vorabdruck, der sich über drei Hefte [bis April 1919] erstreckte. Merkwürdigerweise wurde auch erst im April 1919, nahezu eineinhalb Jahre nach Übersendung und Annahme des Manuskriptes, der Verlagsvertrag geschlossen.« (A.a.O. S. 809–810) – *Demian* erscheint im Juni 1919, zunächst in 3300 Exemplaren gedruckt. Das Manuskript befindet sich im Hesse-Nachlaß Marbach a. N.

Max Demian: »›Demian‹ ist in der Tat nicht eigentlich ein Mensch, sondern ein Prinzip, die Inkarnation einer Wahrheit oder, wenn Sie wollen, einer Lehre. Er spielt genau die selbe Rolle, die im Steppenwolf die ›Unsterblichen‹, die oberen Mächte, die Verfasser des Traktats spielen.« (Aus einem Brief an Frau Sarasin v. 15. 2. 1954; S. Unseld, *Hermann Hesse, eine Werkgeschichte.* Frankfurt a. M.: Suhrkamp 1973, S. 56) – »Die Menschen des ›Demian‹ sind nicht mehr noch weniger ›wirklich‹ als die meiner anderen Bücher. Ich habe nie Menschen nach dem Leben gezeichnet. Zwar kann ein Dichter auch das tun, und es kann sehr schön sein. Aber im Wesentlichen ist ja Dichtung nicht ein Abschreiben des Lebens, sondern ein Verdichten, ein Zusammensehen und Zusammenfassen des Gültigen.« (Aus einem Brief an eine junge Leserin vom Februar 1929; a.a.O. S. 56) – Frank Baron (»Who was Demian?« In: *The German Quarterly*. Appleton, Wisc., 49, 1976, 1, S. 45–49) hat überzeugend nachgewiesen, daß in Demian H. Hs. Maulbronner Schulkamerad Gustav Zeller widergespiegelt ist: »In Zeller as well as in Demian one recognizes an attempt to shape new myths in an age for which the old beliefs are no longer genuinely meaningful.« (S. 48) – Gustav Zeller war später Studienrat in Hamburg; er starb 1932 in Dettenhausen. 1920 veröffentlichte Zeller in der Zeitschrift *Psychische Studien* (Leipzig, 1920, 47, S. 622–630) einen offenen Brief an H. H. – Anders hingegen sieht Hermann Müller die Gestalt Demians: »Vielmehr geht die Gestalt des Demian und die ganze Thematik des Meister-Jüngerverhältnisses auf eine faßbare und nachweisbare biographische Erfahrung zurück: nämlich auf Hesses Begegnung mit Arthur (Gusto) Gräser.« (H. Müller, *Hermann Hesse – Gusto Gräser. Eine Freundschaft.* Wetzlar: Neuland Verlag, Gisela Lotz 1977, S. 5) – Zur Begründung verweist Müller auf Briefe Gräsers und auf die Tatsache: »In den folgenden Jahren, 1916–17–18, hält sich Hesse immer wieder für Wochen und Monate, im ganzen fast ein halbes Jahr, in Locarno-Monti auf, direkt gegenüber dem Monte Verita, und zwar bei Frau Neugeboren, einer Freundin und begeisterten Anhängerin von Gräser. Er konnte ihn von dort aus jederzeit erreichen. Ein halbes Dutzend solcher Besuche ist durch Dokumente erschließbar.« (A.a.O. S. 35) – Müllers Büchlein ist ein Auszug aus seinem Werk *Der Dichter und sein Guru* (Wetzlar: Gisela Lotz 1978. 271 S.). Die persönlichen Beziehungen zwischen H. H. und Gusto Gräser bestanden – nach Müller – bis 1919. GB 1 enthält keinen Brief H. Hs. an Gräser. Gustav Arthur Gräser wurde 1879 in Kronstadt in Siebenbürgen geboren; er starb 1958 in Freimann bei München. – Theodore Ziolkowski sieht in Demian eine »Christ-figure«. (Th. Ziolkowski, *The novels of Hermann Hesse*. Princeton, N. J.: Princeton University Press 1965, S. 138–143) – »Der Name Demian ist nicht von mir erfunden oder gewählt, sondern ich habe ihn in einem Traum kennengelernt, und er sprach mich so stark an, daß ich ihn auf meinen Buchtitel setzte. Später, als das Buch längst erschienen war, erfuhr ich, daß er auch als Familienname wirklich vorkommt, auch in der italienischen Form Demiani.« (Aus einem Brief an G. A. v. 8. 12. 1955; AB 456) Demian ist der »Dämon« des Knaben Sinclair, wie Hugo Ball schrieb, und sicherlich nicht, wie Hans Rudolf Schmid (H. R. Schmid, *Hermann Hesse*. Frauenfeld, Leipzig: Huber 1928, S. 144) annahm, »eine Umstellung der Buchstaben von ›jemand‹ oder ›(n)iemand‹«.

Emil Sinclair: »Sinclair war das Pseudonym, das ich einst, in der bittersten Prüfungszeit meines Lebens, für einige meiner Aufsätze während des Krieges von 1914 und dann für den ›Demian‹ gewählt hatte, nicht ohne dabei an Hölderlins Freund und Gönner in Homburg [Isaak von Sinclair, 1775–1815] zu denken, dessen Name mir seit frühester Jugend teuer war und einen heimlichen Klangzauber besaß. Und unter dem Zeichen ›Sinclair‹ steht für mich heute noch jene brennende Epoche, das Hinsterben einer schönen und unwiederbringlichen Welt, das erst schmerzliche, dann innig bejahte Erwachen zu einem neuen Verstehen von Welt und Wirklichkeit, das Aufblitzen einer Einsicht in die Einheit im Zeichen der Polarität, das Zusammenfallen der Gegensätze, wie es vor tausend Jahren die Meister des ZEN in China auf magische Formeln zu bringen versucht haben.« (Aus dem »Vorwort« zu einer Neuausgabe von *Sinclairs Notizbuch*, e April 1962 [Zürich, Stuttgart: Rascher 1962, S. 5]) – Unter den bisher aufgefundenen Arbeiten H. Hs., die er unter dem Pseudonym Emil Sinclair veröffentlichte, ist die erste seine kleine Erzählung *Wenn der Krieg noch zwei Jahre dauert*, e Ende 1917, u. d. T. *Im Jahre 1920* in der *Neuen Zürcher Zeitung* Nr. 2150 und 2157 v. 15. und 16. 11. 1917 veröffentlicht. – Daß er selber der Autor des »Demian« ist, verschwieg H. H. nicht nur seinem Verleger, sondern auch seinen Freunden. Am 22. 3. 1919 empfahl er Carl Seelig, der im E. P. Tal Verlag Wien eine bibliophile Buchreihe »Die zwölf Bücher« herauszugeben plante [als Band 1 erschien noch 1919 *Kleiner Garten*, eine Sammlung von Kurzprosa H. Hs.], den Dichter Emil Sinclair. Und am 20. 1. 1920 schrieb er an Hans Reinhart: »Über Sinclair kann ich nichts sagen. Mir scheint, ein Werk ist entweder wert gelesen und ernst genommen zu werden, einerlei von wem es sei, oder nicht. In Berlin ist Klabund für den Autor erklärt worden, und ich glaube, er hat dann, zur Abwehr, das Gerede auf mich gebracht.« (GB 1, 441) – Josef Bernhard Lang, der Arzt und Analytiker, freilich scheint Bescheid gewußt zu haben: »Es mehren sich brenzlige Anzeichen dafür, daß man allmählich den Autor errät. Tun Sie aber bitte ja nichts dazu! Es wird ja einmal kommen, aber es tut mir leid, ich wäre lieber anonym geblieben. Am liebsten gäbe ich jedes neue Werk unter einem neuen Pseudonym heraus. Ich bin ja nicht Hesse, sondern war Sinclair, war Klingsor, war Klein etc. und werde noch manches sein.« (Aus einem Brief an J. B. Lang v. 26. 1. 1920; GB 1, 442–443) – Andere scheinen sehr bald erkannt zu haben, wer sich hinter dem Pseudonym verbarg. »Ich habe, wie Ihre Frau ja schon erriet, pseudonym den Demian geschrieben (schon 1917), was Sie aber durchaus noch geheimhalten müssen«, heißt es in einem Brief an S. Fischer v. 27. 8. 1919 (GB 1, 416). In seinen *Fünf Heften* (Roland Verlag, München 1920) hatte Otto Flake 1920 H. H. als Autor des *Demian* bezeichnet. Eduard Korrodi forderte daraufhin in einem am 24. 6. 1920 in der *Neuen Zürcher Zei-*

tung veröffentlichten Artikel »Wer ist der Dichter des ›Demian‹?«
H. H. zu einer Stellungnahme heraus. H. H. antwortete Korrodi mit
einem offenen Brief, bat um ungekürzte Veröffentlichung in der
Neuen Zürcher Zeitung, aber Korrodi tat das nicht, sondern veröffentlichte seinerseits einen offenen Brief an H. H., in dem er H. Hs.
Äußerungen nur teilweise zitierte *(Neue Zürcher Zeitung* Nr. 1112 v.
4. 7. 1920). (Vgl. GB 1, 564–569) Der offene Brief H. Hs. ist bisher
nicht aufgefunden worden. In *Vivos voco,* Leipzig, vom Juli 1920
(S. 658) bekannte sich Hesse als Autor: »Ich habe, da nun einmal
leider der Schleier zerrissen wurde, den Fontanepreis, der dem Demian
erteilt wurde, zurückgegeben, und meinen Verleger beauftragt, künf-
tige Neudrucke des Buches mit meinem Autornamen zu versehen.«
(GW 11, 32–33) –

(Einleitung)

Das Leben jedes Menschen ist ein Weg zu sich selber hin: in den späteren Werken H. Hs., besonders in *Siddhartha,* dem *Steppenwolf* und
der *Morgenlandfahrt* immer wieder gestaltet.
die Herkünfte [...], die Mütter: ausführlicher gestaltet in *Narziß
und Goldmund.*

1. Kapitel: Zwei Welten

zwei Welten: ausgeprägte Gestaltung der beiden Welten in mehreren
Erzählungen H. Hs., u. a. in *Kinderseele* und *Der Bettler.*
Franz Kromer: erfundene Gestalt. »Natürlich lebt auch der Knabe
Kromer das, was aus ihm herauswill. Er tut es auf niederer Stufe und
wird, falls er nicht höher steigt, entweder als Bankdirektor oder als
Zuchthäusler enden. Immerhin geben seine Quälereien und Gemein-
heiten dem geplagten Sinclair den Anstoß zu wertvollen Entwicklun-
gen.« (Aus einem Brief an G. A. v. 8. 12. 1955; AB 456)

2. Kapitel: Kain

Die Geschichte von Kain und Abel: 1. Mos. 4, 1–15. »Was im ›Demian‹ über Kain steht, dafür sind mir keine literarischen Quellen
bekannt, doch könnte ich mir recht wohl denken, daß bei den Gnosti-
kern Ähnliches steht. Was damals Theologie war, ist für uns Heutige
mehr Psychologie, aber die Wahrheiten sind dieselben [...] Und so,
scheint mir, läßt sich sehr wohl Kain, der verfemte Übeltäter, der
erste Mörder, als ein ins Gegenteil entstellter Prometheus, als ein für
seinen Vorwitz und seine Kühnheit durch Ächtung bestrafter Vertreter
des Geistes und der Freiheit auffassen. Wie weit eine solche Auffassung von den Theologen geteilt werden kann, oder ob sie etwa von den
unbekannten Verfassern der Bücher Mosis verstanden und gebilligt
würde, darum kümmere ich mich nicht. Die Mythen der Bibel, wie
alle Mythen der Menschheit, sind für uns wertlos, solang wir sie nicht
persönlich und für uns und unsere Zeit zu deuten wagen. Dann aber

können sie uns sehr wichtig werden.« (Aus einem Brief an H. S. v.
13. 4. 1930; AB 30)
Mordanfall auf meinen Vater: Ödipus hat seinen Vater Laïos er-
schlagen. *»The use of dreams in earlier works, however, is primitive
in comparision with their use in Demian; it is not until Demian that
we find dreams consciously constructed according to the tenets of
psychoanalytic schools.«* (M. Boulby, *Hermann Hesse.* Ithaca, New
York: Cornell University Press 1967, S. 85) – Vgl. auch J. Mileck,
Freud und Jung, Psychoanalysis and Literature, Art and Disease. In:
Seminar. Toronto, 14, 1978, S. 105–116.

3. Kapitel: Der Schächer

Er zeichnete das alte Wappenbild mit dem Vogel: »Am 26. 9. 1916
schickt Gräser aus Ascona an Hesse in Bern eine Postkarte. Sie trägt
auf der Vorderseite das Bild eines Sperbers, der auf einer Baumkrone
sitzt. Es handelt sich um eine Zeichnung von Gräser.« (H. Müller,
Hermann Hesse – Gusto Gräser. Wetzlar: Neuland Verlag, Gisela
Lotz 1977, S. 44; Abbildung der Karte S. 45). Zu einer anderen Deutung kommt P. de Mendelssohn (*S. Fischer und sein Verlag.* Frankfurt a. M.: S. Fischer 1970, S. 812): Isaac von Sinclair »verwendete
seinerseits als Pseudonym das Anagram ›Crisalin‹, und in ihm klingt
die ›Chrysalis‹ oder Schmetterlingspuppe an, von der man eine Verbindung zu Hesses Sperber, der aus dem Weltkugelei bricht, aufspüren
mag«.
die Sache mit den beiden Schächern: Luk. 23, 40–43.
Orden des Gedankens und der Persönlichkeit: ausführlicher gestaltet
in der *Morgenlandfahrt* und im *Glasperlenspiel.*

4. Kapitel: Beatrice

diese dünne Luft: kehrt später wieder in der kalten, eisklaren Luft der
Unsterblichen im *Steppenwolf.*
ein berühmter, wagehalsiger Kneipenbesucher: »Viel mehr zu bekla-
gen ist, daß er [H. H.] in Auflehnung gegen alle Ordnung und mit
Ignorierung aller Verbote und aller Rücksicht auf andere (zumal
seine Hausgenossen) ganz nach eigenem Sinn und Gelüste leben will
und daher schon wiederholt bis tief in die Nacht bezw. bis nach Mitternacht im Wirtshaus gesessen und unter Störung der Nachtruhe seiner Hausgenossen mehr oder weniger betrunken nach Hause gekommen ist.« (Aus einem Brief von L. Geiger an Johannes Hesse v. 3. 4.
1893; KuJ 1, 349)
mußte notwendige Ausgaben erfinden: Vgl. z. B. KuJ 1, 192 und 375.
Beatrice: die von Dante in seinen Dichtungen verklärte Jugendge-
liebte.
Doch setzte ich den Versuch sogleich fort: entspricht den Bemühungen
Goldmunds um die Gestaltung des Mutterbildes.

»Schicksal und Gemüt sind Namen eines Begriffs«: »[...] daß Schicksal und Gemüt Namen e i n e s Begriffs sind« (Novalis, *Heinrich von Ofterdingen*. 2. Teil: Die Erfüllung).

Novalis: Friedrich Leopold von Hardenberg (1772–1801), Dichter aus dem Kreis der Jenaer Romantiker. »Seine Dichtungen sind geblieben, stets nur von wenigen gelesen, stets diesen wenigen eine Pforte ins Magische, ja beinahe die Bereicherung um eine neue Dimension bedeutend [...]« (Aus *Nachwort zu ›Novalis. Dokumente seines Lebens und Sterbens‹*, e 1924; GW 12, 236)

5. Kapitel: Der Vogel kämpft sich aus dem Ei

ein Zettel in meinem Buche: ähnlich wie der »Tractat« im *Steppenwolf.*

Abraxas: gnostisches Zauberwort, besonders auf den bis ins Mittelalter als Amulett oder Siegelring benutzten gemmenartigen Abraxassteinen.

Doktor Follen: Eine Assoziation zu dem Dichter und Politiker Karl Follen (1795–1840) ist unwahrscheinlich.

Pistorius: Gemeint ist Dr. Josef Bernhard Lang (1883–1945), Psychotherapeut, Schüler von Carl Gustav Jung (1875–1961). »Es ist für mich der einzige Weg, das Leben unter den jetzigen Umständen ertragen zu können, und da ich hier einen Freund habe (den Pistorius des Demian), mit dem ich diese Wege gehe, hat diese böse Zeit (ich war und bin monatelang beständig dicht am Selbstmord gewesen) doch auch ihre Größe und Schönheit.« (Aus einem Brief an Carlo Isenberg v. 7. 1. 1926; *Materialien zu Hermann Hesses »Der Steppenwolf«.* Frankfurt a. M.: Suhrkamp 1972, S. 58) – Vgl. M. Pfeifer, Alles Neue war ihm wichtig. In: *Blätter für den Deutschlehrer.* Frankfurt a. M., 21, 1977, 2, S. 33–39.

6. Kapitel: Jakobs Kampf

Knauer: erfundene Gestalt.

Kampf Jakobs mit dem Engel Gottes: 1. Mos. 32, 25 ff.

Om: mystische Silbe in heiligen Texten der Hindus und Buddhisten.

Kabbala: die Lehre und die Schriften der mittelalterlichen jüdischen Mystik.

7. Kapitel: Frau Eva

vom Geist Europas: Vgl. *Die Brüder Karamasow oder Der Untergang Europas. Einfälle bei der Lektüre Dostojewskis*, e 1919; GW 12, 320–337.

Frau Eva: »Diese Gestalt ist Mutter und Geliebte; und doch wäre es vollkommen falsch, sie nach den Kategorien der Psychoanalyse zu interpretieren. Sie ist nicht die Geliebte, wie Jokaste für Ödipus, ist nicht Gegenstand der *libido*, sondern bleibt Bild, Götterbild.« (H. J.

Lüthi, *Hermann Hesse. Natur und Geist.* Stuttgart: Kohlhammer 1970, S. 44) Lüthi bezieht sich hierbei auf Oskar Seidlin: »Yet her very name, Mrs. Eve, identifies her as the mythical All-Mother, the great womb in which life rests, – and not as the individual Freudian libido-object. Those who have tried to fit Hesse to the Procrustean bed of Freudianism overlook the fact that Mrs. Eve is not ›mother‹ bud ›mother-image‹, not a psycho-physical reality by Myth, clearly evidenced by the fact that she is not Sinclair's mother (who does not appear in the book at all), but the mother of Sinclair's ›double,‹ Demian.« (O. Seidlin, Hermann Hesse: The Exorcism of the Demon. In: *Symposium.* Syracuse, N. Y., 4, 1950, S. 325–348) – H. Müller behauptet: »Gräser wurde das Urbild des Demian, seine Frau Elisabeth das Urbild der Frau Eva.« (H. Müller, *Hermann Hesse – Gusto Gräser.* Wetzlar: Neuland Verlag, Gisela Lotz 1977, S. 41) Er berichtet, Elisabeth Gräser habe in besonders nahem Verhältnis zu Hesses Frau Mia gestanden, die ebenfalls in Monti und später auf dem Monte Verità Wohnung bezogen habe und mit ihren Kindern im Hause Gräser freundschaftlich aus und ein gegangen sei. – Anders Adrian Hsia: »Frau Eva und Demian scheinen dem Yin- und Yang-Prinzip zu entsprechen, wie es in der Figur Tai Gi erscheint, die in Richard Wilhelms Übersetzung des *Tao Te King* abgebildet und erklärt ist, die Hesse also bekannt war. Tai Gi bedeutet Uranfang und liegt diesseits von Tao. Die schwarze Hälfte ist Yin, das weibliche Prinzip, das zugleich einen weißen Kreis mit schwarzem Punkt enthält. Das Weiße ist Yang, das männliche Prinzip. Die Zusammensetzung bedeutet, daß Yin das männliche Prinzip enthält und umgekehrt. Auf Frau Eva und Demian übertragen bedeutet das, Frau Eva hat auch männliche Züge, obwohl das Weibliche überwiegt. Umgekehrt verhält es sich mit Demian. Das Zusammenwirken von Yin und Yang bewirkt die Schöpfung und Wandlung alles Seienden. Da Eva und Demian das Innere Sinclairs ausmachen, kann er zu Recht sagen, daß in ihm die ganze Natur abgebildet sei. Hesse hat Yin und Yang als Bilder nach außen projiziert. Sinclairs Selbstwerdung besteht aus der bildlichen Rückkehr der beiden Prinzipien in ihm. Deshalb erreicht er auch einen zunehmend vollkommeneren Zusammenklang zwischen sich und der Natur, je näher er seiner Selbstverwirklichung kommt.« (A. Hsia, *Hermann Hesse und China.* Frankfurt a. M.: Suhrkamp 1974, S. 214–215).

8. Kapitel: Anfang vom Ende

ganz in mich selbst hinuntersteige: G. W. Field schreibt, ohne Belegstellen anzuführen: »Obwohl einige Kritiker behauptet haben, daß Sinclair am Ende stirbt, scheint angedeutet zu werden, daß er weiterlebt – weiterleben muß – nicht bloß weil er seine Geschichte in der ersten Person erzählt, sondern weil er der Vertreter einer neuen

Menschheit ist.« (G. W. Field, *Hermann Hesse. Kommentar zu sämtlichen Werken.* Stuttgart: Akademischer Verlag Hans-Dieter Heinz 1977, S. 89).

Kleiner Garten

Erlebnisse und Dichtungen. Leipzig & Wien: E. P. Tal & Co. 1919. (Die Zwölf Bücher. Hrsg. von Carl Seelig. 1. Reihe.)

Der Leser – Nocturne – Der Korbstuhl – Der Flieger – In Bergamo – Es war einmal – Der Maler – Legende vom Feldteufel – Zum Gedächtnis – Nachtgesicht – Der schöne Traum – Brief an einen Philister – Heimat – Von der Seele – Ein Stück Tagebuch – Die schöne Wolke – Das Nachtpfauenauge – Der Tod des Bruders Antonio.

»Ich glaube, Ihre Sorge wegen jenem Buch bei Tal in Wien ist unnötig. Es ist in der Tat das Buch, das in einem Schweizer Verlag erscheinen sollte. Der Herausgeber ist mein Freund und gibt mir das Honorar in Franken, der Tal ist bloß Drucker und technischer Verleger. Für mich bedeutet außerdem die Zugehörigkeit zu dieser Serie ein kleines Dokument der Zusammengehörigkeit mit Rolland, Barbusse, Zweig etc. und andern wenigen Intellektuellen, die während der Kriegsjahre mir im Herzen nahe waren. Das kleine Buch wird nur einmal aufgelegt. Es wird nachher nicht wieder erscheinen, auch nicht bei Ihnen, sondern ich werde die darin enthaltenen Stücke später gelegentlich auf andre Bücher verteilen.« (Aus einem Brief an S. Fischer v. 27. 8. 1919; GB 1, 415) – Bis zum Herbst 1921 erschienen in dieser Reihe u. a.: Stefan Zweig *Fahrten*, Romain Rolland *Die Zeit wird kommen . . .*, Carl Hauptmann *Der abtrünnige Zar*, Henri Barbusse *Erste Novellen*, André Suarès *Cressida*, Maurice Maeterlinck *Der Bürgermeister von Stilmonde*, Georges Duhamel *Das Licht*, Ernst Toller *Die Maschinenstürmer*.

Siehe auch Einzelkommentare.

Märchen

Berlin: S. Fischer 1919. – GS 3, 259–383; GW 6, 5–129.

Augustus – Der Dichter – Merkwürdige Nachricht von einem andern Stern – Der schwere Weg – Eine Traumfolge – Faldum – Iris. In GS und GW außerdem noch *Märchen*.

Seit 1925 in den *Gesammelten Werken in Einzelausgaben*. Die Einzelwidmungen zu den Märchen sind seit der Ausgabe bei Fretz & Wasmuth, Zürich 1946, getilgt; der Band ist nunmehr »Peter Suhrkamp gewidmet«, er enthält zudem *Piktors Verwandlungen*. Spätere Ausgaben, etwa *Iris* (Frankfurt a. M.: Suhrkamp 1973) und *Die Märchen*

(Frankfurt a. M.: Suhrkamp 1975) in veränderter Zusammenstellung.

»Ich hoffe, Sie werden auch weiterhin die Märchen einfach so lesen, wie sie im Moment zu Ihnen sprechen, einfach den Bildern und der Musik nach, ohne Suchen nach einem ›Sinn‹. Denn dieser ist wohl darin, aber er nimmt für jeden ein andres Kleid an, und wenn ich ihn in nackten Worten sagen könnte, würde ich natürlich keine Dichtungen mehr machen.« (Aus einem Brief an Georg Reinhart v. 25. 6. 1919; GB 1, 404)

»Die Moral nützt uns nichts. Das steht auch in den Märchen, die ich Ihnen schickte. Das erste und älteste, der Augustus, ist noch voll Moral und schildert am Schluß ein Glück, das ich mir wohl oft gedacht und gewünscht, aber nie erlebt habe. Das letzte, die Iris, hat auf diese Moral schon verzichtet, es erzählt nicht ein erdachtes Finden, sondern ein erlebtes Suchen.« (Aus einem Brief an Els Bucherer-Feustel v. 12. 7. 1919; GB 1, 406–407)

»Die Märchen waren für mich der Übergang zu einer anderen, neuen Art von Dichtung, ich mag sie schon nicht mehr, ich mußte noch viele Schritte weitergehen und bin darauf gefaßt, daß es mir mit der Dichtung gehen wird, wie es mir erst in der Politik, dann im Leben ging, daß die Nächsten nicht mehr mitkommen und mich verlassen. Nun, es wird sich zeigen.« (Aus einem Brief an Franz Karl Ginzkey v. 5. 8. 1919; GB 1, 410)
Siehe auch Einzelkommentare.

Wanderung

Aufzeichnungen. Mit farbigen Bildern vom Verfasser. Berlin: S. Fischer 1920. – GS 3, 385–425 (ohne Bilder); GW 6, 131–171 (ohne Bilder). Auch die 14.–23. Aufl. (Berlin: Suhrkamp 1949) enthält keine Bilder. Neuausgabe mit verkleinerten Bildern: Frankfurt a. M.: Suhrkamp 1975.
Bauernhaus – Ländlicher Friedhof (Gedicht) – Bergpaß – Gang am Abend (Gedicht) – Dorf – Verlorenheit (Gedicht) – Die Brücke – Herrliche Welt (Gedicht) – Pfarrhaus – Gehöft – Regen (Gedicht) – Bäume – Malerfreude (Gedicht) – Regenwetter – Kapelle – Vergänglichkeit (Gedicht) – Mittagsrast – Der Wanderer an den Tod (Gedicht) – See, Baum, Berg – Magie der Farben (Gedicht) – Bewölkter Himmel – Rotes Haus – Abends (Gedicht).
Die meisten dieser Betrachtungen wurden 1918 geschrieben und 1919 zum erstenmal in Zeitschriften oder Zeitungen veröffentlicht. Die 10 Gedichte entstanden zwischen 1911 und 1920.
»In Büchern wie etwa meiner ›Wanderung‹ sehen die meisten Leser angenehme Idyllen, etwas lyrische Musik, und ahnen nichts von der

Konzentration, von dem Verzicht, von dem Schicksal, das dahinter steht. Man kann diese Konzentration nicht erreichen, wenn man zugleich intensiv und extensiv arbeiten, zugleich nach innen und nach außen leben will. Bei meinem nächsten Buch, dem Siddhartha, werden Sie das deutlicher spüren [...] Natürlich beruht das auf Schwäche. Natürlich kommt all mein Tun aus Schwäche, aus Leiden, nicht aus irgendeinem vergnügten Übermut, wie Laien ihn zuweilen beim Dichter vermuten. Und natürlich wäre es schöner, wäre es hübscher und auch weiser, wenn ich mit der Intensität stiller Arbeit und Träumerei die Leichtigkeit nach außen verbinden könnte. Aber das kann ich nun einmal nicht, und bin nicht mehr in dem Alter, wo man spaßeshalber gern auch einmal eine fremde Rolle spielt.« (Aus einem Brief an Wilhelm Kunze, um 1921; GB 1, 482)
Als zwischen H. H. und Peter Suhrkamp eine Gesamtausgabe der Werke H. Hs. (1952 als *Gesammelte Dichtungen* erschienen) erörtert wurde, hielt es Suhrkamp für selbstverständlich, »daß Gedichte, die innerhalb geschlossener Stücke stehen, z. B. in *Lauscher, Wanderung* usw., auch an diesen Stellen gebracht werden, ohne Rücksicht darauf, daß sie in den *Gedichten* noch einmal erscheinen«. H. H. sah es anders: »Was die Frage nach Gedichten innerhalb geschlossener Werke betrifft, so könnten nach meiner Meinung die Gedichte der *Wanderung* ruhig wegbleiben. Die im *Lauscher* würde ich stehen lassen. Und beim *Glasperlenspiel* schiene es mir möglich, die Gedichte des jungen Knecht wegzulassen, d. h. statt ihrer nur einen Hinweis zu bringen etwa so: ›Die Gedichte des jungen Josef Knecht, welche einen Teil seiner hinterlassenen Schriften bilden, findet der Leser im Band *Gedichte*.‹« (Aus einem Brief an Peter Suhrkamp v. 20. 5. 1951; in: Hermann Hesse – Peter Suhrkamp, *Briefwechsel 1945–1959*. Frankfurt a. M.: Suhrkamp 1969, S. 173) Tatsächlich ist dann gerade entgegengesetzt verfahren worden: die Gedichte im *Lauscher* wurden weggelassen, die zu *Wanderung* und zum *Glasperlenspiel* gehörenden blieben bei den Werken; alle Gedichte finden sich auch im 5. Band der *Gesammelten Dichtungen* wieder.

Bauernhaus

zu Wegweisern in die Zukunft: H. H. sieht sich und damit seine schriftstellerische und publizistische Tätigkeit in dieser Zeit als Wegweiser.
ich bin ein Nomade, [...] ein Untreuer: Damit ist sein eigenes Ausbrechen aus der Gaienhofener Bürgerlichkeit gemeint: *Ich wollte sein, was ich nicht war.*
daß er sie niemals ganz und gar verlassen kann: Vgl. dazu Goldmunds Sehnsucht und Suche nach dem Mutterbild (in *Narziß und Goldmund*).

Bergpaß

führt jeder Weg nach Hause: »Wo gehn wir denn hin?« »Immer nach Hause.« (Novalis, *Heinrich von Ofterdingen*. 2. Teil: Die Erfüllung [Zyane und Sylvester])

Ferruccio Busoni: Klaviervirtuose und Komponist (1866–1924).

Andreä: Volkmar Andreä (1879–1962), Schweizer Komponist und Kapellmeister, seit etwa 1905 mit H. H. befreundet.

Mahler: Gustav Mahler (1860–1911), österreich. Komponist und Dirigent.

Exzellenzen, Minister, Generale:
>»Ich spucke still in ein Gesträuch:
>Ihr, denen ich muß dienen, allzumal,
>Minister, Exzellenzen, General,
>Der Teufel hole euch!«

Schlußstrophe des Gedichts *Am Ende eines Urlaubs in der Kriegszeit*, e 1917.

Hier ist ein Gehöft: »Aber auch dort, wo auf seinen Bildern keine Menschen zu sehen sind, ist im Bewußtsein Hesses der Mensch, der in diese dargestellte Welt gehört, vorhanden [...] Mehr noch: wo der Mensch ausgespart bleibt, lebt Hesse selber reflektierend in dieser von ihm betrachteten und künstlerisch gestalteten Welt.« (M. Pfeifer, Hermann Hesse – ein Dichter als Maler. In: *Literatur in Wissenschaft und Unterricht.* Kiel. 5, 1972, 3, S. 238)

Annunziata: Eine andere Annunziata (Nardini) kommt in *Peter Camenzind* (6) vor.

Bald, ach wie bald kommt die stille Zeit: 2. (letzte) Strophe des Eichendorff-Gedichts *In der Fremde* (»Aus der Heimat hinter den Blitzen rot ...«). H. H. hat mehrfach (1913, 1934, 1945, 1955, 1958) »Gedichte und Novellen« Eichendorffs (z. T. in veränderter Anordnung) ausgewählt und eingeleitet. In diesen Bänden lautet die 2. Strophe:

>»Wie bald, wie bald kommt die stille Zeit,
>Da ruhe ich auch, und über mir
>Rauschet die schöne Waldeinsamkeit
>Und keiner mehr kennt mich auch hier.«

Professor Fließ: Wilhelm Fließ (1858–1928), prakt. Arzt. Vgl. J. Aebli, *Die Fließsche Periodenlehre im Lichte der biolog. und mathemat. Kritik* (1928).

Kabbahla: Kabbala, die Lehre und die Schriften der mittelalterlichen jüdischen Mystik.

Klingsors letzter Sommer

Erzählungen. Berlin: S. Fischer 1920. – GS 3, 427–614; GW 5, 165–352.

Kinderseele – Klein und Wagner – Klingsors letzter Sommer. In der Ausgabe bei Fretz & Wasmuth, Zürich 1947, um *Erinnerung an Klingsors Sommer. Ein Nachwort*, e 1938, erweitert (GS 7, 409–412; GW 11, 43–46).

»Ich habe zuweilen das Gefühl, es könnte mir etwas zustoßen. Für diesen Fall bitte ich Sie zu notieren, daß unbedingt folgende Bücher von mir noch erscheinen müssen: Ein Buch mit drei Novellen, den neuesten revolutionären Arbeiten. Inhalt: eine Novelle »Kinderseele«, die zur Zeit bei der Deutschen Rundschau (Paetel) liegt. Zweitens: eine Novelle »Klein und Wagner« und eine etwas phantastische Dichtung »Klingsors letzter Sommer«. Diese beiden Manuskripte liegen hier bei mir, das zweite ist noch nicht ganz fertig, ich werde es dann der Rundschau anbieten. Das Buch mit diesen drei Novellen wird mein wichtigstes sein, dies und der Demian. Einen Titel dafür weiß ich noch nicht.« (Aus einem Brief an Samuel Fischer v. 27. 8. 1919; GB 1, 416)

Kinderseele

e Dezember 1918 – Februar 1919, VZ November 1919

»Ich bin in der Dichtung den Weg der ›Kinderseele‹, d. h. den Weg einer möglichst graden Psychologie und Wahrheitsliebe weitergegangen und damit zu Resultaten gekommen, welche die Leser meiner frühern Bücher zumeist abschrecken werden. Aber das ist einerlei.« (Aus einem Brief an seine Schwester Adele v. 7. 2. 1920)

Zwang der blöden, stinkenden Schule: In *Unterbrochene Schulstunde* schreibt H. H. von der »Gefangenschaft und Langeweile« in der Calwer Lateinschule.

Feigendiebstahl: ähnlich wie das Geschehen anläßlich der eingeworfenen Fensterscheibe in *Hinterlassene Schriften und Gedichte von Hermann Lauscher. Herausgegeben von Hermann Hesse (Meine Kindheit)*.

Klein und Wagner

e Mitte Mai – 18. Juni 1919, VZ Okt.-Dez. 1919.

»Ich bin neulich mit der Arbeit fertig geworden, an der ich seit meinem Hiersein fast jeden Abend gehockt bin. Es ist eine lange Novelle, das Beste, was ich bis jetzt gemacht habe, ein Bruch mit meiner früheren Art und der Beginn von ganz Neuem. Schön und holdselig ist diese Dichtung nicht, mehr wie Cyankali, aber sie ist gut und war notwendig. Jetzt fange ich eine neue [*Klingsors letzter Sommer*] an, und saufe Wein dazu, denn ohne Arbeit und ohne Wein ist es mir unerträglich.« (Aus einem Brief an Louis Moilliet v. 24. 7. 1919)

»Sie haben wieder Schweres erlebt und sich Wunden aufgerissen, und Sie schreiben mir, daß Sie verstehen könnten, wie ein Mensch unter Umständen zum Mörder wird. Nun, gerade damit war auch ich, der ich ja kein Weiser, sondern ein sehr leidender und rastloser Mensch bin, diesen ganzen Sommer beschäftigt, mit dem Mörder nämlich, der auch in mir lebt, und habe versucht, ihn in eine gefährliche und kühne Dichtung zu bringen, vielleicht um ihn für eine Weile aus dem eigenen Herzen loszuwerden [...] Auch ich schlage mich bald mit dem Mörder, mit dem Tier und Verbrecher in mir beständig herum, aber ebenso auch mit dem Moralisten, mit dem allzufrüh zur Harmonie Gelangenwollen, mit der leichten Resignation, mit der Flucht in lauter Güte, Edelmut und Reinheit. Beides muß sein, ohne das Tier und den Mörder in uns sind wir kastrierte Engel ohne rechtes Leben, und ohne den immer neuen flehentlichen Drang zum Verklären, zur Reinigung, zur Anbetung des Unsinnlichen und Selbstlosen sind wir auch nichts Rechtes. [...] ich glaube längst nicht mehr an Gutes und Böses, sondern glaube, daß alles gut ist, auch das, was wir Verbrechen, Schmutz und Grauen heißen. Dostojewski hat das auch gewußt [...] Je weniger wir uns vor unsrer eigenen Phantasie scheuen, die im Wachen und Traum uns zu Verbrechern und Tieren macht, desto kleiner ist die Gefahr, daß wir in der Tat und Wirklichkeit an diesem Bösen zugrund gehen.« (Aus einem Brief an Carl Seelig v. Herbst 1919; GB 1, 421–423)

»›Klein und Wagner‹, die zweite Erzählung des Klingsorbandes, führt das Thema der ersten, das sie geheimnisvoll erläutert, weiter. Der Zauber, den der Knabe in ›Kinderseele‹ seinem Vater zu entwenden oder hinter den er doch zu kommen sucht, ist in ›Klein und Wagner‹ zum Geldzauber geworden. Der kleine Feigendieb wird zum Dieb und Defraudanten Klein.« (Hugo Ball, *Hermann Hesse*. Berlin: S. Fischer 1927, S. 191)

1

Wünsche in seiner Seele hatten gesiegt: Bereits in *Demian* wird der Erfolg solcher intensiven Wünsche gezeigt. Mit dem *Demian* hatte H. H. eine neue Periode seines künstlerischen Schaffens eingeleitet.
Mama non vuole ...: Horst Kliemann schrieb dazu im Sommer 1948 einen nur in Maschinenschrift vorliegenden Beitrag: »In dem Erzählungsband ›Klingsors letzter Sommer‹ von Hermann Hesse finden sich auf den Seiten 60, 108, 109, 169 (Berlin: Fischer 1920) folgende italienische Verse, denen ich eine wörtliche Übersetzung beifüge:

> Mama non vuole, papa ne meno,
> Come faremo a fare l'amor?
> > Meine Mutter will nicht, auch der Vater nicht,
> > Was tun wir, um uns zu lieben?

> La sua mama a la finestra (in GS: alla finestra)
> Con una voce serpentina:
> Vieni a casa, o Teresina,
> Lasc' andare quel traditor!

> Ihre Mutter am Fenster
> Mit schlangengiftiger Stimme:
> Komm ins Haus, Teresina,
> Laß den Verräter gehen!
>
> Io non sono traditore
> E ne meno lusinghero,
> Io son' figlio d'un ricco Signore,
> Son' venuto per fare l'amor.
>
> Ich bin kein Verräter
> Und auch kein Betrüger,
> Ich bin der Sohn eines reichen Herrn,
> Ich kam, um zu lieben.
>
> Il mio papa non vole,
> Ch' io spos' un bersaglier –
> Mein Vater will nicht,
> Daß ich einen Bersagliere nehme –

Trotz der verschiedenen Stellen, an denen die Verse stehen [in *Klein und Wagner* und *Klingsors letzter Sommer*], sind sie zusammengehörige Teile eines Volksliedes. Solche Volkslieder mit den typischen zweizeiligen Rephrains können sehr viele Strophen haben. Das angeschlagene Motiv ist häufig und bis ins 13. Jahrhundert zurück nachweisbar. Eine Betrachtung des Versmaßes läßt darauf schließen, daß es nach dem Gehör aufgezeichnet wurde und wahrscheinlich nicht gedruckt vorliegt. Bei der Drucklegung in einer Volksliedsammlung wären wahrscheinlich metrische Unebenheiten vom Bearbeiter ausgeglichen worden. Die Verse zeigen keine besonderen dialektischen Eigentümlichkeiten. Mit größter Wahrscheinlichkeit ist anzunehmen, daß sie aus Oberitalien, vielleicht aus dem Tessin oder der Lombardei stammen.«

das Gesicht eines Gezeichneten: Vgl. H. Hs. Ausführungen über das Kainszeichen in *Demian*.

Traum vom Automobil: Dieses Motiv kehrt im Magischen Theater des *Steppenwolf* wieder.

diesen vierfachen Mord: »›Klein und Wagner‹ ist noch ganz an die Berner Erlebnisreihe gebunden. Der Krieg, die Auflösung der Ehe sind bis in die Traumerschütterungen hinein verfolgt und durchlitten.« (H. Ball, *Hermann Hesse*. Berlin: S. Fischer 1927, S. 194–195) – Auch H. H. hatte drei Kinder.

Schicksal [...] wuchs im eigenen Innern: Erneute Aufnahme des in *Demian* dargestellten Gedankens.

Richard Wagner: Zu ihm hatte der 20jährige H. H. schwärmerische Neigungen.

2

Schopenhauer: »Mit Schopenhauer begann ich mich schon in jenen
Jünglingsjahren, in denen Nietzsche meine Hauptlektüre war, zu
beschäftigen. Je mehr Nietzsche dann in den Hintergrund trat, desto
mehr fühlte ich mich zu Schopenhauer hingezogen, um so mehr als ich,
von ihm unabhängig, schon früh einige Kenntnis der indischen Philosophie bekam.« (Aus *Kleines Bekenntnis* [zu Schopenhauer]; GW 12,
257)
Castiglione: kleiner Ort östlich des Luganer Sees, unweit von Lugano; dargestellt ist aber vermutlich die italienische Enklave Cam-
pione.

3

geliebt werden, ist kein Glück. Aber lieben, das ist Glück!: Die
Schlußverse von Goethes *Willkommen und Abschied* lauten:

>»Und doch, welch Glück, geliebt zu werden!
>Und lieben, Götter, welch ein Glück!«

In der Welt habt ihr Angst: Joh. 16, 33.
So ihr nicht werdet wie die Kinder: Matth. 18, 3.

4

In einem Traume [...]: später erneut gestaltet in der Begegnung
Harry Hallers mit dem Magischen Theater im *Steppenwolf.*

5

aus dem Spiegel schien ihm sein Gesicht entgegen: wie später im Spie-
gelkabinett des Magischen Theaters.
ins Wasser und in den Tod: Vgl. dazu *Unterm Rad* 4 (*ertrank er beim
Baden*), ferner Chr. I. Schneider, *Das Todesproblem bei Hermann
Hesse.* Marburg: N. G. Elwert 1973, S. 96.
sich nicht gegen Gottes Willen sträuben: Im Gedicht *Welkes Blatt,*
e 1933, lautet die letzte Strophe:

>»Spiel dein Spiel und wehr dich nicht,
>Laß es still geschehen,
>Laß vom Winde, der dich bricht,
>Dich nach Hause wehen.« (GW 1, 104)

er hatte sich fallen lassen: zwei gegensätzliche Interpretationen des
Todes: »In Hesse's work protagonist and antagonist (Klein and Wagner) become reconciled: in Kaiser's work *[Von morgens bis mitter-
nachts]* the two opponents (the teller and the mass) remain at odds
to the end. In the Expressionist's play suicide marks the annihilation
of the New Man, whereas Hesse's work suicide marks the birth of a
New Man.« (R. Koester, Kaiser's »Von morgens bis mitternachts«
and Hesse's »Klein und Wagner«: Two Explorations of Crime and
Human Transcendence. In: *Orbis Litterarum.* Munksgard, Kopenha-
gen. 24, 1969, 4, S. 237–250; hier S. 249–250) – »Der eingebildete Ein-

klang mit sich und dem Kosmos in Todestrunkenheit wird zur Schein-
perspektive, die dem deutschen Kleinbürger der imperialistischen Epoche als mondän-nihilistisches Ziel gezeigt wird.« (F. Böttger, *Hermann Hesse.* Berlin: Verlag der Nation 1974, S. 274) – H. Stolte
nennt den Schluß der Novelle einen der großen Höhepunkte der
Dichtung H. Hs. Siegfried Unseld konstatiert: »Friedrich Klein [...]
ist eine erste Inkarnation von Hesses Steppenwolf.« (S. Unseld, *Hermann Hesse, eine Werkgeschichte.* Frankfurt a. M.: Suhrkamp 1973,
S. 75)

Klingsors letzter Sommer

e Juli–August 1919, VZ Dezember 1919.
Manuskript im Hesse-Nachlaß Marbach a. N. – In der Ausgabe der
Insel-Bücherei (ab 30.–39 Tsd. 1956) »Meinem lieben Louis Moilliet
gewidmet«.
»Die Depression, die Sie bei mir wahrnahmen, ist in der Hauptsache
der Rückschlag auf eine rasende Arbeitszeit während dieser Monate
seit Mai. Ich habe die Glut und wie besessene Arbeitsunrast dieses
Sommers noch in einer kleinen, expressionistischen und phantasti-
schen Dichtung festgehalten.« (Aus einem Brief an Georg Reinhart
v. 8. 9. 1919; GB 1, 418)
»Um diesen Sommer zu einem außerordentlichen und einmaligen Erlebnis für mich zu steigern, kamen drei Umstände zusammen: das
Datum 1919, die Rückkehr aus dem Krieg ins Leben, aus dem Joch in
die Freiheit, war das Wichtigste; aber es kam hinzu Atmosphäre,
Klima und Sprache des Südens, und als Gnade vom Himmel kam hinzu ein Sommer, wie ich nur sehr wenige erlebt habe, von einer Kraft
und Glut, einer Lockung und Strahlung, die mich mitnahm und durch-
drang wie starker Wein. Das war Klingsors Sommer. Die glühenden
Tage wanderte ich durch die Dörfer und Kastanienwälder, saß auf
dem Klappstühlchen und versuchte, mit Wasserfarben etwas von dem
flutenden Zauber aufzubewahren; die warmen Nächte saß ich bis zu
später Stunde bei offenen Türen und Fenstern in Klingsors Schlößchen und versuchte, etwas erfahrener und besonnener, als ich es mit
dem Pinsel konnte, mit Worten das Lied dieses unerhörten Sommers
zu singen. So entstand die Erzählung vom Maler Klingsor.« (Aus *Erinnerung an Klingsors Sommer,* e 1938; GW 11, 45–46)
»Der Klingsor wird, wenn der momentane Klimbim vorbei ist, als
mein wichtigstes Buch neben Demian erkannt werden.« (Postkarte,
1920; GW 11, 46)

Vorbemerkung

Klingsor: In der Literatur taucht dieser Name zum ersten Mal bei
Wolfram von Eschenbach auf; im *Parzival* ist er ein mächtiger Zauberer. Ein Büchergelehrter ist er im Epos vom Sängerkrieg auf der

Wartburg. Ein Patriarch der Poesie ist er in *Heinrich von Ofterdingen*, dem unvollendeten Roman des Novalis. In E. T. A. Hoffmanns Erzählung *Der Kampf der Sänger* ist er ein Singemeister. Die deutlichste Ausprägung hat diese Figur in Richard Wagners Bühnenweihfestspiel *Parsifal* gefunden. »Von diesem Wagnerischen Klingsor und der ihn tragenden Musik ist Hesses Namensgebung offensichtlich inspiriert.« (F. Böttger, *Hermann Hesse*. Berlin: Verlag der Nation 1974, S. 276) – Bei H. H. erscheint Klingsor als Maler, er erinnert an den Maler van Gogh (1853–1890). »›Klingsors Zaubergarten ist gefunden!‹ schrieb Richard Wagner, als er nach Ravello kam und in der Villa Ruffoli von der breiten Zypressen- und Blumenterrasse hinaussah auf den unendlichen Azur des Tyrrhenischen Meers. ›Klingsors Zaubergarten ist gefunden!‹ so hätte auch der Romantiker Hesse ausrufen können, als er eines Tags im Frühling 1919 nach Montagnola hinaufkam und vom kleinen Balkon des Camuzzi-Hauses über den Terrassengarten und den Luganer See bis weit in die Schneeberge sah.« (H. Ball, *Hermann Hesse*. Berlin: S. Fischer 1927, S. 195) – In *Eine Stunde hinter Mitternacht* »stehen auch solche von innen beleuchteten Klingsorschlösser, und darin gibt es auch solche Könige der Nacht [...] Denn schon im ›Ofterdingen‹ des Novalis gibt es diese Nachtkönige, und der junge Hesse kennt seinen Novalis gut.« (Ebenda. S. 202) – Bei der Niederschrift der Erzählung war H. H. – wie Klingsor – 42 Jahre alt.

Pampambio: d. i. Pambio, Ort in der Ebene Piano di Scairolo zwischen Monte Arbostora und Collina d'Oro.

Kareno: d. i. Carona, ein hoch auf dem Monte Arbostora gelegenes, an künstlerischer Tradition reiches und noch heute durch sein vielfältiges Kulturgut äußerst interessantes Dorf.

Laguno: d. i. Lugano. In einem Brief von H. H. an Louis Moilliet v. 11. 1. 1920 heißt es am Schluß: »[...] und vergessen Sie die Gegend von Laguno nicht!« (GB 1, 439)

Li Tai Pe: chinesischer Lyriker (701–762), schrieb Trinklieder und Naturgedichte. Klingsor-Hesse nennt sich selbst auch Li Tai Pe.

Thu Fu: chinesischer Dichter (712–770). »[...] der Dichter Hermann [Hesse], genannt Thu Fu«, heißt es im Kapitel »Louis«. H. H. zeichnet in dieser Gestalt also auch sich selbst. Auch Hugo Ball schreibt vom »Dichter Thu Fu, der kein anderer als Hesse selbst ist« (H. Ball, *Hermann Hesse*. Berlin: S. Fischer 1927, S. 201). Volker Michels schreibt jedoch in einer Fußnote in GB 1 (S. 231), Vorbild für Thu Fu in *Klingsors letzter Sommer* sei der mit H. H. befreundete Maler und Dichter Gustav Gamper (1873–1948). – H. H. hatte Li Tai Pes und Thu Fus Lyrik 1907 in Hans Bethges Nachdichtung kennengelernt. Im Geleitwort Bethges werden Li und Thu folgendermaßen charakterisiert: »Li-Tai-Po war eine Natur, die auf Freiheit und Unruhe gestellt war, er war ein Abenteurer und Trinker [...] und

die Launen seines Übermutes wechselten mit den Stimmungen tief-
ster Melancholie, die seines Wesens Urgrund war. Er dichtete die
verschwebende, verwehende, unaussprechliche Schönheit der Welt, den
ewigen Schmerz und die ewige Trauer und das Rätselhafte alles Seienden. In seiner Brust wurzelte die ganze dumpfe Melancholie der
Welt, und auch in Augenblicken höchster Lust kann er sich von den
Schatten der Erde nicht lösen. ›Vergänglichkeit‹ heißt das immer
mahnende Siegel seines Fühlens. Er trinkt, um seine Schwermut zu
betäuben, aber in Wirklichkeit treibt er nur in neue Schwermut hinein. Er trinkt und greift voll Sehnsucht nach den Sternen. Seine
Kunst ist irdisch und überirdisch zugleich. Mächtige Symbole gehen
in ihm um. Bei ihm spürt man ein mystisches Wehen aus Wolken-
fernen, der Schmerz des Kosmos webt in ihm. In ihm hämmert das
unbegriffene Schicksal der Welt. Thu-Fu ist nicht so brausend, er ist
eher sentimental, und sein Herz ist mehr bewegt von den zeitlichen
Geschicken der Erde als von den Rätseln des Seins.« (Hans Bethge,
Die chinesische Flöte. Leipzig 1907, S. 107 ff.) – »Li und Thu stehen
für die Polaritäten der Psyche Hermann Hesses. Es fällt besonders
auf, daß Bethges Beschreibung von Li vollständig dem Wesen Klingsors entspricht.« (A. Hsia, *Hermann Hesse und China*. Frankfurt a. M.:
Suhrkamp 1974, S. 220)
die Legende seines Lebens: Auch Anfang und Ende von Josef Knechts
Leben (im *Glasperlenspiel*) sind als Legende gestaltet.

Klingsor

Steinbalkon seines Arbeitszimmers: H. H. hatte in der Casa Ca-
muzzi in Montagnola vier möblierte Zimmer gemietet. H. H. hat
»Klingsors Balkon« auch in einer aquarellierten Federzeichnung fest-
gehalten: Hermann Hesse, *Aquarelle aus dem Tessin*. Baden-Baden:
Woldemar Klein 1955, Umschlagbild. Dasselbe als Bild 523 der Post-
kartenserie 75 dieses Verlags.
Gina: ein Vorbild konnte nicht festgestellt werden.
Laß mich nicht so der Nacht, dem Schmerze: Str. 3 des Gedichts
Nachklang von Goethe (»Es klingt so prächtig, wenn die Dichter
...«). *Goethes Werke.* Hrsg. im Auftr. der Großherzogin Sophie von
Sachsen. 6. Band. Weimar 1888, S. 186.
caput mortuum: [lat. »toter Kopf«] aus dem Mittelalter stammender
Name für das als rote Farbe verwendete feinpulverige Eisenoxyd, das
durch Glühen von Eisensulfat erhalten wird.
Carabbina: d. i. das alte Dorf Carabbia.
Monte Salute: d. i. der Monte Salvatore.
Castagnetta: d. i. Montagnola.
ein Traumbild: Vgl. »Der Inseltraum« in *Eine Stunde hinter Mitter-
nacht*.

Louis

Louis der Grausame: Louis Moilliet (1880–1962), Maler und Freund H. Hs. Moilliet begleitete 1914 Paul Klee und August Macke nach Tunesien. – Von einem Besuch Moilliets bei H. H. berichtet H. H. in seinem 1927 entstandenen Gedicht *Besuch* (»Es klopft. Der Chasseur kommt. Ich höre mit Erstaunen . . .«).

Castiglia: d. i. Castello San Pietro.

Cartago: d. i. Centenago.

Fahnenstangen: Die Fahnenstange, Landschaft am Murtensee. 1914.

Paul Verlaine: französischer Dichter (1844–1896).

Der Kareno-Tag

»Auch in Carona waren wir, sahen die Kanonenkugeln und den violetten Generoso wieder, und das feine Mädchen Ruth [sie wurde 1924 H. Hs. zweite Frau] lief in einem feuerroten Kleidchen herum, begleitet von einer Tante, zwei Hunden und einem leider wahnsinnigen Klavierstimmer, es war eine herrliche Menagerie. Das Ganze endete in einem finsteren Grotto, der irgendwo steil in der Luft hing, unten sausten beleuchtete Eisenbahnen vorbei, man küßte Weiber und Baumstämme, es war grauenhaft schön.« (Aus einem Brief an Louis Moilliet v. 24. 7. 1919; GB 1, 408) – H. Hs. erster Besuch bei Familie Wenger in Carona fand am 22. 7. 1919 statt.

Barengo: d. i. Sorengo am Eingang zur Collina d'Oro.

Agosto: d. i. Paolo Osswald (1883–1935), Schweizer Bildhauer.

Ersilia: d. i. Margherita Osswald-Toppi (geb. 1897), italienische Malerin, mit Paolo Osswald verheiratet.

der Doktor: Dr. Hermann Bodmer aus Sorengo.

die Malerin: Anny Bodmer, Gattin Dr. Hermann Bodmers.

»Das Leben vergeht wie ein Blitzstrahl . . .«: aus dem Gedicht *Beim vollen Becher* von Li Tai Pe in der Nachdichtung von Hans Heilmann.

»Noch am Morgen glänzten deine Haare wie schwarze Seide . . .«: aus dem Gedicht *Der ewige Rausch* von Li Tai Pe in der Nachdichtung Klabunds. (Leipzig: Insel-Verlag o. J. S. 14)

Monte Genarro: d. i. der Monte Generoso.

Königin im Gebirge: Ruth Wenger.

das Papageienhaus: Haus der Familie Wenger in Carona.

Palazzetto: d. i. Pazzallo.

Monte d'Oro: d. i. Collina d'Oro.

Mozart lächelte: Vgl. dazu den Schluß des *Steppenwolf.*

Klingsor an Edith

Edith: Ein Vorbild konnte nicht festgestellt werden.

Die Musik des Untergangs

den armenischen Sterndeuter: Joseph Englert (1874–1957), Dipl.-Ing. und Architekt, seit 1919 mit H. H. befreundet. Er erstellte 1919 oder 1920 H. Hs. Horoskop (abgedruckt in GB 1, 573–576). Englert hatte vorübergehend die Schweiz verlassen, um in Kaschmir und Bengalen sein Glück zu versuchen.

Li Tai Pe, sind Sie nicht ein Julikind: Hier identifiziert sich H. H., der im Juli geboren ist, mit Li Tai Pe, wie er es mit Hermann, dem Dichter, tut.

die Tonart Tsin Tse: Dazu schreibt A. Hsia: Peter Heinz Herzog rätselt daran herum, obwohl er einige Anspielungen in den Gesprächen zwischen Klingsor und dem Sterndeuter als Entlehnungen aus Li Tai Pes Gedichten identifizieren konnte. [P. H. Herzog, Hermann Hesse and China: In: *United College Journal.* Hong Kong. 8, 1970/71, S. 41–48 und 9, 1971, S. 231–235]. Er kam auf sonderbare Assoziationen. Tsing Tse, so meint er, bedeute wahrscheinlich »Ching Tse«, was wiederum »Totensutra« heißen soll. Doch gibt es keine Totenschrift im chinesischen Schrifttum. Außerdem kann »Ching Tse« auf keinen Fall mit »Totensutra« aus dem Chinesischen übersetzt werden, ganz gleich, welchen Subdialekt Chinas man untersucht. Seine zweite Vermutung ist ebenso mysteriös wie die erste: nämlich Tsing Tse könne auch für Tsang Tse stehen. Mit Tsang Tse meint er Dschuang Dsi. Wie Herzog diese beiden Möglichkeiten annehmen konnte, bleibt unerklärlich, zumal Hesse ausdrücklich darauf hinweist, daß Tsing Tse eine *Tonart* ist. Außerdem heißt ja der Abschnitt »Musik des Untergangs«.

»Musik des Untergangs« ist in einem chinesischen Geschichtsroman der Titel einer Episode über die *östliche Chou-Dynastie.* Leo Greiner hat eine deutsche Übersetzung dieser Schilderung in seine *Chinesischen Abende* aufgenommen. Dieses Buch hat Hesse 1915 rezensiert. Da sowohl die Version der chinesischen »Musik des Untergangs« als auch der Ausdruck Tsing Tse Hesses Anliegen in *Klingsors letzter Sommer* veranschaulichen, zudem aber auch im *Glasperlenspiel* eine gewisse Rolle spielen, sei die Geschichte hier wiedergegeben:

Die Musik des Untergangs

Zur Zeit, als der Fürst von We, Ling Kung, eben neu gekrönt worden war, begab er sich persönlich zu dem Nachbarfürsten Ping Kung von Djin, um ihm seinen Besuch abzustatten. Denn dieser hatte einen Palast von solcher Pracht aufführen lassen, daß die Fürsten aller Länder zu ihm kamen, ihm Glück zu wünschen. Der Palast aber hieß Se Ki. Als nun Ling Kung auf seiner Fahrt an den Pufluß kam, nahm er in einem Gasthof Nachtquartier. Doch vermochte er nicht einzuschlafen, obwohl es schon mitten in der Nacht war. Es klang ihm in den Ohren, als höre er die Töne einer Zither. Er warf einen Man-

tel um, saß im Bette auf, lehnte sich in die Kissen und horchte hinaus.
Die Klänge waren sehr leise, aber wohl zu unterscheiden. Niemals
hatte er dergleichen gehört, es war eine Tonart, die nie zuvor von
Menschenohren vernommen wurde. Er fragte das Gefolge, aber alle
sagten aus, sie hörten nichts.

Ling Kung war der Musik gewohnt und liebte sie. Nun besaß er einen
Hofmusikus, Küan mit Namen, begabt, neue Tonarten zu erfinden
und die Melodie der vier Jahreszeiten zu setzen, daß es Frühling,
Sommer, Herbst und Winter schien, wenn er spielte. Deshalb liebte ihn
Ling Kung sehr und nahm ihn überall mit, wo immer er sich aufhielt.
So schickte er denn auch jetzt das Gefolge, Küan zu rufen. Küan kam.
Das Lied draußen war noch nicht zu Ende. »Hörst du es?« fragte
Ling Kung, »es klingt wie die Musik der bösen Geister.« Küan
lauschte gespannt, nach einer Weile wurde es still. »Ich kenne die Melodie schon im allgemeinen«, sagte Küan. »Noch eine Nacht brauche
ich, so kann ich sie aufschreiben.« So blieb denn Ling Kung noch eine
Nacht am Orte. Um Mitternacht begann das Lied der Zither wieder
zu tönen. Der Hofmusikus nahm seine Zither und übte, bis er zuletzt des Liedes Schönheiten vollkommen in sich aufgenommen hatte.

Als sie nun in Djin ankamen, huldigten und glückwünschten, und die
Zeremonien beendet waren, ließ Ping Kung auf der Se Ki-Terrasse
ein Festmahl rüsten. Man hatte schon reichlich vom Weine genossen,
da sagte Ping Kung: »Längst hörte ich, daß Ihr in We einen Musikus
namens Küan habt, der begabt sein soll, neue Tonarten zu erfinden.
Ist er jetzt nicht hier?« »Er ist im Erdgeschoß unter der Terrasse«, erwiderte Ling Kung. »So bitte ich Euch, ihn um meinetwillen herzu-
rufen«, entgegnete Ping Kung. Ling Kung rief, da kam Küan auf die
Terrasse herauf. Gleichzeitig ließ Ping Kung auch seinen eigenen Hofmusikus Kuang kommen; dieser war blind, ein Führer geleitete ihn
hinauf. Die beiden warfen sich an der Treppenschwelle nieder und
begrüßten die Fürsten. Da fragte Ping Kung: »Sagt an, Küan, wel-
cherlei neue Tonarten gibt es in letzter Zeit?« Küan berichtete: »Unterwegs«, sagte er, »vernahm ich gelegentlich etwas Neues. Gern hätte
ich eine Zither, um es Euch vorzuspielen.«

Sogleich befahl Ping Kung dem Gefolge, einen Tisch bereitzustellen,
die alte lackbaumhölzerne Zither herbeizubringen und vor Küan hin-
zulegen. Küan stimmte zuerst die sieben Saiten, dann begann er die
Finger zu regen und spielte. Schon nach wenigen Tönen lobte Ping
Kung die Melodie. Diese aber war noch nicht zur Hälfte gediehen, da
legte der blinde Musikus Kuang die Hand auf die Zither und sprach:
»Diese Melodie des Reichsunterganges sollt Ihr nicht spielen. Laßt
ab davon!« »Was meint Ihr damit?« fragte Ping Kung. Da antwortete Kuang: »Als die Zeit der vergangenen Dynastie zu Ende ging,
erfand ein Musiker namens Yiang eine Tonart, die den Namen Meme
trägt. Es ist diese. Der Kaiser Djou hörte sie und vergaß darüber seine

Müdigkeit. Aber bald darauf wurde er von dem Fürsten Wu Wang gestürzt, da floh der Musiker Yiang mit seiner Zither gen Osten und sprang in den Pufluß. Wenn nun einer, der die Musik liebt, dort vorüberkommt, so tönt diese Melodie aus dem Wasser herauf. Hat Küan sie unterwegs gehört, so kann es nur am Puflusse gewesen sein.«
Ling Kung wunderte sich heimlich über die Wahrheit dieser Rede. Ping Kung aber fragte: »Was kann es schaden, dieses Lied einer gestürzten Dynastie zu spielen?« »Djou verlor das Reich durch sinnliche Musik«, erwiderte Kuang, »dies ist eine Melodie des Unheils, man soll sie nicht spielen.« »Ich aber liebe die neue Musik«, rief Ping Kung. »Küan soll mich das Lied zu Ende hören lassen.« Da stimmte Küan abermals die Saiten und beschrieb in seinem Spiel alle Zustände der Seele zwischen Ruhe und Bewegung. Es war wie Reden und Weinen. Ping Kung, freudig erregt, fragte Kuang: »Wie nennt sich diese Tonart?« »Sie nennt sich Tsing Schang«, erwiderte Kuang. »Tsing Schang ist wohl die traurigste von allen?« fragte Ping Kung. »Tsing Schang ist wohl traurig«, entgegnete Kuang, »aber noch trauriger ist die Tonart Tsing Tse.« Da fragte Ping Kung: »Kann ich Tsing Tse zu hören bekommen?« »Unmöglich«, fiel ihm Kuang ins Wort. »Wenn frühere Herrscher Tsing Tse zu hören bekamen, so waren es tugendhafte und aufrechte Männer. Heute ist der Herrscher Tugend gering, sie dürfen diese Tonart nicht vernehmen.« »Ich aber brenne in Leidenschaft für neue Musik«, rief Ping Kung, »du darfst es mir nicht verweigern.«
Da konnte Kuang nicht anders, nahm die Zither und spielte. Kaum war der erste Satz zu Ende, so kam eine Schar schwarzer Störche von Süden herangeflogen und sammelte sich auf den Toren und dem Gebälk des Palastes. Man konnte sie zählen, es waren acht Paare. Kuang spielte weiter. Da schlugen all die Störche die Flügel und sangen. Dann ließen sie sich in Reihen auf der Treppe zur Terrasse nieder und standen acht und acht auf jeder Seite. Kuang spielte den dritten Satz. Die Störche reckten die Hälse, sangen, schlugen die Flügel und tanzten. Hochauf schallte die Melodie bis zum Himmel und der Milchstraße. Ping Kung klatschte in die Hände in großartigem Ergötzen, all die menschenvollen Tische schwollen von Freude, oberhalb und unterhalb der Terrasse tanzten und sprangen alle Zuschauer, das Schauspiel zu bewundern. Ping Kung ergriff einen Pokal von weißem Edelstein, angefüllt mit dem köstlichsten Weine, und reichte ihn eigenhändig dem Kuang, der ihn leerte. Dann seufzte Ping Kung und sprach: »Bis zum Tsing Tse geht es, Höheres aber gibt es nicht.« »Noch Höheres gibt es«, erwiderte Kuang, »es ist dies die Tonart Tsing Kiao.« Ein tiefer Schrecken durchfuhr Ping Kung: »Gibt es noch Höheres als Tsing Tse, warum lässest du mich's nicht hören?« »Tsing Kiao«, sagte Kuang, »kann wieder nicht mit Tsing Tse verglichen werden. Ich wage nicht, es zu spielen. In grauer Vorzeit sam-

melte der Kaiser Huang Ti Dämonen und Geister auf dem Gebirge Taischan. Er fuhr auf seinem Elefantenwagen und hatte Krokodile und Drachen davorgespannt. Der Paladin Pi-Fang war sein Begleiter, der Paladin Tse-Yu saß vorn. Der Windfürst fegte den Staub vor ihm, der Regenmann begoß ihm die Straßen, Tiger und Wölfe schritten voran, Dämonen und Geister folgten dem Zuge. Riesige Schlangen lagen auf dem Weg, Phönixe bedeckten den Himmel. Da ersann eine große Versammlung der Dämonen und Geister die Tonart Tsing Kiao. Seither hat sich die Tugend der Fürsten vermindert, sie vermögen nicht mehr, die Dämonen und Geister zu ketten, und das Menschenreich ist vom Geisterreiche gänzlich abgetrennt. Wenn man nun diese Tonart spielt, so sammeln sich wieder die Dämonen und Geister und es gibt Unheil und kein Glück mehr.« Ping Kung aber rief: »Bin ich nun schon so alt, so will ich wahrlich einmal die Tonart Tsing Kiao vernehmen. Ist es mein Tod, so werd' ich es nicht bereuen.« Kuang weigerte sich hartnäckig. Ping Kung jedoch sprang auf und zwang ihn zwei- und dreimal.

Da vermochte Kuang nicht länger zu widerstehen, nahm wieder die Zither und spielte. Beim ersten Satze kamen schwarze Wolken aus der westlichen Himmelsrichtung heran, beim zweiten erhob sich ein jäher Sturm, zerriß die Vorhänge und Decken und warf die Pokale und Teller vom Tisch. Dachziegel flogen durcheinander, die Säulen der Terrasse zerbarsten. Dann erscholl ein schneller Donner und ein Schlag. Ein gewaltiger Regen ergoß sich und setzte die Terrasse einige Fuß tief unter Wasser. Im Innern der Terrasse verbreitete sich Flut, und das Gefolge floh vor Schrecken. Ping Kung und Ling Kung verbargen sich ängstlich hinter der Tür eines Nebenzimmers. Endlich hörte der Sturm und Regen auf. Das Gefolge sammelte sich allmählich wieder und stützte die beiden Fürsten, als sie die Terrasse bestiegen. In der gleichen Nacht aber befiel Ping Kung ein tiefer Schrecken, sein Herz begann zu pochen, er verfiel in Krankheit, seine Gedanken verwirrten sich, sein Wille wurde gelähmt, bis ihn bald darauf der Tod überfiel und tötete. (A. Hsia, *Hermann Hesse und China*. Frankfurt a. M.: Suhrkamp 1974, S. 224–229)

Abend im August

Manuzzo: d. i. Muzzano.
Veglia: d. i. Viglio.
Canvetto: d. i. Convetti.
Vom Baum des Lebens fällt ...: Das Gedicht *Vergänglichkeit* entstand im Februar 1919.
Tavernetal: nördlich von Lugano.

Klingsor schreibt an Louis den Grausamen

Collofino: Josef Feinhals, Maulbronner Freund H. Hs., später Zigarrenfabrikant in Köln.

Die Hasenjagd oder der Schlagschatten des Kölner Doms: »Selbst Hesses zahlreiche dunklen Anspielungen, die scheinbar nichts als sinnlose Phantastereien sind, lassen sich im allgemeinen autobiographisch belegen. Klingsors Erwähnung der lustigen Geschichten eines gewissen Collofino, des Hasenjägers vom Kölner Dom, in seinem Brief an Louis ist ein solches Beispiel. Der Text liefert nicht den geringsten Hinweis auf diese scheinbar abstruse Bemerkung. Ähnliche täuschende Anspielungen auf einen Collofino erscheinen in zwei weiteren Geschichten Hesses. In der Erzählung *Die Morgenlandfahrt* (1931) wird beiläufig ein Collofino der Rauchzauberer erwähnt, und in dem Roman *Das Glasperlenspiel* (1942) wurde das lateinische Motto angeblich einem Werk entnommen, dessen Mitherausgeber ein gewisser Collof. gewesen sei. In jedem dieser Fälle erlaubte sich Hesse einfach ein kleines privates Spiel und stattete dabei einem alten Freund scherzhaft seinen Respekt ab. Klingsors spannende Bemerkung war nichts anderes als eine spaßhafte Anspielung auf *Die Hasenjagd oder der Schlagschatten des Kölner Doms,* eine Geschichte aus der Sammlung der sehr amüsanten Anekdoten, die Josef Feinhals, ein alter, in Köln lebender Freund, geschrieben hatte. [*Die Geschichten des Collofino: Eine Sammlung merkwürdiger Begebenheiten und rätselhafter Abenteuer, märchenhafter Schilderungen und höchst seltsamer Beobachtungen aus dem Leben von Menschen und Tieren aller Zeiten, Länder und Zonen.* Köln 1918] (J. Mileck, *Hermann Hesse. Dichter, Sucher, Bekenner.* Biographie. München: Bertelsmann 1979, S. 147)

Klingsor schickt seinem Freunde Thu Fu ein Gedicht

Trunken sitz ich des Nachts im durchwehten Gehölz . . .: Das Gedicht *Klingsor zecht im herbstlichen Walde* entstand am 23. 8. 1919.

Das Selbstbildnis

In einer Rezension H. Hs. aus dem Jahre 1921 finden sich fast wörtliche Parallelen (Ecce homo) zum *Selbstbildnis:* »Mehrmal hat es mich gelüstet, das Leben Vincent van Goghs zu schreiben [...] Wenn man den Bildband durchsucht, tritt einem Vincents leidenschaftliche Geistigkeit, seine fanatische Liebe zu Gott, zu den Menschen, zur Wahrheit alsbald fühlbar entgegen, zugleich seine Bestimmung zu schwerstem Kampf und schwersten Leiden. Die Handschrift jedes einzelnen Bildes schon, der Rhythmus von Hell und Dunkel, die Führung des Pinsels legt laut, fast schreiend Zeugnis ab von den Ekstasen und vom Leid dieses außerordentlichen Menschen. Es ist dabei keineswegs bloß von Kunst und Malerei die Rede, im Gegenteil, es handelt sich, auch für den Verfasser, hier weniger um ein Malerleben und dessen Resultate, als um ein vorbildliches Schicksal, um das Leben eines großen Leidenden, eines Unbedingten, der keiner Konzession fähig sich an der Mechanik unserer Welt und unseres Lebens aufrieb. ›Ecce homo‹

könnte ebensowohl über diesem Leben stehen wie über dem Bekenntnis Nietzsches, seines Gegenpols. Was wir bei manchen Erzählungen Tolstois oder noch mehr Dostojewskis empfinden, diese wilde, saftvolle Lebendigkeit und Unbedingtheit menschlicher Wesen, die wir bis ins Herz zu kennen und zu verstehen meinen, während sie uns in unserer Wirklichkeit doch nie begegnen, das ist in van Goghs Leben, mitten im gesitteten Westeuropa, Wirklichkeit geworden, Wirklichkeit und furchtbares Martyrium. Die Geschichte dieses Lebens gehört zu den paar bleibenden Vermächtnissen unserer Zeit an die Nachwelt.« (GW 11, 46–47)

»Ich kenne wenig Seiten, selbst bei den Größten, von einer Fülle und Dichtigkeit wie jene sechs Seiten aus Hesses ›Klingsor‹, die das Selbstbildnis des sterbenden Romantikers, des Klingsor-Deutschen enthalten. Die Sprache dieser Novelle geht, wenn ich so sagen darf, weit über des Dichters eigenes Maß hinaus. Es ereignet sich hier der seltene Fall, daß der Künstler eine Wesenssphäre ergreift und erschöpft, die man vorher nicht als ihm zugehörig vorausgesetzt hatte.« (H. Ball, *Hermann Hesse*. Berlin: S. Fischer 1927, S. 198) Hingegen: »Die Häufung superlativischer Adjektive und Dynamik vorspiegelnder Verben, die rhetorische Wiederholung derselben Satzpartikel, derselben affektbetonten Inversionen und syntaktischen Schemata enthüllen das Spannungslose einer mit genialisch-leidenschaftlichen Zügen drapierten Künstlerexistenz.« (Gert Sautermeister in: *Kindlers Literatur-Lexikon*. Band 12. München: Deutscher Taschenbuch Verlag 1974, S. 5279)

Dann wusch er sich: »Nach dem Durchleiden dieses Selbstverwandlungs- und Erkenntnisprozesses findet Klingsor wieder zum Leben zurück.« (F. Baumer, *Hermann Hesse, Prosa und Gedichte*. München: Kösel 1963, S. 100) – Vgl. H. Hs. spätere Stellungnahme dazu in seinem im Sommer 1929 entstandenen Gedicht *Gedenken an den Sommer Klingsors* (»Zehn Jahre schon, seit Klingsors Sommer glühte . . .«). – Im »Tagebuchblatt 13. März 1955« (GS 7, 936–937) berichtet H. H., wie er einer Rundfunklesung des »Kareno-Tags« zuhört, welchen Eindruck sie auf ihn macht und welche Gedanken dadurch in ihm lebendig geworden sind.

Blick ins Chaos

Drei Aufsätze. Bern: Verlag Seldwyla 1920. Zweite und letzte Aufl. (4.–6. Tsd.) 1921.
Diese drei Texte wurden 1919 geschrieben, vermutlich nach Beendigung von *Klingsors letzter Sommer* (e Juli–August 1919) und vor dem Anfang der Niederschrift von *Siddhartha* (Ende 1919).
»Ich bin seit vielen Jahren davon überzeugt, daß der europäische Geist im Niedergang steht und der Heimkehr zu seinen asiatischen

Quellen bedarf.« (Aus einem Brief an Alice Leuthold v. 26. 7. 1919;
GB 1, 409)

Die Brüder Karamasoff oder Der Untergang Europas. Einfälle bei der Lektüre Dostojewskis

GS 7, 161–178; GW 12, 320–337.

»Wem die Priorität für das Wort ›Untergang Europas‹ gebührt,
scheint mir unwichtig. Ich schrieb dies Wort in meinem ›Klingsor‹,
vor bald anderthalb Jahren, als es einen Spengler und was damit zu-
sammenhängt für mich noch nicht gab.« (Aus einem Brief an Hermann Missenharter, vermutl. September 1920; GB 1, 460)

»Was ich den Untergang nenne, sehe ich durchaus auch als Geburt.
Der ›Untergang Europas‹ ist für mich ein Vorgang, den ich in mir
selbst erlebe und den man vielleicht vergleichen kann mit dem Untergang der Antike: kein plötzlicher Zusammenbruch, sondern eine lang-
same, wachsende Umstellung in den Seelen der Menschen.« (Aus einem
Brief an Gustav Gamper v. 14. 12. 1919; GB 1, 430)

»Das katholische Asien dringt in Hesses bisher nach Ursprung und
Blickfeld noch immer sehr protestantisch orientierte Welt ein. Der
Untergang Europas war 1919 eine Parole, die sich, von offizieller
Seite gefördert, auf den russischen Bolschewismus stützte und das po-
litische Ziel hatte, bei den Friedensverhandlungen und nachfolgenden
franco-amerikanischen Debatten die völlige Auflösung der deutschen
Militärmacht zu verhindern. In diese Konjunktur geriet auch Spenglers
Werk ›Der Untergang des Abendlandes‹ [Oswald Spengler (1880–
1936), *Der Untergang des Abendlandes,* 1918–1922]; nur hatte Spengler damals erst versprochen, im zweiten Bande auch Rußland in den
Kreis der Betrachtung zu ziehen. Ich will sagen: die Parole vom Untergang des Abendlandes ist sehr deutsch betont; in Frankreich bei-
spielsweise glaubte man damals durchaus nicht an solchen Untergang,
in England wohl schon gar nicht, und auch diese kleinen Provinzen
gehören zu Europa und zum Abendland.

Aber dies abgerechnet, war es bei Hesse doch anders gemeint als bei
Spengler. Hesse sieht den Untergang mehr von innen kommen, aus
der Seelentiefe, und das Wort Untergang ist, gemäß seiner Lehre von
der Illusion der Gegensätze, bald auch für ihn identisch mit Auferstehung [...]

Es ist der indische Einschlag in Dostojewskis Denken, den Hesse er-
fühlt und der im ›Siddhartha‹-Schluß – auch hier ist wieder ein
Schnittpunkt – Gestalt gewinnt. Es ist die demiurgische Welt, die zuerst im ›Demian‹ hervortrat und die für Hesse die Aufhebung der
Moral, die Befreiung von Gesetz, Staat, Schule, besonders von der
Enge der väterlichen Erziehung bedeutet. Die Nachtseite des Lebens
soll in die Humanität einbezogen werden [...]

Wichtig scheint mir dabei, daß Hesse mit diesem Aufsatz auch die

letzte Schranke seiner protestantisch-deutschen Welt durchbricht.«
(H. Ball, *Hermann Hesse*. Berlin: S. Fischer 1927, S. 183–185)
Motto: Verfasserfrage ungeklärt.

in den »Karamasoffs«: Roman von Fedor Michailowitsch Dostojewski (1821–1881), veröffentlicht 1879/80; zu H. H. und Dostojewski vgl. GW 12, 304–338.

moral insanity: moralische Abnormität bei normaler Intelligenz, auch
moralischer Schwachsinn, moralische Gemütlosigkeit genannt.

Flaubert: Gustave Flaubert (1821–1880), französischer Erzähler. In
einem Brief vom 19. 11. 1910 hatte Theodor Heuss H. H. geraten:
»[...] seien Sie ein deutscher Flaubert!« (GB 1, 509)

Gedanken zu Dostojewskis »Idiot«

GS 7, 178–186; GW 12, 307–315.

Jesusbild [...] von Renan: Ernest Renan (1823–1892), französischer
Religionswissenschaftler und Schriftsteller, suchte positivistische Wissenschaft und Christentum zu vereinigen und das Schicksal Jesu auf
eine menschlich-natürliche Weise aus seiner Zeit, seinem Land und
Volk zu erklären (*Leben Jesu*, Bd. 1 der *Histoire des origines du
christianisme*, 7 Bde., 1863–1883).

*jener Grenze nahe, wo von jedem Gedanken auch das Gegenteil als
wahr empfunden wird:* »Was wahr ist, davon muß das Gegenteil auch
wahr sein können. Denn jede Wahrheit ist kurze Formel für den
Blick in die Welt von einem bestimmten Pol aus, und es gibt keinen
Pol ohne Gegenpol.« (H. H., *Variationen über ein Thema von Wilhelm Schäfer*, e Dezember 1919; GW 11, 209) – »Findet dieser Leser
in einem Buch eine schöne Sentenz, eine Weisheit, eine Wahrheit ausgesprochen, so dreht er sie probeweise erst einmal um. Er weiß längst,
daß jeder geistige Standpunkt ein Pol ist, zu dem es einen gleich guten
Gegenpol gibt.« (H. H., *Vom Bücherlesen*, e Februar 1920; GW
11, 237)

Gespräch über die Neutöner

GW 11, 221–234.

Kebes: Möglicherweise hat H. H. den Namen von einem Philosophen
aus dem Kreis um Sokrates entlehnt. Durch Kebes und Simmias wurde
Plato mit der pythagoreischen Lehre bekannt. Insgesamt ist dieser
Dialog denen Platos nachgebildet.

Theophilos: Der Name ist vermutlich nicht auf eine historische Person zu beziehen.

den Weg zu dir selbst: Hier ist dieselbe Absicht erkennbar wie in
Zarathustras Wiederkehr und in *Demian.*

Emanuel Geibel: Dichter (1815–1884).

unterziehe dich einer Psychoanalyse: Vgl. Einleitung »Hermann Hesse. Intentionen eines Lebens«.

Ich bekenne mich zur Unwissenheit: entspricht dem Sokrates zuge-schriebenen Wort: Ich weiß, daß ich nichts weiß.

Gedichte(n) an die Anna Blume: von Kurt Schwitters (1887–1948), die grotesk-komischen und abstrakten Gedichte *Anna Blume,* e 1919.

»In Zürich, in Hesses unmittelbarer Nähe also, war im Cabaret Vol-taire der Dadaismus ›entdeckt‹ worden als ›die verkörperte Feindschaft gegen den Bürger, er geht konform mit der ökonomischen Bewegung, und er richtet sich vor allem gegen jenen gebildeten Mob, der aus einer gedankenlos übernommenen nachklassischen Bildung eine ästhe-tische Monumentalisierung des Geldsackes als Sicherung eines angeb-lich eigenen Besitzes erlogen hat‹ (Expressionismus. Literatur und Kunst 1910–1923. Marbach a. N. 1960, S. 231).

»Das war in Zürich im Kreis um Tristan Tzara, Hans Arp, Raoul Hausmann, Richard Huelsenbeck und den nachmaligen Hesse-Bio-graphen Hugo Ball zwar nicht der aggressive Ton von George Grosz in der Berliner ›Neuen Jugend‹, aber es war doch bizarre Empörung und enthielt – für Hesse wichtig – das Bekenntnis zur Tapferkeit, sich der Zeit zu stellen.« (E. Middell, *Hermann Hesse.* Leipzig: Philipp Reclam jun. 1972, S. 142–143)

»Ich bin, seit zwei Jahren schon, im Begriff, meine ästhetischen Auf-fassungen wesentlich umzubauen, das heißt, sie auf das veränderte Niveau zu bringen, das mein ganzes Leben und Denken inzwischen angenommen hat. So besitze ich für rein ästhetische Werte zur Zeit eigentlich keinen Maßstab.« (Aus einem Brief an Conrad Haußmann v. 3. 1. 1920; GB 1, 434)

Der Krieg ist der Vater aller Dinge: von Heraklit (535–475).

Rixdorf: bis 1912 der Name von Neukölln, gehört heute zum Berliner Verwaltungsbezirk Neukölln.

Im Presselschen Gartenhaus

Novelle. Dresden: Lehmannsche Verlagsbuchhandlung (Lehmann & Schulze) 1920. Faksimile der Handschrift. – VZ 1914. – GS 2, 851–884; GW 4, 387–420, in GS und GW mit dem Untertitel »Eine Erzählung aus dem alten Tübingen«.

e 1913.

Eduard Mörike: Mörike besuchte das Tübinger Stift von 1822 bis 1826. H. H. über Mörike (1804–1875) vgl. GW 12, 271–278, und *Mörike. Alte, unnennbare Tage . . .* (Frankfurt a. M.: Insel Verlag 1978).

Wilhelm Waiblinger: Wilhelm Friedrich Waiblinger (1804–1830) be-suchte das Tübinger Stift von 1822 bis 1826. Vom 17. April bis Mitte September 1823 hielt er sich tagsüber stundenweise am Österberg in einem Gartenhaus auf, das dem Archidiakon Johann Gottfried Pres-sel (1798–1848) abgemietet war. Waiblinger führte Tagebücher; in ihnen sind auch seine Begegnungen mit dem »Wahnsinnigen aus Gottestrunkenheit« eingetragen. Waiblingers Aufzeichnungen reichen von seinem ersten Besuch im Turm am 3. Juli 1822 bis zum 31. Dezember 1824.

Verleger Franckh in Stuttgart: Die Verlagsbuchhandlung wurde 1822 von Johann Friedrich Franckh (1795–1865) gegründet. Sein Bruder Friedrich Gottlob Franckh (1802–1845) ist einer der Schöpfer der billigen Volksausgaben. Waiblingers Beziehungen zum Verlag Franckh begannen 1822.

Linsengericht: 1. Mos. 25, 34.

Friedrich Hölderlin: H. H. über Hölderlin (1770–1843) vgl. GW 12, 224–228, und *Hölderlin. Dokumente seines Lebens* (Frankfurt a. M.: Insel Verlag 1976). – Vgl. auch H. Hs. *Ode an Hölderlin* (»Freund meiner Jugend, zu dir kehr ich voll Dankbarkeit . . .«); GW 1, 42–43. Hölderlin war am 9. Juni 1823 zum ersten Mal im Presselschen Gartenhaus.

seine Ode vom Neckartal: Der Neckar (»In deinen Tälern wachte mein Herz mir auf . . .«), e 1799.

ins Presselsche Gartenhaus: »Nebenbei: das Presselsche Gartenhaus war ein einfaches Hüttchen, das Waiblinger auf dem Österberg bei Tübingen besaß. Wie schon in Urach ein solches Hüttchen zum Schauplatz dichterischer Erlebnisse geworden war, so tauchten die Genossen im Presselschen Gartenhaus beim Schein einer Wachskerze in die Dämmer romantischen Fingierens. Hierher, in diesen Auslug, ließ der erkrankte Hölderlin sich gerne führen, und hier erstand der Traum vom Götterland Orplid.« (H. Ball, *Hermann Hesse.* Berlin: S. Fischer 1927, S. 65)

Schreinermeister Zimmer: Ernst Zimmer (1772–1838), in dessen Haus in Tübingen der kranke Hölderlin seit 1807 wohnte, war später Obermeister der Tübinger Schreinerzunft. Waiblinger bescheinigte Zimmer eine für seinen Stand ungewöhnliche Bildung.

Jungfer Lotte: Charlotte Zimmer (1813–1879), Tochter Ernst Zimmers, nahm sich nach dem Tod ihres Vaters des kranken Dichters an.

Herr Bibliothekar: Hölderlin war von 1804 bis 1806 in Homburg pro forma als Hofbibliothekar angestellt.

»An Peregrina«: Ausdruck der Jugendliebe Mörikes zu Maria Meyer, dem Urbild der Peregrina der Gedichte und der Zigeunerin Elisabeth im *Maler Nolten.*

Louis Bauer: Ludwig Amandus Bauer (1803–1846), seit 1821 im Tübinger Stift, schloß Ende 1822 Freundschaft mit Mörike und Waiblinger. Dramatiker und Romancier der Schwäbischen Romantik.

Gfrörer: August Friedrich Gfrörer (1803–1861), später Professor der Geschichte.

Stiftlerangst: »Nicht von ungefähr hat Hesse seine schönste Novelle, ›Im Presselschen Gartenhaus‹, den drei schwäbischen Dichtern Hölderlin, Waiblinger und Mörike gewidmet. Alle drei hatten die typische

Stiftlerneurose. Hölderlin hat in Maulbronn schrecklich gelitten [...]
Nicht viel anders steht es mit Waiblinger und Mörike in ihren Klo-
ster- und Stiftlerjahren. Waiblinger, der Freund Hölderlins, Verfasser
eines ›Phaëton‹ und unzähliger Reisebriefe, ein Wanderpoet, wie ihn
selbst Schwaben in einem halben Jahrhundert nur einmal hervorgebracht hat, Waiblinger liebt nicht so sehr das königliche Stipendium
als ein Mädchen von ›königlich Ossianischem Geist‹, das von der
Ostsee herkam [...] Und nun Mörike, den Hesse im ›Presselschen
Gartenhaus‹ mit dem genialisch flackernden Waiblinger so geheimnisvoll kontrastiert! Ihn hat's in Urach getroffen. Dort wurde die
Freundschaft mit Waiblinger geschlossen, eine ähnliche Freundschaft,
wie Hesse sie in ›Unterm Rad‹ geschildert hat; auch mit ähnlichen
Folgen für den behutsameren, stilleren der beiden Dichter.« (H. Ball,
Hermann Hesse. Berlin: S. Fischer 1927, S. 63–65)

diese wunderbare, rätselhafte Frau: Julie Michaelis (1799–1879). Ihr
hat Waiblinger verschiedene Gedichte gewidmet. Die Liebe begann am
13. Dezember 1823, sie endete Mitte 1825, nachdem er schon 1824 gezwungen worden war, Julie aufzugeben. Julie wohnte mit ihrem Bruder, dem Professor der Rechte Adolf Michaelis (1795–1862), bei ihrem
Onkel, dem vielseitigen Publizisten und Professor der Romanistik
Salomo Michaelis (1769–1844), in Tübingen.

Hartlaub: Wilhelm Hartlaub (1804–1885), der »Urfreund« Mörikes
aus dem evangelischen Seminar in Urach.

Ludwig Uhland: 1787–1862, mit Waiblinger befreundet.

»Hyperion«: Hölderlin, *Hyperion oder der Eremit in Griechenland,*
Roman 1797–1799.

Pfizer in Stuttgart: Gustav Pfizer (1807–1890), war Professor am
Obergymnasium in Stuttgart, redigierte seit 1836 die *Blätter zur
Kunde der Literatur des Auslandes,* seit 1838 einen Teil des Stuttgarter
Morgenblatts.

»Phaëton«: Waiblinger am 7. 7. 1823 an Ludwig Uhland: »Ich habe
hier nur zwey Menschen, die ein Licht in meine Seele werfen, einen
feurigen Jüngling voll Geist und Leben, der dasselbe Streben mit mir
theilt, Baur von Orendelsal, und Hölderlin. Dieser Wahnsinnige, wie
er in meinem Gartenhaus am Fenster sitzt, ist mir oft mehr, ist mir
oft näher, als tausende, die bey Verstande sind.« (*Dichter aus Schwaben.* Marbach a. N.: Schiller-Nationalmuseum 1964, S. 122) – »Waiblinger hatte im Juli 1822 den kranken Hölderlin zum ersten Male besucht und dann dessen ›Hyperion‹ mit größter Bewegung gelesen. Unter dem Eindruck dieser Begegnung schreibt er, noch ehe er das Tübinger Stift bezieht, im Spätsommer 1822 innerhalb weniger Wochen
seinen Briefroman [Phaëton] nieder.« (Ebenda, S. 118)

Frau von Kalb: Auf Schillers Empfehlung war Hölderlin von Anfang
1794 bis Januar 1795 Hauslehrer bei Charlotte von Kalb (1761–1843)
in Waltershausen/Thür. für deren Sohn Fritz.

Schiller: Die erste Begegnung zwischen Hölderlin und Schiller fand Anfang November 1794 in Jena statt.

Hölderlin [. . .] Zögling des theologischen Stifts: von 1788 bis 1793.

Schwab: Gustav Benjamin Schwab (1792–1850) war seit 1817 Professor für alte Sprachen am Oberen Gymnasium in Stuttgart.

Matthisson: Friedrich von Matthisson (1761–1831), klassizistischer Dichter, wurde vom Herzog (später König) von Württemberg 1809 geadelt und 1811 zum Theaterintendanten ernannt, ab 1812 Oberbibliothekar in Stuttgart. Waiblinger hatte seine Bekanntschaft im Januar 1821 gemacht.

Schubart: Christian Friedrich Daniel Schubart (1739–1791).

Doktor Mesmer: Franz Anton Mesmer (1734–1815) begründete die Lehre vom animalen Magnestismus.

Professor Schelling: Friedrich Wilhelm Joseph von Schelling (1775–1854). Er hatte, mit Hegel und Hölderlin befreundet, am Tübinger Stift studiert, war 1798, durch Goethe empfohlen, nach Jena berufen und 1803 Professor in Würzburg geworden.

Hoffmann: Ernst Theodor Amadeus Hoffmann (1776–1822), Erzähler zwischen Spätromantik und Frührealismus.

Wispel: Gestalt aus Mörikes *Maler Nolten,* Theobald Noltens früherer Diener.

amön: [veraltet für] anmutig, lieblich.

Orplid: Name einer von Eduard Mörike und Ludwig Amandus Bauer ersonnenen Phantasie-Insel (Mörikes Schattenspiel »Der letzte König von Orplid« im Roman *Maler Nolten,* 1832; Gedicht *Du bist Orplid, mein Land . . .*).

König Ulmon: eine an den Fliegenden Holländer und an Ahasver gemahnende Gestalt aus *Orplid,* die dazu verdammt ist, in einer kahlen, entgötterten Welt leben zu müssen und sich des besseren Einst nur noch traumhaft erinnern zu dürfen.

Lord Fox: Charles James Fox (1749–1806), seit 1770 Lord der Admiralität, englischer Staatsmann.

seiner Majestät des Königs: Georg III. (1738–1820), regierte 1760–1820.

Prinzessin Viktoria: Sie wurde am 24. 5. 1819 geboren, regierte 1837–1901 und starb am 22. 1. 1901.

Lord Chesterfield: Philippe Dormer Stanhope, Graf von Chesterfield (1694–1773); seine *Letters to his son* erschienen postum 1774.

Lord Bolingbroke: Henry Saint John, Viscount Bolingbroke (1678–1751), englischer Staatsmann und Schriftsteller.

Haug: Karl Friedrich Haug (1795–1869), Professor für Geschichte in Tübingen.

»Das Angenehme dieser Welt hab ich genossen . . .«: Gedicht Hölderlins aus der Zeit seiner Umnachtung, e Anfang 1811.

Siddhartha

Eine indische Dichtung. Berlin: S. Fischer 1922. – GS 3, 615–733;
GW 5, 353–471, in GS und GW ohne Widmungen.

H. H. beginnt mit der Niederschrift in Montagnola im Dezember
1919. Es entsteht der »Erste Teil« und einiges vom »Zweiten Teil«.
Mit dem Kapitel »Am Flusse« ist er unzufrieden und legt im August
1920 die unvollendete Dichtung beiseite, »weil ein Stück Entwicklung
darin gezeigt werden müßte, das ich selbst noch nicht zu Ende erlebt
habe« (Aus einem Brief an Georg Reinhart v. 14. 8. 1920, GB 1, 457).

»Seit manchen Monaten schon liegt meine indische Dichtung, mein
Falke, meine Sonnenblume, der Held Siddhartha da, bei einem miß-
glückten Kapitel abgebrochen – ich kann mich des Tages noch so wohl
erinnern, wo ich sah, daß es nicht weiter ging, daß ich warten, daß
etwas Neues hinzukommen müsse! Er begann so schön, er gedieh so
gradlinig, und plötzlich war es aus! Die Kritiker und Biographen
sprechen in diesen Fällen vom Nachlassen der Kräfte, vom Erlahmen
der Hand, vom Abgelenktwerden durch äußeres Leben – man lese
irgendeine Goethe-Biographie mit ihren trottelhaften Anmerkungen
nach!

Nun, in meinem Falle ist die Sache einfach und kann erklärt werden. In meiner indischen Dichtung war es glänzend gegangen, so-
lange ich dichtete, was ich erlebt hatte: die Stimmung des jungen
Brahmanen, der die Weisheit sucht, der sich plagt und kasteit, der die
Ehrfurcht gelernt hat und sie nun als Hindernis zum Höchsten kennenlernen muß. Als ich mit Siddhartha dem Dulder und Asketen zu
Ende war, mit dem ringenden und leidenden Siddhartha, und nun
Siddhartha den Sieger, den Jasager, den Bezwinger dichten wollte,
da ging es nicht mehr. – Ich werde ihn dennoch weiter dichten, ein-
mal, am Tag der Tage, sei es früh oder spät, und er wird doch ein
Sieger werden.« (Aus einem Tagebuch des Jahres 1920; GW 11, 49)

Inzwischen erscheinen Vorabdrucke der Kapitel »Bei den Asketen«
(Neue Zürcher Zeitung, 6. und 7. 8. 1920), »Gotama« (Basler Nachrichten, 15. 5. 1921); Siddhartha (Erster Teil) erscheint im Juli 1921
in der Neuen Rundschau mit einem Brief an Romain Rolland:

»Lieber, verehrter Romain Rolland!

Seit dem Herbst des Jahres 1914, da die seit kurzem eingebrochene
Atemnot der Geistigkeit auch mir plötzlich spürbar wurde, und wir
einander von fremden Ufern her die Hand gaben, im Glauben an die
selben übernationalen Notwendigkeiten, seither habe ich den Wunsch
gehabt, Ihnen einmal ein Zeichen meiner Liebe und zugleich eine
Probe meines Tuns und einen Blick in meine Gedankenwelt zu geben.
Nehmen Sie die Widmung des ersten Teiles meiner noch unvollendeten
indischen Dichtung freundlichst entgegen von Ihrem Hermann
Hesse.«

Ein weiterer Vorabdruck mit den Kapiteln »Kamala«, »Bei den Kindermenschen« und »Sansara« folgt 1921 in der Zeitschrift *Genius*.

»Was aus Siddhartha später wird, möchte auch ich gerne wissen. Ich habe zwar ein gutes Stück mehr erlebt als er, sehe aber das Ende und Ergebnis bei mir noch nicht, und kann es darum auch in der Dichtung noch nicht darstellen. Den Weg der Individuation, der von allem Kollektiven und Autoritativen wegführt, die innere Stimme (auch das Gewissen) so persönlich und so übersensibel macht und das Leben so außerordentlich differenziert und erschwert – das habe ich erfahren und stecke noch mitten drin. Die Wiedereinpassung des differenzierten Individuums ins Ganze, in Sozialität und Gesellschaft könnte ich erst darstellen, wenn ich selbst auf diesem Weg schon weiter wäre.« (Aus einem Brief an Georg Reinhart v. 15. 8. 1921; GB 1, 475–476)

Im Mai und Juni 1921 hat H. H. zahlreiche psychoanalytische Sitzungen bei C. G. Jung in Küsnacht. Erst im März 1922 nimmt er die Arbeit am *Siddhartha*-Manuskript wieder auf. Ende Mai sendet er die Reinschrift an S. Fischer. Im Oktober 1922 erscheint die Buchausgabe bei S. Fischer.

Der »Erste Teil« ist »Romain Rolland dem verehrten Freunde gewidmet«, der »Zweite Teil« ist »Wilhelm Gundert meinem Vetter in Japan gewidmet«. Das *Siddhartha*-Manuskript schenkt H. H. seinem Freund und Mäzen Hans C. Bodmer.

Mit dem 19.–23. Tausend wird *Siddhartha* 1925 in die Reihe der *Gesammelten Werke in Einzelausgaben* aufgenommen. Von der 37.–39. Auflage im Jahre 1942 an ist der »Erste Teil« von *Siddhartha* »Meiner Frau Ninon gewidmet«, der »Zweite Teil« ohne Widmung.

Texte von H. H. und anderen zu *Siddhartha* enthalten die beiden Bände *Materialien zu Hermann Hesses »Siddhartha«*. Hrsg. von Volker Michels. (Frankfurt a. M.:) Suhrkamp. 2 Bände. 1: Texte von Hermann Hesse. 1975; 2. Aufl. 1977. 2: Texte über Siddhartha. 1976.

»Der Siddhartha wurde im Winter 1919 begonnen; zwischen dem ersten und dem zweiten Teil lag eine Pause von nahezu anderthalb Jahren. Ich machte damals – nicht zum erstenmal natürlich, aber härter als jemals – die Erfahrung, daß es unsinnig ist, etwas schreiben zu wollen, was man nicht erlebt hat, und habe in jener langen Pause, während ich auf die Dichtung ›Siddhartha‹ schon verzichtet hatte, ein Stück aszetischen und meditierenden Lebens nachholen müssen, ehe die mir seit Jünglingszeiten heilige und wahlverwandte Welt des indischen Geistes mir wieder wirklich Heimat werden konnte. Daß ich in dieser Welt nicht weiterhin verharrte, wie ein Konvertit in seiner Wahlreligion, daß ich diese Welt oft wieder verließ, daß auf den ›Siddhartha‹ der ›Steppenwolf‹ folgte, wird mir von Lesern, welche den ›Siddhartha‹ lieben, den ›Steppenwolf‹ aber nicht gründlich genug gelesen haben, oft mit Bedauern vorgeworfen. Ich habe keine Antwort darauf zu geben, ich stehe zum ›Steppenwolf‹ nicht minder als zum ›Siddhartha‹; für mich ist mein Leben ebenso wie mein Werk eine selbstverständliche Einheit, welche eigens zu beweisen oder zu verteidigen mir unnütz scheint.« (Aus dem »Nachwort« zu *Weg nach Innen*; GW 11, 48)

»Daß Weisheit nicht lehrbar sei, ist eine Erfahrung, die ich einmal im Leben versuchen mußte, dichterisch darzustellen. Der Versuch dazu ist Siddhartha.« (Aus einem Brief an Werner Schindler v. 14. 1. 1922; *Materialien zu Hermann Hesses* »*Siddhartha*«. Erster Band. A.a.O. S. 150)

»Ich sah in einer Zürcher Buchhandlung die französische Ausgabe meines ›Siddhartha‹ liegen, eines Buches, in dem ich versucht habe, die alte asiatische Lehre von der göttlichen Einheit für unsere Zeit und in unserer Sprache zu erneuern.« (Aus »Gedanken über Lektüre«. In: *Berliner Tageblatt*, Nr. 63 v. 6. 2. 1926)

»Für mein wertvollstes Buch halte ich den ›Siddhartha‹. Am liebsten aber sind mir ›Knulp‹ und die kleine Dichtung ›Klingsors letzter Sommer‹.« (Aus einer Postkarte an Joh. Kleinpaul v. 4. 7. 1923. In: *Hermann Hesse. Werk und Persönlichkeit*. Marbach a. N. 1957, S. 26)

Erster Teil
Der Sohn des Brahmanen

Zum Aufbau dieser Dichtung vgl. Reso Karalaschwili: Die Zahlensymbolik als Kompositionsgrundlage in H. Hesses »Siddhartha«. In: *Materialien zu Hermann Hesses* »*Siddhartha*«. Zweiter Band. A.a.O. S. 255–271.

Brahmane: Mitglied der obersten Kaste der Hindus. Die Brahmanen waren seit den ältesten Zeiten Priester, Dichter, Gelehrte und Politiker. Die alten Gesetzesbücher heben ihre Heiligkeit und Unverletzlichkeit hervor. Der Hinduismus hat keinen Stifter und keine allgemeinverbindliche Dogmatik. Die Hindus werden nicht durch ein gemeinsames Bekenntnis geeint, sie können vielmehr Polytheisten, Monotheisten oder Atheisten sein. Maßgebend ist allein die Zugehörigkeit zu einer anerkannten Kaste.

Brahma od. *Brahman:* indische Religion: ursprünglich Zauberspruch, dann die Kraft, die alle Welten schafft und erhält; später zu einer männlichen Gottheit verkörpert, die mit Schiwa und Wischnu eine Einheit, die Trimurti, bildet.

Salwald: Ein Salahain wird oft in den heiligen Schriften des Buddhismus erwähnt.

Govinda: »Den Namen Govinda hat Hesse dem Bhagavadgita entnommen. Govinda, der Wagenlenker von Arjuna, predigte Arjuna über den Sinn des Lebens. Bei Hesse predigt Siddhartha am Ende Govinda.« (Vridhagiri Ganeshan, *Das Indienerlebnis Hermann Hesses*. Bonn: Bouvier Verlag Herbert Grundmann 1974, S. 60)

Siddhartha: (»der sein Ziel erreicht hat«), Name des Buddha (um

560 bis etwa 480 v. Chr.); nach der adeligen Familie der Sakjas, der er entstammte, wird er auch als Schakjamuni bezeichnet. Entsprechend der Sitte indischer Adelsgeschlechter, sich den Namen wedischer Seher beizulegen, führt er auch den Namen Gotama. Sein Vater war ein Fürst Suddhodana im Vorland des nepalesischen Himalaja; seine Mutter, die kurz nach seiner Geburt starb, hieß Maja. In verschwenderischer Üppigkeit erzogen, heiratete er seine Kusine Jasodhara und hatte einen Sohn Rahula. Mit 29 Jahren verließ er, des Wohllebens überdrüssig, die Erlösung suchend, die Heimat und wanderte sechs Jahre als Bettelasket umher, studierte ohne innere Befriedigung bei verschiedenen Meistern und ergab sich harter Kasteiung. Schließlich fand er in Uruwela bei Gaja die Erleuchtung. Er ging dann nach Benares, gründete einen Mönchsorden und durchzog später lehrend und werbend Nordindien.

»Während Buddha rein auf geistigem Weg nach sieben Jahren unter einem Feigenbaum sitzend die Erleuchtung (Bodhi) erreichte, kehrt Siddhartha, der im Schatten des Feigenbaumes aufgewachsen und erwacht ist, in das weltliche Leben zurück. In den Upanishaden wird der Feigenbaum als ein Symbol für das Leben überhaupt dargestellt.« (V. Ganeshan, *Das Indienerlebnis Hermann Hesses*. A.a.O. S. 60–61)

»Mein Heiliger [Siddhartha] ist indisch gekleidet, seine Weisheit steht aber näher bei Lao Tse als bei Gotama. Lao Tse ist ja jetzt in unsrem guten armen Deutschland sehr Mode, aber fast alle finden ihn doch eigentlich paradox; während sein Denken gerade *nicht* paradox, sondern streng bipolar, zweipolig, ist, also eine Dimension mehr hat. An seinem Brunnen trinke ich oft.« (Aus einem Brief an Stefan Zweig v. 27. 11. 1922; *Materialien zu Hermann Hesses »Siddhartha«*. Zweiter Band. A.a.O. S. 173)

»Ich bin nicht Siddhartha, ich bin nur immer wieder auf dem Weg zu ihm, und so freue ich mich darüber, wenn hier und dort jüngere Brüder sich auch auf den Weg machen.« (Aus einem Brief an Bruno Raudszus, 1922; *Materialien zu Hermann Hesses »Siddhartha«*. Zweiter Band. A.a.O. S. 173)

Om: mystische Silbe in heiligen Texten der Hindus und Buddhisten (in der Bedeutung »das Vollkommene«, »die Vollendung«).

Atman: im Sanskrit ursprünglich der Atem, dann die Lebenskraft, die Persönlichkeit, das Selbst; in der indischen Philosophie die Seele. »Siddhartha ist bewandert in der Tradition seiner Väter. Er weiß um das Eine, den Atman, das der ungeschulte Mensch nur im Tiefschlaf erleben kann, wie es in den Upanishaden des Somadewa steht. Doch selbst alles Wissen der Brahmanen kann nicht dazu befähigen, Atman im Wachsein, im Leben zu erfahren.« (A. Hsia, *Hermann Hesse und China*. Frankhfurt a. M.: Suhrkamp 1974, S. 238)

Schatten: »Man kann daher annehmen, daß Govinda eine Art zweiten Ichs für Siddhartha darstellt, wobei Siddhartha als das bereits veränderte Ich, als die transzendente Gestalt Govindas fungiert oder als ein Bewußtsein, das Govinda noch einzuholen hat.« (Deba P. Patnaik, Govinda. In: *Materialien zu Hermann Hesses »Siddhartha«.* Zweiter Band. A.a.O. S. 190–191) Nach C. G. Jung bezeichnet Schatten die niederen Personeneigenschaften. Vgl. den Schatten Bertram im *Glasperlenspiel.*

Rig-Veda: das älteste Denkmal der indischen Literatur.

Prajapati: in der Mythologie des Veda der Schöpfer oder höchste Gott.

Upanishaden: altindische theologisch-philosophische Texte von ungleichem Wert und Alter und sehr verschiedenartigen Lehren.

Samaveda: nach dem Rigveda der zweite Veda (»Veda der Lieder«), eine Auswahl aus den Hymnen des Rigveda, die sich nur durch die Vortragsart der Lieder unterscheidet.

Chandogya-Upanishad: die neunte der zehn vom Philosophen Shankara als echt anerkannten Upanishads.

Satyam: die durch den Schleier der Maja verhüllte Wirklichkeit.

Banyan: [bengal.] Feigenbaum.

»Om ist der Bogen, der Pfeil ist Seele ...«: »Siddhartha, der junge Brahmanensohn, ist getrieben von derselben Suche und hat dasselbe Vorauswissen und das Ziel wie Hesse selbst. Im Anfangskapitel des Buches begegnen wir ihm, über die magische Silbe OM meditierend, jenem ›Wort der Worte‹, das die Vollendung oder den Vollendeten bezeichnet [...] OM, Anfang und Ende jedes vedischen Textes, ist das Symbol für die ›göttliche Kraft‹, die, wie Heinrich Zimmer sie beschreibt, ›das ganze All durchdringt und dem Mikrokosmos des menschlichen Herzens als belebende Gnade Gottes innewohnt‹ (Heinrich Zimmer, *Philosophie und Religion Indiens*, Frankfurt/Main 1973, Suhrkamp Taschenbuch Wissenschaft 26, S. 71), eine Kraft, selbst ohne Form oder Substanz, aber dennoch der Ursprung alles Gewesenen, Seienden und Werdenden.« (Leroy R. Shaw, Zeit und Struktur des Siddhartha. Aus dem Amerikanischen übersetzt von Ursula Michels-Wenz. in: *Materialien zu Hermann Hesses »Siddhartha«.* Zweiter Band. A.a.O. S. 99–100)

Samana: wandernder Bettelmönch.

Bei den Samanas

Sakya: Sippenname Buddhas. Vgl. *Siddhartha.*

Magadha: altes indisches Reich, umfaßte etwa den heutigen indischen Staat Bihar.

Gotama

Savathi: zur Zeit des Gotama Buddha Hauptstadt von Kosala, der heutigen Provinz Oud, Teil von Uttar Pradesch in der fruchtbaren Gangesebene. »Die Stadt Savathi, in der ›jedes Kind den Namen des

Erhabenen‹ kannte, ist eine leichte Abänderung des Namen Shravasthi (Helmut von Glasenapp, Die fünf Weltreligionen. Düsseldorf/Köln 1963, S. 75), der Stadt, bei der Buddha ›Jetavana‹, einen Park des Prinzen Jeta von dem Kaufmann Anathapindika geschenkt bekam und wo er von Zeit zu Zeit weilte. Siddhartha und Govinda wird von einer Frau mitgeteilt: ›Wisset, in Jetavana, im Garten Anathapindikas, weilt der Erhabene.‹« (V. Ganeshan, *Das Indienerlebnis Hermann Hesses*. A.a.O. S. 61)

den achtfachen Pfad: Die einzelnen Stufen des Edlen Achtfachen Pfades sind nach Heinrich Zimmer (*Philosophie und Religion Indiens*. Frankfurt a. M.: Suhrkamp 1973): 1. Rechte Anschauung, 2. Rechte Gesinnung, 3. Rechtes Reden, 4. Rechtes Handeln, 5. Rechte Lebensführung, 6. Rechtes Streben, 7. Rechtes Aufmerken, 8. Rechte Versenkung. H. H. geht eindeutig von dieser Quelle aus. In anderen Übersetzungen wird dieser Weg auch als Achtgliedriger Pfad bezeichnet; folgende Stufen werden genannt: 1. Rechtes Glauben, 2. Rechter Entschluß, 3. Rechtes Wort, 4. Rechte Tat, 5. Rechtes Leben, 6. Rechtes Streben, 7. Rechtes Denken, 8. Rechtes Sichversenken. Nach buddhistischer Lehre führt der Achtfache Pfad zur vollkommenen und endgültigen Aufhebung von Leiden und Sein und damit zum Nirwana.

Erwachen

Yoga-Veda: Es gibt keine Yoga-Veda. Der Yoga (Joga) ist die in Indien entwickelte Praxis geistiger Konzentration, die den Geist durch völlige Herrschaft über den Körper befreien will. Das dem Patandschali (Patanjali) zugeschriebene brahmanische philosophische System, dessen Lehrschrift (Joga-Sutras) in der uns vorliegenden Form den ersten Jh. n. Chr. entstammt und als metaphysische Grundlage die Sankhja-Philosophie benutzt, lehrt den Achtfachen Pfad: 1. Moralisches Wohlverhalten, 2. Äußere und innere Reinheit, 3. Einnehmen bestimmter Körperstellungen, 4. Regelung des Atmens, 5. Abwendung der Sinnesorgane von den Objekten, 6. Festlegen des Denkens auf einen bestimmten Punkt, 7. Meditation, 8. Versenkung.

Atharva-Veda: die »Weda des Hauspriesters«, Sammlung der für häusliche Gottesdienste und sonstige Vorkommnisse nötigen Hymnen und Zauberlieder.

Zauber Maras: Mörder, Tod, böses Prinzip.

Schleier der Maja: Die Maja ist in den realistischen pantheistischen Systemen der indischen Philosophie die Kraft, durch die Gott die reale Umformung eines Teils seines Wesens zur Welt hervorbringt und den Menschen daran hindert, sich seiner Wesenseinheit mit Gott bewußt zu werden. In den idealistischen Lehren ist es die unerklärliche Illusion, die dem in Nichtwissen Befangenen die Erkenntnis seiner Identität mit dem Allwesen verhüllt. Maja wird als verschleierte Schönheit dargestellt.

Zweiter Teil

Kamala

das Baumbesteigen: im Kama-Sutra die sechste von zwölf klassischen Umarmungen.

Kamala: vermutlich Anspielung auf Kama, den indischen Liebesgott, der als Jüngling dargestellt wird, der auf einem Papagei reitet.

Vishnu: (Wischnu), einer der Hauptgötter des Hinduismus. Neunmal soll sich Vishnu auf Erden verkörpert haben, vor allem als Rama und Krischna. Eine zehnte Wiederverkörperung wird erwartet.

Lakschmi: bei den Hindus die Göttin des Glücks und der Schönheit, Gattin des Vishnu, dem sie in Darstellungen oft zu Füßen sitzt.

In ihren schattigen Hain trat die schöne Kamala . . .: Gedicht von H. H.

Kamaswami: Der Name ist – wie bei Kamala – vermutlich eine Anspielung auf Kama. Swami bedeutet Meister, Besitzer.

Bei den Kindermenschen

Die Menschen von unserer Art können vielleicht nicht lieben: Vgl. das Kapitel »Govinda«, wo es heißt: »[. . .] Dinge kann man lieben.«

Sansara

Sansara: H. Hs. Gedicht *Media in vita* (»Einmal, Herz, wirst du ruhn . . .«), e 15. 2. 1921, trug ursprünglich den Titel *Sansara*. Vgl. dazu H. Hs. Ausführungen in seinem Tagebuch 1920/21 (*Materialien zu Hermann Hesses »Siddhartha«.* Erster Band. A.a.O. S. 21). Sansara bedeutet die sich ewig wiederholende Erneuerung des Daseins mit allen seinen Leiden. »Der angedeutete Weg aus Sansara ist natürlich der alte, indische, Sansara hört auf mit dem ›Nichtwissen‹, und das Ziel wird Nirwana. Als bloße Verstandeserkenntnis ist das freilich harmlos, religiösen und praktischen Wert hat es nur, wenn die Erkenntnis durch beständige Übung und Meditation zur Basis des ganzen Lebens wird. Dies fällt dem Europäer schwer. Für meine Person neige ich zwar sehr zu Resignation und Mönchtum, aber mir steht die Gestaltungslust, der Spieltrieb und die Eitelkeit des Künstlers im Wege – ich habe nach sehr, sehr langer Beschäftigung mit dem Problem gefunden, daß für mich der Weg zum Heiligen über das Opfer des Künstlertums und der Produktion führen müßte.« (Aus einem Brief an Georg Reinhart v. 30. 4. 1921; GB 1, 469–470) – »›Wie, o Siddhartha, konntest du so in Weltlichkeit und Sinnenlust zurückfallen? Wie sehr hast du dich in Sansara verstrickt!‹ sprach Govinda.

Sprach Siddhartha: ›Weißt du nicht, Lieber, daß zum Nirwana der schnellste Weg mitten durch Sansara führt? Weißt du nicht, daß zuweilen Kindereien die größte Weisheit sind?‹

Also sprach Siddhartha und lächelte, und lächelte.« (Auf einer Postkarte an Georg Reinhart v. 11. 3. 1922; *Materialien zu Hermann*

Hesses »Siddhartha«. Erster Band. A.a.O. S. 155) In *Siddhartha,* 1.–6. Aufl., S. 83, ist Zeile 17 zu streichen und zu ersetzen durch: hatte, wenn er, den Altersgenossen weit voraus, sich mit ...

Am Flusse

tiefe Liebe zu diesem strömenden Wasser: »Nicht zufällig wählt Hesse das strömende Wasser als die unpersönliche Verkörperung des Tao. Denn der Fluß ist Inbegriff aller Wandlung. In den *Gesprächen* des Konfuzius heißt es: ›So fließt alles dahin wie dieser Fluß, ohne Aufhalten Tag und Nacht.‹ Wer aber die Wandlung erkannt hat, richtet seinen Blick nicht auf das Vergängliche, sondern auf das, was die Wandlung bewirkt, also auf Tao. In der Tat lautet der 32. Spruch des Lao Tse: ›... Man kann das Verhältnis des Tao zur Welt vergleichen mit den Bergbächen und Talwassern, die sich in Ströme und Meere ergießen.‹ Lao Tse war wortkarg, aber diese zwei Zeilen entsprechen dem Bild, das Hesse dem Fluß in *Siddhartha* gab: ›... alle die Wellen und Wasser eilten, leidend, Zielen zu, vielen Zielen, dem Wasserfall, dem See, der Stromschnelle, dem Meere, und alle Ziele wurden erreicht, und jedem folgte ein neues, und aus dem Wasser ward Dampf und stieg in den Himmel, ward Regen und stürzte aus dem Himmel herab, ward Quelle, ward Bach, ward Fluß, strebte aufs neue, floß aufs neue.‹

Wasser bedeutet nicht nur Wandlung und Dauer, sondern noch mehr, wie der 78. Spruch des Lao Tse zeigt:

Auf der ganzen Welt gibt es nichts Weicheres als das Wasser.
Und doch in der Art, wie es dem Harten zusetzt,
kommt nichts ihm gleich.
Es kann durch nichts verändert werden.
Daß Schwaches das Starke besiegt
und Weiches das Harte besiegt,
weiß jedermann auf Erden,
aber niemand vermag danach zu handeln.

Wasser ist Wandlung und Dauer, Vielfalt und Einheit zugleich. Dies hat Hesse am Beispiel des Flusses im *Siddhartha* gezeigt.« (A. Hsia, *Hermann Hesse und China.* A.a.O. S. 242–243)

Der Fährmann

Vasudeva: einer der Namen Krischnas. »Mein Siddhartha lernt seine Weisheit am Ende richtig nicht von einem Lehrer, sondern von einem Fluß, der so komisch rauscht, und von einem freundlichen alten Trottel, der immer lächelt und heimlich ein Heiliger ist.« (Aus einem Brief an Emmy Ball v. 2. 6. 1922; *Materialien zu Hermann Hesses »Siddhartha«.* Erster Band. A.a.O. S. 156) – »Vasudeva ist die personifizierte, der Fluß die unpersönliche Verkörperung des Tao [...] Die Ähnlichkeit zwischen ihm [Vasudeva] und Lao Tse ist [...] augen-

fällig.« (A. Hsia, *Hermann Hesse und China*. A.a.O. S. 240 und 247)
– »Als ich vor dreißig Jahren den ›Siddhartha‹ schrieb, habe ich bei
der Gestalt des Fährmanns Vasudeva niemals an einen mir persönlich
bekannten Menschen gedacht, und bestimmt nicht an Julius Baur. Und
doch scheint es mir heute, ich sei in Baurs Gestalt einmal im Leben
dem weisen Fährmann wirklich begegnet und sei nur zu unreif gewesen, um es zu merken. Alles, was wir erleben, kann ja Sinn gewinnen.«
(Aus *Beschwörungen*, e Februar 1954; GW 10, 373) – Julius Baur war
H. Hs. Vorgesetzter im Antiquariat des Herrn Wattenwyl im Pflug-
gäßlein in Bern, einer »der reinsten, gutartigsten, wahrhaftigsten und
liebenswertesten Menschen«, die er kennengelernt hat.
Pisang: (Pisangfeige), eine Banane.

Der Sohn

daß Weich stärker ist als Hart [...]: Vgl. Erläuterung zum Kapitel
»Am Flusse«.

Om

Siddhartha bemühte sich, besser zu hören. Das Bild [...]: »Warum
›hörte‹ Siddhartha Bilder? Dies erinnert an eine Stelle bei Dschuang
Dsi: ›Du hörst nicht mit den Ohren, sondern hörst mit dem Verstand;
du hörst nicht mit dem Verstand, sondern hörst mit der Seele. Das
äußere Hören darf nicht weiter eindringen als bis zum Ohr; der Verstand darf kein Sonderdasein führen wollen, so wird die Seele leer
und vermag die Welt in sich aufzunehmen. Und das Tao ist's, das
diese Leere füllt.‹
Die Art und Weise, wie Hesse dieses ›Hören‹ und ›Sehen‹ Siddharthas
beschreibt, macht klar, daß es sich hier um keine sinnlichen Wahr-
nehmungen im üblichen Sinne handeln kann. Er hört und sieht mit
seiner Seele.« (A. Hsia, *Hermann Hesse und China*. A.a.O. S. 241)

Govinda

von jeder Wahrheit ist das Gegenteil ebenso wahr: »Eine gute, eine
richtige Wahrheit, so scheint mir, muß es vertragen, daß man sie auch
umkehrt. Was wahr ist, davon muß das Gegenteil auch wahr sein
können. Denn jede Wahrheit ist kurze Formel für den Blick in die
Welt von einem bestimmten Pol aus, und es gibt keinen Pol ohne Gegenpol.« (Aus *Variationen über ein Thema von Wilhelm Schäfer*,
e 1919; GW 11, 209)
Nirwana: im Buddhismus die Erlösung als vollständiges Aufhören des
Lebenstriebes, von dem Heiligen schon in diesem Dasein durch Überwindung von Haß, Gier und Wahn erreichbar, verbürgt bei Eintritt
des Todes die Unmöglichkeit, in einer individuellen Existenz wieder-
geboren zu werden. Äußerster Gegensatz zu Sansara (Samsara).
Krischna: ein mythischer indischer König, achte irdische Erschei-

nungsform des Gottes Wischnu (Vishnu; vgl. das Kapitel »Kamala«).

Agni: der indische Gott des Feuers, der das Opfer vom Altar zum Himmel trägt.

wie ein Feuer brannte: Vgl. das Ende von *Narziß und Goldmund*: »Goldmunds letzte Worte brannten in seinem Herzen wie Feuer.« (GW 8, 320)

Sinclairs Notizbuch

Zürich: Rascher & Cie. 1923; Neuaufl. 1962.
Vorwort (von H. H., e Sommer 1922) – Im Jahre 1920 – Der Europäer – Aus dem Jahre 1925 – Eigensinn – Sätze aus dem »Demian« – Die Zuflucht – Aus Martins Tagebuch – Weltgeschichte – Der Weg der Liebe – Schlechte Gedichte – Gespräch mit dem Ofen – Vom Bücherlesen.
»Die Aufsätze und Dichtungen dieses kleinen Buches sind in den Jahren 1917 bis 1920 geschrieben, und die Mehrzahl von ihnen ist damals in Zeitungen und Zeitschriften unter dem Pseudonym Emil Sinclair erschienen, demselben Pseudonym, unter welchem ich damals den Roman ›Demian‹ erscheinen ließ. Sie gehören innerlich zusammen. Ihre Ergänzung finden sie in meinen beiden Schriften ›Zarathustras Wiederkehr‹ und ›Blick ins Chaos‹.« (Aus dem Vorwort zur Ausgabe von 1923) – Zum Vorwort zur Neuauflage von 1962 siehe *Emil Sinclair* im Kommentar zu *Demian*.
Siehe auch Einzelkommentare.

Kurgast

Aufzeichnungen von einer Badener Kur. Berlin: S. Fischer 1925 (*Gesammelte Werke in Einzelausgaben*). – GS 4, 7–115; GW 7, 5–113. In GS und GW, in der Ausgabe *Kurgast. Die Nürnberger Reise* (Berlin: Suhrkamp Verlag 1953) sowie in nachfolgenden Ausgaben ist das Kapitel »Der erste Tag« mit »Kurgast« überschrieben. Der Buchhandelsausgabe voraufgegangen ist der Privatdruck (in 300 Exemplaren) *Psychologia Balnearia oder Glossen eines Badener Kurgastes* (Montagnola 1924). Das Buch ist »Den Brüdern Josef und Franz Xaver Markwalder gewidmet«. Das Motto von Nietzsche »Müßiggang ist aller Philosophie Anfang« ist von der Buchhandelsausgabe an geändert in »Müßiggang ist aller Psychologie Anfang«.
Psychologia Badensis oder Glossen eines Badener Kurgastes. Widmung an die Brüder Jos. und F. X. Markwalder. Manuskript im Hesse-Nachlaß Marbach a. N.: »Dies ist das Original-Manuscript meines

Buches ›Kurgast‹. Bei der endgiltigen Reinschrift wurde es noch verändert und es kam manches Neue hinzu.«

»Die Psychologia Balnearia wurde konzipiert bei zwei Kuraufenthal-
ten in Baden im Frühjahr und Herbst des Jahres 1923, geschrieben
im Oktober 1923 teils in Baden, teils in Montagnola.«

»Gestern habe ich, nach neun Tagen, die ich von früh bis spät an der
Schreibmaschine versaß, während es draußen sündflutlich regnete,
mein Badener Manuskript zu Ende gebracht. Es heißt

Psychologia Balnearia. Glossen eines

Badener Kurgastes

und enthält, wie ich glaube, einiges Neue und Besondere. Das Manuskript ist sehr intimer Art, in einzelnen Abschnitten eine reine
Confession und soll zunächst nicht in die Öffentlichkeit [...] Ich
habe seit dem ›Klingsor‹ nie mehr so eruptiv gearbeitet und bin jetzt
von dieser Zeit ununterbrochener fieberhafter Arbeit, die sehr schön
war, sehr erschöpft.« (Aus einem Brief an Georg Reinhart v. 29. 10.
1923; S. Unseld, *Hermann Hesse, eine Werkgeschichte.* Frankfurt a. M.: Suhrkamp 1973, S. 96)

Eine Veröffentlichung erfolgt aber bereits vor dem Privatdruck in
der *Neuen Rundschau* vom Januar bis März 1924; dieser Vorabdruck
enthält allerdings nur die Kapitel: Vorrede, Kurgast, Tagesablauf,
Der Holländer.

> »Ubi aqua, ubi bene
> Spricht die heilige Verene
> Wenn du genug von der Tortur hast,
> So komm hierher und werde Kurgast
> Flüchte aus des Lebens Lärme
> In die Wärme dieser Therme.«
> (S. Unseld, *Hermann Hesse, eine Werkgeschichte.* A.a.O. S. 96)

Zum *Kurgast* vgl.:
Kurgast, e 9. 7. 1909; GB 1, 154–158.
Der gestohlene Koffer, e Dez. 1944; GW 8, 393–402.
Aufzeichnung bei einer Kur in Baden, e 1949; GW 8, 508–521.
Die Dohle, e 1951; GW 8, 545–552.
Josef Markwalder (1883–1953), Arzt in Baden bei Zürich. »Warum
er [H. H.] ausgerechnet nach Baden und nicht an einen andern Kur-
ort kam, geht aus einem Brief vom 20. Februar 1952 hervor: ›Wie
ich zu meiner ersten Kur nach Baden kam? Ich lebte damals zwei
Winter in Basel und dort besuchte ich einmal im Vesalianum Prof.
Spiro, den Erfinder des Pyramidons, mit dem ich ein wenig befreun-
det war. Im Gespräch erfuhr er, daß ich etwas mit Rheuma und
Ischias zu tun habe. Gleich darauf klopfte es, es kam ein anderer
Besucher herein, und Spiro sagte: ›Da kommt gerade der Mann, dem
ich Sie mit Ihrem Ischias anvertrauen kann!‹ Es war mein späterer
Badener Kurarzt, der damals im Winter in Basel wissenschaftlich ar-

beitete. Im Frühling erschien ich dann zu meiner ersten Badener Kur, das weitere ergab sich von selber.‹« (Aus: Uli Münzel, Hermann Hesse als Badener Kurgast. In: *Hermann Hesse als Badener Kurgast*. Privatdruck. St. Gallen: Tschudy 1952, S. 18)

Franz Xaver Markwalder (1884–1952), Besitzer des Hotels Verenahof in Baden.

Baden in der Schweiz: Bezirksstadt im Kanton Aargau. Die Schwefelquellen liegen zu beiden Seiten der Limmat. Baden war schon zur Römerzeit ein Badeort.

Vorrede

die Badereise des Doktors Katzenberger: Hommage an Jean Pauls Dr. Katzenbergers Badereise.

Kurgast

Heiligenhof: d. i. der Verenahof in Baden.

wie Schicksal und Gemüt Namen eines Begriffes waren: Vgl. *Schicksal und Gemüt sind Namen eines Begriffs* im Kommentar zu *Demian* (4. Kap.).

Der Arzt: Josef Markwalder.

meines Wirtes: Franz Xaver Markwalder.

Tageslauf

Hidalgo: in Spanien und Portugal Standesbezeichnung des heute nicht mehr bestehenden niederen Adels.

Stinnes: Mathias Stinnes (1790–1845) begann als Ruhrschiffer, baute einen Kohlentransport und -handel auf, schloß dann einen eigenen Kohlenbergbau an. Nachfolger wurden seine Söhne Mathias (1817–1853), Gustav (1826–1878) und Hugo (1842–1887). Der zweite Sohn des letzteren war der spätere Großindustrielle Hugo Stinnes (1870–1924).

Du holdes Wesen, bei des Mondes Blinken ... und *Mit dem geliebten Wesen Hand in Hand* ... sind vermutlich nicht von H. H. stammende Postkartenverse.

Der Holländer

Multatuli: Pseudonym für den holländischen Schriftsteller Eduard Douwes Dekker (1820–1887); er schrieb den Anklageroman *Max Havelaar* (1860) gegen die Ausbeutung der Javanen in den niederländischen Kolonien

»Liebet eure Feinde!«: Matth. 5, 44.

Mißmut

Steppentier: Bereits hier taucht das im *Steppenwolf* gebrauchte Bild auf.

Kinematograph: »Ich sehe im Film durchaus kein ›Teufelswerk‹, und habe nicht das mindeste dagegen, daß er der Dichtung und dem Buch Konkurrenz macht. Es gibt Filme, die ich als Zeugnisse hohen künstlerischen Geschmacks und wertvoller Gesinnung schätze und bewundere.« (Aus einem Brief an Felix Lützkendorf v. Mai 1950; AB 326–327)

Besserung

war ich plötzlich in zwei gespalten: Auch im *Steppenwolf* wird diese Spaltung gestaltet: »So standen die beiden Harrys, beides außerordentlich unsympathische Figuren, dem artigen Professor gegenüber, verhöhnten einander, beobachteten einander, spuckten voreinander aus [...]« (GW 7, 260).

Gott Ganesha: In der indischen Göttersage ist Ganescha der Gott, der die Hindernisse beseitigt und die Gelehrsamkeit schützt, Sohn des Schiwa und der Durga, dargestellt als dickbäuchiger Mann mit Elefantenkopf, oft auf einer Ratte reitend.

jenes Wort »Liebe deinen Nächsten wie dich selbst«, das übrigens (erstaunlicherweise) auch schon im Alten Testamente steht: 3. Mos. 19, 18. – 1948 wurde H. H. von einem jüdischen Emigranten in New York gebeten, das Wort »erstaunlicherweise« wegzulassen. »Natürlich hatte der Briefschreiber recht, natürlich war es ein Irrtum, und war für jüdische Leser beinah eine Blasphemie, wenn ein bisher von ihm ernst genommener Autor es ›erstaunlich‹ fand, daß ein so edles und erhabenes Wort ›schon‹ im Alten Testament stand [...]« H. H. bat seinen Verleger, bei einem Neudruck das Wort »erstaunlicherweise« wegzulassen. Das ist geschehen. Vgl. *Das gestrichene Wort* in *Neue Zürcher Zeitung* Nr. 810 v. 17. 4. 1948, nachgedruckt u. a. in den Suhrkamp-Ausgaben *Die Kunst des Müßiggangs* (1973), *Die Welt der Bücher* (1977) und *Briefe an Freunde* (1977).

tat twam asi: [Sanskrit: Das bist du.] Aus Chandogya Upanishad II, 3. Hauptlehre der Upanishaden und des Wedanta-Systems. Der Satz will besagen: Das Absolute ist mit dir wesenseins.

Rückblick

des Gottes Shiwa: einer der Hauptgötter des Hinduismus. Er ist der Gott der Zerstörung, andererseits ein Heilbringer. Von seiner Gattin Durga hat er zwei Söhne: Ganescha und den Kriegsgott Karttikeja. Dargestellt wird Shiwa meist als ein mit einem Fell bekleideter, in Meditation dasitzender Asket mit Haarflechten, einem Kranz von Totenschädeln und mit einem dritten Auge auf der Stirn, aber auch als ekstatischer Tänzer.

Wäre ich Musiker: H. Hs. Versuch, sein Bemühen um polarische Gestaltung in seinen Werken zu umreißen und zu begründen.

als ein Sünder im Augenblick der Umkehr: Luk. 15, 7.

Vielleicht wäre es gut und zu wünschen: Vgl. H. Hs. »Ratschlag zum Schillerfest« (Kommentar zu *Unterm Rad* 3: *Schiller*).

»Es gibt Dinge von ihm – wie den Badegast –, die ich lese und empfinde ›als wär's ein Stück von mir‹.« (Thomas Mann, *Hermann Hesse*. Einleitung zu einer amerikanischen *Demian*-Ausgabe. 1947)

Bilderbuch

Schilderungen. Berlin: S. Fischer 1926 (*Gesammelte Werke in Einzelausgaben*). GS 3, 735–943; GW 6, 173–337, ohne den Teil »Verschiedenes«.

Bodensee: Septembermorgen am Bodensee – Im Philisterland – Wenn es Abend wird – Dem Sommer entgegen – Hochsommer – Es wird Herbst – Lindenblüte.

Italien: Anemonen – Lagunenstudien – Abend in Cremona – Spaziergang am Comer See – Bergamo.

Indien: Nachts im Suezkanal – Abend in Asien – Spazierfahren – Augenlust – Der Hanswurst – Singapore-Traum – Überfahrt – Pelaiang – Nacht auf Deck – Waldnacht – Palembang – Wassermärchen – Maras – Spaziergang in Kandi – Tagebuchblatt aus Kandi – Pedrotallagalla – Rückreise – Erinnerung an Indien – Besuch aus Indien.

Tessin: Sommertag im Süden – Winterbrief aus dem Süden – Tessiner Sommerabend – Strand – Der kleine Weg – Das schreibende Glas – Madonne d'Ongero – Madonnenfest im Tessin.

Verschiedenes: Auf der Walze – Drei Zeichnungen – Porträt – Am Gotthard – Herbst – Vaduz – Autoren-Abend – Nachtgesicht – Der Traum von den Göttern – Zum Gedächtnis – Heimat – Gang im Frühling – Notizblatt von einer Reise – Das verlorene Taschenmesser.

In der Neuausgabe (Berlin: Suhrkamp 1958) sind nicht mehr enthalten: Septembermorgen am Bodensee – Zum Gedächtnis. Neu aufgenommen wurden: Montefalco – San Vigilio – Abendwolken – Der Wolf – Kastanienbäume – Ein Wintergang – Der Brunnen im Maulbronner Kreuzgang – Vor einer Sennhütte im Berner Oberland.

»Zu den mir bestimmten, mir gemäßen und wichtigen Erlebnissen gehören nächst den menschlichen und geistigen auch die der Landschaft. Außer den Landschaften, die mir Heimat waren und zu den formenden Elementen meines Lebens gehören: Schwarzwald, Basel, Bodensee, Bern, Tessin habe ich einige, nicht sehr viele, charakteristische Landschaften mir durch Reise, Wanderung, Malversuche und andre Studien angeeignet und sie als für mich wesentlich und wegweisend erlebt, so Oberitalien und namentlich die Toskana, das Mittelländische Meer, Teile von Deutschland und andre. Gesehen habe ich viele Landschaften und gefallen haben mir beinahe alle, aber zu schicksalhaft mir zugedachten, mich tief und nachhaltig ansprechenden, allmählich zu kleinen zweiten Heimatländern aufblühenden wurden mir nur ganz wenige, und wohl die schönste, am stärksten auf mich wirkende von diesen Landschaften ist das obere Engadin [...]

Wir Dichter und Intellektuellen halten sehr viel vom Gedächtnis, es ist unser Kapital, wir leben von ihm – aber wenn uns solch ein Einbruch aus der Unterwelt des Vergessenen und Weggeworfenen überrascht, dann ist stets der Fund, er sei erfreulich oder nicht, von einer Wucht und Macht, die unsern sorgfältig gepflegten Erinnerungen nicht innewohnt.« (Aus *Engadiner Erlebnisse*, e 1953; GW 10, 325–326 und 329–330)

Siehe auch Einzelkommentare.

Die Nürnberger Reise

Berlin: S. Fischer 1927. Außerhalb der *Gesammelten Werke in Einzelausgaben*. – GS 4, 117–181; GW 7, 115–179.

Widmung: »Meinen Freunden Fritz und Alice Leuthold gewidmet«. Typoskript in der H.-H.-Sammlung der Bibliothek der Eidgenössischen Technischen Hochschule Zürich aus dem Nachlaß von Alice Leuthold-Sprecher (1889–1957), der Frau von Fritz Leuthold (1881–1954).

H. H. unternahm diese Reise von Montagnola aus Ende September 1925. Sie führte ihn über Locarno, Zürich, Baden, Tuttlingen nach Blaubeuren (3. 11.), Ulm (4. 11.), Augsburg (5. 11.), Nünberg, München, Ludwigsburg (15. 11.) und Blaubeuren (17. 11.) und von da nach Zürich, wo er am 20. 11. eintraf. Vom 24. 11. bis 18. 12. schrieb er *Die Nürnberger Reise* in Montagnola.

H. Hs. Nachwort zu *Die Nürnberger Reise* ist nur in der Ausgabe *Kurgast. Die Nürnberger Reise* (Zwei Erzählungen. Zürich: Fretz & Wasmuth 1946) enthalten; sie wurde wieder abgedruckt in GW 11, 51. H. H. hat sich gelegentlich der Ausgabe von 1946 »außer ein paar winzigen, rein sprachlichen Korrekturen nichts an diesen Zeugnissen einer unheimlich fern gerückten Zeit zu ändern« erlaubt.

einer meiner schwäbischen Freunde: Wilhelm Häcker (1877–1959), Seminarist in Maulbronn 1891–1895, Studium der Altphilologie in Tübingen, Präzeptor in Aalen, Professor in Maulbronn, seit 1923 Professor am Seminar Blaubeuren, später Oberstudienrat am Progymnasium in Blaubeuren.

Sitz einer schwäbischen Klosterschule: neben Maulbronn, Schöntal und Urach.

wie ich selber als Knabe: Vgl. Kommentar zu *Unterm Rad.*

einen gotischen Altar: Der Hochaltar aus dem Jahr 1493 (Tischlerarbeit von Jörg Syrlin d. J., Figuren von Gregor Erhart) in der ehemaligen Klosterkirche gehört zu den großen Dokumenten spätgotischer deutscher Schnitzkunst.

das berühmte Klötzle Blei: der Sage nach ein unsichtbar machender Stein. »Glei bei Blaubeure leit a Klötzle Blei.« (Sprichwort, auch von Eduard Mörike im *Stuttgarter Hutzelmännlein,* 1853, zitiert.)

Blautopf: 22 m tiefes Quellbecken der Blau, eines Nebenflusses der Donau.

die schöne Lau: Eduard Mörikes *Historie von der schönen Lau* ist in dem Märchen *Das Stuttgarter Hutzelmännlein* enthalten.

schwebend bis an die Brust im Wasser: aus *Das Stuttgarter Hutzelmännlein.*

der Geschichtsschreiber: Eduard Mörike.

die badende Judith aus dem »Grünen Heinrich«: Gottfried Keller, *Der grüne Heinrich.*

Sorgen von außen: Im Mai 1925 wurde bei H. Hs. Frau Ruth Tuberkulose festgestellt. – Die Deutsche Verlags-Anstalt in Stuttgart zieht sich, nachdem im März ein Vertrag zwischen ihr und H. H. geschlossen worden war, aus finanziellen Gründen von der Realisation der Schriftenreihe »Das klassische Jahrhundert deutschen Geistes 1750–1850« zurück. Im Juni versuchte H. H., den Tempel Verlag, im September S. Fischer für das Projekt zu gewinnen, beides blieb erfolglos.

Caput mortuum: Siehe Kommentar zu *Klingsors letzter Sommer* (Kapitel »Klingsor«).

von mir illustriert: Josef Ponten, *Die luganesische Landschaft* (Stuttgart: Deutsche Verlags-Anstalt 1926), enthält 6 Aquarelle von H. H.

Locarno als Sitz für die Diplomatenkonferenz: Die Konferenz von Locarno fand vom 5. bis 16. Oktober statt. Teilnehmer waren Luther, Stresemann, Chamberlain, Briand, Vandervelde, Mussolini, Skrzynski, Benesch und Rechtssachverständige. Der Vertrag von Locarno wurde am 1. 12. 1925 unterzeichnet.

Herr Stresemann: Gustav Stresemann (1878–1929), Politiker, August-November 1923 Reichskanzler, seit August 1923 Außenminister.

Brione (sopra Minusio): Ort oberhalb Locarnos.

Gordola: Ort am Anfang des Verzascatals. Seine Weinberge zählen zu den bekanntesten des Kantons Tessin.

Tamaro: Monte Tamaro (1967 m), in der Region Gambarogno gelegen.

Rivapiana: zwischen Muralto und Minusio am Langensee gelegen.

mit Hilfe eines Pseudonyms: Vgl. Kommentar zu *Demian* und *Sinclairs Notizbuch.*

es wurde mir der Revolver an die Brust gesetzt: Eduard Korrodi am 24. 6. 1920 in der *Neuen Zürcher Zeitung.* Vgl. Kommentar zu *Demian (Emil Sinclair).*

Trompeter von Säckingen: Epos (1854) von Joseph Victor von Scheffel (1826–1886).

Othmar Schoeck: 1886–1957, Komponist, vertonte zahlreiche Gedichte H. Hs. H. H. besuchte ihn in Brunnen am 4. 7. 1921.

Freunde, die viele Jahre in Siam gelebt haben: Alice und Fritz Leuthold. H. H. hatte sie auf seiner Indienreise kennengelernt. Ihr Haus in Zürich war vor allem in den zwanziger Jahren oft für lange Zeit gastliche Stätte für H. H.

Chaplin: Charles Spencer Chaplin (1889–1977), Filmkomiker, Autor, Regisseur, Produzent.

Karl Hofer: 1878–1955, Maler, weilte seit 1920 oft in Montagnola und war auch stets zu Besuch im Hause Hesse.

Baden im Verenahof: Siehe Kommentar zu *Kurgast*.

ich hatte es ein einziges Mal versucht: Am 12. 1. 1922 hielt H. H. in St. Gallen einen Vortrag über indische Kunst und Dichtung.

begab ich mich an die Badener Kur: Die Badener Kur fand von Ende September bis 30. 10. 1925 statt.

an anderem Ort beschrieben: im *Kurgast*.

der Wirt: Franz Xaver Markwalder. Vgl. Kommentar zu *Kurgast*.

mein alter Freund Pistorius: Dr. Josef Bernhard Lang. Vgl. Kommentar zu *Demian*.

Louis der Grausame: Louis Moilliet. Vgl. Kommentar zu *Klingsors letzter Sommer*.

Alice: Alice Leuthold.

Eberhard im Barte: Graf Eberhard II., der Greiner (Zänker) oder der Rauschebart (1344–1392), kämpfte vor allem gegen die schwäbischen Reichsstädte. Gedichtzyklus von Uhland (1815).

die Nacht kommt: Es handelt sich hier jedoch nicht um *Die Nacht*, sondern um *Brod und Wein* (»Rings um ruhet die Stadt . . .«). *Friedrich Hölderlins sämtliche Werke und Briefe in fünf Bänden.* Kritisch-historische Ausgabe von Franz Zinkernagel. Band 1. Leipzig: Insel-Verlag 1922, S. 303–311; hier Verse 15–18 (S. 303–304).

Beuron: Luftkurort und Wallfahrtsort im oberen Donautal.

Werenwag: Schloß Werenwag bei Hausen im Donautal, Stammburg des Minnesängers Hugo von W. 1921 unternahm Otto Flake eine Wanderung nach W.

Sohn meines gewesenen Lateinschulrektors: Sohn Otto Bauers, des Rektors der Göppinger Lateinschule.

ich Entlaufener: Vgl. Kommentar zu *Unterm Rad* und *Zeittafel*.

unsrem Freunde in Altenburg: Franz Schall (1877–1943), besuchte 1891–1895 die Seminare in Maulbronn und Blaubeuren, seit 1912 Oberlehrer am Herzoglichen Realgymnasium in Altenburg. Vgl. Kommentar zu *Das Glasperlenspiel* (Motto).

Nietzsches »Ecce homo:« Vgl. Kommentar zu *Klingsors letzter Sommer (Das Selbstbildnis)*.

Ludendorff: Erich Ludendorff (1865–1937), General; nach 1918 betätigte er sich politisch und schriftstellerisch in der deutsch-völkischen Bewegung.

Arbogast: Gestalt aus Mörikes Novelle *Der Schatz.*

das Märchen: Piktors Verwandlungen.

Ringelnatzens Reisebriefe(n): Joachim Ringelnatz, eigentlich Hans Bötticher (1883–1934). Seine *Reisebriefe eines Artisten* erschienen 1927 in Buchform.

Neuenbürg: Ort bei Pforzheim.

Baron Münchhausen: Börries Freiherr von Münchhausen (1874–1945), Lyriker, Erneuerer der deutschen Balladendichtung.

Matthias Grünewald: eigentlich Mathis Neithardt (um 1460/70–1528), schuf den Isenheimer Altar (Colmar, Museum Unterlinden).

Arnims Kronenwächter: Achim von Arnims (1781–1831) unvollendeter Roman *Die Kronenwächter* spielt in einem märchenhaften Augsburg des 16. Jh.

Nürnberg durch Wackenroder und E. T. A. Hoffmann: Anspielung auf Wackenroders Lobpreis auf Nürnberg in seinen *Herzensergießungen eines kunstliebenden Klosterbruders* (1797) und auf Hoffmanns *Meister Martin der Küfer und seine Gesellen* (1819).

München: Hier traf H. H. Reinhold Geheeb (1872–1939, Direktor des Verlags Albert Langen und Chefredakteur des *Simplicissimus*), Otto Blümel (1881–1973, Maler und Graphiker, mit H. H. seit 1908 befreundet, entwarf die Einbände für mehrere Bücher H. Hs.), Thomas Mann (1875–1955) und Joachim Ringelnatz und sah Karl Valentin (1882–1948).

Nürnberg: »Auf meiner Reise sah ich noch viel Schönes. Das Schönste war Ulm und Augsburg, dagegen hat mir Nürnberg einen beinahe schauerlichen Eindruck gemacht. Die alte Stadt mit ihrem Mittelalter und ihrer Gotik ist durch die Industrie und durch einen ungewöhnlich lärmenden Straßenverkehr ganz an die Wand gedrückt und kann nicht mehr atmen. Ich habe nie so deutlich gesehen, daß wir jenen Werken der alten Kultur gar nichts an die Seite zu setzen haben und daß uns nichts übrigbleibt als sie mit unserer vollkommen geistlosen Technik vollends zu zerstören.« (Aus einem Brief an Franz Schall v. 16. 11. 1925; S. Unseld, *Hermann Hesse, eine Werkgeschichte.* Frankfurt a. M. 1973, S. 104).

ein junger Dichter: vermutlich Wilhelm Kunze.

Josef Bernhart: katholischer Theologe und Schriftsteller, geboren 1881.

Der Steppenwolf

Berlin: S. Fischer 1927 (*Gesammelte Werke in Einzelausgaben*). – GS 4, 183–415; GW 7, 181–413. Der »Tractat vom Steppenwolf« hat in der Erstausgabe wie in den meisten folgenden Ausgaben separate Seitenzählung. Für die Ausgabe der Büchergilde Gutenberg (Zürich (1942) schrieb H. H. 1941 ein Nachwort (GS 7, 412–413; GW 11, 52–53).

H. H. hält sich im Winter 1923/24 und im Winter 1924/25 in Basel auf. Mitte November 1924 mietet er in Basel, Lothringer Straße 7, bei Frl. Martha Ringier eine kleine möblierte Mansardenwohnung mit zwei Räumen. Hier beginnt er mit der Arbeit am *Steppenwolf.* Die Winter 1925/26 und 1926/27 verbringt er in Zürich, wo Alice und Fritz Leuthold für ihn eine Wohnung Schanzengraben 31 gemietet haben. Im Januar und Februar 1926 nimmt H. H. an verschiedenen Maskenbällen teil. Am 6. Mai 1926 liest er in Zürich aus dem *Steppenwolf.* Am 12. September 1926 erscheint in der *Frankfurter Zeitung* der »Traum von einer Audienz bei Goethe«. Im November hört H. H. in Zürich Mozarts *Don Giovanni.* Um den Jahreswechsel 1926/27 arbeitet H. H. in Zürich sechs Wochen lang »Tag und Nacht« am *Prosa-Steppenwolf* (so von H. H. im Gegensatz zum *Steppenwolf,* den Gedichten, bezeichnet, die dann u. d. T. *Krisis* erscheinen). Am 11. Januar 1927 beendet er die Reinschrift des *Prosa-Steppenwolf.* Am 26. Januar 1927 erscheint im *Berliner Tageblatt* »Abendstunde in einer Kneipe«. Am 8. Februar trifft er sich in Zürich mit S. Fischer, der das Manuskript des *Prosa-Steppenwolf* gelesen hat. Am 20. Februar liest H. H. in C. G. Jungs »Psychologischem Club« aus diesem Werk. Im April bringt *Die literarische Welt* (Berlin) das »Gespräch über den Krieg und Zeitungen«, im Mai erfolgt der Vorabdruck des »Tractats vom Steppenwolf« in der *Neuen Rundschau,* die *Neue Schweizer Rundschau* bringt das »Gespräch mit Mozart«. Am 16. Mai liest H. H. in Zürich aus dem *Steppenwolf.* Im Juni erscheint die Buchausgabe *Der Steppenwolf.*
Typoskript (ohne Tractat) in der H.-H.-Sammlung der Bibliothek der Eidgenössischen Technischen Hochschule Zürich aus dem Nachlaß von Alice Leuthold-Sprecher.
Texte von H. H. und anderen zu *Der Steppenwolf* enthält der Band *Materialien zu Hermann Hesses »Der Steppenwolf«.* Hrsg. von Volker Michels. (Frankfurt a. M.:) Suhrkamp (1972).
»Ob das sehr phantastische Buch vom Steppenwolf, das ich plane, noch geschrieben werden wird, weiß ich nicht, es ist die Geschichte eines Menschen, welcher komischerweise darunter leidet, daß er zur Hälfte ein Mensch, zur andern Hälfte ein Wolf ist. Die eine Hälfte will fressen, saufen, morden und dergleichen einfache Dinge, die andre will denken, Mozart hören und so weiter, dadurch entstehen Störungen, und es geht dem Manne nicht gut, bis er entdeckt, daß es zwei Auswege aus seiner Lage gibt, entweder sich aufzuhängen oder aber sich zum Humor zu bekehren.« (Aus einem Brief an Georg Reinhart v. 18. 8. 1925; *Materialien zu Hermann Hesses »Der Steppenwolf«.* A. a. O. S. 49)

»Mir ist es so gegangen, daß ich, unter dem Einfluß von Vorbildern wie Goethe, Keller usw., als Dichter eine schöne und harmonische, aber im Grund verlogene Welt aufbaute, indem ich alles Dunkle und Wilde in mir verschwieg und im stillen erlitt, das ›Gute‹ aber, den Sinn fürs Heilige, die Ehrfurcht, das Reine betonte und allein darstellte.

Das führte zu Typen wie Camenzind und der ›Gertrud‹, die sich zugunsten einer edleren Anständigkeit und Moral um tausend Wahrheiten drücken, und brachte mich schließlich, als Mensch wie als Dichter, in eine müde Resignation, die zwar auf zarten Saiten Musik machte, keine schlechte Musik, die aber dem Leben abgestorben war. Und nun, fast schon ein alter Mann, nachdem mir alles, was das Leben mir an äußern Gütern und Erfolgen gab, wieder zusammengebrochen ist, nach der Trennung von Liebe, Ehe, Familie, dem Verlust des äußern Wohlbehagens, der Vereinsamung durch Gesinnung während dem Krieg – nach alledem bin ich – halb krank und halb irrsinnig vor Leid, zu mir selbst zurückgekommen, und muß nun in mir selbst aufräumen und muß vor allem das alles, was ich früher weggelogen oder doch verschwiegen hatte, anschauen und anerkennen, alles Chaotische, Wilde, Triebhafte, ›Böse‹ in mir. Ich habe darüber meinen früheren schönen, harmonischen Stil verloren, ich mußte neue Töne suchen, ich mußte mich mit allem Unerlösten und Uralten in mir selbst blutig herumschlagen – nicht um es auszurotten, sondern um es zu verstehen, um es zur Sprache zu bringen, denn ich glaube längst nicht mehr an Gutes und Böses, sondern glaube, daß alles gut ist, auch das, was wir Verbrechen, Schmutz und Grauen heißen.« (Aus einem Brief an Carl Seelig, ca. Herbst 1919, GB 1, 423–424)

»Rein künstlerisch ist der ›Steppenwolf‹ mindestens so gut wie ›Goldmund‹, er ist um das Intermezzo des Traktats herum so streng und straff gebaut wie eine Sonate und greift sein Thema reinlich an.« (Aus einem Brief an Frau M. W. v. 13. 11. 1930; AB 36–37)

»Der ›Steppenwolf‹ ist so streng gebaut wie ein Kanon oder eine Fuge, und ist bis zu dem Grade Form geworden, der mir eben möglich ist.« (Aus einem Brief an Fräulein E. K. v. Oktober 1932; AB 75)

Vorwort des Herausgebers

Steppenwolf: »den ich mich oft nannte«, heißt es am Anfang von »Harry Hallers Aufzeichnungen«. »Die Wortbildung kündigt sich bereits in den Kurgast-Erörterungen an, wo für den Begriff Einsamkeit zweimal der metaphorische Ausdruck ›Steppe‹ auftaucht und die einsame Seele mit einem ›Steppentier‹ verglichen wird. Doch dämmern in dem Namen auch noch ganz andere Bezüge auf, die der Dichter kaum erwogen haben dürfte und die doch unwillkürlich mit anklingen. Von Werwölfen, Menschen, die Wolfsgestalt annehmen können, berichten schon frühmittelalterliche Sagen, und in der älteren Tierdichtung aller europäischen Völker war der Wolf eine Hauptgestalt, um gesellschaftlich Undeutbares im Bilde einzufangen. Bis in die Philosophie reichte das volkstümliche Symbol, so, wenn Thomas Hobbes in seiner Staatslehre erklärte, daß der Mensch der Wolf des Menschen sei, sofern er nicht seine Vernunft in Anwendung bringt. Im 20. Jahrhundert hat besonders Jack London in einer Reihe weitverbreiteter Werke dem Symbol des Wolfes die paradigmatischen Züge von extremem Individualismus, eisiger Melancholie und moralischem Verfall aufgeprägt. Aber auch ein Sowjetschriftsteller wie Wirta überschrieb den letzten Teil seines Romans ›Einsamkeit‹, der Geschichte eines konterrevolutionären Kulaken aus der Zeit des Bürgerkriegs, mit dem Titel ›Der Wolf‹. Hesse konnte also mit seinem Bild vom einsam trabenden Wolf auf allgemeines Verständnis rechnen, auch wenn er daraus den Zug des Bösartigen strich.« (F. Böttger, *Hermann Hesse*. Berlin 1974, S. 327–328)

Vorwort: H. H. hat sich bereits in den *Hinterlassenen Schriften und Gedichten von Hermann Lauscher* als Herausgeber bezeichnet. Danach – in den anonym oder unter dem Pseudonym Emil Sinclair veröffentlichten Schriften und Dichtungen (vgl. Kommentare zu *Zarathustras Wiederkehr, Demian* und *Sinclairs Notizbuch*) – versuchte er sich erneut als Autor zu verbergen. Im *Steppenwolf* wie später im *Glasperlenspiel*, wo er sich ausdrücklich als Geschichtsschreiber und Herausgeber von Knechts hinterlassenen Schriften und Gedichten bezeichnet, bleibt dies ohne jedes Versteckspiel ausschließlich Kompositionselement des Autors H. H.

von annähernd fünfzig Jahren: entspricht dem damaligen Lebensalter H. Hs.

aus einer anderen Welt: ausgesprochene Distanzierung des fiktiven Herausgebers.

daß das Gehen ihm Mühe machte: Auch H. H. machte das Gehen bisweilen Mühe; vgl. *Kurgast.*

mietete das Zimmer, mietete noch die Schlafkammer zu: »Die sehr nette alte Dame ist Frl. Martha Ringier, eine in Basel lebende Lenzburgerin. Bei ihr [Lothringer Straße 7] habe ich einen Winter lang [11. 11. 1924–20. 3. 1925] in Basel als Mieter gewohnt und dort, in einer sehr lieben kleinen Mansardenwohnung von 2 Stuben, die erste Hälfte des Steppenwolf geschrieben. Wenn ich heimkam und die Treppen hinauf stieg, stand auf dem Vorplätzchen vor der Glastür im 2. Stock die schöne Araukarie.« (Brief um 1948; *Materialien zu Hermann Hesses »Der Steppenwolf«.* A.a.O. S. 154)

Harry Haller: Die Anfangsbuchstaben des Namens entsprechen denen des Dichters. In der Tat sind Züge H. Hs. sowohl in der Gestalt des Herausgebers zu erkennen als auch in den polaren Spannungen Hallers. Ein Bezug zu Hermann Haller (1880–1950), einem schweizerischen Bildhauer, ist nicht auszuschließen, da dieser auch an dem

Künstlermaskenball im Hotel Baur teilgenommen hat. Egon Schwarz (»Zur Erklärung von Hesses ›Steppenwolf‹«) verweist auf die Parallelität zu Goethes *Faust*: »Haller ist zu Anfang der Handlung gleich Faust ein alternder Mann, der die gesamte intellektuelle Bildung der Zeit in sich aufgenommen hat. Bei beiden ist jedoch die Folge bitterster Ekel am Leben, dem sie durch Selbstmord ein Ende zu bereiten gewillt sind. Sie werden aber vor der Selbstvernichtung durch das rechtzeitige Eingreifen eines übersinnlichen Wesens bewahrt, mit dem sie ein das Verbotene bedenklich streifendes Übereinkommen treffen, einen an die Überlieferung gemahnenden Teufelspakt. Beide, Faust sowohl wie Haller, erleben es nun, daß sie von ihrem neuen Gefährten in jene Gebiete der Existenz eingeführt werden, deren Kenntnis sie bislang zu ihrem Schaden allzu sehr vernachlässigt haben; es handelt sich um die verwandten Sphären der Weltkenntnis, der Liebe und der Sinnlichkeit. Das Liebesverhältnis zwischen Haller und Maria erinnert an Faust und Gretchen, der große Maskenball an die Walpurgisnacht.« (In: *Monatshefte*. Madison, Wisc. 53, 1961, 4, S. 192 mit der Anmerkung: Dieser Gedanke findet sich auch bei Christa M. Konheiser-Barwanietz, *Hermann Hesse und Goethe* (Berlin, 1954). Schwarz will diese Analogie weder als Abhängigkeit noch als strenge Übereinstimmung, sondern lediglich als Hilfskonstruktion verstanden wissen, die das Verständnis erleichtert.)

nicht zur Harmonie: Vorgriff auf das Ende der Erzählung.

Brechen des Willens: Vgl. *Unterm Rad.*

siamesischer Buddha: Anspielung auf das, was H. H. im Hause Leuthold gesehen hat.

Mahatma Gandhi: Mohandas Karamtschand Gandhi (1869–1948), indischer Politiker, Vertreter der Gewaltlosigkeit.

»Sophiens Reise von Memel nach Sachsen«: von Johann Timotheus Hermes (1738–1821), 5 Bände, Leipzig 1769/73, Neufassung 6 Bände 1774/76.

daß gerade er an Astrologie glaube: H. Hs. Freund Joseph Englert hatte 1919 oder 1920 für H. H. ein Horoskop erstellt (abgedruckt GB 1, 573–576).

eine junge, sehr hübsche Dame: vermutlich Anspielung auf Ruth, H. Hs. zweite Frau, die im Hotel Krafft in Basel von 1923 bis 1925 eine kleine Wohnung hatte. Im *Steppenwolf* heißt die Dame Erika und ist Harry Hallers Geliebte.

Harry Hallers Aufzeichnungen

Nur für Verrückte: Diese Empfehlung taucht vor dem »Tractat vom Steppenwolf« wieder auf.

dem Beispiel Adalbert Stifters zu folgen: Von qualvollem Leiden geplagt, griff Stifter in der Nacht vom 28. auf den 29. Januar 1868 nach seinem Rasiermesser und brachte sich am Hals einen Schnitt bei, an dessen Folgen er starb.

Gasthaus zum Stahlhelm: »[...] mein Weinlokal aber während meiner 2 Basler Winter um 1924 war der Helm am Fischmarkt, im Steppenwolf Stahlhelm, der auch längst nicht mehr steht.« (Aus einem Brief an K. Dettinger v. 31. 3. 1955; *Materialien zu Hermann Hesses »Der Steppenwolf«.* A.a.O. S. 155–156)

zwischen einer kleinen Kirche und einem alten Hospital: »[...] jenen geistlichen und leiblichen Heilstätten einer Kultur, der Harry abgeschworen hat [...] Der Dualismus von Körper und Seele, auf der sie beruht, hat ihn nahezu vernichtet. Eine monistische Macht, zwischen Kirche und Spital, Leibliches und Geistiges zu einem Ganzen verschmelzend, hat sich seiner angenommen: Das psychoanalytische Magische Theater.« (E. Schwarz, Zur Erklärung von Hesses »Steppenwolf«. In: *Monatshefte.* Madison, Wisc. 53, 1961, 4, S. 193)

Giottosche Engelscharen: Giotto di Bondone (1266–1337), italienischer Maler, schuf u. a. die Fresken in der Arena-Kapelle zu Padua, 36 Bilder aus der Vorgeschichte und dem Leben Mariä und dem Leben Christi, Weltgericht, Tugenden und Laster.

Hamlet und die bekränzte Ophelia: Gestalten aus dem Trauerspiel *Hamlet* von Shakespeare.

der Luftschiffer Gianozzo: Titelgestalt aus Jean Pauls *Komischer Anhang zum Titan. Zweites Bändchen. II: Des Luftschiffers Gianozzo Seebuch. Jean Pauls sämtliche Werke.* Hist.-krit. Ausgabe. I. Abteilung, 8. Band. Weimar 1933, S. 419–502.

Attila Schmelzle: Titelgestalt aus Jean Pauls *Des Feldpredigers Schmelzle Reise nach Flätz. Jean Pauls sämtliche Werke.* Hist.-krit. Ausgabe. I. Abteilung, 13. Band. Weimar 1935, S. 3–68.

der Borobudur: buddhistisches Heiligtum in Mitteljava, die großartigste Tempelanlage der indischen Kunst, um 800 erbaut, 1835 neu entdeckt.

Gubbio: Stadt in Mittelitalien (Umbrien). Vgl. die Erzählung *Gubbio.*

Louis Seize: der schon in den sechziger Jahren des 18. Jh. einsetzende, vom Rokoko in den Klassizismus übergehende Stil der französischen Kunst.

Untergangsmusik: Vgl. *Klingsors letzter Sommer* (»Die Musik des Untergangs«).

Magisches Theater: »Der ›Steppenwolf‹ [...] beschreibt die Etappen einer Grenzüberschreitung: von der sogenannten Alltagswirklichkeit hinüber ins künstliche Paradies des Magischen Theaters.« (H. Mayer, Hermann Hesse und das Magische Theater: In: *Jahrbuch der Deutschen Schillergesellschaft.* 21. Jg. Stuttgart: Kröner 1977. S. 517–532, hier S. 524) – »Das erzählerische Prinzip des ›magischen Theaters‹ leitet sich von der Bilderfolge der Laterna Magica her. Die Zauberlaterne ist diesmal die Seele selber, die die Bilder an die weiße Wand des Bewußtseins wirft. Der Guckkastenmann aber ist Pablo, der bestimmt, welche Bilder heraufbeschworen werden. Es sind ›Kurzfilme‹, zwischen denen keine logische Verbindung besteht. Die Schilder innerhalb des Textes entsprechen dabei den Druckschriftankündigungen des Themas im Kino. Doch bildet jede der Szenen eine selbstgenügsame kleine erzählerische Ganzheit [...]« (F. Böttger, *Hermann Hesse*. Berlin 1974. S. 334)

Tractat vom Steppenwolf

Tractat vom Steppenwolf: Der Tractat ist eine Selbstdarstellung H. Hs., der Abriß seiner inneren Biographie. – »Nämlich der grelle, gelbe Traktat-Umschlag ist mein Einfall, und es war mein spezieller Wunsch, den sonderbaren, jahrmarkthaften Charakter, den der Traktat in der Geschichte hat, recht kräftig sichtbar zu machen, und der Verleger war aus Geschmacksgründen sehr dagegen; ich mußte mich ernstlich stemmen, um es durchzusetzen.« (Aus einem Brief an Alice Leuthold v. 29. 5. 1927; *Materialien zu Hermann Hesses »Der Steppenwolf«*. A.a.O. S. 119)

ihr Leben ist kein Sein: Vgl. das Gedicht *Klage* (»Uns ist kein Sein vergönnt. Wir sind nur Strom . . .«), e 1934.

jeder starke Mensch erreicht unfehlbar: bereits im *Demian* gestalteter Gedanke.

zurück zur Mutter: ausführlicher gestaltet in *Narziß und Goldmund*.

daß ihm zu jeder Stunde der Weg in den Tod offenstehe: »Und da ich mich in den nächsten 8 oder 10 Tagen noch nicht aufhängen werde, sondern erst so etwa im Februar, wäre der Adressat für das Geschenk also noch vorhanden.« (Aus einem Brief an H. Thomann v. 19. 12. 1925; *Materialien zu Hermann Hesses »Der Steppenwolf«*. A.a.O. S. 55)

Er setzte seinen fünfzigsten Geburtstag als den Tag fest: »Ich war eine Weile ziemlich verzweifelt und mochte nicht mehr leben. Aber dann fand ich einen Ausweg. Ich nahm mir vor, daß ich an meinem 50. Geburtstag, in zwei Jahren, das Recht haben werde mich aufzuhängen, falls ich es dann noch wünsche – und jetzt hat alles, was mir schwer fiel, ein etwas anderes Gesicht bekommen, da es ja auch im bösesten Fall bloß noch zwei Jahre dauern kann.« (Aus einem Brief an Emmy und Hugo Ball v. 1. 4. 1925; *Materialien zu Hermann Hesses »Der Steppenwolf«*. A.a.O. S. 43)

des Heiligen und des Wüstlings: Vgl. das Gedicht *An den indischen Dichter Bhartrihari* (»Wie du, Vorfahr und Bruder, geh auch ich . . .«), e 1925/26.

den Unsterblichen: »Inhalt und Ziel des ›Steppenwolf‹ sind nicht Zeitkritik und persönliche Nervositäten, sondern Mozart und die Unsterblichen.« (Aus einem Brief an P. A. Riebe, 1931 oder 1932; AB 71)

im buddhistischen Yoga: Vgl. Kommentar zu *Siddhartha* (»Erwachen«).

Mozart: »Die Opern von Mozart sind für mich der Inbegriff von Theater, so wie man als Kind, noch eh man es gesehen hat, sich ein Theater vorstellt: wie der Himmel, mit süßen Klängen, mit Gold und allen Farben [...] Wie oft ich die Zauberflöte und den Figaro gehört habe, das kann ich nicht mehr zählen.« (Aus einem Brief an Emmy Ball-Hennings v. 10. 1. 1929; *Materialien zu Hermann Hesses »Der Steppenwolf«.* A.a.O. S. 135)

im Garten Gethsemane: Matth. 26, 31 ff.; Mark. 14, 26 ff.; Luk. 22, 39 ff.; Joh. 18, 1 ff.

»O selig, ein Kind noch zu sein!«: Refrain aus dem lyrischen Zarenlied »Sonst spiel ich mit Szepter« in Lortzings komischer Oper *Zar und Zimmermann.*

Ich Steppenwolf trabe und trabe: Gedicht H. Hs. aus dem Winter 1925/26.

meinen bürgerlichen Ruf samt meinem Vermögen: H. H. war während des Ersten Weltkrieges in den Ruf eines Gesinnungslumpen geraten; die Inflation hatte ihm seine Einnahmen aus Deutschland wertlos gemacht.

Nietzsches Herbstlied: Friedrich Nietzsche, *Der Herbst:* »Dies ist der Herbst: der – bricht dir noch das Herz! Fliege fort! fliege fort!« (F. Nietzsche, *Werke in zwei Bänden.* Stuttgart: Kröner 1930, Bd. 2, S. 544–545, V. 34 u. 35)

der edle Don Quichotte: Held des Romans von Miguel de Cervantes Saavedra (1547–1616).

Schwarzer Adler: Gasthaus in Zürich.

ein junger Professor: keineswegs Abbild, aber vermutlich Anlehnung an die Gestalt Richard Wilhelms (1873–1930), Sinologe, 1899–1921 Missionar und Pfarrer in Tsingtau, seit 1924 Professor für Sinologie an der Universität Frankfurt a. M. Am 2. 6. 1926 schickte R. Wilhelm an H. H. eine Postkarte mit einem Goethebild von Karl Bauer. »Der sentimental frisierte Goethe im Steppenwolf ist von meinem Zeitgenossen Karl Bauer, der eine Menge solcher Bildnisse für die gute Stube erfunden hat«, heißt es in einem Brief H. Hs. an M. Haussmann aus dem Jahre 1949. »Heut früh kam Ihre Karte mit dem wohlfrisierten Geheimrat Goethe [...] Sie sind mir seit Langem lieb und wichtig. Ich verdanke Ihnen so ziemlich alles, was ich an Beziehung zum Chinesischen habe, das mir, nach einer vieljährigen, mehr indischen Orientierung sehr wichtig wurde.« (Aus einem Brief an Richard Wilhelm v. 4. 6. 1926; *Materialien zu Hermann Hesses »Der Steppenwolf«.* A.a.O. S. 74) – Anfang Dezember 1926 besuchte H. H. Richard Wilhelm in Frankfurt a. M.

übler Kerl und vaterlandsloser Geselle: »[...] wie ein Ritter von der traurigen Gestalt eines d'Annunzio-Rappaport zieht der Drückeberger Hermann Hesse daher, als vaterlandsloser Gesell, der längst innerlich den Staub der heimischen Erde von seinen Schuhen geschüttelt hat!«

heißt es in einem anonymen Aufsatz im *Kölner Tageblatt*, Nr. 610 v. 24. 10. 1915.

Rosa Kreisler: erfundene Gestalt.

Matthisson: Friedrich von Matthisson (1761–1831), Dichter.

Bürger: Gottfried August Bürger (1747–1794), Dichter.

Gedichte an Molly: von G. A. Bürger.

Vulpius: Anspielung auf Christiane Vulpius (1765–1816), die Frau Goethes.

»Dämmrung senkte sich von oben«: Gedicht von Goethe.

Die Zauberflöte: Im Winter 1925/26 erlebte H. H. in Zürich Mozarts *Zauberflöte*.

Odeon-Bar: Das »Café Odeon« in Zürich, als Treffpunkt von Schrift-stellern, Malern und Emigranten einst weltberühmt, stammt aus dem Jahr 1911. Es war im Mai 1972 geschlossen, im Dezember aber zu-sammen mit einer Boutique verkleinert wieder eröffnet worden.

Alter Franziskaner: Gasthaus in Zürich.

Garibaldi: Giuseppe Garibaldi (1807–1822), italienischer Freiheits-held.

Schuhnestel: Schnürsenkel.

Emil: erfundene Gestalt; möglicherweise Anspielung auf den Komiker Emil Hegetschweiler.

Foxtrott tanzen: »Mit den Tänzen ging es nur mäßig vorwärts, meine sechs Tanzstunden sind nun vorbei. Der Boston oder der Blouse (oder wie man ihn schreibt) ist mir noch recht problematisch, ich zweifle da sehr an meiner Fähigkeit, aber den Fox und den Onestep glaube ich nun soweit bewältigen zu können, als man es von einem älteren Herren mit Gicht erwarten darf. Für mich liegt die Bedeutung dieser Tänzerei natürlich vor allem in dem Versuch, mich irgendwo ganz naiv und kindlich dem Leben und Tun der Allerweltsmenschen anzu-schließen. Für einen alten Outsider und Sonderling ist das immerhin von Bedeutung.« (Aus einem Brief an Alice Leuthold vom Februar 1926; *Materialien zu Hermann Hesses »Der Steppenwolf«.* A.a.O. S. 62)

Jugendfreund Hermann: Auch in dieser Figur zeichnet H. H. ein Stück von sich selbst; später schreibt er von ihm als »dem Schwär-mer, dem Dichter, dem glühenden Genossen meiner geistigen Übungen und Ausschweifungen«.

Hermine: Feminine Form von H. Hs. eigenem Vornamen, Abbild von Julia Laubi-Honegger, H. Hs. Tanzpartnerin.

das Grammophon: »[...] wenn du einmal den Weg ins Tessin fin-dest, können wir doch den Valenzia und den Yearning tanzen, denn ich habe mir [...] einen kleinen Grammophon gekauft. Wenn es mir am Abend gar zu dumm und windig wird, ziehe ich ihn auf und lasse einen Tanz los, und denke allerlei.« (Aus einem Brief an Julia Laubi-Honegger v. 19. 6. 1926; *Materialien zu Hermann Hesses »Der Step-penwolf«.* A.a.O. S. 76–77)

Hotel Balances: Hotel in Zürich.

Maskenball in den Globussälen: H. H. nahm am 20. Februar 1926 am Kunsthaus-Maskenfest im Hotel Baur au Lac in Zürich teil. Die Bezeichnung Globussäle hat H. H. vermutlich von der mit Hunderten von kleinen Spiegeln besetzten Kugel abgeleitet, die von der Decke herabhing und ihre Lichter wie kleine Blitze auf die tanzenden Paare warf.

Pablo: Wie H. H. auf diesen Namen gekommen ist, konnte bislang nicht geklärt werden. »Wie sehr die Gestalt des vitalen Jazzmusikers der zwanziger Jahre Hesse vorübergehend beeindruckte, beweist das Gedicht ›Neid‹ aus jener Sammlung ›Krisis‹, die Hesse ›Ein Stück Tagebuch in Versen‹ nannte und die man bis zu einem gewissen Grad als die lyrische Fassung des Steppenwolf-Themas ansehen darf.« (F. Böttger, *Hermann Hesse.* Berlin 1974. S. 331)

Maria: erfundene Gestalt.

die herrliche Stimme einer Bachsängerin: Ilona Durigo (1881–1943), ungarische Sängerin (Altistin), gefeierte Interpretin Bachs, setzte sich besonders für das Liedschaffen Schoecks ein; seit 1914 mit H. H. eng befreundet, 1921–1937 Lehrerin am Zürcher Konservatorium.

Cécil-Bar: in Zürich.

Agostino: erfundene Gestalt.

City-Bar: in Zürich.

Christoffer: Christophorus, Heiliger, nach der Legende ein Riese, der das Christuskind durch einen Strom trug und von ihm getauft wurde.

Philipp von Neri: Filippo Neri (1515–1595), Ordensstifter, gründete 1575 die Weltpriester-Kongregation der Oratorianer.

Die Unsterblichen: Gedicht von H. H., geschrieben in der Nacht vom 8. zum 9. Februar 1926.

Walt Whitman: amerikanischer Dichter (1819–1892).

Duett für zwei Bässe von Händel: aus Georg Friedrich Händels (1685–1759) Oratorium *Israel in Ägypten.*

hermaphroditisch: zweigeschlechtig (nach dem zum Zwitter gewordenen Sohn der griechischen Gottheiten Hermes und Aphrodite).

»Spiegelein, Spiegelein in der Hand«: Analogiebildung zu den Versen im Grimmschen Märchen *Dornröschen:* »Spieglein, Spieglein an der Wand, wer ist die Schönste im ganzen Land?«

mein Schulkamerad Gustav: Anspielung auf H. Hs. Maulbronner Schulkameraden Gustav Zeller (1877–1932). Zeller war später Studienrat in Hamburg. Vgl. Kommentar zu *Demian* (Max Demian).

der Wind, das himmlische Kind: aus Grimms Märchen *Hänsel und Gretel.*

Tat twam asi: [Sanskrit: Das bist du.] Aus Chandogya Upanishad II. 3. Hauptlehre der Upanishaden und des Wedanta-Systems. Der Satz will besagen: Das Absolute ist mit dir wesenseins. – Vgl. Kommentar zu *Kurgast* (»Besserung«).

Oberstaatsanwalt Loering: erfundene Gestalt.

Mutabor: [lat.] Ich werde verwandelt werden. Zauberwort in Wilhelm Hauffs (1802–1827) Märchen *Die Karawane (Die Geschichte vom Kalif Storch):* »Wer von dem Pulver in dieser Dose schnupft und dazu spricht ›Mutabor‹, der kann sich in jedes Tier verwandeln und versteht auch die Sprache der Tiere. Will er wieder in seine menschliche Gestalt zurückkehren, so neige er sich dreimal gen Osten und spreche jenes Wort; aber hüte dich, wenn du verwandelt bist, daß du nicht lachest, sonst verschwindet das Zauberwort gänzlich aus deinem Gedächtnis, und du bleibst ein Tier.«

Kamasutra(m): altindischer Text, ein Lehrbuch der Liebeskunst von Watsjajana.

Untergang des Abendlandes: Titel eines Buches von Oswald Spengler (1880–1936), das 1918–1922 erschien. Vgl. Kommentar zu *Blick ins Chaos* (»Die Brüder Karamasoff oder der Untergang Europas«).

des Prinzen Wunderhorn: Analogiebildung zum Titel der Volksliedersammlung von Arnim und Brentano *Des Knaben Wunderhorn.* Anspielung auf das 1922 erschienene Buch *Bildnerei der Geisteskranken. Ein Beitrag zur Psychologie und Psychopathologie der Gestaltung* von Hans Prinzhorn (1886–1933), Psychiater in München, Gide-Übersetzer.

«O Freunde, nicht diese Töne!«: Titel eines Aufsatzes H. Hs., der in Nr. 1487 vom 3. 11. 1914 der *Neuen Zürcher Zeitung* erschien und H. Hs. Einstellung zum Krieg deutlich machte.

Irmgard, Anna, Ida, Lore, Emma: erfundene Gestalten.

»Don Juan«: Don Giovanni (1787), Oper von Mozart.

Schubert: Franz Schubert (1797–1828), Komponist.

Hugo Wolf: Komponist, Musikkritiker (1860–1903), als leidenschaftlicher Anhänger Wagners und Liszts und später Bruckners geriet er in Gegensatz zu Brahms, da er die neuen Ausdrucksformen Wagners auf das Klavierlied zu übertragen suchte.

Chopin: Frédéric Chopin (1810–1849), polnischer Komponist.

Brahms: Johannes Brahms (1833–1897), Komponist.

Richard Wagner: Komponist (1813–1883).

daß Adam den Apfel gefressen hat: 1. Mos. 3, 6.

»He, mein Junge ...«: Diese Mozart in den Mund gelegten Worte sind gereimte Verse.

Krischna: [Sanskrit: Der Schwarze], ein mythischer indischer König, die 8. irdische Erscheinungsform (awatara) des Gottes Wischnu. Viele Legenden erzählen von seinen Heldentaten und Liebesabenteuern.

Erika: erfundene Gestalt.

Betrachtungen

Berlin: S. Fischer 1928 (*Gesammelte Werke in Einzelausgaben*). Einmalige Auflage. GS 7, 5–471, ohne *Ein Achtzigjähriger, Bei Christian Wagners Tod, Angelus Silesius, Nachruf an Hugo Ball*; GW 10, zusammen mit weiteren Texten, aber ohne *Ein Achtzigjähriger, Bei Christian Wagners Tod, Schlechte Gedichte, Gespräch mit dem Ofen, Brentanos Werke, Exotische Kunst, Jakob Boehmes Berufung, Nachruf zu ›Novalis‹, Balzac, Angelus Silesius, Nachwort zu ›Schubart‹, Wenn der Krieg noch fünf Jahre dauert, Das Reich*, ein Teil der Texte ist in GW 4, GW 11 und GW 12 abgedruckt.

Widmung: »Dem Gedächtnis meines Freundes Hugo Ball«.

Am Ende des Jahres – Die blaue Ferne – Reiselust – Alte Musik – Ein Achtzigjähriger – Brief an einen Philister – Sprache – Die Zuflucht – Von der Seele – Bei Christian Wagners Tod – Ein Stück Tagebuch – Phantasien – Schlechte Gedichte – Die Brüder Karamasoff oder Der Untergang Europas – Gedanken zu Dostojewskis »Idiot« – Eine Bücherprobe – Variationen über ein Thema von Wilhelm Schäfer – Eigensinn – Gespräch mit dem Ofen – Brief an einen jungen Deutschen – Vom Bücherlesen – Vorrede eines Dichters zu seinen ausgewählten Werken – Über Jean Paul – Chinesische Betrachtung – Brentanos Werke – Exotische Kunst – Jakob Boehmes Berufung – Über Hölderlin – Nachruf zu »Novalis« – Goethe und Bettina – Über Dostojewski – Balzac – Angelus Silesius – Nachwort zu »Schubart«.

Aufsätze aus den Kriegsjahren: O Freunde, nicht diese Töne! – An einen Staatsminister – Wenn der Krieg noch zwei Jahre dauert – Weihnacht – Soll Friede werden? – Wenn der Krieg noch fünf Jahre dauert – Der Europäer – Traum am Feierabend – Krieg und Frieden – Weltgeschichte – Das Reich – Der Weg der Liebe – Nachruf an Hugo Ball.

Die drei ersten Betrachtungen entstanden in Gaienhofen (1904–1910), die Mehrzahl der übrigen und die politischen Aufsätze in Bern, die anderen in Montagnola.

»Im Grunde sind meine Meinungen, die erst durch den Krieg für mich aus Meinungen zu Erlebnissen und zu Bekenntnissen wurden, einfach die christlichen. Ich bin im Grunde meiner Seele stets weder ein nordischer Hüne und Held, noch ein antiker Weiser oder Genießer gewesen, sondern ein Christ, nämlich was die geistige und moralische Haltung, nicht was den Inhalt meines Credo anlangte. Und so wurde mir der Zinsgroschenspruch seit dem Kriege oft zum Gleichnis. Auch ich war und bin dafür, daß der Kaiser (oder Staat) das Seine kriegen solle, jedoch nicht auf Kosten Gottes.« (Aus einem Brief an Franz Schall v. 18. 8. 1929; S. Unseld, *Hermann Hesse, eine Werkgeschichte.* Frankfurt a. M.: Suhrkamp 1973, S. 126)

Siehe auch Einzelkommentare.

Über Textänderungsvorhaben H. Hs., die nicht in gedruckte Fassungen eingegangen sind, vgl. seine Anmerkungen in seinem Handexemplar der *Betrachtungen* (H.H. A. 1 C, 1928) im Hesse-Nachlaß, Marbach a. N.

Eine Bibliothek der Weltliteratur

Leipzig: Philipp Reclam jun. 1929
Die Ausgabe Zürich: Werner Classen 1946 ist »Herrn und Frau Dr. Josef Markwalder gewidmet« und enthält eine Einleitung von H. H. (Montagnola, im April 1946), ferner die Texte: Eine Bibliothek der Weltliteratur – Magie des Buches – Lieblingslektüre.
Die Ausgaben Leipzig: Philipp Reclam 1957 und Stuttgart: Reclam 1949 enthalten ein »Nachwort« von H. H. (Baden a. Limmat, im Dezember 1948).
»Sie wissen ja, daß mein Büchlein keineswegs ein objektiver und schulmäßiger Führer durch die Literaturen ist und sein will, sondern ein ganz persönliches Bekenntnis zu dem, was mir in meinen siebenundfünfzig Jahren an Lese-Erlebnis und Lese-Erfahrung zugewachsen ist.« (Aus einem Brief an den Verlag Philipp Reclam jun., Leipzig, vom 13. 12. 1934; AB 133)

Diesseits

Erzählungen. Berlin: S. Fischer 1930 (*Gesammelte Werke in Einzelausgaben*). – GS 1, 549–578; GW 2, 179–461.
Widmung: »Dies Buch ist Herrn und Frau Hans C. Bodmer gewidmet.«
Die Marmorsäge – Aus Kinderzeiten – Eine Fußreise im Herbst – Der Lateinschüler – Heumond – Schön ist die Jugend – Der Zyklon – In der alten Sonne.
»Der Inhalt des vorliegenden Bandes deckt sich nicht mit dem des im Jahre 1907 unter dem Titel ›Diesseits‹ erschienenen Buches, das die ersten fünf Erzählungen umfaßt. ›Schön ist die Jugend‹ und ›Der Zyklon‹ stammen aus dem Bändchen ›Schön ist die Jugend‹ (1916), ›In der alten Sonne‹ aus dem Band ›Nachbarn‹ (1908). Die meisten [alle!] Erzählungen sind vom Verfasser im Laufe der letzten Jahre umgearbeitet worden und werden in der ersten Fassung nicht wieder gedruckt.«
»Zuletzt las ich sie [die Erzählung *Der Lateinschüler*] vor etwa dreizehn oder vierzehn Jahren, als ich die alte Fassung des Buches ›Diesseits‹ ganz für eine neue Ausgabe durcharbeitete, es handelte sich weniger um Änderungen als um Kürzungen, Wegstreichen entbehrlicher

Ornamente etc. [...]« (Aus einem Brief an G. G. v. 20. 2. 1940; AB 190)
Siehe auch Einzelkommentare.

Narziß und Goldmund

Erzählung. Berlin: S. Fischer 1930 (*Gesammelte Werke in Einzelausgaben*). – GS 5, 7–322; GW 8, 5–320.

Mit der Arbeit an *Narziß und Goldmund* beginnt H. H. in Montagnola im April 1927. Das Manuskript wächst zunächst langsam. Im Sommer 1928 entstehen etwa 200 handgeschriebene Seiten. In seinem am 2. Dezember 1928 geschriebenen Aufsatz *Eine Arbeitsnacht* berichtet er nicht nur über seine Arbeit an *Narziß und Goldmund*, sondern bekennt auch, daß beinahe alle Prosadichtungen, die er geschrieben hat, »Seelenbiographien« sind, »in allen handelt es sich nicht um Geschichten, Verwicklungen und Spannungen, sondern sie sind im Grunde Monologe, in denen eine einzige Person, eben jene mythische Figur, in ihren Beziehungen zur Welt und zum eigenen Ich betrachtet wird«. Es geht ihm in seinem Bericht um die Darstellung der Arbeit an der spannenden Gestaltung eines Erlebnisses Goldmunds. Zweifelnd fragt er sich: »War es notwendig, daß dem Camenzind, dem Knulp, dem Veraguth, dem Klingsor und dem Steppenwolf nun nochmals eine Figur folgte, eine neue Inkarnation, eine etwas anders gemischte und anders differenzierte Verkörperung meines eigenen Wesens im Wort?« Seine Antwort, daß diese Gestalten alle keine Wiederholungen, sondern »lauter Fragende und Leidende« sind, wird noch deutlicher, wenn man die auf *Narziß und Goldmund* bezogene Passage in den *Engadiner Erlebnissen* liest, die er 1953 geschrieben hat: »Es fiel mir vor allem wieder einmal auf, wie die meisten meiner größeren Erzählungen nicht, wie ich bei ihrer Entstehung glaubte, neue Probleme und neue Menschenbilder aufstellten, wie das die wirklichen Meister tun, sondern nur die paar mir gemäßen Probleme und Typen variierend wiederholten, wenn auch von einer neuen Stufe des Lebens und der Erfahrung aus. So war mein Goldmund nicht nur im Klingsor, sondern auch schon im Knulp präformiert, wie Kastalien und Josef Knecht in Mariabronn und in Narziß. Aber diese Einsicht tat nicht weh, sie bedeutete nicht nur eine Minderung und Verengung meiner Selbsteinschätzung, die vor Zeiten freilich erheblich größer war, sie bedeutete auch etwas Gutes und Positives, sie zeigte mir, daß ich trotz mancher ehrgeiziger Wünsche und Strebungen im Ganzen meinem Wesen treu geblieben war und den Weg der Selbstverwirklichung auch durch Engpässe und Krisen hindurch nicht verlassen hatte.« (GW 10, 343–344) – Am 23. Januar 1929 ist die erste Niederschrift der Erzählung fertig. Einzelne Textpartien hat H. H. im

Verenahof in Baden, in Zürich, in St. Moritz, den Hauptteil aber in
Montagnola geschrieben. Eine zweite Fassung und die Reinschrift entstehen ab Ende Januar 1929. Ende März 1929 ist das Manuskript fertig. Er schickt es am 9./10. April an den S. Fischer Verlag. Ein Vorabdruck erfolgt von Oktober 1929 bis April 1930 in der *Neuen Rundschau*; er trägt den Untertitel »Geschichte einer Freundschaft«. Das
Buch erscheint im Juli 1930. – Während des Dritten Reiches erschien
die letzte Auflage dieses Buches 1941, danach durfte es nicht mehr gedruckt werden, »weil darin die Erzählung eines Pogroms vorkommt
und weil ich es ablehnte, diese Erzählung beim Neudruck wegzulassen« (Aus einem Brief an Emil Schibli, 1941; S. Unseld, *Hermann
Hesse, eine Werkgeschichte.* Frankfurt a. M.: Suhrkamp 1973,
S. 136).

In englischen und amerikanischen Ausgaben erschien *Narziß und
Goldmund* unter dem Titel *Death and the Lover* (zuerst 1932, übersetzt von Geoffrey Dunlop; letzte Ausgabe mit diesem Titel 1959).
Christian Immo Schneider (*Das Todesproblem bei Hermann Hesse.*
Marburg: Elwert 1973, S. 183) erscheint dieser Titel dem Werk an-
gemessener als der »ursprünglich deutsche Titel«. Seit 1959 hat sich jedoch der Titel *Narcissus and Goldmund* (auch *Goldmund* oder *Nar-
ziss and Goldmund*) durchgesetzt.

»In Ihrem Brief sehe ich zwei Punkte, mit denen ich nicht einig bin.
Erstens was die Freundschaften Goldmund-Narziß, Veraguth-Burk-
hardt, Hesse-Knulp etc. betrifft. Daß diese Freundschaften, weil zwischen Männern bestehend, völlig frei von Erotik seien, ist ein Irrtum.
Ich bin geschlechtlich ›normal‹ und habe nie körperlich erotische Beziehungen zu Männern gehabt, aber die Freundschaften deshalb für
völlig unerotisch zu halten, scheint mir doch falsch zu sein. Im Fall
Narziß ist es besonders klar. Goldmund bedeutet für Narziß nicht nur
den Freund und nicht nur die Kunst, er bedeutet für Narziß auch die
Liebe, die Sinnenwärme, das Begehrte und Verbotene.
Und dann: Sie sagen, daß Schrempf Goldmunds Liebeserlebnis unvoll-
kommen findet, es fehle ihm das beste Drittel oder Viertel.
Das mag wohl richtig sein. Aber die Aufgabe eines Dichters, wenigstens die eines Dichters von meiner Art, besteht doch weiß Gott nicht
darin, sich ideale, vollkommene, erlogene, vorbildliche Figuren auszu-
denken und sie den Lesern vorzusetzen zur Erbauung oder Nachah-
mung. Sondern der Dichter soll (vielmehr muß, weil er nicht anders
kann) dasjenige mit äußerster Strenge und Treue darzustellen bemüht
sein, was zu erleben ihm selber möglich war, wobei ich recht wohl
auch echte Phantasieerlebnisse gelten lasse. Mir ist von der Ge-
schlechtsliebe und von der Freundschaft nicht viel mehr zu erleben
möglich gewesen als im ›Narziß‹ steht – daß diese Figuren und ihr
Leben nichts Vorbildliches sind, ist mir klar, ich habe diesen Ehrgeiz
auch nicht – aber daß ich zu Gunsten irgend einer idealen Vollkom-

menheit in meinen Büchern Erlebnisse darstellen solle, die mir selbst
das Leben versagt hat, das kann Schrempf doch wirklich nicht meinen.« (Aus einem Brief an Mia Engel v. Mitte März 1931; AB
49–50)

Narziß: Nach der griechischen Sage war Narziß ein schöner Jüngling, der sich in sein Spiegelbild im Wasser verliebte und sich in unge-
stillter Sehnsucht verzehrte; an seiner Stelle sproß aus der Erde die
Narzisse hervor. Alle auf den eignen Körper und die eigene Person
gerichteten erotischen Regungen, die Selbstliebe, werden als Narzißmus bezeichnet. Die Psychoanalyse sieht im Narzißmus die frühkind-
liche Form des Geschlechtstriebs und in krankhaften Fällen die Re-
aktion auf verletzte Eigenliebe. – H. Hs. Narziß trägt gewiß manche
Züge der Selbstliebe, sie ist aber gepaart mit der Liebe zu Goldmund,
weshalb ein strenger Bezug auf den Narziß der griechischen Sage nicht
genommen werden kann. H. Hs. Narziß ist eine freie Gestaltung des
Dichters. Mileck führt u. a. einen Vergleich mit Demian an: »Demian
und Narziß sind beide dunkelhaarig mit düsterem Gesichtsausdruck,
höflich und diszipliniert, außerordentlich ernst und überintelligent,
von bewußter Zurückhaltung und in höchstem Maße selbstsicher.
Beide sind mehr Erwachsene als Jünglinge, mehr Gelehrte als Studenten, eher Führer als Freunde – und mehr Funktion als Lebewesen.
Beide Schützlinge sind unmittelbar von diesen stolzen jungen Fürsten
unter den gewöhnlich Sterblichen fasziniert, und beide unterwerfen
sich rasch ihrer leicht spöttischen Fürsorge. Wie Demian weiß Narziß
mehr als sein verwirrter Freund und ist entschlossen, ihn zu sich und
zum Leben zu erwecken, verwickelt ihn in religiöse, philosophische
und moralische Diskussionen und hilft ihm, aus der restriktiven Schale
auszubrechen, damit er sich finden, sich leben und sich verwirklichen
kann. Ebenfalls wie Demian kann Narziß Gedanken lesen, ist, wenn
er gebraucht wird, da oder erscheint und versinkt in tiefer Kon-
templation in eine trancehafte, starre Haltung mit offenen Augen. In
seinem Wesen, seiner Funktion und in der Art seiner Beziehung zu
Goldmund ist er deutlich ein Rückgriff auf Demian. Narziß ist im
Verhältnis zu Demian ziemlich genau das, was Goldmund im Verhältnis zu Knulp ist.« (J. Mileck, *Hermann Hesse. Dichter, Sucher,
Bekenner.* Biographie. München: C. Bertelsmann 1979, S. 198)

Goldmund: Auch diese Gestalt ist eine freie Erfindung H. Hs. Der
Name erinnert an Dion Chrysostomos (= Goldmund), den griechischen Rhetor und Politiker aus dem 1. Jh. n. Chr. (Die von ihm erhaltenen Texte sind die wichtigsten Quellen zur Kenntnis des Kynis-
mus.) Er erinnert auch an Johannes Chrystostomos (345–407), der Patriarch von Konstantinopel und ein hervorragender Prediger war und
als Schutzheiliger der Kanzelredner gilt. »[...] Goldmund ist so etwas
wie ein mittelalterlicher Knulp, oder auch Klingsor, er leidet sehr an
der Vergänglichkeit und Sterblichkeit alles Irdischen, und sein Freund

muß ihm helfen, die uralte Wahrheit von der Vergänglichkeit des Fleisches und der Unsterblichkeit des Geistes einzusehen. Womit ich nicht etwa die Unsterblichkeit der ›Seele‹ meine, sondern den überpersönlichen Geist.« (Aus einem Brief an Helene Welti v. 19. 12. 1928; S. Unseld, *Hermann Hesse, eine Werkgeschichte.* Frankfurt a. M.: Suhrkamp 1973, S. 132) – »Sie werten in Goldmunds Leben die Kunst, das Künstlersein, überhaupt nicht. Daß Goldmund das, was er bei den Frauen nicht konnte, in der Kunst fertigbringt: die Beseelung des Sinnlichen und dadurch das Erreichen des Schönen – das existiert für Sie überhaupt nicht [...] Wir beide, Goldmund und ich, sind das Gegenteil von vorbildlichen Menschen, und darum sind wir beide auch nur Hälften. Goldmund ist erst mit Narziß (oder doch mit seiner Beziehung zu Narziß) zusammen ein Ganzes. Ebenso bin ich, der Künstler Hesse, der Ergänzung bedürftig durch einen Hesse, der den Geist, das Denken, die Zucht, sogar die Moral verehrt, der pietistisch erzogen ist und der die Unschuld seines Tuns, auch seiner Kunst, immer wieder aus moralischen Verwicklungen heraus neu finden muß. Es ist dem Goldmund ebenso unmöglich wie mir selber, mein Leben, z. B. meine Beziehung zur Frau, durch das zu reinigen und zu fördern, was Sie Denken nennen. Ich habe, wie Goldmund, zur Frau ein naiv sinnliches Verhältnis, und würde wahllos lieben wie Goldmund, wenn nicht eine angeborene, anerzogene Achtung vor der Seele des Mitmenschen (also der Frau) und eine ebenso anerzogene Scheu vor dem bedenkenlosen Sichhingeben an die Sinne mich zügeln würde.« (Aus einem Brief an Christoph Schrempf v. April 1931; S. Unseld, *Hermann Hesse, eine Werkgeschichte.* Frankfurt a. M.: Suhrkamp 1973, S. 134)

1. Kapitel

Mariabronn: H. H. schildert hier das ehemalige Zisterzienserkloster Maulbronn, in dem er von September 1891 bis Mai 1892 als Seminarist lebte. H. H. bewohnte damals die Stube Hellas. Die Kirche des Klosters ist der Muttergottes geweiht; von da her wird die Namensgebung H. Hs. sinnfällig. – Das Kloster wurde im 12. Jh. erbaut. Im Zuge der Reformation wurde das seit 1504 zu Württemberg gehörende Kloster 1556 zur Klosterschule. Auf Grund der Bestimmungen des Restitutionsedikts von 1629 fiel das Kloster wieder an die Zisterzienser zurück. Nach dem Westfälischen Frieden 1648 mußten die Klöster Württembergs von den Mönchen geräumt werden; aber erst 1656 öffnete die Maulbronner Klosterschule ihre Pforten wieder. Auf eine vorübergehende Schließung der Klosterschule folgte eine längere, als die französischen Heere Ludwigs XIV. in den Südwesten Deutschlands einbrachen. Bis 1703 stand das Kloster leer. Das heutige Seminar hat seine gesetzliche Grundlage in einer Seminarvereinbarung von 1928. Diese staatliche, altsprachlich-gymnasiale Schule mit kirchlichem Heim war von 1941 bis 1945 von den Nationalsozialisten geschlossen worden. – Die Erzählung H. Hs. spielt in vorreformatorischer Zeit.

Welschland: Früher besonders für Italien und Frankreich als Nachbarländer Deutschlands gebrauchter Ausdruck.

Subprior: Prior ist der Gehilfe eines Abtes oder der Vorsteher eines Klosters; der Subprior ist sein Stellvertreter.

die Welschen und Lateiner: die Franzosen und Italiener.

Pater: Ordensgeistlicher.

Dormente: Schlafsäle.

Bleß: Bleßbock oder Blesse ist ein Tier mit weißem Stirnfleck; hier wird Bleß als Eigenname gebraucht.

dachen: mit dem Dach versehen; hier in übertragener Bedeutung.

2. Kapitel

Euklid: griechischer Mathematiker, der um 300 v. Chr. in Alexandria lebte; er fand die Grundsätze der gewöhnlichen Geometrie.

Stabelle: Schemel, Holzstuhl.

amice: Freund (Anredeform).

beneficia: Sondervergünstigungen.

Stoa: Lehre des Zenon, wonach Glückseligkeit nur durch Selbstüberwindung und Gleichmut gegenüber jedem Schicksal zu erreichen ist.

3. Kapitel

Aristoteles: griechischer Philosoph und Naturforscher (384–322), Schüler Platos, Erzieher Alexanders des Großen.

Taufpatron: persönlicher Schutzheiliger.

Chrysostomus: siehe *Goldmund.*

Eva: Die Frau Adams gilt nach biblischer Auffassung als Mutter des Menschengeschlechts.

Kapitäl: auch Kapitell, oberer Säulenabschluß, Pfeilerabschluß.

5. Kapitel

Madonna: Bezeichnung für die Jungfrau Maria.

Homer: der älteste griechische Dichter, er soll nach der Überlieferung im 8. Jh. v. Chr. gelebt haben.

Petrus: Fischer aus Kapernaum, Jünger und Apostel Jesu, 64 n. Chr. unter Nero in Rom gekreuzigt. Hier Bezugnahme auf Matth. 14, 28–31.

Exerzitien: geistliche Übungen.

Refektorium: Speisesaal in Klöstern.

6. Kapitel

Brachfeld: das brach liegende Feld, Flurteil bei der Dreifelderwirtschaft.

Vigilien: Nachtwachen; in der alten Kirche frei gestaltete Gottesdienste in der Nacht vom Sonnabend zum Sonntag und vor hohen Festen, später in feste Form gebracht und auf den Vortag verlegt; in der katholischen Kirche die durch eigenen Gottesdienst und vielfach durch Fasten gekennzeichneten Vorbereitungstage vor höheren Festen.

7. Kapitel

die heilige Genoveva: Nonne (um 422– um 502), katholische Schutzpatronin von Paris.
Es fiel ihm ein [...]: Vgl. dazu das Märchen *Piktors Verwandlungen.*
Vergil: römischer Dichter (70–19).

8. Kapitel

consecutio temporum: die Zeitenfolge (grammatischer Ausdruck).
Söller: erhöhter offener Saal; Vorplatz im oberen Stockwerk eines Hauses; offener Dachumgang.
Tota pulchra es ...: Ganz schön bist du, Maria,
              In dir ist nicht der Erbschuld Makel.
              Du bist die Freude Israels,
              Du bist die Fürsprecherin der Sünder!
Verse 1 und 2 aus dem Graduale (Stufengesang) zum Fest der Unbefleckten Empfängnis der allerseligsten Jungfrau Maria am 8. Dezember; daraus, umgestellt, auch Vers 3. (Übersetzung nach dem vollständigen Römischen Meßbuch.)

9. Kapitel

König Saul: der erste israelitische König, er lebte um 1000 v. Chr.
Schnapphahn: Wegelagerer.
in saecula saeculorum: in alle Ewigkeit.
Vagantenlatein: das nicht ganz einwandfreie Latein wandernder Geistlicher und Scholaren (Studenten).
Paviaschlacht: In der Schlacht von Pavia am 24. Februar 1525 wurde König Franz I. von Frankreich von den Truppen Kaiser Karls V. besiegt. »Hier sehen wir ein frappantes Beispiel dafür, wie wenig sich Hermann Hesse um Geschichte gekümmert hat, da Goldmunds Vagantenkamerad den Bauern das Lied von der Paviaschlacht vorsingt, derweil Goldmund später dem Schwarzen Tod des Jahres 1347 begegnet.« (G. W. Field, *Hermann Hesse.* Kommentar zu sämtlichen Werken. Stuttgart: Akademischer Verlag Hans-Dieter Heinz 1977, S. 115) – Ob H. H. allerdings wirklich die große Pest meinte, die in ganz Europa von 1347–1352 wütete, läßt sich aus dem Text nicht belegen.
Lied von der Paviaschlacht: Volkslied auf den höchsten Ehrentag der deutsche Landsknechte, den Sieg von Pavia über die Schweizer Reis-

läufer (Söldner), die damals als die besten Soldaten galten. (»Herr Jörg von Fronsperg . . .«)
Bramarbas: Großsprecher, Prahlhans.
Schnappsack: Sack für Mundvorrat; hier in übertragenem Sinne: Spitzbube.
Vesper: Nachmittags- bzw. Abendandacht.
Matutine: die Frühmesse.
Freund Hein: Hüllwort für Tod; diese Bezeichnug stammt von Matthias Claudius.
Heirassasa: hier: Bezeichnung für den Tod.
Kienspan: ein Span harzreichen Holzes.

10. Kapitel

eine der schönsten und berühmtesten Straßen des Reichs: Es handelt sich hier vermutlich um die Handelsstraße von Frankfurt über Würzburg nach Nürnberg.
Bischofsstadt: Obwohl H. H. keinen Namen nennt, ist anzunehmen, daß es sich um die alte Bischofsstadt Würzburg handelt. Das Bistum Würzburg wurde 741 von Bonifatius gestiftet. Vgl. auch H. Hs. Schilderung *Spaziergang in Würzburg*, die Parallelitäten in der Darstellung erkennen läßt. J. Mileck (*Hermann Hesse. Life and Art.* Berkeley, Los Angeles, London: University of California Press 1978, S. 214) meint, »the bishop's city [. . .] may be Cologne« (Köln).

11. Kapitel

Aorist: die Form des Zeitworts für eine in der Vergangenheit tatsächlich erfolgte Handlung; im Griechischen die erzählende Zeitform.
Magdalena: Maria von Magdala, Begleiterin Jesu, die büßende Magdalena der Legende und Kunst; katholische Schutzheilige der Büßerinnen.
Spanne: ein natürliches Maß, der Abstand zwischen der Spitze des Daumens und des Mittelfingers bei gespreizter Hand.
Propst: erster geistlicher Würdenträger in Dom- und Stiftskapiteln, auch Titel des Pfarrers geschichtlich bedeutsamer Pfarreien.
Ellenmaß: früheres Längenmaß, örtlich zwischen 55 und 85 cm schwankend.
Ritterschlag: Durch den feierlichen Ritterschlag wurden in höfischer Zeit Jünglinge nach einer Probezeit, in der sie Knappen waren, wehrhaft.

12. Kapitel

Trüsche: auch Aalraupe, einziger Süßwasserschellfisch Europas.
Rotauge: auch Plötze, ein mitteleuropäischer Weißfisch mit roter Iris und roten Flossen.

der heilige Sebastian: Märtyrer, katholischer Schutzheiliger der Schützen. Er wurde nach der Überlieferung von mauretanischen Schützen mit 1000 Pfeilschüssen durchbohrt.

Urmutter: »Somit repräsentiert die Eva-Urmutter das Yin- und Yang-Prinzip zugleich. Sie entspricht dem Bild des Tai-Gi. Aus dem Zusammenwirken von Yin und Yang entstehen Schöpfung, Wandlung und Dauer. Yin und Yang sind Eigenschaften des Tao, welches im Tao Te King manchmal auch als Urmutter und spendende Mutter vorkommt. Darum empfindet Goldmund sein Sterben als Heimkehr, als Rückkehr zur Mutter und ist nicht imstande, das Bild der Urmutter zu malen, da es den Kosmos mit allem Weltgeschehen darzustellen hätte. Es wäre daraus ein Strom von Bildern geworden, oder ein Symbol des Tai-Gi.« (A. Hsia, *Hermann Hesse und China.* Frankfurt a. M.: Suhrkamp 1974, S. 260)

13. Kapitel

der heilige Gallus: Ire, um 645 gestorben, er predigte das Christentum in Alemannien, gründetete das Kloster St. Gallen; katholischer Heiliger.

Meßbub: Gehilfe bei der Messe, Ministrant.

Hofstatt: Haus mit Umgebung.

Kotzen: grober Wollstoff.

Walstatt: Schlachtfeld, Kampfplatz.

14. Kapitel

Spitalbüttel: Gehilfe im Kranken- oder Pflegehaus oder Altersheim.

oder es sollten die Juden sein: Während der großen Pestepidemie in Europa um 1350, aber auch, wenn später Hungersnöte und Seuchen auftraten, wurden die Juden verantwortlich gemacht und mußten – mitunter grausame – Verfolgungen erleiden.

Fiedel: Geige; auch Attribut des Todes.

als Jüdin erkennen: erneuter Hinweis darauf, daß den Juden die Schuld an der Pest gegeben wurde.

buhlen: lieben; heute meist in abfälliger Bedeutung.

Lieber Gott, sieh, was aus mir geworden ist [. . .]: Vgl. dazu Knulps Gespräch mit Gott am Ende der dritten Erzählung aus dem Leben Knulps *(Knulp).*

15. Kapitel

Kebse: Nebenfrau.

Klepper: dürres, hageres, auch schlechtes Pferd.

Schinderknechte: Leichenbeseitiger.

Sankt Veit: Nothelfer, katholischer Schutzheiliger gegen den Veitstanz.

16. Kapitel

Mummenschanz: Maskenfest.

17. Kapitel

responsieren: respondieren: antworten, entsprechen, widerlegen.

der heilige Thomas: hier: Thomas von Aquino (1225–1274), Dominikaner, der bedeutendste Vertreter der Scholastik, der die Lehre des
Aristoteles mit der christlichen Lehre zu verschmelzen suchte; katholischer Heiliger.

18. Kapitel

Mystiker: Anhänger der Mystik, einer Frömmigkeitsform, welche die
Einheit mit Gott schon im Leben wenigstens zeitweise voll erleben zu
können meint.

Patriarchen: die Stammväter Israels: Abraham, Isaak und Jakob.

Kommunion: der Empfang des Altarsakraments (kommunizieren).

19. Kapitel

subtil: spitzfindig; auch zart, fein.

20. Kapitel

Sankt Jakob: Jakobus der Ältere, Apostel, Sohn des Zebedäus, Bruder
des Evangelisten Johannes, 44 n. Chr. hingerichtet.

wie er erlosch: »Aber die Frage, ob Goldmund als Mensch seine Vollendung gefunden habe, und die größere Frage, ob es möglich sei, als
Künstler groß, als Mensch aber klein zu sein, die kann ich nicht be-
antworten, und ich zweifle auch an der Kompetenz der Gymnasial-
lehrer zu solcher Antwort. Tatsächlich hat dies Problem auch mich
zuweilen geplagt. Ich habe Werke von Künstlern bewundert, die sich
bei näherem Kennenlernen als minderwertig erwiesen. Das Werk war
ohne Zweifel schön, schien aber durch die Person des Künstlers nicht
bestätigt, sondern eher ins Zweifelhafte gerückt. Vielleicht müssen
wir, so wie der Dichter es ja auch tat, einem Goldmund zubilligen,
daß er das Recht hat, menschliche Schwächen zu haben, und dürfen
von ihm nicht verlangen, daß sein Privatleben irgend einem moralischen Ideal entspreche. Ich jedenfalls denke so.« (Aus einem Brief an
K. J. F. v. April 1956; AB 465)

Weg nach Innen

Vier Erzählungen. Berlin: S. Fischer 1931. (Außerhalb der *Gesammelten Werke in Einzelausgaben.*)
Siddhartha. Eine indische Dichtung [ohne Widmungen] – Kinderseele – Klein und Wagner – Klingsors letzter Sommer – Nachwort

[wieder abgedruckt in: *Materialien zu Hermann Hesses »Siddhartha«*. 1. Bd. Frankfurt a. M.: Suhrkamp 1975, s. 334–336].
Letzte (111.–120.) Aufl. 1947. Spätere Ausgaben unter diesem Titel in veränderter Zusammenstellung:
Weg nach innen. Fünf Erzählungen. (Siddhartha – Kinderseele – Klein und Wagner – Klingsors letzter Sommer – Die Morgenlandfahrt.) Stuttgart, Hamburg: Deutscher Bücherbund 1965. Dasselbe Zürich: Buchclub Ex Libris 1965.
Weg nach Innen. (Kinderseele – Wanderung – Klein und Wagner – Klingsors letzter Sommer – Siddhartha.) Frankfurt a. M.: Suhrkamp 1973.
»Es kommt jetzt ein billiges Buch von mir, das aber nichts Neues enthält. Eine Idee des Verlegers. Ich habe, um wenigstens auch einen Spaß dabei zu haben, ein Bildchen für den Umschlag geliefert, die Farben der Reproduktion sind aber so richtig deutsches Fabrikat: liederlich, schlampig, mit dem Oberflächlichsten zufrieden. Zum Glück ist im übrigen das Buch ganz hübsch [...]« Aus einem Brief an Heinrich Wiegand v. September 1931; Hermann Hesse, *Briefwechsel mit Heinrich Wiegand*. Berlin, Weimar: Aufbau-Verlag 1978, S. 250)
Siehe: Wanderung – Klingsors letzter Sommer – Siddhartha – Die Morgenlandfahrt.

Die Morgenlandfahrt

Eine Erzählung. Berlin: S. Fischer 1932. (Außerhalb der *Gesammelten Werke in Einzelausgaben*.) – GS 7, 7–76; GW 8, 321–390.
Widmung: »Den Freunden Hans C. Bodmer und seiner Frau Elsy gewidmet«.
Nach Abschluß der Arbeit an *Narziß und Goldmund* beginnt H. H. in der zweiten Hälfte des Jahres 1929 mit der *Morgenlandfahrt*; auf dem Typoskript der *Morgenlandfahrt* in der Hesse-Sammlung Leuthold steht vermerkt, daß die Arbeit im Sommer 1930 begonnen worden ist. Beendet wird sie im April 1931 in Zürich. Im Juni liest H. H. Korrektur. Ein Vorabdruck erfolgt in der Zweimonatsschrift *Corona* im Juli und September 1931. Die Buchausgabe erscheint im März 1932.
Das Manuskript mit dem Titel *Die Reise ins Morgenland* liegt in der Hesse-Sammlung Bodmer des Deutschen Literaturarchivs Marbach a. N. Ein Typoskript *Die Morgenlandfahrt* befindet sich in der Hesse-Sammlung Leuthold der Eidgenössischen Technischen Hochschule Zürich.
H. H. äußerte sich selbst ausführlich zu dieser Dichtung in seinem Aufsatz *Suchen nach Gemeinschaft* (*S. Fischer Korrespondenz*. Berlin. Juni 1932, S. 1; GW 11, 87–89).

»Ich bin den fragwürdigen Weg des Bekennens gegangen, ich habe, bis zur ›Morgenlandfahrt‹, in den meisten meiner Bücher beinahe mehr von meinen Schwächen und Schwierigkeiten gezeugt als von dem Glauben, der mir trotz der Schwächen das Leben ermöglicht und gestärkt hat.

Wenn Sie sich für eine Stunde von sich selbst emanzipieren könnten, so würden Sie aber plötzlich sehen, daß zum Beispiel der ›Steppenwolf‹ keineswegs bloß von Haller handelt, sondern ebensosehr von Mozart und den Unsterblichen. Und Sie würden in meinen früheren Erzählungen im ›Knulp‹, im ›Siddhartha‹ etc. einen zwar nicht dogmatisch durchformulierten, aber doch eben einen Glauben entdecken. Zu formulieren versucht habe ich ihn auf dichterische Weise erst in der ›Morgenlandfahrt‹ und auf direkte Weise in dem Gedicht, das am Schluß meines Gedichtbüchleins im Insel Verlag steht. [Das Gedicht *Besinnung* im Inselbändchen *Vom Baum des Lebens*.] Seit bald vier Jahren meditiere ich an einem Plan, der noch weiter führen und deutlicher bekennen soll.« (Aus einem Brief an H. M. v. 19. 11. 1935; AB 148–149)

»Wesentlich tiefer als alle anderen Kritiken hat die Ihre das Problem meiner kleinen Dichtung von der Stelle aus formuliert, wo in der Tat ihr paradoxer (vielmehr zwei-poliger) Sinn am besten gefaßt werden kann. Sie sagen: des Autors echte Zugehörigkeit zum Bund zerfalle von dem Moment an, wo er über den Bund zu schreiben versuche [...]

[...] im Grunde haben Sie natürlich recht. Es ist unmöglich und von Gott verboten, über die prinzipiellen Dinge nachzudenken oder zu schreiben – denn darin bin ich wohl mit Ihnen einig, daß wir die Literatur nicht als ein beliebiges Anhängsel des Geistes ansehen, das auch wegbleiben könnte, sondern als eine seiner stärksten Funktionen.

Also: Das Schreiben oder Denken über das Heilige (in diesem Fall über den ›Bund‹, also über die Möglichkeit und den Sinn menschlicher Gemeinschaft) ist im Grunde verboten. Man kann dieses Verbot und seine ständige Übertretung durch den Geist verschieden deuten, psychologisch, moralisch, entwicklungsgeschichtlich: zum Beispiel als das Verbot, den Namen Gottes auszusprechen, das die magische Menschheitsstufe von der vernünftigen trennt [...]

Meine Dichtung, das Bekenntnis eines alternden Dichters, versucht, wie Sie richtig sagen, gerade das Undarstellbare darzustellen, an das Unaussprechliche zu erinnern. Das ist Sünde. Aber kennen Sie wirklich und im Ernst irgend eine Dichtung oder Philosophie, die etwas andres versucht, als gerade das Unmögliche zu ermöglichen, gerade das Verbotene mit dem Gefühl der Verantwortung zu wagen?« (Aus einem Brief an Georg Winter [d. i. Günter Eich] v. September 1932; AB 72–74)

»Die Symbolik selbst braucht dem Leser ja gar nicht ›klar‹ zu wer-

den, er soll nicht verstehen im Sinn von ›erklären‹, sondern er soll die
Bilder in sich hineinlassen und ihren Sinn, das was sie an Lebens-
Gleichnis enthalten, nebenher mit schlucken, die Wirkung stellt sich
dann unbewußt ein.« (Aus einem Brief an Alice Leuthold, 1931; *Hermann Hesse. Werk und Persönlichkeit.* Marbach a. N. 1957, S. 41)

I

dem »Bunde« anzugehören: »Von einem Wanderbund hatte Goethe in
›Wilhelm Meisters Wanderjahren‹ erzählt, und in Arnims ›Kronen-
wächtern‹ und E. T. A. Hoffmanns ›Serapionsbrüdern‹ waren geistige
Gemeinschaften gezeigt worden. All diese Motive schwingen in der
Erzählung mit. Aber auch die christliche Vorstellung einer ›Gemeinschaft‹ spielt für die Hessesche Konzeption des Bundes der Morgenlandfahrer eine bedeutsame Rolle. Der Gedanke der Communio sanc-
torum ist von ihm säkularisiert und zu dem Begriff einer Gemeinschaft aller Vertreter humanistischen Geistes umgebildet worden.«
(Fritz Böttger, *Hermann Hesse.* Berlin: Verlag der Nation 1974,
S. 387)

Hüon: Die Sage von Huon de Bordeaux gehört zu den Erzählungen
über die Auseinandersetzungen Karls des Großen mit seinen Vasallen.
Ihre älteste Fassung findet sich in einem altfranzösischen Epos aus
dem 13. Jh. Dieser Stoff wurde von dem italienischen Dichter Ludovico Ariosto (1474–1533) in seinem Epos *Orlando furioso (Der rasende
Roland)* gestaltet (1516; erweitert 1521 und 1532), dann u. a. in einem
in England 1593/94 aufgeführten Theaterstück und von William
Shakespeare (1564–1616) in seiner Komödie *Ein Sommernachtstraum*
aufgegriffen. Christoph Martin Wieland (1733–1813) schloß sein
Versepos *Oberon* (1780) wieder an den altfranzösischen Huon-Stoff
an.

Horn des Huon: Huon bekam von Oberon ein Horn geschenkt, dessen leise Töne alle, die es vernahmen, zum Tanz nötigten, dessen lauter Schall Oberon selbst aus weitester Ferne herbeirief.

nach dem großen Kriege: Gemeint ist der Erste Weltkrieg. Diese Wendung macht gleich am Eingang der Erzählung ihre aktuelle Zeitbe-
zogenheit deutlich, die in den Anspielungen auf die Wiederaufrich-
tung der Monarchie und in dem Gespräch über Kriegsromane erneut
sichtbar wird.

Jahre(n) des Mißgeschicks: Hier bezeugt H. H. sogleich neben der
subjektiven Ich-Form den ausgesprochen autobiographisch-bekennen-
den Charakter der Erzählung.

Reisetagebuch des Grafen Keyserling: Hermann Graf von Keyserling
(1880–1946), philophischer Schriftsteller, veröffentlichte 1919 sein
Reisetagebuch eines Philosophen. H. H. hatte 1907 in der *Neuen Zürcher Zeitung* Keyserlings Buch über *Das Gefüge der Welt* und 1920
in *Vivos voco* das Reisetagebuch besprochen.

Morgenland: »Das Morgenland ist die Heimat alles Wunderbaren [...]« (Wilhelm Heinrich Wackenroder, *Ein wunderbares morgen-ländisches Märchen von einem nackten Heiligen*).

Reiseberichte von Ossendowski: Ferdynand Antoni Ossendowski (1876–1945), polnischer Schriftsteller; die *Reiseberichte* meinen Ossendowskis 1922 veröffentlichtes Buch *Przez kraj ludzi, zwierzat i bagów*, das deutsch 1923 u. d. T. *Tiere, Menschen und Götter* erschien. – »Die prätentiösen Reisen Keyserlings und Ossendowskis entsprachen Hesses Neigungen und Bestrebungen weniger als der legendäre Zug einer Gruppe idealistischer und ekstatischer junger Reformer, die im Jahr 1920 durch Bayern und Thüringen wanderten und die darauf aus waren, Gusto Gräsers Evangelium von Natur, Liebe, Freude, Freiheit und Selbsterfüllung zu verbreiten. (Berichte über diesen Bekehrungszug finden sich bei Werner Helwig, *Die blaue Blume des Wandervogels*, Gütersloh 1960, S. 180–181; Walter Z. Laqueur, *Die deutsche Jugendbewegung*, Köln 1962, S. 133.) Hesse hatte im Jahr 1907 kurze Zeit versucht, die von Gräser vorgeschriebene streng natürliche Lebensweise zu praktizieren. Sein Respekt vor Gräsers Lebensordnung hatte gelitten, doch seine Bewunderung für den Menschen war davon nicht berührt worden und die Jahre hindurch erhalten geblieben. Wenn Hesse auch selbst nicht an der von Gräser inspirierten Ekstase von 1920 teilnahm, so bewegten ihn die zahlreichen Berichte über diesen ›Kinderkreuzzug‹ doch tief und hinterließen einen unauslöschlichen Eindruck in seinem Gedächtnis. Seine Erinnerungen an Willkommen bietende Menschenscharen, fröhliche Prozessionen, blumengefüllte Kirchen und gemeinschaftliches Singen und Tanzen, was alles für den Advent eines tausendjährigen Reiches Christi sprach, wurden Stoff für seine imaginäre Reise in eine idealere Welt.« (J. Mileck, *Hermann Hesse. Dichter, Sucher, Bekenner*. Biographie. München: C. Bertelsmann 1979, S. 226) – Bei dem Zug durch Nordbayern und Thüringen im Jahre 1920 handelte es sich um eine Gruppe von 25 jungen Männern und Frauen unter Führung des Drechslergesellen Muck Lamberty. Diese Gruppe, die sogenannte »Neue Schar«, war von Gustav Arthur Gräser, genannt Gusto Gräser, (1879–1958) inspiriert worden.

die banalen Hilfsmittel: »Aus dieser großen Un- bzw. Überwirklichkeit heraus versteht es sich von selbst, daß technische Errungenschaften jeder Art abgelehnt werden müssen für diese Reise [...] Doch verbirgt sich hinter dieser scheinbar harmlosen Emphase [Hsia zitiert den Satz *Den Vorschriften getreu*, lebten wir ...] Entscheidendes. Bei Dschuang Dsi können wir folgende Episode nachlesen: Ein Schüler des Konfuzius beobachtet einen alten Mann, der selber in den Brunnen steigt, um dort sein Gefäß mit Wasser zu füllen und es sodann in die Bewässerungsgräben auszugießen. Der Jüngling Kungs lacht ihn aus und belehrt ihn, es gäbe doch so etwas wie einen Ziehbrunnen, mit dem man das Wasser mühelos hochholen könnte. Der Alte aber antwortet: ›Ich habe meinen Lehrer sagen hören: Wenn einer Maschinen benützt, so betreibt er all seine Geschäfte maschinenmäßig; wer seine Geschäfte maschinenmäßig betreibt, der bekommt ein Maschinenherz. Wenn einer ein Maschinenherz in der Brust hat, dem geht die reine Einfalt verloren. Bei wem die reine Einfalt hin ist, der wird ungewiß in den Regungen seines Geistes. Ungewißheit in den Regungen des Geistes ist etwas, das sich mit dem Tao nicht verträgt.‹« (A. Hsia, *Hermann Hesse und China.* Frankfurt a. M.: Suhrkamp 1974, S. 263–264)

Famagusta: Hafenstadt im Osten der Insel Zypern.

Albertus der Große: Albertus Magnus (um 1193–1280), scholastischer Gelehrter, Bahnbrecher des Aristotelismus.

Mondmeer: gemeint ist hier das Mittelmeer.

Schmetterlingsinsel, zwölf Linien hinter Zipangu: Die Schmetterlingsinsel ist eine Fiktion H. Hs. Zipangu ist das von Marco Polo zuerst genannte Inselreich im Östlichen Ozean, das heutige Japan.

Bundesfeier am Grabe Rüdigers: Anspielung auf eine Begebenheit in Ariostos *Orlando furioso.*

Siddhartha: Titelgestalt der »indischen Dichtung« *Siddhartha.*

»Die Worte tun [...]«: aus *Siddhartha* (»Govinda«): »Die Worte tun dem geheimen Sinn nicht gut, es wird immer alles gleich ein wenig anders, wenn man es ausspricht, ein wenig verfälscht, ein wenig närrisch – ja, und auch das ist sehr gut und gefällt mir sehr, auch damit bin ich sehr einverstanden, daß das, was eines Menschen Schatz und Weisheit ist, dem andern immer wie Narrheit klingt.«

Wer weit gereist, wird oftmals Dinge schauen ...: aus *Orlando furioso* (7. Gesang) von Ludovico Ariosto.

Hoher Stuhl: Der Aufbau des Bundes der Oberen ähnelt der Hierarchie der katholischen Kirche.

Tao: der Welturgrund, der allen Erscheinungen zugrunde liegt; er bleibt der verstandesmäßigen Erkenntnis unfaßlich und kann nur in mystischer Versenkung begriffen werden.

Kundalini: »Kundalini ist das weibliche Prinzip und liegt nach dem hinduistischen Tantrismus zusammengerollt an der Basis des männlichen Rückgrats, bis es in einem Yogaprozeß geweckt und gezwungen wird, sich durch die Wirbelsäule bis zum Scheitel hinaufzubewegen, wo es die Vereinigung mit dem männlichen Prinzip vollzieht. Die magischen Kräfte der Schlange deuten auf die mystische Erfahrung der Nicht-Dualität des Absoluten hin, die in der transzendenten Ekstase dieser Vereinigung des weiblichen und des männlichen Prinzips erreicht wird.« (J. Mileck, *Hermann Hesse. Dichter, Sucher, Bekenner.* Biographie. München: C. Bertelsmann 1979, S. 225)

Prinzessin Fatme: Gestalt aus *Tausendundeiner Nacht.* Im Verlauf der *Morgenlandfahrt* wird auch ein Bezug zu Hesses dritter Frau

Ninon deutlich. H. H. hatte in seiner späten Kindheit die Märchen aus *Tausendundeiner Nacht* in der großväterlichen Bibliothek gelesen.

Anbruch eines Dritten Reiches: In der christlichen Prophetie und Geschichtsphilosophie des Mittelalters ist mit dem »Dritten Reich« eine Weltperiode gemeint, in der der Zwiespalt von Idee und Wirklichkeit aufgehoben ist. Zum politischen Schlagwort – nicht von H. H. gemeint – wurde der Ausdruck »Drittes Reich« durch Moeller van den Brucks Buch *Das Dritte Reich* (1923), von wo es 1933 und danach zeitweilig vom Nationalsozialismus übernommen wurde.

Sprecher: zu vergleichen – und ins Englische auch so übersetzt – mit dem »speaker« des Unterhauses.

anima pia: fromme Seele.

In Erd' und Luft, in Wasser und in Feuer . . .: Die Ringworte stammen aus Wielands Heldengedicht *Oberon* (7. Gesang, 6. Strophe).

»Wo gehen wir denn hin, immer nach Hause«: aus Novalis', *Heinrich von Ofterdingen*, 2. Teil: Die Erfüllung« [Zyane und Sylvester]; im Anklang bereits zitiert in *Wanderung* (»Bergpaß«).

Alle frommen Orte und Denkmäler: In Erfurt hatte die »Neue Schar« unter Muck Lambertys Führung den Dom in ein Meer von Blumen verwandelt. Hermann Müller verweist in seinem unveröffentlichten Manuskript *Der Dichter und sein Guru* (veränderte Fassung in H. Müller, *Der Dichter und sein Guru. Hermann Hesse – Gusto Gräser, eine Freundschaft*. Wetzlar: Gisela Lotz 1978, S. 135) darauf, daß H. H. sich dem Zuge der »Neuen Schar« zwar nicht angeschlossen, aber Georg Stammlers *Worte an eine Schar* besprochen habe. Die Besprechung dieses 1914 erschienenen Buches war im April-Mai-Heft 1920 von *Vivos voco* erfolgt.

der Riese Agramant: Gestalt aus Ariostos *Orlando furioso*.

das Hutzelmännlein, der Pechschwitzer, der Tröster: ein Kobold in Eduard Mörikes (1804–1875) Märchen *Stuttgarter Hutzelmännlein* (1852).

Blautopf: 22 m tiefes Quellbecken der Blau, eines Nebenflusses der Donau; von Mörike im *Stuttgarter Hutzelmännlein* geschildert.

Oberamt Spaichendorf: Anspielung auf Spaichingen bei Tuttlingen.

Christoffer: Christophorus, nach der Legende ein Riese, der das Christuskind durch den Strom trug und von ihm getauft wurde; Heiliger, Nothelfer der katholischen Kirche gegen Hagelschlag und plötzlichen Tod, Schutzpatron der Piloten, Kraftfahrer und Schiffer.

an einem dreifachen Kreuzweg: vermutlich Anspielung auf die Dreifaltigkeitskirche auf dem Dreifaltigkeitsberg oberhalb Spaichingens.

Kronenwächter: ein mystisch mittelalterlicher Ritterbund aus Achim von Arnims (1781–1831) unvollendetem historischen Roman *Die Kronenwächter* (1817); dieser Bund verwahrt auf einem verzauberten Schloß die alte Krone des Hohenstaufengeschlechts und hat die Aufgabe, einen geheimen Abkömmling desselben wieder auf den deutschen Kaiserthron zu setzen.

Hohenstaufer: richtiger: Hohenstaufen, abgeleitet von Hohenstaufen, einem Randberg der Schwäbischen Alb nordöstlich von Göppingen, wo heute noch die Reste der 1525 im Bauernkrieg zerstörten Stammburg dieses Geschlechts zu sehen sind.

Bopfingen: Ort östlich von Stuttgart.

Urach: Ort östlich von Reutlingen.

Sarg des Propheten Mohammed: (in der 1.–8. Aufl. und im Neudruck 1947: *Mohamet.*) Mohammed starb 632 in Medina; er liegt in der 1487 erbauten Hauptmoschee El-Haram (= Heiligtum) begraben.

Prinzessin Isabella: erinnert an Achim von Arnims (1781–1831) Erzählung *Isabella von Ägypten. Kaiser Karls des Fünften erste Jugendliebe* (1812).

Dichter Lauscher: Gestalt aus H. Hs. zweitem Prosabuch *Hinterlassene Schriften und Gedichte von Hermann Lauscher.*

Maler Klingsor: Titelfigur aus H. Hs. Erzählung *Klingsors letzter Sommer.*

Paul Klee: H. H. hat Paul Klee vermutlich nicht persönlich gekannt. Vgl. H. Hs. Besprechung des Buches von Wilhelm Hausenstein *Kairuan oder eine Geschichte vom Maler Klee* in *Vivos voco,* Nov./Dez. 1922, S. 224.

Taten Don Quixotes: Don Quichotte, »Ritter von der traurigen Gestalt«, ist der Held eines Romans von Miguel de Cervantes Saavedra (1547–1616).

Jup, der Magier: Joseph Englert, er taucht bereits in *Klingsors letzter Sommer* (»Die Musik des Untergangs«) als »der armenische Sterndeuter« auf.

in Kaschmir: Joseph Englert war zeitweise in Kaschmir und Bengalen unterwegs.

Collofino, den Rauchzauberer: Gestalt aus Grimmelshausens *Simplicissimus.* Anspielung auf den Kölner Zigarrenfabrikanten Josef Feinhals, der bereits in *Klingsors letzter Sommer* (»Klingsor schreibt an Louis den Grausamen«) auftaucht und im *Glasperlenspiel* (»Motto«) wieder genannt wird.

aus dem Abenteuerlichen Simplizissimus: aus Hans Jakob Christoffel von Grimmelshausens (um 1622–1676) Zeitroman aus den Wirren des 30jährigen Krieges *Der Abentheuerliche Simplicissimus Teutsch* (1669).

Louis der Grausame: der Maler Louis Moilliet; Gestalt aus *Klingsors letzter Sommer* (»Louis«).

Anselm: Gestalt aus H. Hs. Märchen *Iris;* die Suche nach der blauen *Irisblume* erinnert an den Roman *Heinrich von Ofterdingen* von Novalis. Ein Student Anselmus ist die Hauptfigur in E. T. A. Hoffmanns Märchen *Der goldene Topf.*

Ninon, als »die Ausländerin« bekannt: Ninon geb. Ausländer war die dritte Frau H. Hs.

ich sammelte auch alte Lieder und Choräle: Anspielung auf die Tätigkeit seines Freundes und Neffen Carlo Isenberg (1901–1945). »Er war Musikforscher, Cembalist und Klavichordspieler, betreute eine Orgel und leitete einen Chor, hat im Süden und Südosten Europas nach den Resten ältester Musik geforscht [. . .]« (Aus einem Brief an eine Leserin des *Glasperlenspiels* v. September 1947; AB 242)

Andreas Leo: Leo hat keine aktuelle Entsprechung. Die von R. H. Farquharson (The identity and significance of Leo in Hesse's »Morgenlandfahrt«. In: *Monatshefte*. Madison, Wisc. 55, 1963, 3, S. 122–128) aufgestellte und von Adrian Hsia (*Hermann Hesse und China*. Frankfurt a. M.: Suhrkamp 1974, S. 267–268) ausgiebig widerlegte These, Leo entspreche H. Hs. Kater Löwe, ist wohl kaum ernst zu nehmen. Der H. H. der Erzählung und Leo sind Selbstprojektionen H. Hs. Vgl. John Derrenberger, Who is Leo? In: *Monatshefte*. Madison, Wisc. 67. 1975, 7, S. 167–172.

er konnte Vögel zahm machen: erinnert an die von H. H. verehrte Gestalt des Franz von Assisi.

nach salomonischem Schlüssel: erinnert an Wielands *Oberon*.

meine(r) gewesene(n) Braut: Maria Bernoulli.

um Schmetterlinge zu fangen: H. Hs. Vorliebe für Schmetterlinge zeigen auch die Erzählungen und Betrachtungen *Apollo, Das Nachtpfauenauge, Nachweihnacht* und *Über Schmetterlinge* sowie einige seiner Gedichte, u. a. *Blauer Schmetterling* und *Schmetterlinge im Spätsommer*.

Almansor: seit 754 Kalif; lebte 712–775, machte 762 Bagdad zur Residenz; unter ihm begann die Blüte des arabischen Schrifttums. – Gedicht aus Heinrich Heines (1797–1856) *Buch der Lieder* (1827).

Parzival: Titelgestalt aus Wolfram von Eschenbachs Gralsepos *Parzival*.

Witiko: Titelgestalt aus Adalbert Stifters (1805–1868) Roman *Witiko* (1865–1867).

Goldmund: Gestalt aus H. Hs. Erzählung *Narziß und Goldmund*.

Sancho Pansa: der Knappe Don Quichottes in Cervantes' Roman *Don Quijote*.

Barmekiden: persisches Geschlecht, das vom Beginn der Abbasidenherrschaft bis zu Harun al Raschid im Besitz der höchsten Ämter unter den Kalifen war. Die Märchen aus *TausendundeinerNacht* handeln u. a. auch von den Barmekiden.

die Arche Noah: 1. Mos. 6, 14. »Der H. C. ist [. . .] Hans C. Bodmer, dessen altes Zürcher Haus (17. Jahrh.) den Namen ›zur Arch‹ trägt.« (H. H. auf einer Karte an Martin Pfeifer; Poststempel: 21. 1. 1949) – Das Haus steht in Zürich in der Bärengasse.

Hans C.: Hans C. Bodmer, Freund und Mäzen H. Hs., Nachkomme Johann Jakob Bodmers (1698–1783), des Verfassers des Heldengedichts *Die Noachide*.

Winterthur: Wohnort Georg Reinharts.

Stoecklins Zauberkabinett: ein kleines Studio, in dem Georg Reinhart malte und in dem er auch einige Bilder Niklaus Stoecklins (geb. 1896) aufbewahrte. Von Reinharts Studio führte eine kleine Treppe in ein tempelähnliches Zimmer mit einer großen Sammlung orientalischer Kunst, darunter auch eine große Bronzestatue der Maja.

der schwarze König: Georg Reinhart (1877–1955), Großkaufmann, Teilhaber und Seniorchef der Firma Gebr. Volkart & Co., Kunstmaler, Mäzen, Freund und Gönner H. Hs. H. Hs. Gedenkblatt für Georg Reinhart trägt den Titel *Der schwarze König* (*Neue Zürcher Zeitung* Nr. 2353 v. 9. 9. 1955): »Seine Kinder nannten ihn den ›Schwarzen König‹, und der Name ist ihm auch im engeren Freundeskreis geblieben.« Reinhart soll auch Flöte gespielt haben.

Sonnenberg: Berg bei Zürich.

Suon Mali: Fritz Leutholds (1881–1945) Wohnung in der Zürcher Sonnenbergstraße am Fuße des Sonnenbergs; die Leutholds hatten ihr Haus Suon Mali genannt.

König von Siam: Fritz Leuthold; die Leutholds waren mehrere Jahre in Siam.

Bundesfeier in Bremgarten: Die Bundesfeier ist eine freie Erfindung H. Hs. In Bremgarten bei Bern besaß Max Wassmer (1887–1970) seit 1917 ein Schloß. Hier war H. H. häufig zu Gast. Wassmer war Dr. h. c., Zementfabrikant, Förderer Schweizer Musiker, Maler und Dichter; Freund und Mäzen H. Hs.

Schloßherren Max und Tilli: Max Wassmer und seine erste Frau Tilly.

Mozart: Wolfgang Amadeus Mozart (1756–1791). Vgl. Kommentar zu *Der Steppenwolf.*

Othmar: Othmar Schoeck (1886–1957), schweizerischer Komponist, vertonte zahlreiche Gedichte H. Hs., enger Freund H. Hs.

Park von Papageien: Die Familie von H. Hs. zweiter Frau Ruth geb. Wenger wohnte im Papageienhaus in Carona.

Fee Armida: Die Liebesgeschichte der Armida und des Rinaldo d'Este ist eine mit der Haupthandlung geschickt verbundene Episode aus Tassos *Befreitem Jerusalem* (1581). Der Armida-Stoff, in dem sich Intrige, Lyrismus und Pathos zu imposanten Bildern vereinen, wurde zuerst von G. Lulli und Ph. Quinault in dramatische Form gegossen; ihre Oper *Armida* (1686) begründete die französische »grand opéra«. Quinaults Textbuch erwies sich als so wirksam, daß noch hundert Jahre später Gluck es wieder für seine gleichnamige Oper (1778) benutzte. (Nach E. Frenzel, *Stoffe der Weltliteratur.* Stuttgart: Kröner [3]1970) – Armida ist auch eine Gestalt in E. T. A. Hoffmanns *Ritter Gluck;* vermutlich von dorther war sie H. H. bekannt.

Sterndeuter Longus: der Arzt und Analytiker Josef Bernhard Lang (1883–1945), der Pistorius im *Demian* und in der *Nürnberger Reise.* Longus ist die latinisierte Form von Lang.

Hans Resom: der Schriftsteller Hans Albrecht Moser (geb. 1882). »Aus den Zeiten her, da wir einmal mit einander nach Solothurn fuhren und ich in Diemerswil Ihr Gast und Veloschüler sein durfte, sind Sie dem engeren Kreis der Freunde zugehörig, d. h. der Gestalten, die sich mir eingeprägt haben und mir lieb geworden sind, auch wenn ich sie in Jahren und Jahrzehnten nicht mehr sah [...] Sie gehören zum inneren Bilderbuch, zu jenem Album, in dem sich ganz vorn die Porträts der Großeltern und Eltern finden, auch einige Schulkameraden, und das sich in der zweiten Lebenshälfte kaum mehr bereichert.« (Aus einem Brief an Hans Moser v. 29. 1. 1956; AB 459–460)

Grab Karls des Großen: Es befindet sich im Aachener Münster. Nach der Sage soll Karl der Große an verschiedenen Orten weiterleben, so im Untersberg bei Salzburg oder in Rufach im Elsaß.

Pablo: Gestalt aus H. Hs. *Steppenwolf.*

Hugo Wolf: Komponist, Musikkritiker (1860–1903); vgl. Kommentar zu *Der Steppenwolf.*

Brentano: Clemens Brentano (1778–1842).

sein Dichter: Hinter Pablos Dichter wird wohl niemand anders als H. H. selbst zu vermuten sein.

Hoffmann: Ernst Theodor Amadeus Hoffmann (1776–1822).

Archivar Lindhorst: Archivarius Lindthorst ist eine Gestalt aus E. T. A. Hoffmanns romantischem Märchen *Der goldene Topf.*

II

Schlucht von Morbio Inferiore: im Muggiotal zwischen Luganer und Comer See, südöstlich von Mendrisio.

Kalif: Titel der an der Spitze des Islams stehenden Herrscher als rechtmäßige Nachfolger Mohammeds.

Regierung im Kyffhäuser: Nach der Sage schläft ein Kaiser in einem Berg und wird aufwachen, um die alte entschwundene Kaiserherrlichkeit zu erneuern. Die Sage wurde in Deutschland auf Karl den Großen, Friedrich I. (Kaiser Barbarossa) und Friedrich II. übertragen. Als Aufenthaltsort des verzauberten Kaisers gilt der Untersberg bei Salzburg oder, am bekanntesten, der Kyffhäuser.

Paladine Karls des Großen: aus Ludovico Ariostos *Orlando furioso (Der rasende Roland).*

III

Lukas: Spitzname Martin Langs (1883–1955), des Schriftstellers und Lektors bei der Deutschen Verlagsanstalt; Jugendfreund H. Hs. H. H. gab mit ihm und Emil Strauß 1910 die Anthologie deutscher Volkslieder *Der Lindenbaum* heraus. Lang war Teilnehmer am Ersten Weltkrieg und hat ein Buch über seine Kriegserlebnisse geschrieben. Hier Niederschlag der Gespräche H. Hs. mit Lang in Stuttgart 1928 und 1929. – Ludwig Finckh (1876–1964) teilt in seinem 20. Freundesbrief (Gaienhofen, Anfang August 1955, 2 S.) mit, Lang habe seinen Spitznamen deshalb bekommen, weil er nach dem Gartenbuch von Lukas H. Hs. Garten in Gaienhofen angelegt habe.

Übergabe des Tessiner Montags-Dorfes: Das Montags-Dorf ist Montagnola. Möglicherweise Anspielung H. Hs. auf die Übernahme des ihm von Hans C. Bodmer auf Lebenszeit zur Verfügung gestellten Hauses in Montagnola. H. H. zog Ende Juli/Anfang August 1931 in dieses neue Haus ein. Das Angebot Bodmers datiert vom Frühjahr 1930.

Zaroaster: anderer Name für Zarathustra, den altiranischen Religionsstifter und Propheten.

Lao Tse: chinesischer Philosoph. Neben Konfuzius war Lao Tse einer der Hauptautoren der chinesischen Literatur, auf die H. H. immer wieder hinwies.

Platon: griechischer Philsosoph (427–347).

Xenophon: griechischer Schriftsteller (um 430– um 354).

Pythagoras: griechischer Philosoph, lebte im 6. Jh. v. Chr.

Tristram Shandy: Titelgestalt aus Laurence Sternes (1713–1768) Roman *The Life and Opinion of Tristram Shandy* (1760–1767).

Baudelaire: Charles Baudelaire (1821–1867), französischer Dichter.

Seilergraben 69 a: Straßenname in Zürich. Über die Hausnummer schreibt J. C. Middleton (in seinem Aufsatz über »Hermann Hesse's Morgenlandfahrt«): »The number is a unity, divisible, but divisible only by the number 3, which is itself indivisible. Thus 69 a symbolizes the voyage in despair as a moment of division within an unbreakable unity. The number 69 also remains 69 when stood on its head; and it is thus a symbolic number for the Heraclitan conception of the voyage, towards which H. H.'s mind in its monologue is working: ›The way up and the way down are one and the same‹ (Diels, ›Fragmente der Vorsokratiker‹, Vol. I, Fr. 60.): faith and despair are both predicates of the process called ›voyage‹. The letter *a* here would signify ›beginning‹ [...] *(Hesse companion.* Edited by Anna Otten. Frankfurt a. M.: Suhrkamp 1970, S. 177–178)«

IV

die kleinen Anlagen: der Botanische Garten in Basel.

St.-Pauls-Tor: Basels mittelalterliches Spalentor.

Sohlen aus Seilgeflecht: Hermann Müller berichtet in seinem unveröffentlichten Manuskript über Gusto Gräser, dieser habe aus Seil geflochtene Sandalen getragen. Aus diesem Indiz und aus anderen schließt er, daß Gusto Gräser Vorbild für Leo gewesen sei.

König David: israelitischer König (etwa 1000–960 v. Chr.)

dem König Saul Musik gemacht: David war in seiner Jugend Zitherspieler König Sauls.

Gartenstraße: Straße in Zürich.

Wolfshund Necker: Eine Anspielung auf den französischen Bankier

und Finanzminister Jacques Necker (1732–1804) ist vermutlich nicht
anzunehmen.
die kleine Schlafmansarde neben meinem Wohnzimmer: H. Hs. Wohnung in Basel, Lothringer Straße 7. Vgl. Kommentar zu *Der Steppenwolf.*

V

vor dem alten Rathause: das Basler Rathaus aus dem 15. Jh.
ein ausgedehntes Amtsgebäude oder Museum: Das Kunstmuseum in
der Basler St. Albanvorstadt meint Mileck darin zu erkennen (J. Mi-
leck, *Hermann Hesse. Life and Art.* Berkeley, Los Angeles, London:
University of California Press 1978, S. 230). Dieses Museum ist aber
erst 1932–1934 durch Paul Bonatz und Rudolf Christ erbaut wor-
den.
Fährmann Vasudeva: Gestalt aus H. Hs. *Siddhartha.*
H. H.: Hermann Hesse.
Chrysostomos: latinisierte Form von Goldmund; vgl. Kommentar zu
Narziß und Goldmund (Goldmund).
So blau wie Schnee . . .: Verse von H. H.
Cave! Archiepisc. XIX. Diacon. D. VII. cornu Ammon. 6 Cave!:
Vorsichtsmaßregeln treffen! Erzbischof (Aufseher), Diakon (Diener),
das Horn des (Stadtgotts des ägyptischen Theben) Ammon (Amun).
Vorsichtsmaßregeln treffen! – H. H. in der *Morgenlandfahrt:* »[. . .]
ich brachte es nicht über mich, in dies Geheimnis zu dringen.«
princ. orient. 2 / noct. mill. 983 / hort. delic. 07: Ninon war nach
Ruth Wenger H. Hs. zweite (orientalische) Prinzessin. / Anspielung
auf die 983. Nacht in *Tausend und eine Nacht.* / Hortus deliciarum
(lat. Lustgarten) ist ein Werk der Herrad von Landsperg aus der
2. Hälfte des 12. Jhs. und gibt im Rahmen der biblischen Geschichte
eine kurze Darstellung alles Wissenswerten. Die vielen Miniaturen der
Handschrift sind eine wichtige Quelle für Tracht, Bewaffnung und
Lebensweise der Zeit. Die Zahl 07 weist (nach Siegfried Wrase, *Er-
läuterungen zu H. Hesses »Morgenlandfahrt«.* Diss. Tübingen 1959,
S. 18) auf die 7. Illustration in dieser Handschrift hin.
den als Pablo verkleideten Mozart: Anspielung auf das Geschehen
im Magischen Theater des *Steppenwolf.*
Paulskirche: Kirche in Basel.
Dom: das Basler Münster.
Komtur [. . .] im letzten Akt vor Don Juans Tür: In Mozarts Oper
Don Giovanni erscheint am Ende das Standbild des Komturs. Der
steinerne Gast fordert Don Giovanni vergeblich zur Reue auf.
Eoban: Helius Eobanus Hessus (1488–1540), eigentlich Koch mit Na-
men, Humanist und neulateinischer Dichter, Freund Reuchlins und
Huttens, galt in seiner Zeit als größtes poetisches Talent. Geistiger,
aber nicht natürlicher Vorfahr H. Hs.
Chattorum r. gest. XC. / civ. Calv. infid. 49: Die Geschichte der

Hesses (H. H. wurde 18)90 Calwer Bürger, er wurde unzuverlässig (infidus) oder treulos (infidelis) mit 49 Jahren. (Das war 1926, zur Zeit der Entstehung des *Steppenwolf*.)
Wilsons Fahnenflucht: Thomas Woodrow Wilson (1856–1924), in den Jahren 1913–1924 27. Präsident der USA. Sein *demokratischer Weltgedanke* war sein 14-Punkte-Programm vom 8. Januar 1918. Wilson verriet in den Friedensverhandlungen seine eigenen Ideale *(Fahnenflucht)*, um die Errichtung eines Völkerbundes durchzusetzen.
Er mußte wachsen [. . .]: in Anlehnung an Joh. 3, 30.

Kleine Welt

Erzählungen. Berlin: S. Fischer 1933 *(Gesammelte Werke in Einzelausgaben)*. GS 2, 193–467; GW 3, 191–465.
Widmung: »Meinen Söhnen Bruno, Heiner und Martin.«
Die Verlobung – Walter Kömpff – Ladidel – Die Heimkehr – Robert Aghion – Emil Kolb – Der Weltverbesserer.
»Der vorliegende Band enthält Teile aus ›Umwege‹, ›Nachbarn‹ und ›Aus Indien‹, die umgearbeitet sind und in den alten Fassungen nicht mehr gedruckt werden. Die beiden Bände ›Diesseits‹ und ›Kleine Welt‹ enthalten jetzt alle jene Erzählungen meiner Frühzeit, deren Aufnahme in den Bestand der Gesammelten Werke wünschenswert schien.« (Nachwort zu *Kleine Welt*.)
»Die Erzählungen in ›Kleine Welt‹ sind nicht bloß ausgewählt, sondern auch vor einigen Jahren alle genau durchgesehen und leicht bearbeitet, das war stilistisch eine heikle und undankbare, aber lehrreiche Arbeit. Oft ist nur ein Wort oder Satzzeichen gestrichen, überhaupt bestehen zwei Drittel der Änderungen in kleinen Streichungen. So ist an der Substanz nichts geändert, und doch der Umriß vielleicht ein klein wenig klarer geworden.« (Aus einem Brief an Karl Isenberg v. 19. 3. 1933; S. Unseld, *Hermann Hesse, eine Werkgeschichte*. Frankfurt a. M.: Suhrkamp 1973, S. 152)
Siehe auch Einzelkommentare.

Fabulierbuch

Erzählungen. Berlin: S. Fischer 1935 *(Gesammelte Werke in Einzelausgaben)*. – GD 2, 635–897; GW 4, 171–525.
Drei Legenden aus der Thebais: I. Der Feldteufel; II. Die süßen Brote; III. Die beiden Sünder – Der verliebte Jüngling – Die Belagerung von Kremna – Aus der Kindheit des heiligen Franz von Assisi – Der Tod des Bruders Antonio – Üble Aufnahme – Chagrin d'Amour – Hannes – Der Erzähler – Der Meermann – Der Zwerg –

Ein Abend bei Doktor Faust – Drei Linden – Anton Schievelbeyn's ohn-freywillige Reisse nacher Ost-Indien – Die Verhaftung – Der Waldmensch – Ein Wandertag vor hundert Jahren – Innen und Außen – Im Presselschen Gartenhaus – Der Mann mit den vielen Büchern – Ein Mensch mit Namen Ziegler.

»Das Buch hat mich etwa seit meinem 27. Jahr durchs ganze Leben begleitet. Als ich die ersten drei ›Legenden‹ geschrieben hatte, dachte ich an ein Legendenbuch (nicht ohne den Einfluß Gottfried Kellers) und etwa im Jahr 1905 oder 6 erbat und bekam ich von dem damals in München lebenden Maler Albert Welti die Erlaubnis, diesem Legendenbuch eine Reproduktion seines Bildes von dem Eremiten [*Die Eremiten*. Im Besitz der Öffentlichen Kunstsammlung zu Basel. Abgebildet in: *Albert Welti, Gemälde und Radierungen*. Mit einer Einführung von Hermann Hesse. Berlin: Furche-Verlag 1917, S. 33] beizufügen. Dann hörte mein Interesse an den Legenden allmählich auf, dafür kamen andere historische und halbhistorische Stoffe, immer in den Pausen zwischen meinen größeren Arbeiten, und um 1913 war das jetzige Buch so gut wie fertig, und ich dachte wieder an die Herausgabe, nur wartete ich noch auf das Fertigwerden einer damals begonnenen Erzählung, die aber nie fertig wurde [*Das Haus der Träume*], und plötzlich war der Krieg da und mit dem Fabulieren war es zu Ende. Das Buch kommt also heute um eine Generation zu spät, das ist mir klar. Aber einzelne der Erzählungen sind gelungen und des Aufbewahrens wert.« (Aus einem Brief an Hans C. Bodmer v. Februar 1935; S. Unseld, *Hermann Hesse, eine Werkgeschichte*. Frankfurt a. M.: Suhrkamp 1973, S. 156)
Siehe auch Einzelkommentare.

Das Haus der Träume

Eine unvollendete Dichtung. Olten: Vereinigung Oltner Bücherfreunde 1936 (Aufl. 150 Expl.). – VZ: *Der schwäbische Bund*. Stuttgart. 2. 1920, 1, S. 92–114. e 1914. *Prosa aus dem Nachlaß*, 1965, S. 379–419.
»... der Titel dieser unvollendeten Dichtung ist eine Erinnerung an meinen Freund Albert Welti, der eins seiner merkwürdigsten Bilder so genannt hatte.« (*Beim Einzug in ein neues Haus*; GW 10, 150)
»Was mich an Problemen damals beschäftigt hat, als ich das ›Haus der Träume‹ begann, weiß ich nicht mehr. Vermutlich war es mir schon damals nicht sehr wichtig. Wichtig war mir zweierlei: die Gestalt eines altgewordenen Menschen zu zeichnen, der das Seine in der Welt getan und erlebt, sich auf vielen Gebieten differenziert hat und jetzt im Lebensabend langsam und ohne Krampf das Differenzierte wieder sich vereinfachen und auflösen läßt. Wichtig war mir ferner:

für dies Bild eine Sprache zu modulieren, die ihm adäquat wäre. Und ich habe jahrelang die paar ersten Seiten des Fragments für das beste Stück Prosa gehalten, das ich geschrieben habe. Was an ›Geschichte‹ darin angesponnen war, ist mir damals vermutlich wichtiger gewesen als heut, aber die Hauptsache war es auch damals nicht.

Mehr fällt mir dazu nicht ein. Vielleicht ist im Lauf vieler Jahre aus dem alten Neander der alte Magister musicae geworden.« (Aus einem Brief an Hermann Herrigel v. 9. 4. 1958; GB 1, 562)

Geleitwort

(Auch abgedruckt in *Prosa aus dem Nachlaß*.) Der Vorspann in *Der schwäbische Bund* (a.a.O. S. 92) lautet: »Die nachstehenden Seiten waren geschrieben, als im Sommer 1914 der Krieg begann. Ich mußte seither andere Wege suchen und habe keine Möglichkeit mehr, dies Gespinst zu Ende zu spinnen, an dem ich damals mit aller meiner Liebe hing. Es ist vermutlich nicht schade dafür, wie es für die meisten Dinge, die zugrunde gehen, nicht schade ist. Die Barrikadenmänner unter den Geistigen aber, welche jeden Atemzug deutscher Kunst in der Zeit vor dem Kriege jetzt für verlogen, faul und urväterhaft erklären, wollen wir nicht allzu ernst nehmen. Wenn ein Stück altes Porzellan zerbricht, sobald neben ihm die Handgranaten platzen, ist das noch kein Beweis dafür, daß Handgranaten an sich wertvoller sind als altes Porzellan. Indessen wollen wir den Scherben nicht nachtrauern, sonst begingen wir ja denselben Irrtum, wie ihn die Generäle und die Spartakisten begingen, nämlich die Welt in Gut und Böse zu scheiden und mit Pulver und Blei auf der Seite des Guten zu stehen. Nein, es ist alles gut, oder alles böse, und die Seite, auf der die Kanonen arbeiten, ist niemals die richtige. Möchten wir doch wenigstens dies in diesen blutigen Jahren gelernt haben.«

Erster Teil

des niederen Hauses: das Haus am Melchenbühlweg in Ostermundigen bei Bern. Siehe auch *Roßhalde*.

Neander: »Der alte Neander, die Hauptgestalt der unvollendet gebliebenen Dichtung, sollte die Verleiblichung eines idealen Menschentypus sein: des Weisen nämlich, der im Alter, am Ende eines tätigen und bedeutenden Lebens, nach asiatischem Vorbild den Weg nach Innen geht und einen reifen, kontemplativen Lebensabend durchschreitet. Ich war damals in meinem Wissen um die menschlichen Möglichkeiten gerade so weit, um diesen Schritt nach Innen nicht mehr als Müdigkeit und Resignation sondern als sublime Aktivität zu empfinden. Ich war vorher manche Jahre lang mit indischen Studien beschäftigt gewesen und hatte erst vor kurzem den andern Pol des asiatischen Geistes, den chinesischen, zu entdecken begonnen, an Hand der ersten Ausgaben chinesischer Klassiker in der Verdeutschung Richard Wilhelms, welche in jenen Jahren zu erscheinen begannen.« (Aus dem »Geleitwort« zu *Das Haus der Träume*; H. H., *Prosa aus dem Nachlaß*. Frankfurt a. M.: Suhrkamp 1965, S. 381–382)

ins Tal der langen Schatten: »Das ›Tal der langen Schatten‹ erinnert an den fünften Abschnitt des ›Tao Te King‹, der in Julius Grills Übersetzung – die erste, die Hesse las und als wissenschaftlich brauchbar bezeichnete – folgendermaßen lautet:

›Der »Talgeist« (die Weltseele) ist unsterblich. Er heißt das übersinnliche Weibliche.

Das, was des übersinnlichen Weiblichen Ausgangsort ist, das heißt des Himmels und der Erde Wurzel.

Endlosem Faden gleich dauert es fort; so sehr es auch in Anspruch genommen wird, arbeitet es doch nicht mühsam.«‹ (A. Hsia, *Hermann Hesse und China*. Frankfurt a. M.: Suhrkamp 1974, S. 168)

Von wo er kam, und wohin er ging: »Wohin es geht, wer weiß es? Erinnert er sich doch kaum, woher er kam.« (Goethe, *Egmont*. 2. Aufzug, Egmont zum Sekretär)

Albert: Einen Sohn dieses Namens hat auch das Ehepaar Veraguth in *Roßhalde*.

Zweiter Teil

um von Tau und Blumenblättern zu leben: »Die Frage von Hans, ob die ›Chinesen‹ wirklich von Blumenblättern gelebt haben, erlaubt Rückschlüsse auf die Herkunft der Rahmenhandlung dieser unvollendeten Dichtung. In den Sagen und Erzählungen Chinas essen diejenigen, die Unsterblichkeit erlangen wollen, zwar nicht ausdrücklich Blumenblätter, sondern ›weder Rauch noch Feuer‹, d. h. nichts Gekochtes (eigentlich Früchte). Nur in der Erzählung ›Blumennarr‹ – übersetzt von Leo Greiner –, die Hesse im Inhaltsverzeichnis seines Exemplars angestrichen hat, heißt es:

›Seit dieser Zeit aber aß Tschou Schian täglich von den Blättern der hunderterlei abgefallenen Blüten, entwöhnte sich allmählich der Speisen, die über Rauch und Feuer zubereitet werden . . .‹ (»Chinesische Abende«, S. 157)

Dadurch erlangt der Blumennarr Tschou Schian, der zeit seines Lebens nur die Blumen und Bäume in seinem Garten gepflegt und für sie gelebt hat, nicht nur die Unsterblichkeit, sondern wird außerdem vom Himmelsherrn zum ›Herrscher über alle Blumen der Erde‹ ernannt und kann lebendigen Leibes in den Himmel aufsteigen. Freilich, so märchenhaft-naiv erzählt Hesse die Geschichte des Neander nicht, doch sind gewisse Parallelen zu der Erzählung ›Blumennarr‹ unverkennbar.« (A. Hsia, *Hermann Hesse und China*. A.a.O. S. 166–167)

Dritter Teil

Utamaro: Utamaro (Familienname:) Kitagawa (1753–1806), japanischer Holzschnittmeister, schilderte vor allem Kurtisanen sowie Frauen und Kinder des einfachen Volks und veröffentlichte zeichnerisch und drucktechnisch hervorragende Bildbücher aus dem Naturleben.

Händel: Georg Friedrich Händel (1685–1759), Komponist.

Quel fior che all'alba ride ...: Jene Blume, die bei Sonnenaufgang lacht, / Die Sonne tötet sie dann, / Und sie hat ein Grab am Abend. // Das Leben ist auch eine Blume: / Es hat in der Morgendämmerung seinen Untergang / Und verliert an einem einzigen Tag / Den Frühling. – Duett Nr. 15 für 2 Soprane aus Händels italienischer Zeit (1706–1710); *G. F. Händels Werke* (in 93 Bänden). Ausgabe der Deutschen Händel-Gesellschaft. Hrsg. von F. Chrysander. Leipzig 1858–1903. Band 32, 2. Aufl., S. 116–121. Diesen Text hat Händel auch als Trio 6 (für 2 Soprane und 1 Baß) komponiert; *G. F. Händels Werke.* A.a.O. Bd. 32, S. 166–175.

der Actus Tragicus von Bach: eine Kantate für Solisten, Chor und Orchester von Johann Sebastian Bach (1685–1750).

Das Ave verum corpus von Mozart: kurze Motette für vierstimmigen Chor und Orchester von Wolfgang Amadeus Mozart (1756–1791).

die Cherubin-Arie ›Voi che sapete‹: Cherubins Ariette »Sagt, holde Frauen« aus Mozarts komischer Oper *Die Hochzeit des Figaro.*

Gedenkblätter

Berlin: S. Fischer 1937 (*Gesammelte Werke in Einzelausgaben*). – GS 4, 559–795, Inhalt wie Ausgabe Zürich 1947; GW 10, 113–261 enthält nur: Der Mohrle – Zum Gedächtnis – Beim Einzug in ein neues Haus – Tessiner Herbsttag – Besuch bei einem Dichter – Herr Claassen – Erinnerung an Hans – Nachruf auf Christoph Schrempf.

Widmung: »Meinen Geschwistern gewidmet«; seit 1947: »Meinen Schwestern gewidmet«; seit 1950: »Meiner Schwester Marulla gewidmet«.

Der Mohrle – Aus meiner Schülerzeit – Besuch bei einem Dichter – Herr Claassen – Eugen Siegel – Zum Gedächnis – Beim Einzug in ein neues Haus – Tessiner Herbsttag – Erinnerungen an Othmar Schoeck – Erinnerung an Hans.

In die neue, vermehrte Ausgabe (Zürich: Fretz & Wasmuth 1947) wurden weitere Gedenkblätter aufgenommen: An Christian Wagner – Bei Christian Wagners Tod – Nachruf an Hugo Ball – Ernst Morgenthaler – Gedenkblatt für Franz Schall – Nachruf auf Christoph Schrempf – Maler und Schriftsteller.

In die Ausgabe von 1962 (Frankfurt a. M.: Suhrkamp) wurden ferner aufgenommen: Erinnerung an André Gide – Nachruf – Der Schwarze König – Der Trauermarsch – Martin Buber zum 80. Geburtstag – Freund Peter – An einen Musiker.

»Es ging mir ja in allen meinen Gedenkblättern nicht nur um die Wahrheit, vielmehr um das möglichst getreue Festhalten des Vergänglichen und Vergehenden im Wort. Das ist ein an sich etwas Don Quichottehafter Kampf gegen den Tod, gegen das Versinken und Vergessen, bezieht seinen Sinn aber doch wohl vor allem aus dem jetzigen Weltaspekt, wo ungefähr alles, was vor zwei Generationen noch wahr und recht und selbstverständlich war, erledigt und antiquiert erscheint.« (Aus einem Brief an Wilhelm Gundert v. 24. 5. 1953; S. Unseld, *Hermann Hesse, eine Werkgeschichte.* Frankfurt a. M.: Suhrkamp 1973, S. 160 u. 162)

Siehe auch Einzelkommentare.

Das Glasperlenspiel

Versuch einer Lebensbeschreibung des Magister Ludi Josef Knecht samt Knechts hinterlassenen Schriften. Herausgegeben von Hermann Hesse. Zürich: Fretz & Wasmuth 1943. – Seit 1946 (im Suhrkamp Verlag in der Reihe der *Gesammelten Werke*). – GS 6, 77–687; GW 9, 616 S.

Widmung: »Den Morgenlandfahrern«.

Die ersten Gedanken zu dem Buch, das später den Namen *Glasperlenspiel* bekam, entwickelt H. H. bereits 1927. Er selber datiert die ersten Anfänge der Dichtung auf das Ende des Jahres 1930. Die eigentliche Arbeit setzt wohl erst Mitte 1931 ein. Der ursprüngliche Titel des Buches lautete: *Der Glasperlenspielmeister. Versuch einer Lebensbeschreibung des Magister Ludi Josef Knecht. Samt Knechts hinterlassenen Schriften. Herausgegeben von Hermann Hesse.*

1932

Januar: H. H. entwirft das Motto zum *Glasperlenspiel*, das dann von Franz Schall (Clangor) ins Lateinische übertragen und von Josef Feinhals (Collofino) redigiert wird.

18. April: H. H. verläßt endgültig sein Zürcher Winterquartier am Schanzengraben, wo er seit 1925 die Wintermonate verbracht hat, und arbeitet bis Ende April in Baden bei Zürich am *Glasperlenspiel*.

29. November: Franz Schall schickt das latinisierte Motto der Einleitung zum *Glasperlenspiel*.

Dezember: H. H. schreibt in der »Arch« in Zürich das Gedicht *Doch heimlich dürsten wir*.

1933
Januar: H. H. schickt eine Kopie der zweiten Fassung seiner Einleitung zum *Glasperlenspiel* an Gottfried Bermann Fischer.
1. August: Das Gedicht *Das Glasperlenspiel* entsteht.

1934
12. Januar: »Das kleine Stückchen Rahmen, das zum ›Regenmacher‹ existiert, mußt Du auch kennenlernen, es erklärt einiges im Ton der Erzählung. Damit hast Du nun alles gesehen, was vom ›Glasperlenspiel‹ bisher aufgezeichnet wurde. Fortsetzung ungewiß.« (Notiz an Ninon Hesse.)
Januar: Das Gedicht *Klage* entsteht. – Lektüre pietistischer Biographien des 18. Jhs., z. B. Spangenbergs *Leben des Grafen N. L. von Zinzendorf*.
20. Februar: H. H. schickt den Lebenslauf »Der Regenmacher« an die *Neue Rundschau*.
Mai: »Der Regenmacher« erscheint in der *Neuen Rundschau*. – Studien zum »Vierten Lebenslauf Josef Knechts«. H. H. beginnt mit der vierten und letzten Fassung der Einleitung zum *Glasperlenspiel*; er beendet sie im Juni.
Juni/Juli: H. H. schreibt am »Vierten Lebenslauf Josef Knechts«.
8. September: H. H. sendet die vierte Fassung der Einleitung zum *Glasperlenspiel* an die *Neue Rundschau*.
16. Oktober: H. H. betrachtet den »Vierten Lebenslauf Josef Knechts« als »vorerst gescheitert« und schreibt an dem Manuskript nicht weiter.
Dezember: *Das Glasperlenspiel, Versuch einer allgemeinverständlichen Einführung in seine Geschichte von Hermann Hesse* erscheint in der *Neuen Rundschau*.

1935
Januar: Josef Feinhals (Collofino) schickt nochmals eine Korrektur des latinisierten Mottos zum *Glasperlenspiel*.
8. Februar: Das Gedicht *Buchstaben* entsteht (ursprünglicher Titel: *Hieroglyphen*).
10. April: Das Gedicht *Dienst* entsteht.
10. Mai: Das Gedicht *Toccata und Fuge* (später *Zu einer Toccata von Bach*) entsteht.
21. Mai: H. H. sendet *Die Gedichte des jungen Josef Knecht* an die *Corona* (6 Gedichte, das 7., *Nach dem Lesen in der Summa contra Gentiles*, wird nach dem 9. Juni nachgesandt).
9. Juni: Das Gedicht *Nach dem Lesen in der Summa contra Gentiles* entsteht.
Juli: *Die Gedichte des jungen Josef Knecht* erscheinen in der Zeitschrift *Corona*.
19.–23. Juli: H. H. schreibt die Versdichtung *Stunden im Garten*. Darin spricht er von seiner neuen Dichtung:

»[...] Und nun beginnt im Gemüt mir
Ein Gedankenspiel, dessen ich mich schon seit Jahren befleiße,
Glasperlenspiel genannt, eine hübsche Erfindung,
Deren Gerüst Musik und deren Grund Meditation ist.
Josef Knecht ist der Meister, dem ich das Wissen um diese
Schöne Imagination verdanke. In Zeiten der Freude
Ist sie mir Spiel und Glück, in Zeiten des Leids und der Wirren
Ist sie mir Trost und Besinnung, und hier am Feuer, beim Siebe,
Spiel ich es oft, das Glasperlenspiel, wenn auch längst noch
    wie Knecht nicht [...]
Immer wird mich, so oft ich des Trostes bedarf, Josef Knechtens
Freundlich sinnvolles Spiel, den alten Morgenlandfahrer,
Aus den Zeiten und Zahlen entrücken zu göttlichen Brüdern,
deren harmonischer Chor auch meine Stimme mit aufnimmt.«
(GS 5, 348–350)

1936
28. Mai: H. H. sendet das Kapitel »Der Beichtvater« an die *Neue Rundschau*.
8. Juni: Franz Schall (Clangor) schickt die nochmals überarbeitete Fassung des latinisierten Mottos zum *Glasperlenspiel*.
Juli: Das Gedicht *Ein Traum* entsteht. – »Der Beichtvater« erscheint in der *Neuen Rundschau*.
Mitte September: *Stunden im Garten* erscheint im Bermann-Fischer Verlag in Wien.
Oktober: Das Gedicht *Ein Traum Josef Knechts* erscheint in der *Neuen Rundschau*.
20. November: Das Gedicht *Entgegenkommen* entsteht.
24. November: Das Gedicht *Beim Lesen in einem alten Philosophen* entsteht.

1937
14. Januar: Das Gedicht *Seifenblasen* entsteht.
26. Februar: Der Band *Neue Gedichte* erscheint im Verlag S. Fischer in Berlin. Er enthält u. a. *Die Gedichte des jungen Josef Knecht*.
Februar: *Zwei Gedichte Josef Knechts* (*Entgegenkommen* und *Beim Lesen eines alten Philosophen*) erscheinen in der *Neuen Rundschau*.
Ende März: H. H. schreibt am *Indischen Lebenslauf*.
28. April: H. H. schickt den *Indischen Lebenslauf* an die *Neue Rundschau*.
November: Das Gedicht *Der letzte Glasperlenspieler* entsteht; es ist Josef Englert gewidmet.

1938
Januar: H. H. schreibt das Kapitel »Die Berufung«.
Februar: Das Gedicht *Der letzte Glasperlenspieler* erscheint in der *Neuen Rundschau*.

28. Mai: H. H. schickt »Die Berufung« an die *Corona*.
Juni: »Die Berufung« erscheint in der *Corona*.
August: »Waldzell« erscheint in der *Corona*.
September: H. H. schickt das Kapitel »Die Berufung« und »Das Schreiben des Magister Ludi an die Erziehungsbehörde« an Peter Suhrkamp.

1939
Januar: »Zwei Orden« erscheint in der *Corona*. – Reinschrift des Kapitels »Magister Ludi«.
14. Januar: »Von Knecht ist dem Umfang nach wohl zwei Drittel fertig.«
29. August: H. H. schickt das Kapitel »Studienjahre« an die *Neue Rundschau*.
Oktober: »Studienjahre« erscheint in der *Neuen Rundschau*.

1940
16. April: H. H. schickt das Kapitel »Die Mission« an die *Neue Rundschau*.
Juli: Das Kapitel »Die Mission« erscheint in der *Neuen Rundschau*. Nach monatelanger Unterbrechung schreibt H. H. wieder am *Glasperlenspiel* und beendet das Kapitel »Magister Ludi«.
12. September: H. H. schickt das Kapitel »Magister Ludi« an die *Neue Rundschau*.
13. November: »Jetzt sind, der Quantität nach, wohl drei Viertel [des *Glasperlenspiels*] fertig.« (An Thomas Mann.)
Dezember: Das Kapitel »Magister Ludi« erscheint in der *Neuen Rundschau*.

1941
7. März: H. H. beendet ein weiteres Kapitel zum *Glasperlenspiel*.
In der Nacht zum 5. Mai: Das Gedicht *Stufen* entsteht.
September: H. H. schreibt wieder am *Glasperlenspiel*.

1942
16. März: Die ersten 7 Kapitel des *Glasperlenspiel*-Manuskripts treffen beim Verlag ein.
29. April: H. H. schreibt die letzten Zeilen am *Glasperlenspiel*-Manuskript (»Die Legende«).
Mai: Zweiter Teil des *Glasperlenspiel*-Manuskripts an den S. Fischer Verlag abgeschickt; dort bleibt das Manuskript sieben Monate liegen.
Juli: Das Kapitel »Die Legende (I)« erscheint in der *Neuen Rundschau*.
August: Das Kapitel »Die Legende (II)« erscheint in der *Neuen Rundschau*.
November: Peter Suhrkamp kommt nach Baden bei Zürich und bringt das in Berlin abgelehnte Manuskript des *Glasperlenspiels* zurück.

1943

20. März: Vertrag H. Hs. mit dem Verlag Fretz & Wasmuth in Zürich über die Publikation des *Glasperlenspiels.*

April: H. H. liest die Korrekturbogen zum *Glasperlenspiel.*

15. Mai: Korrekturlesen beendet.

18. November: *Das Glasperlenspiel. Versuch einer Lebensbeschreibung des Magister Ludi Josef Knecht samt Knechts hinterlassenen Schriften. Herausgegeben von Hermann Hesse* erscheint im Verlag Fretz & Wasmuth in Zürich. Ca. 90 Exemplare dieser Ausgabe in zwei Bänden verschickt H. H. nach Deutschland. – Das Manuskript, in deutscher Schrift geschrieben, lag in Zürich im Haus zur Arch bei Dr. Hans C. Bodmer, dann bei dessen Frau, der »Herrin des Hügels« (des H. H. auf Lebenszeit überlassenen Grundstücks und Hauses), jetzt liegt es im Deutschen Literaturarchiv in Marbach.

1945

17. Oktober: Peter Suhrkamp erhält als erster deutscher Verleger die Lizenz zur Weiterführung seines Verlags.

1946

22. November: 10 000 Exemplare der in Oldenburg gedruckten zweibändigen Ausgabe des *Glasperlenspiels* werden fertiggestellt.

Anfang Dezember: 10 000 Exemplare der in Berlin gedruckten zweibändigen Ausgabe des *Glasperlenspiels* werden fertiggestellt. Der *Indische Lebenslauf* erscheint als Band 223 in der Reihe »Gute Schriften« (Zürich). – Von 1951 an erscheinen alle *Glasperlenspiel*-Ausgaben in einem Band (im Suhrkamp Verlag ab 36. Tsd.).

1965

Im Band *Prosa aus dem Nachlaß,* hrsg. von Ninon Hesse, erscheint *Der vierte Lebenslauf* in zwei Fassungen.

1966

Der vierte Lebenslauf Josef Knechts. Zwei Fassungen erscheint als Band 181 der Bibliothek Suhrkamp.

Eine ausführliche Darstellung der Entstehungsgeschichte findet sich auch bei Mileck 1061–1066. Texte von H. H. und anderen zum *Glasperlenspiel* enthalten die beiden Bände *Materialien zu Hermann Hesses »Das Glasperlenspiel«.* Hrsg. von Volker Michels. (Frankfurt a. M.:) Suhrkamp, 2 Bände. 1: Texte von Hermann Hesse. 1973; 3. Aufl. 1977. 2: Texte über das Glasperlenspiel. 1974; 2. Aufl. 1977.

»[...] auch das erste Bildnis von Schumann, das mir noch in Kinderzeit vor Augen gekommen ist, ist unvergessen geblieben. Es war farbig, ein heute wohl nicht mehr genießbarer Farbdruck der achtziger Jahre, und war ein Blatt in einem Kinder-Kartenspiel, einem Terzett mit

Porträts von berühmten Künstlern und Aufzählung ihrer Hauptwerke; auch Shakespeare, Raffael, Dickens, Walter Scott, Longfellow und andre haben für mich zeitlebens jenes kolorierte Kartengesicht behalten. Und jenes Terzettspiel mit seinem für die Jugend und einfache Leute eingerichteten Bildungs-Pantheon von Künstlern und Kunstwerken mag vielleicht die früheste Anregung zu jener Vorstellung einer alle Zeiten und Kulturen umfassenden Universitas litterarum et artium gewesen sein, die später den Namen Kastalien und Glasperlenspiel bekam.« (Aus *Engadiner Erlebnisse,* e 1953; GS 7, 859; GW 10, 337)

»Es wurde der Ehrgeiz meines späteren Lebens, eine Art von Oper zu schreiben, worin das menschliche Leben in seiner sogenannten Wirklichkeit wenig ernst genommen, sogar verhöhnt wird, dagegen in seinem ewigen Wert als Bild, als flüchtiges Gewand der Gottheit hervorleuchtet. Die magische Auffassung des Lebens war mir stets nahe gelegen [...]« (Aus *Kurzgefaßter Lebenslauf,* e 1924; GS 4, 485; GW 6, 407)

»Zu den schon berichteten Liebhabereien kam noch eine hinzu: die Suche nach dem geheimen Leben des christlichen Mittelalters. Seine politische Geschichte war mir in ihren Einzelheiten gleichgültig, wichtig war mir nur die Spannung zwischen den beiden großen Mächten: Kirche und Kaisertum. Und besonders anziehend war mir das mönchische Leben, nicht wegen seiner asketischen Seite, sondern weil ich in der mönchischen Kunst und Dichtung wunderbare Schätze fand, und weil die Orden und Klöster mir als Freistätten eines fromm-beschaulichen Lebens beneidenswert, und als Stätten der Kultur und Bildung höchst vorbildlich erschienen.« (Aus *Eine Bibliothek der Weltliteratur,* e 1927; GS 7, 342; GW 11, 371–372)

»Die Luft war wieder giftig, das Leben war wieder in Frage gestellt. Dies war nun der Augenblick, in dem ich alle rettenden Kräfte in mir aufrufen und alles, was ich an Glauben besaß, nachprüfen und festigen mußte. Es war etwas heraufgekommen, weit schlimmer als einst der eitle Kaiser mit seinen halbgötterhaften Generälen, und würde vermutlich zu Schlimmerem führen als zu jener Art von Krieg, die wir kennen gelernt hatten. Inmitten dieser Drohungen und Gefahren für die physische und geistige Existenz eines Dichters deutscher Sprache griff ich zum Rettungsmittel aller Künstler, zur Produktion, und nahm den schon alten Plan wieder auf, der sich aber sofort unter dem Druck des Augenblicks stark verwandelte. Es galt für mich zweierlei: einen geistigen Raum aufzubauen, in dem ich atmen und leben könnte aller Vergiftung der Welt zum Trotz, eine Zuflucht und Burg, und zweitens den Widerstand des Geistes gegen die barbarischen Mächte zum Ausdruck zu bringen und womöglich meine Freunde drüben in Deutschland im Widerstand und Ausharren zu stärken.« (Aus einem Brief an Rudolf Pannwitz v. Januar 1955; AB 437–438)

Widmung

Den Morgenlandfahrern: Die Morgenlandfahrt nennt Namen von Morgenlandfahrern. Morgenlandfahrer ist, wer, dem Geiste verpflichtet, auf dem Weg zu einem Ziel ist, das Selbstschau und Läuterung des Menschen bedeutet. Die Brüder des Bundes der Morgenlandfahrer betrieben »weniger eine intellektuelle als eine seelische Zucht, eine Pflege der Frömmigkeit und Ehrfurcht«.

Das Glasperlenspiel. Versuch einer

allgemeinverständlichen Einführung in seine Geschichte

Das Motto, »nach Maß angefertigt« (Hans Mayer), stammt von H. H. Es wurde von Franz Schall (lat.: Clangor) »in schönes stilgerechtes (scholastisches) Latein« übertragen. Schall (1877–1943) war in Göppingen und Maulbronn Schulkamerad von H. H. Von einem anderen Freund, Josef Feinhals (lat.: Collofino) (1867–1947) wurde dieser Text revidiert, »[...] drum sind auch die beiden in der Quellenangabe dankbar mitgenannt«.

Albertus Secundus: erfundene Gestalt. Daß H. H., wie Mileck annimmt, dabei möglicherweise an Albertus Magnus (1193–1280), einen der bedeutendsten Scholastiker, den Lehrer von Thomas von Aquino, gedacht hat, ist Vermutung, aber nicht nachweisbar.

Josef Knecht: erfundene Gestalt. Über den Vornamen Josef sind verschiedentlich Spekulationen angestellt worden, ohne daß sie aus irgendeiner Äußerung H. Hs. hätten erhärtet werden können (Joseph in Ägypten, Josef aus Nazareth, Joseph von Arimathia). Der Familienname ist ohne Schwierigkeiten als deutliches Gegenstück zu Goethes Wilhelm Meister erkennbar.

Ludi Magister: (Glasperlen-) Spielmeister.

Sokrates: griechischer Philosoph (470–399 v. Chr.); er suchte die Menschen zur Selbstprüfung, Selbstbesinnung und Selbsterkenntnis zu führen.

Thomas von Aquino: Dominikaner (1225–1274), der bedeutendste Vertreter der Scholastik, der die Lehre des Aristoteles mit der christlichen Lehre zu verschmelzen suchte.

Pythagoras: Arzt, Priester, Philosoph, lebte im 6. Jh. v. Chr. auf Samos, war der »Gründer eines Bundes, dessen Mitgliedschaft von der Erteilung von Weihen [...] abhängig war [...] Das Grundprinzip der Pythagoreer ist die Zahl [...] Die Pythagoreer trieben neben mathematischen auch musikalische und astronomische Studien« (M. Apel, *Philosophisches Wörterbuch*, Berlin 1948).

hellenistisch-gnostischer Kreis: Die Gnostiker (2. und 3. Jh. n. Chr.) versuchten, den christlichen Glauben in besonderen Lehrgebäuden als höchsten Heilsgrund hinzustellen.

arabisch-maurisches Geistesleben: Bei den Arabern bestand großes Interesse an den Schriften des Aristoteles. Sie vermittelten diese

Schriften an die Scholastiker. Der Höhepunkt dieser Kultur lag im 11. und 12. Jh.

Scholastik: Sie war die mittelalterliche Schulphilosophie, die versuchte, die Glaubenslehren der katholischen Kirche durch Vernunftbeweise zu erhärten und in ein einheitliches Gedankengebäude zu bringen. Ihr bedeutendster Vertreter ist Thomas von Aquino.

Mathematiker-Akademien: Nach der Lehrstätte Platos werden seit dem 18. Jh. Institute, die der reinen Forschung dienen, Akademien genannt.

Novalis: Friedrich Leopold von Hardenberg (1772–1801), Dichter aus dem Kreis der Jenaer Romantiker.

platonische Akademie: In der Nähe einer nach dem Heros Akademos benannten Turnstätte bei Athen erwarb Plato einen Garten, in dem er seine Schüler um sich sammelte. Diese Akademie bestand fast ein Jahrtausend. Eine neue »platonische Akademie« entstand im 15. Jh. in Florenz.

Abälard: Petrus Abälard (1072–1142), französischer Denker, Mönch, führender Vertreter der Scholastik. In seiner Ethik richtet sich Abälard nach dem Satz: »Erkenne dich selbst!«

Leibniz: Gottfried Wilhelm Leibniz (1646–1716) war seit 1700 Präsident der von ihm ins Leben gerufenen Akademie der Wissenschaften in Berlin; er war ein vielseitiger Denker, berühmt als Philosoph, Mathematiker, Rechtsgelehrter und Geschichtsforscher.

Hegel: Georg Wilhelm Friedrich Hegel (1770–1831), Philosoph, versuchte eine begreifbare Deutung der Welt und der Weltgeschichte zu geben.

Plinius Ziegenhalß: erfundener Name. Plinius enthält möglicherweise eine Anspielung auf den römischen Schriftsteller Gaius Plinius Secundus (Plinius der Ältere).

Nikolaus von Kues: eigentlich Nikolaus Chrypffs oder Krebs aus Kues an der Mosel (1401–1464), Bischof von Brixen, berühmter Denker; er versuchte das Verhältnis des Endlichen (Mensch) zum Unendlichen (Gott) mit Hilfe der Mathematik zu erfassen. Gott ist die coincidentia oppositorum, er umfaßt alles, auch die Gegensätze.

euklidische Geometrie: Sie ist die Geometrie, die sich aus den von Euklid (um 300 v. Chr. in Alexandria) aufgestellten Axiomen ableiten läßt. Euklid hat in seinem Lehrbuch der Geometrie, den *Elementen,* fünf Axiome genannt.

Friedrich Nietzsche: Philosoph (1844–1900).

Rossini: Gioacchino Rossini (1792–1868), italienischer Komponist.

Phäaken: Nach Homers *Odyssee* die Bewohner der Insel Scheria, ein glückliches, sorgloses, genußliebendes Volk; der Ausdruck wird in übertragenem Sinne für sorglose Genießer gebraucht.

Johann Sebastian Bach: 1685–1750, seit 1723 Thomaskantor in Leipzig.

elf Manuskripte von Johann Sebastian Bach: Bach hatte elf Söhne. Die hier erwähnten elf Manuskripte sind eine Fiktion.

Friedemann: Wilhelm Friedemann Bach (1710–1784), der älteste Sohn Johann Sebastian Bachs, war Organist in Dresden und Halle.

Bremgarten: Ort in der Schweiz bei Bern. Auf Schloß Bremgarten lebte Max Wassmer (1887–1970), Zementfabrikant, Förderer Schweizer Musiker, Maler und Dichter, Freund H. Hs. H. H. war oft Wassmers Gast auf Schloß Bremgarten.

Morbio: Ort in der Südschweiz zwischen Luganer und Comer See. Vgl. Kommentar zu *Die Morgenlandfahrt* (II. *Schlucht von Morbio Inferiore*).

Silbermann: Gottfried Silbermann (1683–1753), bedeutender Orgel- und Klavierbauer.

Beethoven: Ludwig van Beethoven (1770–1827).

Lü Bu We: Lü-schi tschun-tsiu = Lüs Frühling und Herbst, eine Sammlung altchinesischer Monatsordnungen in der Dschou-Dynastie (11. Jh. bis 249 v. Chr.), entstanden im Auftrag des Lü Bu We (300–235 v. Chr.), des Ministers im Staate Tschu. – Deutsche Übersetzung: Richard Wilhelm, *Frühling und Herbst des Lü Bu-We.* Jena 1928. Vgl. Briefe H. Hs. an Otto Basler v. 25. 8. 1934 und an Wilhelm Stämpfli v. 25. 9. 1934.

Tschu: halbchinesischer Staat im Gebiet der Provinzen Hupei, Hunan und Anhui zur Zeit der Dschou-Dynastie; Ausgangspunkt der Kolonisation Süd- und Südwestchinas.

Musikhochschule von Köln: Sie wurde 1925 gegründet, vorher bestand ein Konservatorium.

Bastian Perrot: Bastian ist vermutlich eine Anspielung auf Johann Sebastian Bach. Perrot ist eine Anspielung auf Heinrich Perrot sen., Hesses Lehrherrn in der Calwer Turmuhrenfabrik. Vgl. Heinrich Perrot, Hesses letzter Besuch bei meinem Vater. In: *Calwer Tagblatt* Nr. 238 und 240 v. 13. und 16. Oktober 1962.

Calw: Hesses Geburtsstadt.

Schütz: Heinrich Schütz (1585–1672), Komponist.

Pachelbel: Johann Pachelbel (1653–1706), Organist und Komponist, Orgelmeister der Generation vor Bach, auf den er auch gewirkt hat.

das hellenistisch-alexandrinische Zeitalter: die Zeit des 4. und 3. vorchristlichen Jhs. in Südosteuropa und Vorderasien.

aristotelelisch-scholastische Übungen: Höhepunkt der Scholastik war das System des Thomas von Aquino, der im Anschluß an Aristoteles Philosophie und Religion, Wissen und Glauben zur Harmonie zu führen suchte.

Lusor (auch: Joculator) Basiliensis: der Spieler aus Basel. Möglicherweise spielt H. H., wie Mileck (*Hermann Hesse. Life and Art.* Berkeley, Los Angeles, London: University of California Press 1978, S. 279) annimmt, dabei auf seinen Freund Otto Basler (geb. 1902) aus

Burg im Aargau an. Basler war Lehrer, er schrieb wiederholt über H. H. Möglicherweise spielt er aber auch, wie Field (On the genesis of the Glasperlenspiel In: *The German Quarterly*. Appleton, Wisc. 41, 1968, S. 680) ebenfalls annimmt, auf Hans Kayser (1891–1964) an: »Er gründete seine Theorie auf einer Verbindung der Mathematik mit der Musik und entwickelte daraus ein System, das den ganzen Kosmos miteinbezog und alles in die Begriffe mathematisch-musikalischer, harmonischer Zusammenhänge fassen konnte durch den Übergang von Qualitativem zu Quantitativem und umgekehrt.« (Aus dem Englischen von Ursula Michels-Wenz)

»Chinesischer Mahnruf:« Eine Schrift mit diesem Titel kann nicht nachgewiesen werden.

Don Quichotte: der »Ritter von der traurigen Gestalt«, Held eines Romans von Miguel de Cervantes (1547–1616), in dem das Ritterwesen verspottet wird; in übertragenem Sinne ist ein Don Quichotte ein Mensch, der einer nüchternen Welt zum Trotz an seinen Illusionen festhält.

Benediktiner: Angehöriger des Beneditinerordens (lateinisch: Ordo Sancti Benedicti, abgekürzt O. S. B.). Dieser Orden wurde von Benedikt von Nursia gestiftet, der 543 als Abt des Klosters Monte Cassino starb.

magisches Theater: poetische Schau einer imaginären Wirklichkeit, in der die Versöhnung der Gegensätze möglich ist. Vgl. Kommentar zu *Der Steppenwolf.*

meditieren: Vgl. dazu den Brief H. Hs. an einen Studenten v. 12. 2. 1950 (AB 299–301).

der heilige Ignatius: Ignatius von Loyola (1491–1556) gründete 1534 den Jesuitenorden und wurde 1541 in Rom dessen erster General. Berühmt sind die geistlichen Übungen dieses Ordens, mehrwöchige seelische Exerzitien, durchgeführt mit genauem psychologischen Wissen.

Upanishad: Name zahlreicher indischer religiöser Abhandlungen aus alten Zeiten.

Mozart: Wolfgang Amadeus Mozart (1756–1791).

Papst Pius XV.: erfundene Gestalt. Als H. H. das *Glasperlenspiel* schrieb, waren Pius XI., von 1922–1939, und Pius XII., von 1939–1958, Päpste.

die chinesischen Schriftzeichen: Die chinesische Schrift besteht aus sehr vielen Zeichen; heute werden meist 3000 bis 4000 Zeichen angewendet; Vereinfachungen sind im Gange.

Couperin: François Couperin, genannt le Grand (1668–1733), französischer Komponist, wurde 1693 Hofcembalist Ludwigs XIV.

Lebensbeschreibung des Magister Ludi Josef Knecht

Die Berufung

Lateinschüler: H. H. besuchte die Lateinschule in Göppingen vom
1. 2. 1890 bis zum 20. 5. 1891.

Berolfingen: fiktiver Ort.

Zaberwald: Zwischen Heilbronn und Pforzheim gibt es einen Ort
Zaberfeld an dem Fluß Zaber.

Michael Prätorius: Komponist und Musikschriftsteller (1571–1621).

Claudio Monteverdi: Meister der frühitalienischen Oper (1567–1634).

Johann Jakob Frohberger: Komponist (1616–1667), schuf die Form
der deutschen Klaviersuite; seine Orgelwerke zeichnen sich durch
harmonische Kühnheit aus.

Kastalien: benannt nach Kastalia, der heiligen Quelle am Parnaß bei
Delphi. Kastalien als Provinz ist eine Erfindung H. Hs.

die pädagogische Provinz: Begriff aus Goethes *Wilhelm Meisters
Lehrjahre.* H. H. gestaltete ihn im *Glasperlenspiel* neu.

Ludovicus crudelis: Ludwig der Grausame. Anspielung auf den Maler und Freund H. Hs. Louis Moilliet (1880–1962). H. H. nannte
ihn bereits in *Klingsors letzter Sommer* und in der *Morgenlandfahrt.*

Sanskrit: altindische Literatursprache.

Chattus Calvensis II.: Latinisierung des Namens Hesse: Hesse (der
Katte) II. aus Calw. Die Zahlangabe II. läßt Mileck vermuten, daß
es sich bei Chattus I. um H. Hs. Großvater aus Weißenstein Dr. Her-
mann Hesse oder um den Humanisten aus dem 16. Jh. Hermannus Hes-
se handeln kann. (J. Mileck, Die Namen in Hesses Glasperlenspiel. In:
Materialien zu Hermann Hesse »Das Glasperlenspiel«. A.a.O. S. 171)
– In seiner Erinnerung *Aus meiner Schülerzeit* spricht H. H. u. a. über
Otto Bauer, den Rektor der Göppinger Lateinschule, und erwähnt:
»Oft sprach er lateinisch mit mir, meinen Namen übersetzte er mit
Chattus.« (GS 4, 605)

*»Die Aussprache des Lateins an den Hochschulen des südlichen Italien
gegen Ende des zwölften Jahrhunderts«:* erfundener Titel.

Eschholz: fiktiver Ort. Mileck vermutet eine Anlehnung an den Namen des Schweizer Ortes Escholzmatt.

Oskar: Ein persönlicher Bezug ist nicht feststellbar.

Haus Hellas: Als H. H. ins Maulbronner Seminar kam, wurde er in
die Stube Hellas eingewiesen. Vgl. Kommentar zu *Unterm Rad.*

Mentor: Erzieher, Ratgeber (nach dem Erzieher des Telemach).

ingenium valde capex, studia non angusta, mores probantur: ein sehr
umfassender Geist, weitgespannte Studien, der Charakter verdient
Anerkennung.

ingenium felix et profectum avidissimum, moribus placet officiosis:
ein glücklicher und nach Fortschritten begieriger Geist, er gefällt
durch seinen dienstfertigen Charakter.

ein Schüler hat sie [...] stenographiert: Hier handelt es sich möglicherweise um eine Assoziation zum Verhältnis Platos zu seinem
Lehrer Aristoteles.

Franz Schubert: Komponist (1797–1828), Meister des Sololiedes.

Vorfrühling: Vgl. dazu H. Hs. Gedicht *Vorfrühling* und seine Prosa-
stücke *Vorfrühling* (in *Knulp*), *Umbrischer Vorfrühlingstag* (auch
u. d. T.: *Montefalco*) und *Verbummelter Vorfrühlingstag* (auch u. d. T.:
Verbummelter Tag).

Monteport: erfundener Name; vermutlich steckt darin eine Anspielung auf Montagnola.

Horaz: Q. Horatius Flaccus (65–8 v. Chr.), römischer Dichter.

Waldzell: erfundener Name; H. H. gibt später an, es handle sich um
»ein einstiges Zisterzienserkloster«.

Waldzell

Porta: Anspielung auf die bei Naumburg a. d. Saale gelegene ehemals
berühmteste der drei altsächsischen Fürstenschulen: Schulpforta. Fich-
te, Klopstock, Nietzsche u. a. waren hier Schüler. Von 1935 bis 1945
war Schulpforta nationalpolitische Erziehungsanstalt.

Planvaste: erfundener Name.

Zisterzienser: ein 1098 von Robert von Cîteaux als Abzweigung des
Benediktinerordens gegründeter katholischer Orden. Die Zisterzienser bauten im Tal. Das Maulbronner Seminar, das H. H. besucht hat,
war ein ehemaliges Zisterzienserkloster.

Vicus Lusorum: Spielerdorf.

Otto Zbinden: erfundene Gestalt.

Carlo Ferromonte: latinisierte Form des Namens Karl Isenberg. Karl
Hermann gen. Carlo Isenberg (1901–1945), Neffe von H. H., Absol-
vent der Seminare in Maulbronn und Blaubeuren, studierte Philologie
in Tübingen und München und seit 1924 Musik in Stuttgart, legte das
Examen als Organist und Kirchenmusiker ab, war seit 1927 als Musiklehrer in Stuttgart und Ludwigsburg und, seit 1932, als Organist
im Kirchendienst tätig, »hat im Süden und Südosten Europas nach
den Resten ältester Musik geforscht« (GS 7, 666), »hat den unsinnigen
Krieg als Sanitätssoldat mitmachen müssen, war zuletzt in Lazaret-
ten in Polen und ist seit dem Ende des Krieges spurlos verschollen«
(GS 7, 702–703). Seine Gestalt ist beinahe ganz Porträt geworden.
Isenberg war mit H. H. Herausgeber mehrerer Bände der Reihe
»Merkwürdige Geschichten und Menschen«, S. Fischer Verlag 1925–
1927, und Mitarbeiter an H. Hs. geplanter Buchreihe »Das klassische
Jahrhundert deutschen Geistes 1750–1850«. Im August 1934 ist Karl
Isenberg 14 Tage in Montagnola, wo er H. H. mit Hilfe eines gemie-
teten Klaviers Musik »von Bach rückwärts bis ins 16. Jahrhundert«
erläutert und ihn über Formgesetze und Kontrapunktik unterrichtet.

Stilgeschichte der Lautenmusik im sechzehnten Jahrhundert: fiktiver
Titel.

Purcell: Henry Purcell (1659–1695), englischer Komponist, Meister des englischen Barock.

Kant: Immanuel Kant (1724–1804).

Plinio Designori: erfundene Gestalt.

Pindar: griechischer Dichter in Theben (um 518 bis nach 446 v. Chr.), dichtete Oden für den Chorgesang bei den griechischen Festspielen und Siegeslieder.

Ricercari: Instrumentalkomposition im 16., 17. und 18. Jh.; Vorform und später besondere Form der Fuge.

Andrea Gabrieli: italienischer Komponist (um 1510–1586).

Yogin: Jogi oder Yogi ist ein Anhänger des Yoga, der alten indischen Erlösungslehre. Vgl. dazu den *Indischen Lebenslauf*.

Bonze: (buddhistischer) Mönch, Priester; verächtlich für: schmarotzerhafter Funktionär.

Studienjahre

»Hundert Novellen«: Giovanni Boccaccio (1313–1375), *Das Dekameron.*

Michel de Montaigne: französischer Moralphilosoph und Essayist (1533–1592).

Schwan von Boberfeld: Der Barockdichter Martin Opitz (1597–1639) wurde vom Kaiser geadelt als Opitz von Boberfeld; von seinen Verehrern wurde er »schlesischer Schwan« oder »Boberschwan« genannt.

Johann Albrecht Bengel: evangelischer Theologe (1687–1752), Schöpfer der neutestamentlichen Bibelkritik; in seinem wirkungsreichen Kommentar *Gnomen Novi Testamenti* (1742) legte er aus dem Geiste des Pietismus den Grund zu einer geschichtlich-apokalyptisch gerichteten Bibeltheologie des »Reiches Gottes«. Seine Beschäftigung mit der biblischen Chronologie führte ihn dazu, die Wiederkunft Christi und den Ausbruch des Tausendjährigen Reiches auf das Jahr 1836 anzusetzen.

Friedrich Christoph Oetinger: evangelischer Theologe (1702–1782), bemühte sich, beeinflußt durch die großen Mystiker und Theosophen und die apokalyptischen Phantasien J. A. Bengels, um eine Vereinigung mystisch-theosophischer und orthodox-kirchlicher Elemente in einem System.

Nikolaus Ludwig Graf von Zinzendorf: Stifter und späterer Bischof der Brüdergemeine (1700–1760).

Pietismus: protestantische Bewegung, besonders im 17. und 18. Jh., zur Neubelebung gefühlsbetonter, tatkräftiger Frömmigkeit.

Fritz Tegularius: erfundene Gestalt, die Züge Friedrich Nietzsches trägt. Fritz ist die Kurzform von Friedrich. Der Name Tegularius = Dachdecker ist vermutlich die latinisierte Form des Nachnamens seines schwäbischen Freundes, des Philosophen Leopold Ziegler (1881–

1958). Die Latinisierung des Namens verweist auch auf die Funktion, die Fritz Tegularius beim ersten Jahresspiel des Magister Ludi Knecht hatte: da ging es um die Idee des Bauens eines chinesischen Hauses. Ohne Schwierigkeiten läßt sich an der Entwicklungslinie im Leben Knechts – Tegularius, Anton, Pater Jakobus – H. Hs. eigene Entwicklungslinie nachzeichnen: Nietzsche, Schopenhauer, Burckhardt.

Yin und Yang: die beiden Pole der Einheit (des großen Einen): Erde und Himmel, dunkel und licht, negativ und positiv, das Empfangende und das Schöpferische. Vgl. Yin und Yang. Brief eines Studenten an H. H. und dessen Antwort. In: *Neue Zürcher Zeitung.* Nr. 1639 v. 2. 7. 1954.

Kungtse: Konfuzius, Kung-(fu-)tse, Meister Kung (551–479 v. Chr.), chinesischer Philosoph und Weiser, hoher Beamter in der Grafschaft Lu, dann verbannt und dadurch auf eine lange, ruhelose Wanderschaft geschickt.

Homer: der älteste bekannte griechische Dichter (8. Jh. v. Chr.).

Alessandro Scarlatti: italienischer Komponist (1660–1725).

die Feustelsche Theorie: Möglicherweise ist Feustel als Diminutiv von Faust hier eine Anspielung auf den berühmten Doktor. Mileck hält auch eine Assoziation zu Els Feustel, der Frau von Max Bucherer, für möglich. (J. Mileck, *Hermann Hesse. Life and Art.* Berkeley, Los Angeles, London: University of California Press 1978, S. 279)

Hirsland: Sitz der Ordensleitung. Nach Ansicht des Hesse-Sammlers Reinhold Pfau (1887–1975) ist dieser Name nicht auf Hirsau, den Ort an der Nagold mit der berühmten Ruine eines Benediktinerklosters, zurückzuführen, sondern auf den Namen des Zürcher Stadtteils »Hirslanden« im Südosten der Stadt (Stadtkreis 7/32) am Fuße des Adlisberges. Ca. 10 km nordwestlich von Stuttgart liegt hinter Korntal der Ort Hirschlanden; ein Bezug auf diesen Ort ist ebenfalls denkbar.

Bambusgehölz: Ortsname ohne konkreten Bezug; möglicherweise handelt es sich um eine Anspielung auf H. Hs. Bambusgehölz in seinem Montagnoleser Garten.

I Ging: I King: das heilige Buch der Wandlungen, entstanden um 2400 v. Chr.

Älterer Bruder: In dieser Person gestaltet H. H. ein Stück von sich selber.

Sankt Urban: Papst Urban I., Pontifikat 222–230.

Schi King: historische Denkwürdigkeiten des Sse-ma Tsien (um 145–186), eines der fünf kanonischen Bücher der Chinesen.

Schafgarbenstengel: Das Scharfgarbenorakel ist eine in China seit der Dschou-Dynastie übliche Form der Orakelpraktiken. Deutungen sind im *Buch der Wandlungen (I Ging)* zu finden. Eine Beschreibung des Schafgarbenorakels gibt Inn-Ung Lee in seiner Dissertation *Ost-*

asiatische Anschauungen im Werk Hermann Hesses (Würzburg 1972, S. 111–112).

Dschuang Dsie: Tschuang-tse (um 275 v. Chr.) war der bedeutendste der sogenannten Taoisten, er verknüpfte philosophische Erkenntnis mit dichterischer Schau.

Kotao: Kotau: alte chinesische Ehrenbezeigung: im Niederknien wird der Boden mit der Stirn berührt.

Mong: Orakelzeichen mit der Bedeutung Jugendtorheit.

Gen: Orakelzeichen mit der Bedeutung das Stillhalten, der Berg, ruhend.

Kan: Orakelzeichen mit der Bedeutung das Abgründige, das Wasser, gefährlich.

Jugendtorheit hat Gelingen ...: mit geringfügigen Änderungen zitiert aus: *I Ging. Das Buch der Wandlungen.* Aus dem Chinesischen übersetzt und erläutert von Richard Wilhelm. 21.–23. Tsd. Düsseldorf, Köln: Diederichs 1967, S. 39.

Thomas von der Trave: dichterische Anspielung auf Thomas Mann, dessen Geburtsort Lübeck an der Trave liegt. Thomas Mann sprach bei solchen Assoziationen von »viel Scherz im biographischen Forscherstil« (Th. Mann, *Die Entstehung des Doktor Faustus.* Amsterdam 1949, S. 69), und H. H. gefiel es, daß sein Foma Genrichowitsch, wie er den Freund gelegentlich nannte, gerade diese Seite betonte. Das von H. H. gezeichnete Bild des Freundes ist trotz der Chiffrensprache eine Meisterleistung literarhistorischer Chrakterisierungskunst.

Kabbala: Überlieferung. Bezeichnung für die im 9.–13. Jh. ausgebildete jüdische Geheimlehre. Sie lehrte das Hervorgehen der Welt aus einer besonderen göttlichen Sphäre, das Dasein der Seele vor Zeugung und Geburt, die Wanderung der Seele durch mehrere Leiber und eine geheimnisvolle Bedeutung der Zahlen.

Spinoza: Baruch de Spinoza (1632–1677), Philosoph.

Linné: Carl von Linné (1707–1778), schwedischer Naturforscher, Reformator der wissenschaftlichen Benennung der Pflanzen, bedeutendster Systematiker seiner Zeit.

sui generis: seines Geschlechts, seiner Herkunft nach.

Mariafels: erfundener Name; möglicherweise Anspielung auf Sils Maria im Oberengadin, Lieblingserholungsort Nietzsches und H. Hs.

Zwei Orden

Zwei Orden: Vgl. dazu die Gegenüberstellung des kastalischen Ordens und der römischen Kirche in der »Einleitung«.

Keuperheim: erfundener Name. H. H. nannte Ninon, seine dritte Frau, Keuper; Keuperheim ist deshalb möglicherweise eine Anspielung auf H. Hs. Haus in Montagnola.

Bolzano: Bernhard Bolzano (1781–1848), Philosoph in Prag.

Dubois: Herr Dubois ist der Vorstand des politischen Amtes der Provinz. Den Namen Dubois trug die Großmutter H. Hs. mütterlicherseits, die mit Dr. Hermann Gundert (1814–1893) seit 1838 verheiratet gewesene Julie (1809–1885), als Mädchenname. Sie entstammte einer einfachen, aber strebsamen Weingärtnerfamilie in Corcelles bei Neuchâtel. Ob bei H. H. andere Assoziationen als die bloße des Namens mitwirkten, ist nicht festgestellt worden.

Lü: Orakelzeichen mit der Bedeutung Wanderer.

Der Wanderer kommt zur Herberge: Von H. H. zitiert nach: *I. Ging. Das Buch der Wandlungen.* Aus dem Chinesischen übersetzt und erläutert von Richard Wilhelm. 21.–23. Tsd. Düsseldorf, Köln: Diederichs 1967, S. 597.

Abt Pius: erfundene Gestalt.

Abt Gervasius: erfundene Gestalt.

Refektorium: Speisesaal in Klöstern.

Kapitelsaal: Versammlungsraum in Klöstern.

Anton: erfundene Gestalt; trägt Züge Schopenhauers (1788–1860).

Pater Jakobus: Anspielung auf Jacob Burckhardt (1818–1897), den H. H. als den »größten deutschen Geschichtsschreiber« (GW 12, 257–258) verehrte.

Francke: August Hermann Francke (1663–1727), evangelischer Geistlicher und Erzieher, Anhänger des Pietismus, seit 1692 Pastor und Hochschullehrer in Halle, wo er gemeinnützige Anstalten errichtete.

Alexander: Alexander der Große (356–323 v. Chr.), König von Makedonien.

Eugenik: Lehre von der Verbesserung der Menschenrasse und der Vernichtung sogenannter rassisch Minderwertiger.

Agora: im griechischen Altertum die Versammlung des Heeres oder des Volkes, auch der Platz, auf dem diese Versammlungen tagten und überhaupt das öffentliche Leben sich abspielte.

Dominikaner: katholischer Bettelorden, 1216 von Dominikus (1170–1221) in Toulouse gestiftet, wurde 1232 mit der Inquisition betraut.

Jesuiten: oder Gesellschaft Jesu, lat. Societas Jesu, abgekürzt S.J., katholischer Orden, 1534 von Ignatius von Loyola gestiftet.

Dandy: Geck, Stutzer, Modenarr.

amor fati: Liebe zum Schicksal.

Die Mission

Cicero: Marcus Tullius Cicero (106–43 v. Chr.), römischer Staatsmann und berühmter Redner.

Genius Loci: Schutzgeist des Ortes.

de rebus castaliensibus: über die kastalischen Dinge.

Corelli: Arcangelo Corelli (1653–1713), italienischer Geiger und Komponist.

Scarlatti: Alessandro Scarlatti (1660–1725), italienischer Komponist.

Telemann: Georg Philipp Telemann (1681–1767), deutscher Komponist.

Kalligraphie: Schönschreibkunst.

»*Die Aufnahme und Verarbeitung slawischer Volksmusik durch die deutsche Kunstmusik von Josef Haydn an*«: Der Titel einer solchen Studie ist nicht nachweisbar.

Josef Haydn: deutscher Komponist (1732–1809), der erste bedeutende Meister der klassischen Sinfonie und des Streichquartetts.

Solennität: Festlichkeit, Feierlichkeit.

Dorment: Gebäudeteil mit Schlafräumen (in Klöstern).

Magister Ludi

Ludus anniversarius: Jahresspiel.

Ludus sollemnis: (alljährliches) Festspiel.

Creator spiritus: schöpferischer Geist.

Betram: Unverkennbar ist die Anspielung auf Ernst Bertram (1884–1957), dessen lyrisches Werk von dem seines Meisters George überschattet worden ist. Vgl. H. Hs. Brief an einige frühere Schüler von Professor Ernst Bertram v. 31. 3. 1948; AB 252.

Konklave: von der Außenwelt streng abgeschlossener Raum, in dem die Kardinäle zur Papstwahl zusammenkommen; auch die Kardinalversammlung zur Papstwahl.

adorieren: anbeten, verehren.

Investitur: Einweisung in Besitz oder Amt.

Alexander: erfundene Gestalt.

magistral: behördlich.

Homo novus: ein neuer Mensch.

Im Amte

Doktor Faust: Doktor Johannes Faust (etwa 1480–1540) schloß der Sage nach einen Bund mit dem Teufel.

Yoga: indische Denk- und Verhaltenslehre; Ziel ist die Befreiung des Geistes durch völlige Herrschaft über den Körper.

mit horazischer Liebhaberhand: Horaz hatte von Mäzen ein kleines Landgut in den Sabinerbergen geschenkt bekommen; dort fand er die ersehnte Ruhe vom Leben und Treiben in der Stadt.

Tuskulum: (ruhiger) Landsitz, so genannt nach Ciceros Landhaus in Tusculum.

Ludwig Wassermaler: erfundener Name, enthält eine Anspielung auf H. Hs. Freund Louis Moilliet (1880–1962).

Student Petrus: erfundene Gestalt, Nachfolger des Altmusikmeisters. Der Name Petrus enthält möglicherweise eine Anspielung auf die apostolische Jüngerschaft.

Bicinienbücher: Duettbücher aus der Zeit des 14.–16.Jhs.

taoistisch: dem Taoismus, der altchinesischen religiös-mystischen Weltanschauung, entsprechend.

Die beiden Pole

ad maiorem gloriam Castaliae: zum höheren Ruhme Kastaliens.
Knecht ist ein großer und vorbildlicher Verwalter [...]: Mit Hilfe
einer Chiffrensprache zeichnet H. H. hier ein Bild von sich selbst.
extra muros: außerhalb der Mauern, d. h. außerhalb Kastaliens.
Heinrich Isaak: Meister des deutschen Chorlieds der Renaissance (um
1450–1517), lebte am Innsbrucker Hof, schrieb auch Messen und Mo-
tetten.
Musikmeister Ludwig: erfundene Gestalt.
Kustode: hier: Aufsichtsbeamter.

Ein Gespräch

Buddha: Gautama Buddha (um 550 – um 480 v. Chr.), indischer Religionsstifter.
Schiwa: einer der Hauptgötter des Brahmanismus, er tanzt die ver-
kommene Welt in Trümmer.
Vischnu: (im *Indischen Lebenslauf* von H. H. Vishnu geschrieben)
einer der Hauptgötter des Brahmanismus, ein Gott, der alles belebt.

Vorbereitungen

Veraguth: erfundene Gestalt; der Name erinnert an den Maler Veraguth in H. Hs. Roman *Roßhalde.*
Tito Designori: erfundene Gestalt.

Das Rundschreiben

Descartes: René Descartes, lat. Cartesius (1596–1650), französischer
Denker und Gelehrter.
Pascal: Blaise Pascal (1623–1662), französischer Denker, er begrün-
dete die Wahrscheinlichkeitsrechnung.
Cromwell: Oliver Cromwell (1599–1658), britischer Staatsmann.
Ludwig XIV.: der Sonnenkönig (1638–1715), unter ihm erlebte der
Absolutismus seine Glanzzeit.
Luther: Martin Luther (1483–1546), Begründer des deutschen Prote-
stantismus.
Massageten: Kyros II. (559–529 v. Chr.) unternahm einen Feldzug
gegen die Massageten, deren Land südlich des Aralsees in der Kara-
Kum-Wüste lag. Vgl.: H. H., *Bei den Massageten,* e 1927; GE 4,
173–177.
babylonische Zeiten: Zeiten der Verwirrung; Bezugnahme auf 1. Mos.
11, 9.
Es können Zeiten des Schreckens [...]: Zitat aus Jakob Burckhardts
Vorlesung über die Geschichte des Revolutionszeitalters (*Historische
Fragmente aus dem Nachlaß.* Berlin, Leipzig: Deutsche Verlags-Anstalt 1929, Bd. 7, S. 426).

Die Legende

Diodorus Siculus: griechischer Geschichtsschreiber (1. Jh. v. Chr.), er verfaßte ein Geschichtswerk, das er *Historische Bibliothek* nannte.

der heilige Christophorus: Nothelfer, von riesiger Gestalt, trug nach der Legende das Christuskind durch einen Strom.

Mein Haupt und Glieder ...: aus dem Lied *Die güldne Sonne ...* von Paul Gerhardt.

Belpunt: erfundener Name.

»Weisheit des Brahmanen«: ein Lehrgedicht von Friedrich Rückert (1788–1866).

Die Tage sehen wir ...: aus *Weisheit des Brahmanen,* 2. Stufe: Stimmung. Nr. 21.

Josef Knechts hinterlassene Schriften

Die Gedichte des Schülers und Studenten

sich zerlüdern: davonstreben.

verfratzen: zur Fratze werden.

Toccata: Musikstück für Klavier oder Orgel.

Zirkelquadratur: Die Quadratur des Zirkels (Kreises), die Verwandlung des Kreises in ein flächengleiches Quadrat, ist mit alleiniger Anwendung von Zirkel und Lineal unmöglich, was mit Mitteln der höheren Algebra bewiesen werden kann. Daher übertragen: eine unmögliche Aufgabe.

Maya: die Schein- und Trugbildhaftigkeit der äußeren Erscheinungswelt.

Summa contra Gentiles: oder *De veritate catholicae fidei,* ein 1261/64 entstandenes Werk des Thomas von Aquino, eine apologetische Gesamtdarstellung der Philosophie und Theologie, wahrscheinlich für das Studium der Dominikanermissionare bei den Mohammedanern in Spanien geschrieben.

Aquinat: Thomas von Aquino wurde auch »der Aquinate« genannt.

Die drei Lebensläufe

Knecht: In diesem Lebenslauf hat der Verfasser »Knecht« seinen Namen nicht verändert.

Ada (Adalein): Assoziation zum Namen von H. Hs. Schwester Adele.

Turu: erfundene Gestalt; der Name erinnert an das Wort Guru = Lehrer.

Knabenhaus: wie der Knecht der Haupthandlung hat auch der Knecht des Lebenslaufes keine Eltern mehr und wohnt in einem Knabenhaus.

Losung: Kot des Wildes und des Hundes.

Initiation: (durch bestimmte Bräuche geregelte) Aufnahme eines Neulings in eine Standes- oder Arbeitsgemeinschaft, einen Geheimbund

u. a., besonders die Einführung der Jugendlichen in den Kreis der Männer und Frauen bei den Naturvölkern.

Lineament: Linie (auf der Hand oder im Gesicht), Gesichtszug.

Maro: erfundene Gestalt; möglicherweise enthält der Name eine Anspielung auf den Namen Maro in der Glaubenswelt des Buddhismus.

Adept: in geheime Künste Eingeweihter.

*

Hilarion: Hilarion, der Heilige, der angebliche Begründer des Mönchswesens in Syrien (um 292–372), soll nach der Legende, zum Christentum bekehrt, zum heiligen Antonius in die Wüste gegangen sein, nach seiner Rückkehr sein väterliches Erbe verschenkt und 22 Jahre lang in der Wüste zwischen Gaza und Ägypten als Einsiedler gelebt und sich später nach Ägypten und Cypern begeben haben.

Gaza: Stadt im südlichen Palästina.

Josephus Famulus: latinisierte Form des Namens Josef Knecht.

Paulus: vor seiner Bekehrung Saulus, stammte aus einer jüdischen Familie in Tarsus, zuerst eifriger Gegner der Lehre Christi, wurde um 31 vor Damaskus bekehrt, wurde ein Apostel Jesu, wurde wahrscheinlich 64 n. Chr. unter Nero enthauptet.

Antonius: Antonius der Große, Einsiedler in der Wüste, Vater des Mönchtums, gest. 356.

Camposanto: Gottesacker, Friedhof.

Pisa: Stadt im mittleren Italien am Arno.

Camposanto von Pisa: von 1278 bis 1463 belegt.

Ars moriendi: Kunst des Sterbens.

Dion Pugil: Dion ist ein von H. H. wohl bezugslos gebrauchter Name; pugil (lat.) heißt Faustkämpfer.

Askalon: Stadtstaat der Philister, frühchristliche Gemeinde, nördlich von Gaza und westlich von Jerusalem gelegen.

der alte Adam: der alte Mensch. Vgl. Röm. 6, 6. Eph. 4, 22. Kol. 3, 9.

Judas der Verräter [...]: Vgl. Matth. 27, 5.

Varro: erfundene Gestalt; ein Bezug auf M. Terentius Varro (116–27 v. Chr.) ist schon aus Gründen der Chronologie undenkbar.

David: erfundene Gestalt.

Baum der Erkenntnis: Vgl. 1. Mos. 2, 17.

Baum des Lebens: Vgl. 1. Mos. 2, 9; 3. Mos. 22, 24; Sprüche 3, 18.

Schlange des Paradieses: Vgl. 1. Mos. 3, 1.

Gott sah an alles . . .: Vgl. 1. Mos. 1, 31.

Demiurg: bei Platon und späteren griechischen Denkern der »Weltbaumeister«, Mittler zwischen der höchsten Gottheit und der menschlichen Welt.

Fluch Adams: 1. Mos. 3, 17–19.

*

Rama: die siebente Verkörperung des Gottes Vishnu; aus ihm ist nach hinduistischer Vorstellung auch der Weltschöpfer Brahma hervorgegangen; Vishnu hat sich bis jetzt neunmal, zuletzt in Buddha, wiederverkörpert; die zehnte Menschwerdung wird noch erwartet.

Ravana: erfundene Gestalt.

Ganga: der Ganges, Strom im Norden Vorderindiens.

Dasa: der Name bedeutet Knecht.

Nala: erfundene Gestalt.

Brahmane: Angehöriger der obersten Kaste des Hinduismus.

Vaseduva: So heißt auch der Fährmann in H. Hs. Erzählung *Siddhartha.*

Rajah: Titel eingeborener indischer oder malaiischer Fürsten.

Brahma: Personifikation des schöpferischen Weltprinzips, höchster Gott des Brahmanismus und Hinduismus; brahman bedeutet die Weltseele im Gegensatz zu atman, dem Ich, der individuellen Seele.

Mango: der Mangobaum, ein immergrüner Baum in Ostasien mit gelben, fleischigen, als Obst beliebten Steinfrüchten.

Lotos: asiatisch-australische Wasserrose.

Mungo: eine Schleichkatze.

eine kleine Hütte: Vgl. H. Hs. Märchen *Der Dichter.*

Pravati: erfundene Gestalt.

dessentwegen ich einst als Kind vertrieben worden war: Unmotiviert kommt Dasa ins Gedächtnis, was ihm weder bei der Fürstenkrönung noch bei der Ermordung Nalas bewußt war.

Gopala: erfundene Gestalt.

Govinda: So heißt auch Siddharthas Freund in H. Hs. Erzählung *Siddhartha.*

Veden: Name der ältesten Literaturdenkmäler der Inder.

Vishwamitra: erfundene Gestalt.

Berthold

Ein Romanfragment. Zürich: Fretz & Wasmuth 1945. – GS 1, 831–883; GE 2, 139–182.

e 1907 oder 1908; VZ 1944.

»Hier, wo Berthold den Weg in die Abenteuer des Dreißigjährigen Krieges antritt, bricht die Handschrift ab. Da die vorhandenen drei Kapitel Bertholds Geschichte bis zum Ende der Jünglingsjahre erzählen, etwas Ganzes und einigermaßen Abgeschlossenes also, glaubten wir die Veröffentlichung des Fragmentes wagen zu dürfen.« (GS 1, 883)

Arkebuse: ursprünglich eine Armbrust, seit dem 15. Jh. ein Feuerrohr, das beim Schießen auf eine Hakenstange aufgelegt wurde.

Reliquien der elftausend Jungfrauen: An der Südwand des hochgoti-

schen Chors der Kirche St. Ursula in Köln ist die Inschrifttafel eines
Bürgers Clematius angebracht, der hier um 400 die Kapelle an der
Stelle wiederherstellen ließ, »wo heilige Jungfrauen für den Namen
Christi ihr Blut vergossen haben«. Ursprünglich waren es elf Jung-
frauen, in der Legende wuchs ihre Zahl jedoch auf elftausend, an ihrer
Spitze St. Ursula.

Graduale Romanum: liturgisches Gesangbuch mit den Meßgesängen.

drei Brüder: von H. H. ausführlicher gestaltet in *Drei Linden,* e 1912,
auch u. d. T. *Die drei Brüder* und *Eine Berliner Sage* veröffentlicht.

Pater Girolamo in Florenz: Girolamo Savonarola (1452–1498), Dominikanermönch und Bußprediger. Er nahm entscheidend an der
politischen Umgestaltung von Florenz nach dem Sturz der Medici-
Herrschaft teil.

Urbanstag: 25. Mai.

Ich weiß ein Mägdelein . . .: Gedichtanfang von H. H.

mit beiden Händen an der Kehle: »[. . .] preßte ihm mit wütenden
Händen die Kehle zusammen [. . .]« heißt es im 14. Kapitel von
Narziß und Goldmund.

Traumfährte

Neue Erzählungen und Märchen. Zürich: Fretz & Wasmuth 1945. –
Frankfurt a. M.: Suhrkamp 1959 (*Gesammelte Werke in Einzelausgaben*). – GS 4, 417–557; GW 6, 339–479.

Widmung: »Dem Maler Ernst Morgenthaler in Dankbarkeit für schöne Stunden im Sommer 1945 gewidmet«.

Traumfährte – Tragisch – Kindheit des Zauberers – Kurzgefaßter
Lebenslauf – Die Stadt – Märchen vom Korbstuhl – Der Europäer –
Edmund – Schwäbische Parodie – Vom Steppenwolf – König Yu –
Vogel.

»Den ganzen Tag blieb der Literat mit seinem Traum beschäftigt, und
je tiefer er in ihn eindrang, desto schöner schien er ihm, desto mehr
schien er ihm alle Dichtungen der besten Dichter zu übertreffen.
Lange Zeit, manche Tage lang hing er dem Wunsche und Plane nach,
diesen Traum so aufzuschreiben, daß er nicht nur für den Träumer
selbst, sondern auch für andere diese unnennbare Schönheit, Tiefe und
Innigkeit habe. Spät erst gab er diese Wünsche und Versuche auf, und
sah, daß er sich damit begnügen müsse, in seiner Seele ein echter Dichter zu sein, ein Träumer, ein Seher, daß sein Handwerk aber das
eines bloßen Literaten bleiben müsse.« (Aus *Traumfährte*)

Siehe auch Einzelkommentare.

Mann mit den vielen Büchern – Eigensinn – Kurzgefaßter Lebenslau[f]
– Tessiner Herbsttag – Lindenblüte.
Siehe auch Einzelkommentare.
Der Inhalt dieses Bandes ist nicht identisch mit dem 1973 erschienene[n]
Band 344 der Bibliothek Suhrkamp *Glück. Späte Prosa, Betrach[-]
tungen.*

Piktors Verwandlungen

Ein Märchen. Berlin, Frankfurt a. M.: Suhrkamp 1954 (Faksimile[-]
Ausgabe nach einer Handschrift und nach Illustrationen des Dichter[s];
beigefügt ist der gedruckte Text). Neuausgabe: *Piktors Verwandlun[-]
gen. Ein Liebesmärchen.* Vom Autor handgeschrieben und illustriert.
Mit ausgewählten Gedichten und einem Nachwort versehen von Vo[l]-
ker Michels. Frankfurt a. M.: Insel-Verlag 1975. Faksimiledruck d[er]
Originalhandschrift »Für Ruth. Ostern 1923« im Originalformat m[it]
Textabdruck und einer editorischen Notiz von Volker Michels. Fran[k]-
furt a. M.: Suhrkamp 1980 in 1200 Exemplaren. Textabdrucke u. a.[in]
Märchen (ab 32.–36. Tsd. 1955), *Iris* (1973) und *Die Märchen* (1975).
»Ich möchte einen Ausdruck finden für die Zweiheit, ich möch[te]
Kapitel und Sätze schreiben, wo beständig Melodie und Gegenmelo[die]
gleichzeitig sichtbar wären, wo jeder Buntheit die Einheit, jede[m]
Scherz der Ernst beständig zur Seite steht. Denn einzig darin best[eht]
für mich das Leben, im Fluktuieren zwischen zwei Polen, im H[in]
und Her zwischen den beiden Grundpfeilern der Welt. Beständ[ig]
möchte ich mit Entzücken auf die selige Buntheit der Welt hinweis[en]
und ebenso beständig daran erinnern, daß dieser Buntheit eine Ei[n]-
heit zugrunde liegt [...] Für mich sind die höchsten Worte d[er]
Menschheit jene paar, in denen diese Doppelheit in magischen Zeiche[n]
ausgesprochen ward, jene wenigen geheimnisvollen Sprüche u[nd]
Gleichnisse, in welchen die großen Weltgegensätze zugleich als N[ot]-
wendigkeit und als Illusion erkannt werden.« (Aus *Kurgast*)
»Dies bisher noch nicht veröffentlichte Liebesmärchen ist aus d[en]
Bildern heraus entstanden, welche daher notwendig dazu gehören.
Jedes Exemplar ist ganz von der Hand des Dichters hergestellt, Schr[ift]
sowohl wie Bilder. Bei den Bildern bringt jedes Exemplar ne[ue]
Varianten. Der Preis eines Exemplars, ganz von Hand geschrieb[en,]
beträgt zweihundert Mark.« (Aus einem Prospekt. – 1969 wurde e[in]
Piktor-Manuskript im Katalog eines bekannten deutschen Aukti[ons]
hauses mit 1600,– DM ausgeboten!)
Das Märchen wurde im September 1922 »für eine geliebte Frau g[e]
schrieben und gezeichnet«. Erstveröffentlichung ohne Bilder in ei[ner]
Aufl. von 650 Expl. 1925 von der Gesellschaft der Bücherfreunde [in]
Chemnitz.
Piktor: der Maler.

Dank an Goethe

Zürich: Werner Classen 1946 (Vom Dauernden in der Zeit. 19).
Widmung: »Meinem Freunde Otto Hartmann gewidmet.«
Dank an Goethe (GS 7, 374–383; GW 12, 145–154) – Über Goethes
Gedichte (GS 7, 384–388; GW 12, 154–158) – Gedichte – Wilhelm
Meisters Lehrjahre (GS 7, 15–39; GW 12, 159–183) – Goethe und
Bettina (GS 7, 283–291; GW 12, 187–196).
Erweiterte Ausgabe u. d. T.: *Dank an Goethe. Betrachtungen, Rezen-
sionen, Briefe.* (Neu zusammengestellt von Volker Michels.) Mit
einem Essay von Reso Karalaschwili. Frankfurt a. M.: Insel Verlag
1975. (Insel-Taschenbuch, 129.) Hinzugefügt wurden: Traum von
einer Audienz bei Goethe – Erste Fassung von »Wilhelm Meisters
theatralische Sendung« – Tübinger Goethe-Studien – Rezensionen der
Neuausgaben von Werken Goethes.
»Unter allen deutschen Dichtern ist Goethe derjenige, dem ich am
meisten verdanke, der mich am meisten beschäftigt, bedrängt, ermuntert, zu Nachfolge oder Widerspruch gezwungen hat. Er ist nicht
etwa der Dichter, den ich am meisten geliebt und genossen, gegen den
ich die kleinsten Widerstände gehabt habe, o nein, da kämen andere
vorher: Eichendorff, Jean Paul, Hölderlin, Novalis, Mörike und noch
manche. Aber keiner dieser geliebten Dichter ist mir je zum tiefen
Problem und wichtigen sittlichen Anstoß geworden, mit keinem von
ihnen bedurfte ich des Kampfes und der Auseinandersetzung, während
ich mit Goethe immer wieder Gedankengespräche und Gedanken-
kämpfe habe führen müssen [...]« (Aus *Dank an Goethe*)

Der Europäer

Berlin: Suhrkamp 1946 (Beiträge zur Humanität).
Ansprache in der ersten Stunde des Jahre 1946 (GS 7, 425–430; GW
10, 538–544) – Der Europäer (GS 4, 501–509; 7, 104–112; GW 6,
423–431; GE 3, 315–322) – Krieg und Frieden (GS 7, 117–120; GW
10, 435–439) – Rigi-Tagebuch (GS 4, 813–824; 7, 422–425; GW 8,
407–418; 10, 535–538) – Brief an Adele (GS 7, 435–445; GW 10,
92–102).
Siehe auch Einzelkommentare.

Krieg und Frieden

Betrachtungen zu Krieg und Politik seit dem Jahr 1914. Zürich:
Fretz & Wasmuth 1946. –
Widmung: »Dem Andenken meines lieben Romain Rolland gewid-
met.«

Geleitwort – O Freunde, nicht diese Töne! – An einen Staatsminister – Wenn der Krieg noch zwei Jahre dauert – Weihnacht – Soll Friede werden? – Wenn der Krieg noch fünf Jahre dauert – Der Europäer – Traum am Feierabend – Krieg und Frieden – Weltgeschichte – Das Reich – Der Weg der Liebe – Eigensinn – Zarathustras Wiederkehr – Brief an einen jungen Deutschen – Du sollst nicht töten – Chinesische Betrachtung – Weltkrise und Bücher – Blatt aus dem Notizbuch – Schluß des Rigitagebuches – Ansprache in der ersten Stunde des Jahres 1946 – Brief an Adele – Ein Brief nach Deutschland.
Erweiterte Neuausgabe: (Berlin:) Suhrkamp Verlag vorm. S. Fischer 1949 (*Gesammelte Werke in Einzelausgaben*). Sie enthält außerdem folgende Texte: Worte zum Bankett anläßlich der Nobel-Feier – Danksagung und moralisierende Betrachtung – An einen jungen Kollegen in Japan – Versuch einer Rechtfertigung – Über Romain Rolland.

»Das Zusammenstellen dieses Buches war für den Autor keine freundliche Arbeit, keine, welche angenehme Erinnerungen aufruft und geliebte Bilder beschwört. Im Gegenteil, jeder einzelne Aufsatz erinnerte mich brennend an Zeiten des Leidens, Kampfes, der Vereinsamung, der Anfeindung und Unverstandenheit, der bitteren Loslösung von angenehmen Idealen und angenehmen Gewohnheiten [...] Seit damals ist mir in Deutschland nie mehr eigentlich verziehen worden, daß ich einmal an Patriotismus und Kriegsgeist Kritik geübt hatte [...]« (Aus dem »Geleitwort«)
Siehe auch Einzelkommentare.

Frühe Prosa

Zürich: Fretz & Wasmuth 1948. – Frankfurt a. M.: Suhrkamp 1960 (*Gesammelte Werke in Einzelausgaben*).
Widmung: »Den Freunden in Bremgarten Max und Margrit Wassmer gewidmet«.
Eine Stunde hinter Mitternacht – Der Novalis – Hermann Lauscher.
Siehe Kommentare zu diesen Werken.

Gerbersau

Tübingen, Stuttgart: Rainer Wunderlich Verlag Hermann Leins 1949. 2 Bände.
1: Geleitwort – Heimat – Meine Kindheit – Die Novembernacht – Lulu – Der Mohrle – Die blaue Ferne – Aus Kinderzeiten – Der Lateinschüler – In der alten Sonne – Die Fußreise im Herbst – Die Marmorsäge – Die Verlobung – Walter Kömpff – Ein Wandertag vor hun-

dert Jahren – Die Heimkehr – Emil Kolb – Der Brunnen im Maulbronner Kreuzgang – Im Presselschen Gartenhaus – Eugen Siegel.
2: Unterm Rad – Vorfrühling (Knulp) – Meine Erinnerung an Knulp (Knulp) – Das Ende (Knulp) – Eine Gestalt aus der Kinderzeit – Der Zyklon – Schön ist die Jugend – Zum Gedächtnis – Ein Achtzigjähriger – Bei Christian Wagners Tod – Kinderseele – Über Hölderlin – Aus meiner Schülerzeit – Schwäbische Parodie – Floßfahrt – Herr Claassen – Erinnerung an Hans – Brief an Adele.
»Ein Schulkamerad und Freund von mir, Ernst Rheinwald, hat den Gedanken gehabt, diese Calwer Ausgabe einer Auswahl aus meinen Schriften zu veranstalten. Ein zweiter Schulkamerad und Freund von mir, Otto Hartmann, wurde für die Herausgeberarbeit zugezogen und hat einen großen Teil derselben mit rührender Treue und Geduld auf sich genommen und durchgeführt [...] Es sind [...] beinahe ausschließlich Werke und Werkchen aus meiner Frühzeit vereinigt, aus einer harmlosen und idyllischen Frühzeit vor den beiden Weltkriegen [...]
Wenn ich als Dichter vom Wald oder vom Fluß, vom Wiesental, vom Kastanienschatten oder Tannenduft spreche, so ist es der Wald um Calw, ist es die Calwer Nagold, sind es die Tannenwälder und die Kastanien von Calw, die gemeint sind, und auch Marktplatz, Brücke und Kapelle, Bischofstraße und Ledergasse, Brühl und Hirsauer Wiesenweg sind überall in meinen Büchern, auch in denen, die nicht ausdrücklich sich schwäbisch geben, wiederzuerkennen [...]« (Aus dem »Geleitwort«)
Siehe auch Einzelkommentare

Späte Prosa

Berlin: Suhrkamp 1951 (*Gesammelte Werke in Einzelausgaben*) – GS 4, 797–936.
Widmung: »Den Freunden H. C. Bodmer und Frau Elsy gewidmet«.
Der gestohlene Koffer – Der Pfirsichbaum – Rigi-Tagebuch – Traumgeschenk – Beschreibung einer Landschaft – Der Bettler – Unterbrochene Schulstunde – Glück – Schulkamerad Martin – Aufzeichnung bei einer Kur in Baden – Weihnacht mit zwei Kindergeschichten.
GW 8, 391–563 enthält zusätzlich: Bericht aus Normalien – Die Dohle – Kaminfegerchen – Ein Maulbronner Seminarist.
Siehe auch Einzelkommentare.

Glück

Wien: Amandus-Verlag 1952.
Glück – Iris – Der Dichter – Der Tod des Bruders Antonio – Aus der Kindheit des heiligen Franz von Assisi – Chagrin d'Amour

Baum des Lebens: 1. Mos. 2, 9.
die Schlange: 1. Mos. 3, 1 ff.
ein Baum zu sein, hatte er sich schon manchmal gewünscht: Vgl.
Bäume in *Wanderung.*
Er selbst aber [...] konnte sich nicht mehr verwandeln: »Wer ge-
lernt hat, Bäumen zuzuhören, begehrt nicht mehr, ein Baum zu sein.«
(Bäume)
Karfunkelstein: roter edler Granat.
Piktoria, Viktoria: gebildet in Anlehnung an Gloria Viktoria.

Beschwörungen

Späte Prosa/Neue Folge. Berlin: Suhrkamp 1955 (*Gesammelte Werke
in Einzelausgaben*). – GS 7, 785–944 (enthält nur die *Rundbriefe* und
die *Tagebuchblätter*); GW 8, 531–568 (Erzählungen), GW 10, 265–
399 (Rundbriefe).
Widmung: »Für Ninon zum 60. Geburtstag«.
Motto: »Quaerit anima verbum [...]« von Sankt Bernhard [d. i.
Bernhard von Clairvaux, 1091–1153, Kirchenlehrer] mit deutscher
Übersetzung.
Erzählungen: Bericht aus Normalien – Die Dohle – Kaminfegerchen
– Ein Maulbronner Seminarist.
Rundbriefe: Geheimnisse – Nächtliche Spiele – Allerlei Post – April-
brief – Großväterliches – Herbstliche Erlebnisse – Engadiner Erleb-
nisse – Begegnungen mit Vergangenem – Über das Alter – Beschwö-
rungen – Notizblätter um Ostern – Rundbrief aus Sils-Maria.
Tagebuchblätter: Erlebnis auf einer Alp – Für Marulla – Tagebuch-
blätter 1955: 13. März, 14. Mai, 15. Mai, 1. Juli.
Siehe auch Einzelkommentare.

Drei Erzählungen

Frankfurt a. M.: Suhrkamp 1961. (suhrkamp texte, 8.)
Beschreibung einer Landschaft – Der Bettler – Unterbrochene Schul-
stunde. (Nachwort von Max Rychner.)
Siehe auch Einzelkommentare.

Geheimnisse

Letzte Erzählungen. Frankfurt a. M.: Suhrkamp 1964, (edition suhrkamp, 52.)
Geheimnisse – Bericht aus Normalien – Die Dohle – Kaminfegerchen – Ein Maulbronner Seminarist.
Siehe auch Einzelkommentare.

Prosa aus dem Nachlaß

Hrsg. von Ninon Hesse. Frankfurt a. M.: Suhrkamp 1965 (*Gesammelte Werke in Einzelausgaben*).

Julius Abdereggs erste und zweite Kindheit – Geschichten um Quorm: Vorbemerkung des Autors, Peter Bastians Jugend, Brief an Herrn Kilian Schwenckschedel, Aufzeichnungen eines Sattlergesellen – Aus der Werkstatt – Der Schlossergeselle – Hans Amstein – Sor Acqua – Gertrud – Freunde – Haus zum Frieden – Das Haus der Träume – Einkehr – Rembold – Der vierte Lebenslauf (Zwei Fassungen) – Anmerkungen [der Herausgeberin].
Siehe auch Einzelkommentare.

Politische Betrachtungen

Frankfurt a. M.: Suhrkamp 1970. (Bibliothek Suhrkamp, 244.) Die Auswahl besorgte Siegfried Unseld. – GW 10, 409–591.

O Freunde, nicht diese Töne! – An einen Staatsminister – Soll Friede werden? – Wenn der Krieg noch zwei Jahre dauert – Krieg und Frieden – Weltgeschichte – Der Weg der Liebe – Du sollst nicht töten – Eigensinn – Brief an einen jungen Deutschen – Aus dem »Alemannischen Bekenntnis« – Zarathustras Wiederkehr – Zum Antisemitismus – Aus einem Tagebuch vom Juli 1933 – Über Ernst Blochs »Erbschaft dieser Zeit« – Briefmosaik 1: 1930–1944 – Schluß des Rigi-Tagebuches – Ansprache in der ersten Stunde des Jahres 1946 – Geleitwort zur Neuausgabe von »Krieg und Frieden« – Ein Brief nach Deutschland – Versuch einer Rechtfertigung – Briefmosaik 2: 1945–1961.
Siehe auch Einzelkommentare.

Mein Glaube

Frankfurt a. M.: Suhrkamp 1971. (Bibliothek Suhrkamp, 300.) Auswahl und Nachwort von Siegfried Unseld.

I: Von der Seele – Über die Einheit – Die Sehnsucht unserer Zeit nach einer Weltanschauung – Blick nach dem Fernen Osten: Die Reden Buddhas, Hinduismus, Chinesisches, Konfuzius, Laotse, I Ging, Das chinesische Zen – Blick nach dem Fernen Osten.
II: Mein Glaube – Ein Stückchen Theologie – Besinnung.
III: Der Glaube, den ich meine. Ein Mosaik aus Briefen und Betrachtungen 1910–1961 – Geheimnisse.

Eigensinn

Autobiographische Schriften. Frankfurt a. M.: Suhrkamp 1972. (Bibliothek Suhrkamp, 353.) Auswahl und Nachwort von Siegfried Unseld.

Vier Lebensläufe – Briefe aus Maulbronn an die Eltern – Briefe aus Stetten an die Eltern (mit einem Anhang) – Aus dem »Tagebuch 1900« – Erinnerung an Asien – Erinnerung an den Vater – Gruß aus Bern – Aus Martins Tagebuch – Eigensinn – Alemannisches Bekenntnis – Zu »Zarathustras Wiederkehr« – Tagebuch 1920/21 – Haßbriefe – Kindheit des Zauberers – Lektüre im Bett – Aus einem Tagebuch vom Juli 1933 – Aus dem Rigi-Tagebuch – Worte zum Bankett anläßlich der Nobel-Feier – Über das Alter – Engadiner Erlebnisse – Notizblätter um Ostern – Dankadresse anläßlich der Verleihung des Friedenspreises.

Die Kunst des Müßiggangs

Kurze Prosa aus dem Nachlaß. Hrsg. und mit einem Nachwort von Volker Michels. Frankfurt a. M.: Suhrkamp 1973. (suhrkamp taschenbuch, 100.)

Die Kunst des Müßiggangs – Über das Reisen – Eine Gestalt aus der Kinderzeit – Eine Rarität – Septembermorgen am Bodensee – Winterglanz – Das erste Abenteuer – Schlaflose Nächte – Am Gotthard – Liebe – Brief eines Jünglings – Eine Sonate – In der Augenklinik – Gubbio – Liebesopfer – Wolken – Ein altes Lied – Fragment aus der Jugendzeit – Die Hinrichtung – Vom Naturgenuß – Aus dem Briefwechsel eines Dichters – Auf dem Eise – Doktor Knölges Ende – Das Nachtpfauenauge – Spazierfahrt in der Luft – Im Flugzeug – Poetische Grabreden – In Kandy – Winterausflug – Ein Reisetag – Vor einer Sennhütte im Berner Oberland – Der Brunnen im Maulbronner Kreuzgang – Der Traum von den Göttern – Musik – Der innere Reichtum – Der Maler – Die Stimmen und der Heilige – Heimat – Die Frau auf dem Balkon – Gang im Frühling – Kirchen und Kapellen im Tessin – Tanz – Notizblatt von einer Reise – Exotische Kunst – Das verlorene Taschenmesser – Was der Dichter am Abend sah – Die Fremdenstadt im Süden – Ausflug in die Stadt – Abendwolken – Aquarell – Winterferien – Unzufriedene Gedanken – Sommerliche Eisenbahnfahrt – Klage um einen alten Baum – Bei den Massageten – Schaufenster vor Weihnachten – Wiedersehen mit Nina – Gegensätze – Wenn es Herbst wird – Floßfahrt – Einst in Würzburg – Luftreise – Verregneter Sonntag – Rückkehr aufs Land – Zinnien – Nach der Weihnacht – Abstecher in den Schwimmsport – Bilderbeschauen in München – Virtuosen-Konzert – Lektüre im Bett – Wahl-

heimat – Feuerwerk – Bücher-Ausklopfen – Ein Traum – Eduards des
Zeitgenossen zeitgemäßer Zeitgenuß – Falterschönheit – Basler Erin-
nerungen – Über einen Teppich – Nicht abgesandter Brief an eine
Sängerin – Musikalische Notizen – Das gestrichene Wort – Der Sprung
– Chinesische Legende.
Siehe auch Einzelkommentare.

Die Märchen

Zusammengestellt von Volker Michels. Frankfurt a. M.: Suhrkamp
1975. (suhrkamp taschenbuch, 291.)
Der Zwerg – Schattenspiel – Ein Mensch mit Namen Ziegler – Die
Stadt – Doktor Knölges Ende – Der schöne Traum – Flötentraum –
Augustus – Der Dichter – Der Waldmensch – Merkwürdige Nachricht
von einem andern Stern – Faldum – Der schwere Weg – Eine Traum-
folge – Der Europäer – Das Reich – Der Maler – Märchen vom Korb-
stuhl – Iris – Gespräch mit einem Ofen – Piktors Verwandlungen –
Kindheit des Zauberers – Traumfährte – König Yu – Vogel.
Siehe auch *Märchen* und Einzelkommentare.

Legenden

Zusammengestellt von Volker Michels. Frankfurt a. M.: Suhrkamp
1975. (Bibliothek Suhrkamp, 472.)
Aventiure . . . Nach alten Quellen erzählt – Der Tod des Bruders An-
tonio – Casanovas Bekehrung – Chagrin d'Amour – Der Meermann –
Der verliebte Jüngling – Drei Legenden aus der Thebais: Der Feld-
teufel; Die süßen Brote; Die beiden Sünder – Legende vom indischen
König – Hinrichtung – Die Belagerung von Kremna – Daniel und das
Kind – Die Verhaftung – Drei Linden – Aus der Kindheit des Heiligen
Franz von Assisi – Fabel von den Blinden (nach Voltaire) – Der
Sprung – Chinesische Legende.
Siehe auch Einzelkommentare.

Die Welt der Bücher

Betrachtungen und Aufsätze zur Literatur. Zusammengestellt von Volker Michels. Frankfurt a. M.: Suhrkamp 1977. (suhrkamp taschenbuch,
415.)
Romantik und Neuromantik – Zu einer Ausstellung moderner Druk-
ke – Eine Rarität – Über neuere Erzählungsliteratur – Der Umgang
mit Büchern – Unbekannte Schätze – Billige Bücher – Übersetzungen –

Bücherlesen und Bücherbesitzen – Vom Schriftsteller – Aus dem Briefwechsel eines Dichters – Exzentrische Erzählungen – Der junge Dichter – Ferienlektüre – Über das Lesen – [Aus der Vorrede zu einer lyrischen Anthologie] – Die Lyrik der Jüngsten – Deutsche Erzähler –
Ein Bibliotheksjahr – Jüngste deutsche Dichtung – Zu »Expressionismus in der Dichtung« – Künstler und Psychoanalyse – Sprache – Über
Gedichte – Eine Bücherprobe – Über einige Bücher – Phantastische
Bücher – Variationen über ein Thema von Wilhelm Schäfer – Die
jüngste deutsche Dichtung – Gespräch über die Neutöner – Vom Bü-
cherlesen – Vorrede eines Dichters zu seinen ausgewählten Werken –
Die Offizina Bodoni in Montagnola – Deutsches Volk und deutsche
Dichtung – Verkannte Dichter – Geist der Romantik – Bekenntnis des
Dichters – Eine Bibliothek der Weltliteratur – Eine Arbeitsnacht – Ab-
stecher in den Schwimmsport – Lektüre im Bett – Notizen zum Thema
Dichtung und Kritik – Brief an einen jungen Dichter – Magie des Bu-
ches – Bücher-Ausklopfen – Beim Lesen eines Romans – Weltkrise und
Bücher – [Widerstand gegen Duden] – Lieblingslektüre – Literarischer
Alltag – Der Autor an einen Korrektor – Danksagung und moralisie-
rende Betrachtung – Worte zum Bankett anläßlich der Nobel-Feier –
Das gestrichene Wort – An einen jungen Kollegen in Japan – Stunden
am Schreibtisch – Das junge Genie – Lieblingsgedichte – Über das
Wort »Brot« – Dankadresse zur Friedenspreis-Verleihung – Das Wort –
Schreiben und Schriften.
Siehe auch Einzelkommentare, zu den Texten auch den Band
Über Literatur
(Hrsg. von Fritz Hofmann.) Berlin, Weimar: Aufbau-Verlag 1978.

Gesammelte Erzählungen

Zusammengestellt von Volker Michels. 4 Bände. Frankfurt a. M.:
Suhrkamp 1977. (suhrkamp taschenbuch, 347, 368, 384, 413.)
1: 1900–1905: Aus Kinderzeiten
Der Hausierer – Erlebnis in der Knabenzeit – Juninacht – Der Novalis – Eine Rarität – Der Wolf – Das Rathaus – Hans Amstein – Der
Zwerg – Karl Eugen Eiselein – Der Erzähler – In der alten Sonne –
Die Marmorsäge – Aus Kinderzeiten – Ein Knabenstreich – Garibaldi – Aus der Werkstatt – Der Schlossergeselle – Wenkenhof – Anton
Schievelbeyns Reise – Heumond – Der Lateinschüler – Eine Fußreise
im Herbst.
2: 1906–1908: Die Verlobung
Das erste Abenteuer – Liebesopfer – Casanovas Bekehrung – Eine Sonate – Der Weltverbesserer – Fragment aus der Jugendzeit – Schön
ist die Jugend – Berthold – Freunde – Taedium vitae – Walter
Kömpff – Die Verlobung – Ladidel – Cesco und der Berg – Ein Mensch
mit Namen Ziegler.

3: 1909–1918: Der Europäer

Wärisbühel – Die Heimkehr – Hans Dierlamms Lehrzeit – Die Stadt – Doktor Knölges Ende – Emil Kolb – Pater Matthias – Seenacht – Das Nachtpfauenauge – Der schöne Traum – Robert Aghion – Der Zyklon – Die Braut – Autorenabend – Im Presselschen Gartenhaus – Das Haus der Träume – Der Waldmensch – In einer kleinen Stadt – Wenn der Krieg noch zwei Jahre dauert – Der Maler – Der Europäer – Der Mann mit den vielen Büchern – Wenn der Krieg noch fünf Jahre dauert – Das Reich – Kinderseele – Gespräch mit dem Ofen.

4: 1919–1955: Innen und Außen

Klein und Wagner – Klingsors letzter Sommer – Innen und Außen – Das schreibende Glas – Tragisch – Die Fremdenstadt im Süden – Jenseits der Mauer – Bei den Massageten – Vom Steppenwolf – Floßfahrt – Ein Abend bei Doktor Faust – Schwäbische Parodie – Abstecher in den Schwimmsport – Edmund – Herr Claassen – Der Bettler – Unterbrochene Schulstunde – Bericht aus Normalien – Weihnacht mit zwei Kindergeschichten – Die Dohle – Kaminfegerchen – Ein Maulbronner Seminarist.

Verschiedenes: Auf dem Eise – Eine Billardgeschichte – Grindelwald – Der lustige Florentiner – Der Städtebauer – Erinnerungen an Mwamba – Aus den Erinnerungen eines Neunzigjährigen – Ein Erfinder – Mittagsspuk – Maler Brahm – Von der alten Zeit – In den Felsen – Abschied – Die Wunder der Technik – Aus dem Briefwechsel eines Dichters.
Siehe auch Einzelkommentare.

Kleine Freuden

Verstreute und kurze Prosa aus dem Nachlaß. Hrsg. und mit einem Nachwort von Volker Michels. Frankfurt a. M.: Suhrkamp 1977. (suhrkamp taschenbuch, 360.)

Kleine Freuden – Zu einer Ausstellung moderner Drucke – Venezianisches Notizbüchlein – Vor meinem Fenster – Weinstudien – Wintertage in Graubünden – Reisebilder – Im Garten – Promenadenkonzert – Haus zum Frieden – Winterbrief – Wieder im Studierzimmer – Untersee – Umzug – Die Nikobaren – Die Nichtraucherin – Chinesen – Bern–Wien – Erinnerung an Asien – Gruß aus Bern – Zu Weihnachten – Von meiner ersten Italienreise – Aus Martins Tagebuch – Herbstabend im Studierzimmer – Einkehr – Über einige Bücher – Alemannisches Bekenntnis – Die Offizina Bodoni – Gespräch – Reisebrief – Aus Indien und über Indien – Sehnsucht nach Indien – Verbummelter Tag – Chinesisches – Sommers Ende – Moderne Versuche zu neuen Sinngebungen – Aus meiner Schülerzeit – Herbst. Natur und Literatur – Geist der Romantik – Kofferpacken – März in der Stadt – Die

Schreibmaschine – Mai im Kastanienwald – Die Idee – Bilderbogen von einer kleinen Reise – Aquarellmalen – Stiller Abend – Malfreude, Malsorgen – Nachbar Mario – Spaziergang im Zimmer – Notizen im Speisesaal – Zwischen Sommer und Herbst – Eine Wandererinnerung – [Arosa als Erlebnis] – Über Schmetterlinge – Literarischer Alltag – Erlebnis auf einer Alp – Zwei August-Erlebnisse – Stunden am Schreibtisch – Gedenkblatt für Adele – Erinnerung an André Gide – [Die Weite der Bücherwelt] – Lieblingsgedichte – Für Marulla – Tagebuchblätter 1955 – Dankadresse anläßlich der Verleihung des Friedenspreises des Deutschen Buchhandels – Weihnachtsgaben – Der Trauermarsch – Erinnerungen an Ärzte – Vierzig Jahre Montagnola.
Siehe auch Einzelkommentare.

Die kleinen Freuden

e 1899, VZ 1899; *Kleine Freuden*, 1977, 7–10. Auch u. d. T.: *Von den kleinen Freuden, Kleine Freuden*.

Avenarius: Ferdinand Avenarius (1856–1923), Neffe Richard Wagners, Schriftsteller, hatte als Herausgeber des *Kunstwarts*, des *Hausbuchs deutscher Lyrik* und als Gründer des »Dürerbundes« großen Einfluß als Kunsterzieher.

Friedrich Schlegel: Kulturphilosoph, Literarhistoriker (1772–1829).

Ekloge: In der lateinischen Poesie ursprünglich jedes kleinere Gedicht, dann das Hirtengedicht.

Emma Meier

e 1900, VZ 1901; GE 4, 307–310. Auch u. d. T.: *Auf dem Eise, Der Kavalier auf dem Eise*.

Emma Meier: Vermutlich H. Hs. Mitkonfirmandin Emma Widmaier (geb. 28. 11. 1877), Tochter des Kupferschmiedes Karl Moritz Widmaier und der Louise geb. Maier. Vgl. *Unterm Rad*, Kap. 4: »Abends, auf dem Eis, und ich durfte ihr helfen, die Schlittschuhe auszuziehen. Da hab' ich ihr einen Kuß gegeben.«

Gerbersau: Vgl. Kommentar zu *Knulp* (*Das Ende*).

Foulard: leichtes (Kunst)seidengewebe.

Hotte Hotte Putzpulver

e 1900, VZ 1901; GE 1, 7–11. Auch u. d. T.: *Eine Gestalt aus der Kinderzeit, Der Hausierer, Eine Gestalt aus der Kindheit, Begegnung mit Hotte Hotte Putzpulver, Der Knabe und der Alte, Der Zwerg aus der Falkengasse, Jugenderinnerung*.

»Im Hotte Hotte habe ich ein einziges Mal im Leben eine wirkliche Calwer Erinnerung mit wirklichem Namen genannt [...] Alle meine anderen Geschichten, soweit sie überhaupt mit Calwer Erinnerungen etwas zu tun haben, spielen *nie* in Calw, sondern in Gerbersau oder einem anderen erfundenen oder poetischen Ort, und Reichert täuscht sich sehr, wenn er meint, die Figuren meines Gerbersau seien Nachbildungen von Wirklichkeiten, und er könne die Originale zu meinen Zeichnungen nachweisen und meine Fehler im Nachzeichnen aufzeigen.« (Aus einem Brief an Ernst Rheinwald vom Dezember 1930. Abschrift in der Hesse-Sammlung des Deutschen Literaturarchivs Marbach a. N. Teilveröffentlichung in Mileck 281.)

Falkengasse: eigentlich »Zum Falken«, Gasse, die neben dem Giebenrathschen Haus in Calw in die Bischofstraße mündet, sie »führte jäh bergan, war kurz, schmal und elend und hieß ›Zum Falken‹, nach einem uralten, längst eingegangenen Wirtshaus, dessen Schild ein Falke gewesen war.« (*Unterm Rad*; GW 2, 128); heute: Hengstetter Gäßchen.

Hotte Hotte Putzpulver: Hottehotte, von dem H. H. auch im 5. Kapitel von *Unterm Rad* erzählt, war Putzpulverhändler.

Ernstmühl: Ort bei Calw.

Rübezahl: der Berggeist des Riesengebirges, erscheint in den Sagen als Bergmännlein, Mönch, auch als Riese oder in Tiergestalt, neckt die Wanderer, beschenkt Arme, hütet die Bergschätze.

»Die drei Männlein im Walde«: Märchen aus der Sammlung der Brüder Grimm.

Der Mohrle

e um 1900, VZ 1901, überarbeitet Januar 1933 (in *Gedenkblätter:* »geschrieben 1902, umgearbeitet 1932«) GE 1, 12–16. Auch u. d. T.: *Knaben-Erlebnis, Erlebnis in der Knabenzeit, Erinnerung an einen Mohrle, Knabe und Tod.*

Badgasse: die heutige Badstraße.

Hermann Bernhard Mohr (1879?–13. 6. 1889), Sohn des Schlossermeisters Gottlob Mohr und der Elisabeth geb. Maier, starb an Gehirnentzündung. Er hatte drei Geschwister: August Berthold (geb. 24. 1. 1874), Wilhelmine Pauline (geb. 20. 6. 1875) und Elise Christiane (geb. 6. 5. 1877).

Die schöne Wolke

e 1901, VZ 1902, später überarbeitet; GS 3, 906–908. Auch u. d. T.: *Eine Wolke,* Teil von *Drei Zeichnungen.*

Malerisches von den venetianischen Lagunen

e 1901, VZ 1902, überarbeitet 1911; GW 6, 201–205. Auch u. d. T.: *Lagunenstudien.*

Karl Eugen Eiselein

e 1903, VZ 1903, GE 1, 115–144.

Gerbersau: Siehe Kommentar zu *Hotte Hotte Putzpulver.*

Kollaborator: Hilfslehrer.

Präzeptor: Lehrer (auch: Erzieher).

Worster und *Dilger:* Sie waren als Lehrkräfte am Reallyceum Calw tätig.

Doktor Müller: Er war von September 1874 bis April 1886 Rektor des Reallyceums Calw.

Fennimore Cooper: Der Vorname ist von H. H. unrichtig geschrieben. James Fenimore Cooper (1789–1851), nordamerikanischer Erzähler, Verfasser des *Lederstrumpf.*

Mohikaner: ausgestorbener Stamm nordamerikanischer Indianer.

Theodor Körner: »Ich treibe in der Freizeit allerlei und neben Homer, Ovid, Lykurgsche Gesetze, Livius und Xenophon ist auch auf meinem dunklen Pult David Copperfield, Körner, Schiller etc. zu sehen. Wir lesen natürlich nur solche Lektüre, die vom Ephorat erlaubt und anempfohlen wird.« (Aus einem Brief an seine Eltern v. 8. 11. 1891; KuJ 1, 137) – Theodor Körner (1791–1813), Dichter der Befreiungskriege.

ex ungue leonem (pingere): Der Klaue nach den Löwen malen, d. h. aus einem Glied auf die ganze Gestalt schließen. Der Ausspruch wird von Plutarch (*De defectu oraculorum*) auf Alcaeus (um 610 v. Chr.) zurückgeführt; er scheint ein altes griechisches Sprichwort zu sein.

Werke von Heinrich Heine: Vgl. Kommentar zu *Peter Camenzind* (1).

Zellers Geschichte der griechischen Philosophie: Eduard Zeller (1814–1908) schrieb *Die Philosophie der Griechen in ihrer geschichtlichen Entwicklung* (3 Bände, 1845–53) und einen *Grundriß der Geschichte der griechischen Philosophie* (1883).

Demimonde: Halbwelt.

des Zürchers Meyer: Conrad Ferdinand Meyer (1825–1898).

Oscar Wilde: anglo-irischer Dichter (1856–1900).

sei alles längst von anderen gesagt: Vgl. *Der Mann mit den vielen Büchern:* »In allen Dingen des Wissens und des Dichtens hatten jene Alten das Beste schon getan, es war später weniges mehr hinzugekommen [...]« (GW 4, 421).

Nietzsche: Friedrich Nietzsche (1844–1900).

Dehmel: Richard Dehmel (1863–1920).

Maeterlinck: Maurice Polydore Marie Bernard Maeterlinck (1862–1949), belgischer Schriftsteller.

Verlaine: Paul Verlaine (1844–1896), französischer Dichter.

Bierbaum: Otto Julius Bierbaum (1865–1910).

ars longa, vita brevis: Die Kunst ist lang, das Leben ist kurz. Anfang der *Aphorismen* des Hippokrates in der lateinischen Form von Seneca (de brev. vitae 1).

Gabriele d'Annunzio: italienischer Dichter (1863–1938).
Carlo Crivelli: italienischer Maler von Andachts- und Altarbildern (1430/35–um 1495).
Benvenuto Cellini: italienischer Goldschmied und Bildhauer (1500–1571).
Huysmans: Cornelius Huysmans (1648–1727), flämischer Landschaftsmaler.
Hofmannsthal: Hugo von Hofmannsthal (1874–1929).

Anemonen

e 1901, VZ 1904; GW 6, 198–201. Auch u. d. T.: *Frühlingsblumen, Frühling in Florenz, Anemonen in Florenz.*

Aus den Aufzeichnungen
eines wandernden Sattlergesellen

e 1904, VZ 1904; GS 3, 900–904. Auch u. d. T.: *Auf der Walze, Ein Handwerksbursche erzählt.* In *Prosa aus dem Nachlaß* u. d. T.: *Aufzeichnungen eines Sattlergesellen* in den *Geschichten um Quorm.*
Schnapphähne: Wegelagerer.
Berliner: [aus lat. pellina von pellis »Fell«] ein größeres Reisebündel.
Flebbe: Ausweis, Wanderbuch.
Penne: einfache Unterkunft.
regalieren: unentgeltlich bewirten, freihalten.
Nachteule: jemand, der bis spät in die Nacht hinein arbeitet.
Schuh: Naturmaß, abgeleitet meist von der Länge des menschlichen Fußes (Schuh). In Deutschland allein gab es vor der Einführung des metrischen Systems etwa 100 verschiedene Fußmaße zwischen 0,25 und 0,34 m Länge.

Aus der Knabenzeit

VZ 1904. Enthält: *Emma Meier, Der Mohrle, Hotte Hotte Putzpulver.*

Aus der Werkstatt

e 1904, VZ 1904; GE 1, 269–275. Auch u. d. T.: *Eine Schlossergeschichte.*
in der mechanischen Werkstatt: bei Perrot in Calw.
Kaliber: ein Werkzeug zum Messen von Dicken und Prüfen von Bohrungen.

Aus Kinderzeiten

e 1904, VZ 1904; GE 1, 233–251. Auch u. d. T.: *Mein Freund Brosi.*

Des Herrn Piero Erzählung
von den zwei Küssen

e 1903, VZ 1904; GE 1, 145–161. Auch u. d. T.: *Herr Piero, Der Erzähler.*

Vitae Patrum: die Lebensbeschreibungen der (Kloster-)Väter.

Novellino: Il Novellino, älteste italienische Novellensammlung, nach 1250 in Toskana zusammengestellt und Anfang des 14. Jhs. überarbeitet.

Giustiniani: italienische Familie, war in Venedig, Genua und Neapel ansässig.

in »artibus vivendi et amandi«: in den Künsten des Lebens und der Liebe.

Die Kunst des Müßiggangs

e 1904, VZ 1904; *Die Kunst des Müßiggangs,* 1973, 7–13.

Papageienbuch: die indische Märchensammlung Schukasaptati, von der zwei persische Übersetzungen Bedeutung erlangten: von Nachschabi 1330 (Tuti Namch) und gekürzt von Kadiri (17. Jh.). Vgl. H. Hs. Rezension »Das persische Papageienbuch« in der *Neuen Zürcher Zeitung* Nr. 149 v. 30. 5. 1905; GW 12, 49.

»Prinzessin des Ostens«: Paul Ernsts (1866–1933) Novellenband erschien 1903.

Vezier: Wesir, Minister islamischer Staaten.

Ausgaben von Tausendundeiner Nacht: persisch-arabische Märchensammlung, deren erste bekannte Fassung aus dem 9. Jh. stammt; sie enthält in einer Rahmenerzählung Märchen, Novellen, Legenden, Romane. In Ägypten entwickelte sich die Sammlung weiter und erhielt hier im 16. oder 17. Jh. die heutige – in verschiedenen Fassungen variierende – Gestalt.

»Fahrten des Sajid Batthal«: ein türkisches Volksbuch aus dem 14.–15. Jh.; es erzählt von den Abenteuern des Nationalhelden und Glaubenskämpfers Sajid Batthal Ghazi. Urbild desselben ist ein Mohammedaner, der 740 im Kampf mit den Byzantinern fiel. Der Roman ist in vielen Fassungen erhalten.

far niente: Nichtstun.

Die Marmorsäge

e 1904, VZ 1904; GE 1, 205–232.

Donna Margherita und der Zwerg Filippo. Eine alte venezianische Aventiure

e 1903, VZ 1904; GE 1, 94–114. Auch u. d. T.: *Eine alte Geschichte aus Venedig, Der Zwerg.*
Cecco: Kurzform für Francesco.
Tizian: eigentlich Tiziano Vecelli(o) (1476/77 oder 1489/90 bis 1576), italienischer Maler.
Giustiniani: italienische Familie, war in Venedig, Genua und Neapel ansässig.
Giorgione: eigentlich Giorgio (da Castelfranco) (1476/77–1510), italienischer Maler.

Ein Knabenstreich

e 1901, VZ 1904; GE 1, 252–255. Auch u. d. T.: *Der Sammetwedel, Aus der Knabenzeit, Schneeberger Schnupftabak, Der Sammetwedel und sein Schnupftabak.*
Ledergasse: in Calw, heute Lederstraße.
Kronengasse: Calwer Gasse vom Marktplatz zur Lederstraße.
Schneeberg: Ort im Erzgebirge, war bis in die dreißiger Jahre u. a. auch wegen des dort hergestellten Schnupftabaks bekannt.

Ein Untergang

e 1902/03, VZ 1904; GE 1, 47–50. Auch u. d. T.: *Ein Wolf, Der Wolf.*
Chasseral: Le Chasseral, Gebirgszug östlich von St-Imier.
St. Immer: St-Imier, Hauptort im Val St-Imier (Kanton Bern), bekannt für seine Viehzucht.

Eine Galgengeschichte aus dem zwölften Jahrhundert

e 1904, VZ 1904; *Legenden*, 1975, 7–21. Auch u. d. T.: *Aventiure ... Nach alten Quellen erzählt.*

Ercole Aglietti

e 1902, VZ 1904; GE 4, 326–332. Auch u. d. T.: *Der lustige Florentiner.*
Palazzo Pitti: Palast in Florenz, Baubeginn 1458, im 18. Jh. erweitert, heute Gemäldegalerie.
Fiaschi, Bottiglien, Bottiglietten: kleine Flaschen.

Vittorio Emanuele: Viktor Emanuel II. (1820–1878), 1861–1878 König von Italien.
Fiasko: umflochtene Weinflasche.
Cavour: nach Camillo Cavour (1810–1861), dem Einiger Italiens, benannte Zigarrensorte.
Costa: Nino (Giovanni) Costa (1826–1903), italienischer Maler; gehörte zu den Vorkämpfern der realistischen Malerei in Italien.
Fest des Täufers Giovanni: 24. Juni.
Pistojese: Einwohner von Pistoia, einer Provinz Italiens in der Toskana.
scoppio del carro: Auferstehungsfeier.
Trattorie: Gaststätte.

Garibaldi

e 1904, VZ 1904; GE 1, 256–268.
Garibaldi: Schorsch Großjohann, benannt nach dem italienischen Freiheitshelden Garibaldi (1807–1882).
Nachbar Staudenmeyer: Großvater des Lehrers, Stadtarchivars und Begründers des H.-H,-Museums in Calw. Ihm gehörte das Haus in der Ledergasse, das die Familie Hesse 1889–1893 bewohnte.
Hengstettergasse: heute Hengstätter Gäßle.

Grindelwald

e 1902, VZ 1904; GE 4, 317–325. Auch u. d. T.: *Grindelwald im Winter.* Manuskript in der Hesse-Sammlung Marbach a. N.
Grindelwald: Kurort im Berner Oberland, 1037 m ü. M., der einzige Alpenort, bei dem die Gletscher bis 1000 m herabreichen. Der erste Aufenthalt H. Hs. in Grindelwald wie auch überhaupt im Berner Oberland war im Februar 1902.
Vous comprenez, n'est-ce pas?: Sie verstehen, nicht wahr?
Jamais de la vie!: Niemals!
Chose: unangenehmes, peinliches Vorkommnis.
tout à fait la même chose: ganz und gar dasselbe.
Davoser: Schlitten.

Hans Amstein

e 1903, VZ 1904; GE 1, 78–93.
»Ich war in jenen Jahren sehr von den Erzählungen Theodor Storms eingenommen. Damit mag es zusammenhängen, daß ich junger Anfänger meine beiden Geschichten (ebenso wie den Novalis) ganz al-

ten Erzählern in den Mund legte. Daß ich ein halbes Jahrhundert später, nun selber solch ein ganz Alter geworden, einmal diese jugendlichen Versuche wieder hervorsuchen und ein Geleitwort zu ihnen schreiben mußte, mag meine Strafe für das romantischerweise vorweggenommene Alter sein.« (Aus dem »Nachwort« [1956] zu *Zwei jugendliche Erzählungen* – d. i. *Hans Amstein* und *Sor acqua* –, Olten 1956, S. 59)

Herbstnächte

e 1904, VZ 1904; mehrfach umgearbeitet; GS 3, 737–742. Auch u. d. T.: *Bummeltag, Erinnerungen, Erinnerungen am See, Frauen-Liebe, Im Philisterland.*

»Und da mochte es vorkommen, daß er, im Zusammenstoß mit der Umwelt, verärgert und mißmutig nach seinem Hut griff und davonging. Auf der Straße nach Horn holte er einen Landstreicher ein, der so fröhlich und unbekümmert dahinschritt, daß sie Tritt faßten und ins Gespräch kamen; der Bruder wußte sogleich, wo den anderen der Schuh drückte, und so kamen sie miteinander, schon ein wenig entlastet, ins nächste Dorf, wo sie sich vertraut in den ›Adler‹ setzten. Man ließ eine Flasche Wein auffahren, und die Zungen lösten sich vollends. Um Mitternacht schrieb Hesse an seine Frau eine Ansichtskarte, aus Iznang. –

Am anderen Morgen war aller Unmut verflogen.

Ein neuer Tag hatte begonnen, und Hesse – der Kumpan hatte sich schon auf die Füße gemacht, – stieg ganz von selber durch die tauigen Wiesen den Weg hinan, der im Bogen über den Berg nach Gaienhofen führte. In seinem Haus angelangt, stand er bald an seinem Pult, wo er zu schreiben gewohnt war, als die Tür aufging und der Postbote seiner Frau die Karte reichte, die sie mit Verwunderung las: ›Iznang, den . . . Auf meiner Reise durch die europäischen Länder bin ich hier angelangt und schicke Dir diesen Gruß! Hermi.‹« (Aus Ludwig Finckh, *Himmel und Erde.* Stuttgart: Silberburg-Verlag, Werner Jäckh 1961, S. 67–68)

In der Augenklinik

e 1902, VZ 1904; *Die Kunst des Müßiggangs*, 1973, 64–66.

Nocturne Es-Dur

e 1904, VZ 1904; *Kleiner Garten*, 1919, 17–19. Auch u. d. T.: *Nocturne, Nocturno, Nocturno Es-Dur.*

Vgl. das Gedicht *Nocturne* (»Chopins Nocturne Es-Dur. Der Bogen ...«); *Die Gedichte*, 1977, 71, e 1899–1902. – »Diejenigen Verse, die mir selber am liebsten sind, lassen sich fast alle auf Stücke von Chopin und Beethoven zurückführen.« (In einem Brief an Helene Voigt-Diederichs v. 9. 11. 1898; GB 1, 46)

Septembermorgen am Bodensee

e 1904, VZ 1904, später überarbeitet; *Bilderbuch*, 1926, 11–19. Auch u. d. T.: *Begegnung mit Jaköbli, Der alte Fischer, Ein Morgen am Bodensee, Jaköbli erzählt, Kleines Erlebnis im Dorfwirtshaus, Nebelmorgen.*
Schwemmschnur: eine mit einem Korkstück versehene (und daher schwimmende) Schnur.
Hechtlöffel: vermutlich Ausdruck für Hechtnetz.
Haspel: Seilwinde.
Hamen: ein Fangnetz.
Sankt Dominik: 4. August.

Über das Reisen

e 1904, VZ 1904; *Die Kunst des Müßiggangs*, 1973, 13–22. Auch u. d. T.: *Wandern und Reisen.*

Abendfarben

e 1901, VZ 1905; GS 3, 908–911 (Drei Zeichnungen. 3).
Vgl. die Vitznau betreffenden Schilderungen in *Peter Camenzind*.

Abends

e 1904, VZ 1905; später überarbeitet; GW 10, 7–10. Auch u. d. T.: *Am Ende des Jahres, Aus einer alten Mönchschronik, Ein altes Buch* (Tdr.), *Freude am Kulturjahrmarkt, Neuer Spaß am alten Kulturjahrmarkt, Winterabends.*
Heisterbach: ehem. Zisterzienserabtei im Siebengebirge, 1189 gegründet, 1803 aufgehoben.
Cäsarius von Heisterbach: mittellateinischer Schriftsteller (um 1180–um 1240), schrieb Werke zur Kölnischen Geschichte. Im *Dialogus miraculorum* (von H. H. 1900 übersetzt. Auswahl von H. H. in: *Geschichten aus dem Mittelalter.* Hrsg. von H. H. Neuausgabe Frankfurt a. M.: Insel Verlag 1976) und in den *VIII libri miraculorum* sam-

melte er Erzählungen, die für die Kultur- und Sittengeschichte aufschlußreich sind. Vgl. H. Hs. Aufsatz über Cäsarius in GW 12, 62–69,
sowie seine Rezension in *März*, München, 5, 1911, 3, S. 328.

Abendstunden

e 1904, VZ 1905; GW 6, 180–186. Auch u. d. T.: *Wenn es Abend wird.*

Am Gotthard

e 1905, VZ 1905; GS 3, 913–918. Auch u. d. T.: *Besuch am Gotthard,
Weihnachten am Gotthard, Winterbesuch am Gotthard, Winterferien.*

Anton Schievelbeyn's ohnfreywillige Reisse
nacher Ost-Indien

e 1905, VZ 1905; GW 4, 315–331. Auch u. d. T.: *Die Ostindienreise.*
Cap de bon Esperance: Kap der Guten Hoffnung, am Südende Afri-
kas.
Batavia: bis 1950 Name von Djakarta, der Hauptstadt von Indone-
sien, auf Java.
Banda: Banda Atjeh (Kutaradja), an der Nordwestspitze Sumatras.
Herr Fiscal: Umschreibung für Zöllner.
Amboina: (od. Ambon) gebirgige Molukkeninsel bei Ceram, Indone-
sien, ehemals Mittelpunkt von Gewürznelken- und Muskatnußkultur.
Zunda: unklar, ob damit die Sundastraße zwischen Sumatra und Java
oder die Kleinen Sunda-Inseln östlich von Java gemeint sind.

Aus einem Reisebuche

e 1905, VZ 1905; GW 2, 248–254. Auch u. d. T.: *Das stille Dorf* (Teil
von *Eine Fußreise im Herbst*).

Das Büchlein. Eine Geschichte für Bibliophilen

e 1902, VZ 1905; GE 1, 44–46. Auch u. d. T.: *Das seltene Buch, Eine
Rarität.* Manuskript im Hesse-Nachlaß Marbach a. N. und in der Hesse-Sammlung Marbach a. N.
ein junges Mädchen: Vgl. *Juninacht.*
neununddreißig Seiten: 39 unveröffentlichte handschriftliche Gedichte vom Februar 1893 u. d. T. *Erfrorener Frühling*; Hesse-Sammlung
Marbach a. N.

Dem Sommer entgegen

e 1905, VZ 1905; GW 6, 186–189.
Kapelle: die Mauritiuskapelle in Gaienhofen.

Der Flieger

e 1905, VZ 1905; später überarbeitet; GS 3, 918–922. Auch u. d. T.:
Die Kapelle zum Flieger, Herbst, Legende im Weinmond, Wanderung im Weinmond, Weinmond.
mit meinem damaligen Schatz: Maria Bernoulli, vermutlich 1903.
Wingert: Weingarten, Weinberg.

Der Schlossergeselle

e 1905, VZ 1905; später mehrfach überarbeitet; GE 1, 276–280. Auch
u. d. T.: *Der Eisendreher, Der fremde Schlosser, Der Heimtücker, Der scheinheilige Bruder, Es wäre besser, du würdest nicht mitlachen, Geselle Zbinden.*
zwischen sechzehn und siebzehn Jahre alt: H. H. war, als er bei Perrot arbeitete, 17–18 Jahre alt; er arbeitete gut 15 Monate dort.
in die Stunde: in die Gebets- und Bibelstunde.
Hanauer: Wein aus dem Hanauer Land, einer Landschaft am Oberrhein um Kehl und Buchsweiler. Auch Calw gehörte zeitweilig zum Hanauer Land.

Der Schnitter Tod

e 1905, VZ 1905; *Bodensee.* Hrsg. und eingeleitet von Volker Michels.
Sigmaringen: Jan Thorbecke 1977, 100–103.
das Lied vom Schnitter Tod: das *Erntelied (Katholisches Kirchenlied)* aus *Des Knaben Wunderhorn:* »Es ist ein Schnitter, der heißt Tod,/ Hat Gewalt vom höchsten Gott . . .«

Der Städtebauer

e 1905, VZ 1905; GE 4, 333–338.
Klub der Entgleisten: Vgl. *Die Novembernacht* und *Tagebuch 1900* in *Hinterlassene Schriften und Gedichte von Hermann Lauscher.*
»Helm«: der »Helm« am Fischmarkt in Basel, im *Steppenwolf* heißt er »Gasthaus zum Stahlhelm«.
Certosa: Certosa di Pavia, Kartause bei Pavia, Kartäuserkloster.
Er sprach von dem Leben [. . .]: frühe Andeutung einer Gelehrtenkolonie, wie sie H. H. im Kastalien des *Glasperlenspiels* gestaltet hat.

Ein Bummeltag

e 1905, VZ 1905; GW 6, 189–193. Auch u. d. T.: *Hochsommer, Sommer, Sommer – Sommer, Sommertag, Sommertag am Bodensee.*

Ein Erfinder

e 1905, VZ 1905; später mehrmals umgearbeitet; GE 4, 370–374.
entweder heiratest du und gehst inwendig kaputt: Vgl. die ähnliche Motivation bei Han Fook im Märchen *Der Dichter.*

Ein Wintergang

e 1905, VZ 1905; *Die Kunst des Müßiggangs,* 1973, 34–36. Auch u. d. T.: *Die vertraute Melodie, Nur dieses kleine Lied am Winterabend, Winterglanz.*
Glärnisch: Bergstock der Glärner Alpen südwestl. von Glarus.

Eine Nacht auf dem Wenkenhof

e 1904, VZ 1905; später mehrfach leicht überarbeitet; GE 1, 281–284.
Auch u. d. T.: *Das alte Landgut, Das Landgut, Im alten Landhaus. Eine sommerliche Spukgeschichte, Wenkenhof. Eine romantische Jugenddichtung.* Manuskript der ersten und zweiten Fassung im Hesse-Nachlaß Marbach a. N.
Ostern 1901 war H. H. mit Ludwig Finckh Gast von Rudolf Wackernagel-Burckhardt auf dem Wenkenhof zu Riehen, einem nordöstlichen Wohnvorort von Basel.
Callot: Jacques Callot (1592–1635), französischer Kupferstecher und Radierer.

Erinnerungen eines Neunzigjährigen

e 1905, VZ 1905; GE 4, 343–357, hier mit einem Vorspann von H. H. und zusammen mit *Sor Acqua.* Auch u. d. T.: *Aus den Erinnerungen eines Neunzigjährigen, Mutter. Aus den Aufzeichnungen eines Neunzigjährigen, Mutter. Erinnerungen eines alten Junggesellen. Mutter.* Manuskript im Hesse-Nachlaß Marbach a. N.
Vorspann – Meine Mutter – Ein Gespräch – Ein Traum – Auf dem Siebenberg – Sor Acqua.
In dieser zwar nicht autobiographischen Erinnerung schildert H. H. dennoch wesentliche Züge seiner Mutter.

Charlotte Corday: Charlotte de Corday (1768–1793), Urenkelin Corneilles; sie erstach am 13. 7. 1793 den Präsidenten des Jakobinerklubs, Marat, im Bade.

Modepiecen: modische Tonstücke, musikalische Zwischenspiele.

Schleiermachersche Religion: Friedrich Ernst Daniel Schleiermacher (1768–1834), evangelischer Theologe und Philosoph; sein Hauptwerk *Der christliche Glaube, nach den Grundsätzen der evangelischen Kirche im Zusammenhang dargestellt* (2 Bände) erschien 1821 ff.

Wilhelm Meister: Wilhelm Meisters Lehrjahre und *Wilhelm Meisters Wanderjahre oder Die Entsagenden* von Goethe erschienen 1795 f. bzw. 1821.

Titan: Roman von Jean Paul, er erschien 1800–1803.

Sternbald: Der Roman *Franz Sternbalds Wanderungen* von Ludwig Tieck erschien 1798.

Alamontade: Alamontade der Galeerensklave, Roman (1803) von Heinrich Zschokke (1771–1848).

Entrée: Eingang.

Lambris: untere Wandverkleidung aus Holz, Marmor oder Stuck.

Louis XV.-Fassade: Ludwig XV. (1710–1774), König von Frankreich, suchte den höfischen Glanz des Absolutismus fortzusetzen.

Plafond: Decke eines Raumes.

»Blühe, liebes Veilchen ...«: das Lied *Knabe und Veilchen* aus *Des Knaben Wunderhorn.*

Herbstbeginn

e 1905, VZ 1905; *Bodensee.* Hrsg. und eingeleitet von Volker Michels. Sigmaringen: Jan Thorbecke 1977, 124–126. Auch u. d. T.: *Es wird Herbst, Letzte Aussage.*

Heumond

e 1905, VZ 1905; später überarbeitet; GE 1, 299–336. Manuskript in der Sammlung Stefan Zweig der Österreichischen Nationalbibliothek Wien.

Paul Abderegg: Ein anderer Abderegg, der jedoch keine Beziehung zu dieser Erzählung hat, erscheint in *Julius Abdereggs erste und zweite Kindheit.*

Frithjof: norwegischer sagenhafter Held einer isländischen Liebesgeschichte, die wahrscheinlich um 1300 geschrieben wurde.

Herr Homburger: möglicherweise in Assoziation zu Hölderlin gewählter Name. Hölderlin war ebenfalls Hauslehrer, er hielt sich 1798–1800 bei seinem Freund Isaak von Sinclair in Homburg auf.

Esajas Tegnér: schwedischer Dichter (1782–1846), sein umfangreichstes und populärstes Werk, die *Frithiof saga,* machte ihn für lange Zeit zum Nationaldichter.

Ruskin: John Ruskin (1819–1900), englischer Schriftsteller, Kunstkritiker und Sozialpolitiker. Als H. H. von seinem ersten Haus in Gaienhofen erzählt, erwähnt er auch Ruskin: »Die Gedanken und Ideale, die uns dabei führten, waren ebenso verwandt mit denen Ruskins und Morris', wie mit denen von Tolstoi« (GW 10, 142).

»Ekkehard«: Roman (1855) von Joseph Viktor von Scheffel (1826–1886).

Sommerreise

e 1905, VZ 1905; *Kleine Freuden,* 1977, 266–282 u. d. T.: *Eine Wandererinnerung.*

fand ich den Aufsatz wieder: Bei dem Vorspann handelt es sich um einen 1932 geschriebenen Text; angespielt wird auf die folgenden drei Teile der *Sommerreise.* H. H. hatte im Sommer 1905 seine Ferien zusammen mit seiner Frau und Ludwig Finckh in Preda über Bergün im Engadin verlebt; seine Frau war dann vorzeitig heimgereist.

Vedute: naturgetreue Darstellung einer Landschaft.

Vor meinem Fenster

e 1904, VZ 1905; später überarbeitet; *Kleine Freuden,* 1977, 23–28.

Cercle: eigentlich Empfang bei Hofe; hier: große Versammlung.

Weinstudien

e 1905, VZ 1905; überarbeitet 1913; *Kleine Freuden,* 1977, 29–32. Auch u. d. T.: *Aus der Jugendzeit, Aus der schlimmen Jugendzeit.*

önologisch: weinbaukundlich.

mnemonisch: von Mnemotechnik, der Kunst, das Einprägen von Gedächtnisstoff durch besondere Lernhilfen zu erleichtern.

auf die Kneipen: »Ein anderer neugewonnener Freund, mit dem ich eine Zeitlang auch eine gemeinsame Wohnung an der Holbeinstraße hatte, war der junge rheinländische Architekt Jennen, der soeben den ersten Preis in der Konkurrenz um die Erweiterungsbauten des Rathauses gewonnen hatte, ein Neugotiker, Schüler von Schäfer in Karlsruhe und ein überschäumend lebensfroher junger Mensch, der mich Einzelgänger und Asketen in manche Genüsse und Behaglichkeiten des materiellen Lebens einführte. Wir haben in den elsässischen und badischen Wein- und Spargeldörfern manche Schlemmerei veranstaltet, im Storchen Billard gespielt und in der Wolfsschlucht, welche damals

noch ein kleines, stilles Weinstübchen war, sowie im Helm am Fischmarkt (es ist der ›Stahlhelm‹ im ›Steppenwolf‹) häufig jene Studien
getrieben, deren Ergebnis die Camenzindschen Hymnen auf den Wein
waren.« (Aus *Basler Erinnerungen*, 1937, zuerst in: *National-Zeitung*,
Basel, Nr. 301 v. 4. 7. 1937)

Abschiednehmen

e 1906, VZ in *Simplicissimus*, Jg. 11, Nr. 26 v. 24. 9. 1906; bisher nicht
wieder abgedruckt. In Briefform.
»was die Wimpern hält«: aus dem vorletzten Vers von Gottfried Kellers *Abendlied.*
manu propria: eigenhändig.

Casanova's Bekehrung

e 1906, VZ 1906; GE 2, 19–44.
Karl Eugen: 1737–1793, Herzog von Württemberg.
Jakob Casanova: Giovanni Giacomo Casanova (1725–1798), italieni-
scher Schriftsteller, bekannt durch seine Memoiren.
Flucht aus den Bleikammern: 1756.
Fürstenberg: Ort zwischen Berlin und Neustrelitz.
Gilet: Weste.
Homer: Vgl. Kommentar zu *Peter Camenzind.*
Ariosto: Lodovico Ariosto (1474–1533), italienischer Dichter.
vom heiligen Vater Benedikt dem Vierzehnten: Benedikt XIV. (1675–
1758), Pontifikat 1740–1758.
Maria-Einsiedeln: Wallfahrtsort im Kanton Schwyz.
Orelli und Pestalozzi: namhafte Zürcher Familien, deren bekannteste
Vertreter Johann Kaspar von Orelli (1787–1849), schweizerischer Alt-
philologe, und Johann Heinrich Pestalozzi (1746–1827), Erzieher und
Sozialreformer, sind.

Das erste Abenteuer

e 1906, VZ 1906; GE 2, 7–12. Auch u. d. T.: *Achtzehnjährig, Der*
Achtzehnjährige und die erste Liebe, Erlebnis, Liebe mit achtzehn Jah-
ren, Liebe wie im Traum, Mit achtzehn Jahren.
Verlag Pierson in Dresden: Hier erschien 1899 die erste Buchveröf-
fentlichung H. Hs., *Romantische Lieder.*
Autorenfänger: Die Autoren hatten einen erheblichen Zuschuß zu den
Herstellungskosten zu leisten, mitunter sie insgesamt zu bezahlen.
Lehrzeit in der Maschinenschlosserei: H. Hs. Lehrzeit bei Perrot in
Calw.

Der Lateinschüler

e Januar bis Juli 1905, VZ 1906; später überarbeitet; GE 1, 337–368.
Manuskript im Hesse-Nachlaß Marbach a. N.
Zundelheiner und Zundelfrieder: Gestalten aus Johann Peter Hebels
(1760–1826) *Rheinischem Schatzkästlein.*
Emanuel Geibel: deutscher Dichter (1815–1884).
Biernatzki: Johann Christoph Biernatzki (1795–1840) veröffentlichte
in den *Wanderungen auf dem Gebiete der Theologie im Modekleide
der Novelle* 1836 den Band *Die Hallig oder die Schiffbrüchigen auf
dem Eilande in der Nordsee.*
Salzgasse: Gasse in Calw in Verlängerung der heutigen Marktbrücke.
unter den Rathausbogen hindurch: entspricht den lokalen Gegeben-
heiten in Calw.

Die blaue Ferne

e 1904, VZ 1906; überarbeitet 1913; GW 10, 11–12. Auch u. d. T.:
Aus dem Tagebuch eines Namenlosen, Aus einem alten Skizzenbuch.
Manuskript im Hesse-Nachlaß Marbach a. N.

Eine Billardgeschichte

e um 1900, VZ 1906; GE 4, 311–316.

Eine Fußreise im Herbst

e 1905, VZ 1906; GW 2, 236–268.
Seeüberfahrt – Im Goldenen Löwen – Sturm – Erinnerungen – Das
stille Dorf – Morgengang – Ilgenberg – Julie – Nebel.
»Mein Blick erstaunt und muß sich senken«: Diese Verse stammen vermutlich nicht von H. H.
das Lied von der schönen Gärtnersfrau: »Müde kehrt ein Wandersmann zurück ...«, Gedicht von Lebrecht Dreves, Advokat in Hamburg, u. d. T. *Die Heimkehr* von Eichendorff 1836 in einer Anthologie
veröffentlicht.
»Stuegert isch e schöne Stadt ...«: volkstümliches Lied.
»Steh' ich in finstrer Mitternacht«: Gedicht von Wilhelm Hauff
(1802–1827).
»Schön sind die Blumen ...«: Strophenteil aus dem Lied *Schönster
Herr Jesu* (17. Jh.).
Veloziped: [veraltet für] Fahrrad.
ring: [süddeutsch, schweizerisch für] leicht, mühelos.

Jungfernkranz: Chorlied aus Carl Maria von Webers (1786–1826) romantischer Oper *Der Freischütz.*

»Seltsam, im Nebel zu wandern ...«: eines der am weitesten verbreiteten Gedichte H. Hs.

Karneval

e 1906, VZ 1906; *Bodensee,* 1977, 158–162 u. d. T.: *Fastnacht.* Vgl. dazu *Kaminfegerchen.*

Kastanienbäume

e 1904, VZ 1906; später mehrfach überarbeitet; *Kleiner Garten,* 1919, 35–41. Auch u. d. T.: *Es war einmal, Kastanienstadt, Sehnsucht nach meiner Kastanienstadt, Stadt mit Kastanienbäumen.* Skizze über Kirchheim u. T., wo H. H. im Sommer 1899 seine Ferien verlebt hat; vgl. Kommentar zu *Hinterlassene Schriften und Gedichte von Hermann Lauscher (Lulu).* Manuskript in der Stadtbibliothek München.
Das Dorf am Bodensee: Gaienhofen.
Ich kenne eine solche Stadt: Göppingen.
Avalun: in der Artussage der Aufenthalt der Helden nach dem Tode, besonders des Königs Artus.

Legende

e 1906, VZ 1906; überarbeitet 1920; GW 4, 247–253. Auch u. d. T.: *Der Schäfer, Die Geschichte von Hannes, Ein Leben lang, Hannes, Legende vom Hirten Hannes.*

Liebe

e 1906, VZ 1906; *Die Kunst des Müßiggangs,* 1973, 50–54.
va banque spielen: alles aufs Spiel setzen, alles auf eine Karte setzen.

Liebesopfer

e 1906, VZ 1906; GE 2, 13–18.
Drei Jahre arbeitete ich: nicht autobiographisch; H. H. arbeitete im Antiquariat Wattenwyl in Basel vom 1. August 1901 bis Februar 1903.
Anfangs bekam ich: In den ersten sechs Monaten bekam H. H. 100 Franken, dann sollte das Gehalt auf 130 bis 150 Franken aufgebessert werden.

Maler Brahm

e 1906, VZ 1906; GE 4, 379–384.
Mileck (305) sieht darin einen Hinweis auf *Klingsors letzter Sommer*.

Mwamba

e 1905, VZ 1906; überarbeitet 1927; GE 4, 339–342. Auch u. d. T.:
Der Nigger, Erinnerung an Mwamba, Erinnerungen an Mwamba.

Porträt

e 1902, VZ 1906; GS 3, 911–913.
Manuskript im Hesse-Nachlaß Marbach a. N.

Schattenspiel

e 1906, VZ 1906; *Die Märchen*, 1975, 29–35.

Sommerschreck

e 1905/06, VZ 1906; GE 4, 375–378. Auch u. d. T.: *Der Wegweiser,
Ich sehe das Mittagsgespenst, Mittagsgespenst, Mittagsspuk, Sonnen-
stich*.
Wasslinse: Wasserlinse (Lémna), Gewächs ohne Gliederung in Stengel
und Blatt. Der Sproß schwimmt auf dem Wasser als flaches Scheib-
chen, das auf der Unterseite Wurzeln trägt. Wasserlinsen können Tei-
che in kurzer Zeit wie mit einem grünen Teppich überziehen.

Urwald

e 1906, VZ 1906; bislang nur 1906 und 1907 in Zeitungen veröffentlicht.

Winternotizen aus Graubünden

e 1905/06, VZ 1906; überarbeitet 1909; *Kleine Freuden*, 1977, 32–37.
Auch u. d. T.: *Wintertage in Graubünden*.
Und manchesmal, wenn ich im Herzen litt …: nach Mileck (663)
separater Vierzeiler, tatsächlich aber die letzten vier Verse des Gedichts II *Berggeist* aus dem Zyklus *Hochgebirgswinter*. Statt »man-

chesmal« heißt es in den Gedichtbänden Hesses (seit *Gedichte*, 1902)
»stundenlang«.

Chagrin d'Amour

e 1907, VZ 1907; GW 4, 240–246. Auch u. d. T.: *Alte Geschichte, Das
Unvergängliche, Der Sänger, Liebeslied, Troubadour*. Eine fiktive
Episode aus Wolfram von Eschenbachs *Parzival*.
Chagrin d'Amour: Liebeskummer.
Valois: ehemalige französische Grafschaft in der Ile de France.
Herzeloyde: Name der Mutter Parzivals.
Plaisier d'amour . . .: französisches Volkslied, das in den siebziger Jah-
ren die Folkloresängerin Joan Baez wiederentdeckt hat:

> Liebesfreude währt nur einen Augenblick,
> Liebeskummer quält das ganze Leben.

Der letzte Kömpff vom Markt

e 1907, VZ 1907–08; überarbeitet 1932; GW 3, 215–257. Auch u. d. T.:
Walter Kömpff.

Der Novalis

Aus den Papieren eines Altmodischen. Olten: Vereinigung Oltner Bücherfreunde 1940. (6. Veröffentlichung der VOB.) Auflage: 1221. Mit
einem »Nachwort« (e Frühjahr 1940) von H. H. – GS 1, 66–91 (ohne
»Nachwort«); GE 1, 21–43 (ohne »Nachwort«).
Zum Thema H. H. und Novalis vgl.: *Novalis. Dokumente seines Lebens und Sterbens*. Hrsg. von Hermann Hesse und Karl Isenberg.
(Neu eingerichtet von Volker Michels.) Frankfurt a. M.: Insel Verlag
1976. (insel taschenbuch, 178.)
e um 1901/02; auch veröffentlicht u. d. T.: *Ein altes Buch. Aus den
Papieren eines Altmodischen*.
aldinische Oktavbände: Druckwerke des 15. und 16. Jhs. aus der von
Aldus Manutius in Venedig gegründeten Presse. »[. . .] von den selte-
nen alten Büchern [. . .], etwa den Italienern der Renaissance in Al-
dus-Drucken, ist heute nichts mehr in meinem Besitz.« (Aus H. Hs.
»Nachwort«)
Kandidat Rettig: Näheres konnte nicht festgestellt werden.
»Stift«: Das Evangelisch-Theologische Stift (Tübinger Stift) steht in
Zusammenhang mit der Universität. Das Stift wurde 1547 in dem auf-
gehobenen Augustinereremitenkloster eingerichtet. Der Bau hat seit je-
ner Zeit zahlreiche Umbauten erfahren. Er erscheint gegen die Stadt

hin niedrig, weil halbversunken im alten Bärengraben, gegen den Neckar hin riesig hoch.

»Hölle«: Bezeichnung für den Heizraum in einem Kloster, er liegt unter der Wärmekammer, dem meist einzigen erwärmbaren Raum in einem mittelalterlichen Kloster.

Theophil Brachvogel: Näheres konnte nicht festgestellt werden.

Styx: Fluß in der Unterwelt. *Was beim Styx* entspricht etwa der Redewendung *»Was zum Teufel«.*

Ohne Wahl zuckt der Strahl: Wendung aus Schillers *Lied von der Glocke.*

»Abwärts wend' ich mich ...«: Aus *Hymnen an die Nacht* (1, 2. Abschnitt) von Novalis.

Hermann Rosius: Näheres konnte nicht festgestellt werden.

Bengels Gnomon: Johann Albrecht Bengel (1687–1752), evangelischer Theologe, Schöpfer der neutestamentlichen Bibelkritik in Deutschland; Pietist. *Gnomon... Auslegung des Neuen Testamentes* (1742; Neuausgabe 1915). Vgl. *Der vierte Lebenslauf Josef Knechts* in *Prosa aus dem Nachlaß* (1965), S. 441 ff., bes. S. 490 ff. – Vgl. im *Glasperlenspiel* das Gespräch zwischen Pater Jakobus und Josef Knecht.

Helene Elster: Näheres konnte nicht festgestellt werden.

Heinrich von Ofterdingen: Nachgelassener, unvollendeter Roman von Novalis.

»Zueignung«: Sie besteht aus zwei Sonetten und steht vor dem Roman.

Sedezbände: Bücher, in denen der Bogen 16 Blätter (32 Seiten) hat.

Wie weht aus deinen süßen Reimen ...: H. Waibler und J. Mileck schreiben dieses (hier von Brachvogel stammende) Gedicht H. H. zu. V. Michels hat es in *Die Gedichte* (Frankfurt a. M.: Suhrkamp 1977, Bd. 2, S. 741) H. Hs. aufgenommen.

Brachvogel junior: Näheres konnte nicht festgestellt werden.

vom französischen Krieg: der deutsch-französische Krieg 1870/71.

das Märchen von Hyazinth und Rosenblüte: aus dem Romanfragment *Die Lehrlinge zu Sais* (1798) von Novalis.

Hans Geltner: Näheres konnte nicht festgestellt werden.

Quattrocento: [italienisch: vierhundert; Abkürzung für 1400] italienische Bezeichnung für das 15. Jh. und seinen Stil (Frührenaissance).

Maria Geltner: Näheres konnte nicht festgestellt werden.

Gustav Merkel: Näheres konnte nicht festgestellt werden.

»Lehrlinge zu Sais«: Romanfragment von Novalis.

Andiamo: Laßt uns gehen!

des schönen Sankt Bernhardskopfes von Filippino Lippi: Filippino Lippi (um 1457–1504), italienischer Maler; die *Vision des hl. Bernhard* hängt in der Badia in Florenz.

Ich sehe dich in tausend Bildern ...: *Marienlieder II* von Novalis; Novalis' Werke in vier Teilen. Hrsg. von Hermann Friedemann. Berlin etc.: Deutsches Verlagshaus Bong & Co. o. J. 1. Teil, S. 46.

Sophie Mereau: Schriftstellerin (1770–1806), heiratete 1803 Clemens Brentano.
Philipp Otto Runge: Maler (1777–1810); seine hinterlassenen Schriften wurden zuerst von seinem Bruder herausgegeben.

Drei Zeichnungen

Apollo. Ein Wandertag am Vierwaldstätter See – Die schöne Wolke – Abendfarben. (Siehe dort!)

Ein Briefwechsel

e 1907, VZ Sept. 1907 in *Velhagen & Klasings Monatsheften*; seither nicht wieder veröffentlicht.
Swifts Gulliver: Gulliver's Travels (1726) von Jonathan Swift (1667–1745).
exzellieren: hervorragen, glänzen.

Ein Wandertag am Vierwaldstätter See

e 1901, VZ 1907; GS 3, 904–906. Auch u. d. T.: *Apollo, Apollo. Ein Wandertag am Vierwaldstätter See* (Teil von *Drei Zeichnungen*) – *Der Apollofalter.*

Eine Sonate

e 1906, VZ 1907; GE 2, 45–50.
Reger: Max Reger (1873–1916).
Wagner: Richard Wagner (1813–1883).

Gubbio

e 1907, VZ 1907; *Die Kunst des Müßiggangs*, 1973, 66–70.
Città di Castello: Stadt in Umbrien (Mittelitalien).
Gubbio: Stadt in Umbrien.
San Miniato: früher San Miniato al Tedesco, Gemeinde in der italienischen Provinz Pisa.
Fra Angelico: italienischer Maler (1387/88–1455).
Donatello: Donato di Niccolo di Betto Bardi (1386–1466), florentinischer Bildhauer.
Michelangelo: Michelangelo Buonarroti (1475–1564), italienischer Bildhauer, Maler, Baumeister, Dichter.

Ghirlandajo: Domenico Ghirlandajo (1449–1494), italienischer Maler aus Florenz.

Jasminduft

e um 1900, VZ 1907; GE 1, 17–20. Auch u. d. T.: *Juninacht, Romanze.* Manuskript im Hesse-Nachlaß Marbach a. N.
Jasminduft: Vgl. das Gedicht *Julikinder* (»Wir Kinder im Juli geboren . . .«), e 1905.
Purpurrose: Vgl. das Gedicht *Purpurrose* (»Ich hatte dir ein Lied gespielt . . .«), e 1899.

Legende vom indischen König

e 1907, VZ 1907; *Legenden*, 1975, 116–121. Auch u. d. T.: *Der suchende König, Es war ein König –, Es war ein König in Indien.* Zur Begriffserklärung siehe Kommentar zu *Siddhartha.*
in denen er für immer verschwand: Eine Parallele dazu erscheint im »Indischen Lebenslauf« des *Glasperlenspiels:* »Er hat den Wald nicht mehr verlassen«.

Legende vom verliebten Jüngling

e 1907, VZ 1907; GW 4, 197–202. Auch u. d. T.: *Der verliebte Jüngling. Eine Legende, Liebeszauber.*
Hilarion: Von Hilarion erzählt H. H. auch im Lebenslauf »Der Beichtvater« des *Glasperlenspiels* (siehe dort).
Asklepios: Äskulap, griechischer Gott der Heilkunst.
Antonius: »Vater des Mönchtums« (um 250–356), lebte als Einsiedler in der Wüste.

Lindenblüte

e 1907, VZ 1907; GW 6, 193–197.

Montefalco

e 1907, VZ 1907; umgearbeitet 1925, 1927, 1934, 1958; *Bilderbuch*, 1958, 51–57. Auch u. d. T.: *In Italien vor fünfzig Jahren, Italienisches Städtchen, Montefalco. Eine Erzählung von Frauen und Stille, Montefalco in Umbrien, Umbrischer Vorfrühlingstag, Umbrisches Städtchen.*

Portiuncula: Kapelle bei Assisi, Lieblingsaufenthalt des Franz von Assisi.

Quattrocento: das 15. Jh. als Stilbegriff der italienischen Kunst (Frührenaissance).

Ghirlandajo: Domenico Ghirlandajo; vgl. *Gubbio.*

Botticelli: eigentlich Sandro Filipepi (1444/45–1510), italienischer Maler.

Filippo Lippi: italienischer Maler (1406–1469).

»Jetz gang i ans Brünnele«: Volkslied; u. d. T. *Drei Röselein* in der von H. H., Martin Lang und Emil Strauß hrsg. Volksliedersammlung *Der Lindenbaum* (Berlin: S. Fischer 1910).

Reisebilder

e 1906, VZ 1907; *Kleine Freuden,* 1977, 37–50.
Abfahrt – Im Appenzell – Unter Bauern – Ebenalp – Der Dorfabend – Vaduz. *Abfahrt* auch u. d. T.: *Die Abfahrt, Reisemorgen. – Im Appenzell* auch u. d. T.: *Auf der Höhe des Gäbris, Ein sonntägliches Land, Im Appenzellerland. – Unter Bauern* auch u. d. T.: *Bauern. – Der Dorfabend* auch u. d. T.: *Dorfabend. – Vaduz* auch u. d. T.: *Ausflug nach Vaduz, Herbstwanderung, Kleiner Ausflug nach Vaduz.*

Scheffels Ekkehard: Roman (1855) von Joseph Viktor von Scheffel (1826–1886).

Siebenkäs: Titelgestalt eines Romans (1796 f.) von Jean Paul (1763–1825).

Goldfisch: Vgl. dazu auch *Abendwolken.*

Sor acqua

e 1904 od. 1905, VZ 1907; GE 4, 357–369, hier *Aus den Erinnerungen eines Neunzigjährigen* zugeordnet. Auch u. d. T.: *Der alte Angler, Ein alter Angler.* Vgl. H. Hs. »Nachwort« (1956) in der Ausgabe *Zwei jugendliche Erzählungen* in den Ausführungen zu *Hans Amstein. Sor acqua* wurde in diesen Band der Oltner Bücherfreunde auf Anregung von Maria Treuhan aufgenommen (Maria Treuhan, Wiederbegegnung mit einer Dichtung. In: *Thüringer Tageblatt.* Weimar. Nr. 151 v. 30. 6. 1956).

Sor acqua: Schwester Wasser.

daguerrotypiert: nach dem Franzosen Daguerre, dem Erfinder der Fotografie, benanntes Fotografieren auf Metallplatten.

procul negotiis: fern einer Tätigkeit.

Palladio: Andrea Palladio (1508–1580), italienischer Baumeister.

Vedute: naturgetreue Darstellung einer Landschaft.

Böcklin: Arnold Böcklin (1827–1901), schweizerischer Maler.

Handhamen: kleines Fangnetz.

Pose: Feder.

Nöck: in der germanischen Sagenwelt ein Wassergeist, auch Nix, Neck oder Necken genannt.

»Mon Dieu! Qu'est-ce que vous faites?!«: »Mein Gott, was machen Sie?!«

»Vous voulez m'en imposer! Ce n'était que votre négligence«: »Sie wollen mir imponieren! Das war nur Ihre Fahrlässigkeit.«

Teinach: Bad Teinach im nördlichen Schwarzwald, Mineralbad mit einfachen kalten Quellen.

Sturrock: ein George Sturrock war im Sommer 1890 bei Hesses in Pension.

Von der alten Zeit

e 1907, VZ 1907; GE 4, 385–388. Manuskript *Mein Bilderbuch*, erste, vom gedruckten Text völlig abweichende Version im Hesse-Nachlaß Marbach a. N.

Der Tod des Bruders Antonio

e 1904, VZ 1908; GS 2, 688–696. Auch u. d. T.: *Der Mönch Gennaro schreibt an eine Dame, Ein Mönchsbrief.* Manuskript (1905) im Hesse-Nachlaß Marbach a. N.

Poverello: Franz von Assisi.

Ein Mensch namens Ziegler

e 1908, VZ 1908; GS 2, 892–897. Auch u. d. T.: *Ein Mensch mit Namen Ziegler, Merkwürdige Geschichte, Seltsame Geschichte.*

Eine Liebesgeschichte

e 1908, VZ 1908; GS 2, 892–897. Auch u. d. T.: *Die Verlobung.* Manuskript *Die Jugendzeit des kleinen Ohngelt* in der Hesse-Sammlung Marbach a. N.

im Dierlammschen Geschäft: Vgl. *Hans Dierlamms Lehrzeit.*

»Wenn die Schwalben heimwärts ziehn«: Lied von Karl Herloßsohn, 1842.

»Gedenkst du noch der Stunde«: Verfasser konnte nicht ermittelt werden.

278   ERZÄHLUNGEN, SCHILDERUNGEN, BETRACHTUNGEN

Gartenfrühling

e 1908, VZ 1908; *Kleine Freuden*, 1977, 50–54. Auch u. d. T.: *Gartenfreuden* (nicht identisch mit *Hochsommerbrief*), *Im Garten*.

Hans Dierlamms Lehrzeit

e 1907, VZ 1908–1909; GE 3, 50–75. Manuskript (21. 2. 1907) in der Hesse-Sammlung Marbach a. N.
als Praktikanten in eine Maschinenwerkstätte zu gehen: Vgl. H. Hs. eigene Praktikantenzeit bei Perrot in Calw.
letz: [süddeutsch und schweizerisch für] verkehrt, falsch.

In den Felsen. Notizen eines Naturmenschen

e 1907, VZ 1908; GE 4, 389–397.

Landschaftliches

e 1908, VZ 1908; überarbeitet 1929; *Die Kunst des Müßiggangs*, 1973, 99–103. Auch u. d. T.: *Die Natur und der Mensch, Vom Naturgenuß*.

Legende vom Feldteufel

e 1907/08, VZ 1908; GW 4, 173–180 (Sammeltitel *Drei Legenden aus der Thebais*). Auch u. d. T.: *Der Satyr. Eine Legende aus der Wüste Thebais, Die Geschichte vom Satyr.*
»Dafür packe ich jetzt bald aber den Koffer und fahre in die thebaische Wüste, d. h. in die Locarneser Gegend, wo ich schon so viel geeinsiedelt habe.« (In einem Brief an Paul Gundert v. 9. 3. 1918; GB 1, 374)
»Ich schrieb in letzter Zeit zwei kleine, halb drollige Legenden aus der Heiligenzeit der thebaischen Wüste, auf Grund wieder aufgenommener Schweinslederlektüre der vitae patrum u. s. w.« (In einem Brief an Rudolf Wackernagel-Burckhardt v. Neujahr 1907; *Basler Stadtbuch* 1969. Basel: Helbing & Lichtenhahn 1968, S. 52)
Thebais: im alten Ägypten das Gebiet um Theben, dann Oberägypten bis nördlich von Asiut.
Paulus von Theben: der erste Einsiedler (gestorben um 341).
Athanasius: griechischer Kirchenlehrer (um 293–373).
Antonius: »Vater des Mönchtums« (um 250–356).
Satyr: Fruchtbarkeitsdämon im Gefolge von Dionysos.
Dryaden: Baumnymphen.
apage: Pack dich, fort mit dir!

Legende von den süßen Broten

e 1906, VZ 1908; GW 4, 180–185 (Sammeltitel *Drei Legenden aus der Thebais*). Auch u. d. T.: *Der Eremit, Die Legende von den süßen Broten, Die süßen Brote, Legende, Legende aus der Thebais, Legende von einem Eremiten, Thebaische Legende.*
Heliopolis: alte ägyptische Stadt nordöstlich von Kairo.

Taedium vitae

e 1908, VZ 1908; GE 2, 249–269.
Taedium vitae: Lebensüberdruß.
die Geheimlehre der Frau Blavatsky: Helena Petrowna Blavatsky (1831–1891) gründete 1875 mit H. S. Olcott die Theosophische Gesellschaft.
Balzac: Honoré de Balzac (1799–1850), französischer Romancier.
Lamond: Frederick Lamond (1868–1948), englischer Pianist.
ins Städtchen hinüber: »Das Dörflein [Gaienhofen] ist ganz klein und hat nur einen Bäcker, aber keine Läden, keinen Metzger usw. Ich muß also, sobald etwas nötig wird, nach Steckborn rudern und dort einkaufen.« (In einem Brief an Alexander Freiherr von Bernus v. 2. 9. 1904; GB 1, 124)
Herodot: griechischer Geschichtsschreiber, »Vater der Geschichtsschreibung« (um 490 – um 425 v. Chr.)

Wolken

e 1907, VZ 1908; *Die Kunst des Müßiggangs*, 1973, 75–78.
Vgl. auch die Wolkenschilderungen in *Peter Camenzind*.
Segantini: Giovanni Segantini (1858–1899), italienischer Maler.
Hodler: Ferdinand Hodler (1853–1918), schweizerischer Maler.

Albert Langen

e 1909, VZ 1909; GW 11, 291–295.
Albert Langen (1869–1909), Verleger, erwarb sich Verdienste um die Verbreitung nordischer Literatur in Deutschland, gründete 1896 die satirische Wochenschrift *Simplicissimus,* war neben H. H. einer von vier Mitbegründern der seit 1907 erscheinenden Zeitschrift *März.* H. H. veröffentlichte regelmäßig in beiden Zeitschriften Beiträge. 1910 verlegte Langen H. Hs. Roman *Gertrud.*

Aus dem Briefwechsel eines Dichters

e 1909, VZ 1909; GE 4, 411–419.

Mileck (315) erwägt, daß dieser Text möglicherweise nicht von H. H. sei. Volker Michels hat diesen Text außer in GE auch in *Die Kunst des Müßiggangs*, 1973, und *Die Welt der Bücher*, 1977, veröffentlicht. Dieser fiktive Briefwechsel trägt inhaltlich und sprachlich unverkennbare Züge H. Hs., so daß dessen Urheberschaft unbestritten bleiben dürfte.

L. Biersohn: E. Pierson, Dresden, verlegte 1899 H. Hs. ersten Gedichtband, *Romantische Lieder*, unter – vermutlich hoher – Kostenbeteiligung H. Hs.

ganz unbeachtet: Auch H. Hs. erster Gedichtband ist bei seinem Erscheinen trotz einiger positiver Besprechungen so gut wie unbeachtet geblieben.

Daß Sie Ihr Porträt nicht hergeben wollen: H. H. war von seinem Verleger S. Fischer gebeten worden, die Erlaubnis zur Veröffentlichung seines Porträts im Verlagsalmanach von 1906 zu geben. H. H. hat das ganz ausdrücklich untersagt. Der Katalog enthält 30 ganzseitige Porträts von Verlagsautoren. H. H. und Emil Strauß sind nicht darunter.

einen Band Gedichte: Auch S. Fischer betrachtete die Lyrik nicht als sein Verlagsgebiet. H. H. brachte den ersten seiner insgesamt vier bei Fischer erschienenen Lyrikbände erst 1921 heraus.

Das Lied des Lebens

e 1908, VZ 1909; überarbeitet 1913, 1925, 1950; GE 4, 398–402. Auch u. d. T.: *Abschied, Der Dilettant*.

Der Blutregen

e 1909, VZ 1909 in *Neues Tagblatt*, Stuttgart, Nr. 87 v. 16. 4. 1909, S. 7–8; seither nicht mehr gedruckt.

Die Heimkehr

e 1909, VZ 1909; überarbeitet 1933; GW 3, 311–352.

Pobjedonoszeff: Konstantin Petrowitsch Pobjedonoszeff (1827–1907), russischer Jurist.

ein Ripp: ein Drachen.

Viktor Trefz: ein Niklas Trefz ist eine Gestalt in *Hans Dierlamms Lehrzeit*.

Ein Gespräch am Abend

e 1908, VZ in *März*, München, 3, 1909, 1, S. 119–125; seither nicht wieder gedruckt.

Freunde

e 1907/08; VZ 1909; GE 2, 183–248. In H. Hs. Notizbuch steht neben dem Titel in Klammern: Tübinger Studenten; dazu die Jahreszahl 1907/08. Hermann Müller behauptet, »daß das Bild dieser Freundschaft [zwischen H. H. und Gusto Gräser] nicht erst in den Werken der Sinclairzeit, sondern schon in der frühen Erzählung ›Freunde‹ hervortritt, in jener Erzählung, die unzweideutig auf Hesses Begegnungen mit Gräser um 1906 zurückgeht« (Hermann Müller, *Der Dichter und sein Guru*. Wetzlar: Gisela Lotz 1978, S. 170). Müller räumt zwar ein, »daß Motive und Modelle aus Hesses Tübinger Zeit verwendet werden, die Haupthandlung beruht jedoch eindeutig auf seiner Gräserbegegnung und seiner Novizenzeit in Askona« (A.a.O. S. 90).
Heinrich Wirth: Nach H. Müller sei »niemand anders als Gräser sein [H. Hs., hier in der Gestalt Hans Calwers] Guru und Prophet gewesen« (A.a.O. S. 24), eine von Müller nur in Andeutungen belegte und nicht haltbare These.
Stabelle: [schweizerisch für] hölzerner Stuhl, Schemel.
Hafen: [süddeutsch für] Topf.
Er empfand, daß sein Bekannter [...]: Ähnlich ist später die Freundschaft zwischen Narziß und Goldmund.
»Walfisch«: Vom »Walfisch« ist auch in *Die Novembernacht* und im *Tagebuch 1900* (in *Hinterlassene Schriften und Gedichte von Hermann Lauscher*) die Rede.

Hinrichtung

Eine Parabel. e ca. 1908, VZ 1909; *Legenden*, 1975, 122–123. Auch u. d. T.: *Der Meister spricht, Die Hinrichtung.*
Häretiker: Ketzer, Sektierer.

Ladidel

e 1908, VZ 1909; überarbeitet 1933; GW 3, 258–310.
über den Schellenkönig gelobt: sehr, außergewöhnlich gelobt.

Nach einer alten Chronika

e 1907, VZ 1909; GW 4, 274–279. Auch u. d. T.: *Der Meermann. Nach einer alten Chronik.*
Triton: fischleibiger Meergott.

Promenadenkonzert

e 1909, VZ 1909; *Kleine Freuden,* 1977, 55–60.

Aufzeichnungen eines Herrn im Sanatorium

e 1909–1910, VZ 1910; überarbeitet 1924, 1925, 1946; *Kleine Freuden,* 1977, S. 60–75. Auch u. d. T.: *Haus zum Frieden. Aufzeichnungen eines Herrn im Sanatorium.* Manuskript im Hesse-Nachlaß Marbach a. N. – Als Festgabe für die Teilnehmer an der 25. Jahrestagung der Schweizerischen Bibliophilen-Gesellschaft am 7./8. Juni 1947 zum ersten Mal in Buchform u. d. T.: *Haus zum Frieden;* für diese Ausgabe schrieb H. H. ein Nachwort, abgedruckt u. a. in: *Kleine Freuden,* 1977, 75–76; Typoskript im Hesse-Nachlaß Marbach a. N.
Fritz Widmann: Maler (1869–1937), Freund H. Hs. und sein Begleiter bei mehreren Italienreisen.
Doktor Fränkel: Albert Fraenkel (1848–1916) entdeckte 1884 den Erreger der Lungenentzündung, er ist der Initiator der Strophanthintherapie. H. H. war im Juli 1909 und im August 1912 bei Prof. Fraenkel in Badenweiler (H. Hs. Badenau) zur Kur. Zum Aufenthalt von 1909 vgl. den Brief *Kurgast* (Badenau, 9. Juli 1909, VZ 1909; GB 1, 154–158). Über Albert Fraenkel berichtet H. H. auch in *Ein Arzt großen Stils* (VZ 1960: *Ein paar Erinnerungen an Ärzte*).

Der Beruf des Schriftstellers

e 1909, VZ 1910; GW 11, 127–132. Auch u. d. T.: *Vom Schriftsteller.*
Manus manum lavat: Eine Hand wäscht die andere.

Der Monte Giallo

e 1908, VZ 1910; GE 2, 371–374. Auch u. d. T.: *Cesco und der Berg, Der Berg, Der geheimnisvolle Berg, Der Sonderling, Der umworbene Berg.*

Die Stadt

e 1910, VZ 1910; GW 6, 412–418. Auch u. d. T.: *Es geht vorwärts,
Vom Werden und Vergehen, Werden und Vergehen einer Stadt.*

Dilettanten

e 1910, VZ 1910; überarbeitet 1933; GW 3, 393–427. Auch u. d. T.:
Emil Kolb.
Philomele: [veraltet dichterisch für] Nachtigall.
Lächstetten: fiktiver Ort; vgl. Kommentar zu *Knulp* (*Vorfrühling*).
Dreiß: Ein Wilhelm Dreiß war Mitschüler H. Hs. in Cannstatt.
Walzenbach: fiktiver Ort.

Doktor Knölge's Ende

e 1910, VZ 1910; GE 3, 81–86.
»Um nicht länger mit dieser Zielscheibe des öffentlichen Spotts in
Verbindung gebracht zu werden, distanziert sich Hesse sehr deutlich
von Gräser in jener Schmähschrift auf den Monte Verita, die er 1910
in der ›Jugend‹ erscheinen läßt: ›Doktor Knölges Ende‹.« (Hermann
Müller, *Der Dichter und sein Guru*. Wetzlar: Gisela Lotz 1978, S. 37) –
Diese Einschätzung ist nur aus dem Bemühen Müllers verständlich,
eine frappante Abhängigkeit H. Hs. von seinem »Guru« Gusto Gräser
in möglichst vielen Werken H. Hs. nachzuweisen.

Ein Wandertag

e 1910, VZ 1910; GW 4, 347–371. Auch u. d. T.: *Ein Wandertag vor
hundert Jahren.*
Jonas Finckh: Anspielung auf Ludwig Finckh (1876–1964).
Innsbruck, ich muß dich lassen . . .: Volkslied, aufgenommen u. a. in
die von H. H., Martin Lang und Emil Strauß hrsg. Sammlung *Der
Lindenbaum* (Berlin: S. Fischer 1909, S. 158).
Ach Gott, wie weh tut Scheiden: u. d. T. *Der traurige Garten* in *Des
Knaben Wunderhorn.*

Legende von den beiden Sündern

e 1909, VZ 1910; GW 4, 185–196 (Sammeltitel: *Drei Legenden aus der
Thebais*). Auch u. d. T.: *Die beiden Sünder.*

Lydius

e 1908/09, VZ 1910; GW 4, 203–213. Auch u. d. T.: *Die Belagerung von Kremna.*
H. H. beginnt Anfang März 1908 mit Vorarbeiten zu dieser Erzählung. Auf die Thematik war er bei der Lektüre von Jacob Burckhardts Werk *Die Zeit Konstantins des Großen* (Basel: Schwelghausersche Verlagsbuchhandlung 1853) gestoßen.
Aurelian: Lucius Domitius Aurelian (214–275) wurde 270 Kaiser.
Tacitus: 275/76 römischer Kaiser.
Probus: Marcus Aurelius Probus (232–282), seit 276 römischer Kaiser.

Reiselust

e 1910, VZ 1910; mehrfach überarbeitet; GW 10, 13–15. Auch u. d. T.: *Die Jagd nach dem Erlebnis, Die letzte Neugier, Neugierde, Reisegedanken.*
in der Fremde krank geworden, operiert worden: H. H. war auf einer Lesereise in Braunschweig erkrankt und im November 1909 »im alten heiligen Frankfurt« (GB 1, 161) am Blinddarm operiert worden.

Wärisbühel

e 1909, VZ 1910; GE 3, 7–16.

Das Nachtpfauenauge

e 1911, VZ 1911; überarbeitet 1929; GE 3, 148–154. Auch u. d. T.: *Der Nachtfalter, Der Schmetterling, Ein Schmetterling, Geschichte vom kleinen Nachtfalter.*

Der Weltverbesserer

e 1906, VZ 1911; überarbeitet 1933; GW 3, 428–465.
»Hesse hat Gräser im ›Weltverbesserer‹ zweifach porträtiert: als Prophet van Vlissen und als ›halbnackten Vegetarier‹ in Sandalen und Wüstentracht«, behauptet Hermann Müller (H. Müller, *Der Dichter und sein Guru.* Wetzlar: Gisela Lotz 1978, S. 39). Diese Verdoppelung »geht aus der Seelenlage und aus der Absicht des Verfassers mit Notwendigkeit hervor. Hesse hatte einerseits das Bedürfnis, seine Gräser-Erfahrung, – nach *Freunde, Felsen, Legende* usw. –, noch einmal zu gestalten. Andererseits wollte er sich selbst sowohl wie seine Freunde davon überzeugen, daß er diese Episode überwunden habe – daher der

den Weltverbesserer widerlegende Gang der Fabel, daher der ironisch distanzierte Ton, deshalb auch durfte die Gestalt des Propheten nicht zu positiv ausfallen.

Vor allem sollte niemand, der es nicht ohnehin wußte, auf den Gedanken gebracht werden, der Verfasser habe etwas mit Gräser und dem Monte Verita zu tun gehabt. Deshalb wurde die Rolle, die im Leben sein Freund Gräser gespielt hatte, nämlich ihn loszueisen aus bürgerlichen Verhältnissen, ihn aufs Land zu bringen und ihm eine bäuerliche, naturverbundene Lebensweise nahezulegen, diese Rolle wurde einer anderen Figur übertragen, die zwar einige Gräserische Züge beibehält, im übrigen aber ihre biographische und charakterliche Ausstattung von einem anderen lebenden Modell übernahm: von dem holländischen Sozialisten- und Anarchistenführer Ferdinand Domela Nieuwenhuis.

Vergleicht man die wesentlichen biographischen Züge des Ferdinand Domela Nieuwenhuis mit denen des Propheten van Vlissen, so geht diese Übereinstimmung eindeutig hervor. Van Vlissen ist wie Nieuwenhuis holländischer Abkunft, wie dieser war er ein berühmter Kanzelredner, wie dieser hat er das geistliche Amt aus Überzeugungsgründen aufgegeben, wie der Sozialist und Anarchist Nieuwenhuis widmet er sein Leben dem Kampf gegen Krieg und Unterdrückung, wie der Vegetarier und Pazifist Nieuwenhuis verkehrt er in den tolstoianischen und vegetarischen Kolonien und Stützpunkten. Nieuwenhuis kam im September 1907 nach Ascona.« (A.a.O. S. 95–96) – Müllers Ausführungen, so interessant sie erscheinen mögen, sind ausschließlich als Behauptungen formulierte Spekulationen.

den größten Krieg der modernen Geschichte: den deutsch-französischen Krieg 1870/71.

Frugivore: Fruchtesser, Vegetarier.

Einsiedler in der Wüste Thebais: Vgl. Kommentar zu *Legende vom Feldteufel.*

»Ich laß der Welt ihr Teil . . .«: Verse im Stil Arthur (Gusto) Gräsers.

Die Verhaftung

e 1911, VZ 1911; GW 4, 332–338. Auch u. d. T.: *Das letzte Abenteuer der Brinvilliers, Das letzte Abenteuer der schönsten Frau von Brinvilliers, Die Brinvilliers, Die schönste Frau von Brinvilliers.*

Sainte-Croix: Name eines Dorfes im Kanton Waadt, Schweiz.

in contumaciam: in Abwesenheit.

Pikardie: historische Landschaft und Provinz in Nordfrankreich.

Bijou: Kleinod.

Pater Matthias

e 1910, VZ 1911; GE 3, 115–141.
Legat: Zuwendung einzelner Vermögensgegenstände durch letztwillige
Verfügung.

Seenacht

e 1911, VZ 1911; überarbeitet 1928; GE 3, 142–147. Auch u. d. T.:
Das Fest, Ein Schweizer Fest, Sommernachtsfest.

Spazierfahrt in der Luft

e 1911, VZ 1911; *Die Kunst des Müßiggangs,* 1973, 128–132.
Die Luftschiffbau Zeppelin GmbH, Friedrichshafen, war 1908 von
Ferdinand Graf von Zeppelin als Bauwerft für Zeppelin-Luftschiffe
aus den Mitteln einer Volksspende errichtet worden. »Gestern fuhr
der neue Zeppelin herrlich nah über unsre Köpfe und unsren ganzen
Untersee hin, und heut sah man ihn wieder. Da möcht ich auch einmal mit!« (In einem Brief an die Familie in Calw v. 2. 4. 1911; GB 1,
192) – Der von H. H. beschriebene Flug fand am Sonntag, den 23. Juli
1911 mit Dr. Eckener statt (GB 1, 196).
Harden: Maximilian Harden (1861–1927) gab 1892–1923 die Wochen-
zeitschrift *Die Zukunft* heraus.

Winterbrief

e 1911, VZ 1911; *Kleine Freuden,* 1977, 76–80. Auch u. d. T.: *Berg-
wanderungen, Zwischen Winter und Frühling.*
Küblis, Pany, Sankt Antönien: Orte im Prättigau, dem Tal der Land-
quart in Graubünden (Hauptorte: Klosters, Schiers).

Der schöne Traum

e 1912, VZ 1912; GE 155–159. Auch u. d. T.: *Der Traum, Der Traum
eines Jünglings, Martins Traum, Schöner Traum, Traum des Jünglings,
Traum eines Jünglings, Traum eines Knaben.*
Claude Lorrain: eigentlich Claude Gelée (1600–1682), französischer
Maler.

Drei Linden

e 1912, VZ 1912; überarbeitet 1928, 1935, 1958; GW 4, 310–314. Auch
u. d. T.: *Das Gottesurteil, Die drei Brüder, Drei Linden auf dem Fried-*

hof, Eine Berliner Sage. – Eine kürzere Version dieser Begebenheit enthält *Bertholt* (GE 2, 159–160).

Üble Aufnahme

e 1912, VZ 1912; GW 4, 233–239. Auch u. d. T.: *Franziskaner auf Wanderung, Franziskanische Legende.*
Schnurrant: Bettelmusikant.

Umzug

e 1912, VZ 1912; GB 1, 518–521.
H. H. beschreibt seinen Umzug von Gaienhofen nach Bern.

Untersee

e 1912, VZ 1912; GB 1, 515–518.
H. H. blickt auf seine Jahre in Gaienhofen zurück.

Vater Daniel

e 1911, VZ 1912; *Legenden*, 1975, 137–147. Auch u. d. T.: *Daniel und das Kind, Das Kind. Eine thebaische Legende, Eine Legende aus dem alten Ägypten, Eine thebaische Legende.*

Wieder im Studienzimmer

e 1911, VZ 1912; *Kleine Freuden*, 1977, 80–83.
H. H. berichtet nach der Rückkehr von seiner Indienreise über einige Bücher.
»Forza del destino«: »Die Macht des Schicksals«.
Soldaten für Tripolis: 1911 annektiert Italien Tripolis und die Cyrenaika. Daraus entsteht der italienisch-türkische Krieg 1911–1912.

Augustus

e 1913, VZ 1913; GW 6, 7–31.
Mostackerstraße: H. H. hat in Basel vom 17. 4. 1900 bis 2. 5. 1901 in der Mostackerstraße 10 gewohnt.

Bern–Wien

e 1913, VZ 1913; *Kleine Freuden*, 1977, 105–108.
Kaiser Max: Maximilian I., deutscher Kaiser 1493–1519.

Der Weg zur Kunst

e 1913, VZ 1913; GW 6, 32–39. Auch u. d. T.: *Der Dichter.* Typoskript
in der Hesse-Sammlung Marbach a. N.
Han Fook: »Da Hesse nicht Chinesisch konnte, ist nicht anzunehmen,
daß er den Namen Han Fook selbst erfunden hat [...] Viel wahrscheinlicher ist, daß Hesse diesen Namen etwa bei einem chinesischen
Bediensteten kennengelernt hat, dem er während seiner Asienreise begegnet ist [...]« (Adrian Hsia, *Hermann Hesse und China.* Frankfurt a. M.: Suhrkamp 1974, S. 156).
Fook: »ist Kantonesisch und bedeutet etwa ›Lebensglück‹« (A.a.O.
S. 155).
Lampenfest: »Bei diesem ›Nachtfest der Chinesen‹ handelt es sich um
das Mittherbstfest, das jährlich am fünfzehnten Tag des achten Mo-
nats, nach dem chinesischen Mondkalender, gefeiert wird. Wie das jüdische Neujahr, das ebenfalls nach dem (jüdischen) Mondkalender ge-
rechnet wird, fällt auch das Mittherbstfest jedes Jahr auf einen anderen Tag, wenn man vom heutigen europäischen Sonnenkalender aus-
geht, wird aber in der Regel im Oktober gefeiert. Da der Mond in
dieser Nacht angeblich besonders rund, groß und hell sein soll, nennt
man es auch das ›Mondfest‹.
Es wird heute noch überall, wo sich eine größere chinesische Gemeinde
angesammelt hat – auch in Nordamerika – gefeiert. In der Informa-
tionsschrift (›Singapore in Ihrer Tasche‹, Singapur o. J., S. 42), die
vom ›Singapore Tourist Promotion Board‹ herausgegeben wird, wird
das Fest so beschrieben: ›[...] dabei handelt es sich in erster Linie um
ein Fest für Dichter, Kinder und Frauen [...] Die Kinder feiern
außerdem mit Papierlaternen, in welchen nachts Kerzen brennen‹«
(A.a.O. S. 153–154).

Die Braut

e 1913, VZ 1913; GE 3, 207–214.
ein Schiff des Norddeutschen Lloyd: H. H. reist am 7. 9. 1911 von
Genua mit dem Dampfer »Prinz Eitel Friedrich« des Norddeutschen
Lloyd nach Colombo – und dann nach Hinterindien.

Die Nichtraucherin

e 1913, VZ 1913; überarbeitet 1956; *Kleine Freuden*, 1977, 95–101.
Manuskript im Hesse-Nachlaß Marbach a. N.

Othmar: Othmar Schoeck. Mit Schoeck (1886–1957) und Fritz Brun (1878–1959) unternimmt H. H. 1911 eine Fahrt in das Tessin und nach Italien. In Mailand lernt H. H. bei Gelegenheit einer Aufführung der Matthäus-Passion die berühmte Kammersängerin Ilona Durigo kennen. Über den weiteren Verlauf der Reise hat Fritz Brun (Eine Umbrienreise mit Hermann Hesse und Othmar Schoeck. In: *Der Bund.* Bern. Nr. 298 v. 30. 6. 1957) berichtet. – Von Mitte März bis 19. April 1913 ist H. H. mit Othmar Schoeck und Fritz Widmann in Como, Bergamo, Cremona, Mantua, Padua, Verona, Vicenza und Mailand. Die hier geschilderte Begebenheit geht mit großer Wahrscheinlichkeit auf diese zweite Reise zurück.

Brera: Palast in Mailand, Gemäldegalerie, Kunstakademie und Bibliothek.

Die Nikobaren

e 1913, VZ 1913; überarbeitet 1926; *Kleine Freuden,* 1977, 90–95. Auch u. d. T.: *Eine Reiseerinnerung, Ferne Inseln, Hesse trifft Stevenson, Reise auf dem Ozean.* – Diese Reiseerinnerung geht auf H. Hs. Indienreise zurück.

Nikobaren: indische Inselgruppe im Bengalischen Golf des Indischen Ozeans, 12 bewohnte und 7 unbewohnte Inseln.

Ein Reisetag

e 1913, VZ 1913; überarbeitet 1915; GW 6, 206–213. Auch u. d. T.: *Abend in Cremona, Italienischer Reisetag.*

Cremona: Hauptstadt der gleichnamigen Provinz im Süden der Lombardei.

unsäglich hoher Turm: der Glockenturm des Doms ist mit 121 m der höchste Italiens.

Fliegen

e 1913, VZ 1913; *Die Kunst des Müßiggangs,* 1973, 132–139. Auch u. d. T.: *Im Flugzeug.*

Im März 1913 fliegt H. H. mit dem Schweizer Flugpionier Oskar Bider in einem Eindecker.

vor einigen Jahren: 1909.

Ila: Internationale Luftfahrt-Ausstellung.

Pau: Hauptstadt des Departements Basses-Pyrénées im südwestlichen Frankreich.

Dübendorf: Dorf im Kanton Zürich mit einem Militärflugplatz.

Aviatiker: Flugtechniker, Kenner des Flugwesens.

Blériot: Louis Blériot (1872–1936), französischer Flugtechniker; er überquerte 1909 als erster den Ärmelkanal in einem selbstgebauten Flugzeug in 27¹/₃ Minuten.

In Bergamo

e 1913, VZ 1913; überarbeitet 1913; GW 6, 218–223. Auch u. d. T.: *Bergamo.*
Bergamo: Hauptstadt der gleichnamigen norditalienischen Provinz.
Garibaldi: Giuseppe Garibaldi (1807–1882), italienischer Freiheitsheld.
Colleoni: Bartolomeo Colleoni (1400–1475), italienischer Söldnerführer, bei Bergamo geboren, kämpfte im Dienste Neapels, Mailands und Venedigs.
Lorenzo Lotto: italienischer Maler (um 1480–1556).

Kirchenkonzert

e 1913, VZ 1913; überarbeitet 1915; GW 10, 15–20. Auch u. d. T.: *Alte Musik, Die Orgel klingt im hohen Raum, Konzert im Münster.*
meines einsamen Landhauses: das ehemalige Welti-Haus in Ostermundigen bei Bern.
Veracini: Francesco Maria Veracini (1690–1750), italienischer Violinvirtuose und Komponist.
Nardini: Pietro Nardini (1722–1793), italienischer Geiger und Komponist, Schüler von Tartini.
Tartini: Giuseppe Tartini (1692–1770), italienischer Geiger und Komponist.

Musik

e 1913, VZ 1913; *Die Kunst des Müßiggangs,* 1973, 172–177.

Nachtgesicht

e 1913, VZ 1913; GS 3, 925–927. Auch u. d. T.: *Der Blick in den Spiegel.* Manuskript in der Universitätsbibliothek Tübingen.

San Vigilio

e 1913, VZ 1913; *Bilderbuch,* Neuausgabe 1958, 86–92.
Giovanni Bellini: der bedeutendste Maler der italienischen Frührenaissance (um 1430–1516).

Colleoni: Bartolomeo Colleoni, italienischer Söldnerführer; vgl. Kommentar zu *In Bergamo*.
Pisanello: Antonio Pisanello, eigentlich Pisano (1395–1450), italienischer Maler und Medailleur.
Boltraffio: Giovanni Boltraffio (1467–1516), italienischer Maler, Schüler von Leonardo da Vinci.
Turner: William Turner (1775–1851), englischer Maler, hatte 1819 auf einer Studienreise durch Italien starke Eindrücke empfangen.

Spaziergang am Comersee

e 1913, VZ 1913; GW 6, 214–217.

Winterausflug

e 1913, VZ 1913; *Die Kunst des Müßiggangs*, 1973, 151–155. Auch u. d. T.: *Grindelwalder Tage.* – Vgl. auch *Grindelwald*.
Bachtobel: Bachschlucht.

Autoren-Abend

e 1912, VZ 1913; GW 11, 147–156. Auch u. d. T.: *Der Autorenabend*. Manuskript im Hesse-Nachlaß Marbach a. N.
Querburg: Die Veranstaltung fand am 22. April 1912, 20.15 Uhr, in der Tonhalle von Saarbrücken statt.

Der Brunnen im Maulbronner Kreuzgang

e 1914, VZ 1914; überarbeitet 1930, 1940, 1942, 1952; *Die Kunst des Müßiggangs*, 1973, 165–168. Auch u. d. T.: *An einem alten Brunnen, Der Brunnen, Der Klosterbrunnen, Der singende Brunnen, Maulbronn*. Manuskript im Hesse-Nachlaß Marbach a. N. – H. H. ist im Juli 1914 zum ersten Mal seit seiner Schülerzeit wieder in Maulbronn. Er schreibt das Gedicht *Ins Gästebuch* (»Verzaubert in der Jugend grünem Tale . . .«), VZ 1956, abgedruckt u. d. T. *Maulbronn* in: *Die Gedichte*, 1977, 761.

Die Frau auf dem Balkon

e 1912, VZ 1914; überarbeitet 1926, 1928, 1951; *Die Kunst des Müßiggangs*, 1973, 191–196. Auch u. d. T.: *Ein Abend in Como, Ein Reise-Abend, Eine Reiseerinnerung, Reise-Abenteuer*.

Ein Traum von den Göttern

e 1914, VZ 1914; *Die Kunst des Müßiggangs*, 1973, 168–172, hier mit einer »Vorbemerkung« aus dem Jahr 1924. Auch u. d. T.: *Der Traum von den Göttern*. Manuskript im Hesse-Nachlaß Marbach a. N.

Erinnerung an Asien

e 1914, VZ 1914; überarbeitet 1915; *Kleine Freuden*, 1977, 108–111. Auch u. d. T.: *Asiatisches*. – Eine Erinnerung H. Hs. an seine Indienreise.

Märchen

e 1912, VZ 1914; überarbeitet 1935; GW 6, 40–47. Auch u. d. T.: *Ein Traum, Es führt kein Weg zurück, Flötentraum, Märchen aus vergangener Zeit*. Manuskript in der Hesse-Sammlung von Heiner Hesse.
»In dem kleinen Buch ›Am Weg‹ steht ein ›Märchen‹. Genau wie es dort steht, so ist seit 2½ Jahren meine innere Situation, und ich will aus diesem Boot nicht aussteigen, eh ich den Sinn der Nachtfahrt erlebt habe [...]« (Aus einem Brief an Walter Schädelin v. 18. 5. 1916; GB 1, 323).

... noch ein dritter gefallen

e 1914, VZ 1914; *Gedenkblätter*, 1937, 99–109. Auch u. d. T.: *Der Schulkamerad, Die Feldpostkarte, Eine Postkarte, Eugen Siegel*. Manuskript u. d. T. *Gefallen* im Hesse-Nachlaß Marbach a. N.
G.: Göppingen.
Biernatzki: Vgl. Kommentar zu *Der Lateinschüler*.

O Freunde, nicht diese Töne!

e Sept. 1914, VZ *Neue Zürcher Zeitung* Nr. 1487 v. 3. 11. 1914; GW 10, 411–416.

Vor einer Sennhütte im Berner Oberland

e 1914, VZ 1914; überarbeitet 1925, 1926, 1930, 1935, 1941; *Die Kunst des Müßiggangs*, 1973, 162–165. Auch u. d. T.: *Ein Tag außerhalb der Zeit, Wintertag im Gebirge, Wintertag im Hochgebirge, Zwischen Winter und Frühling*. Manuskript im Hesse-Nachlaß Marbach a. N.

Ein Achtzigjähriger

e 1915, VZ 1915; *Gerbersau*, 1949, Band 2, 298–393 (vollständiger Text). Die *Gedenkblätter* (ab 1947) enthalten einen gekürzten Text u. d. T. *An Christian Wagner*, GS 4, 587–592, mit dem falschen Untertitel »Zu seinem 80. Geburtstag, 1916«.
Christian Wagner (1835–1918), Bauer in Warmbronn, Dichter seiner heimatlichen Landschaft. H. H. hat 1913 eine Auswahl der Gedichte Christian Wagners herausgegeben. H. H. schrieb über Christian Wagner außerdem: *Christian Wagner* (e 1918, VZ 1918; GS 4, 593–595; auch u. d. T.: *Bei Christian Wagners Tod, Der Bauerndichter Christian Wagner*), ferner: *Christian Wagner* (in *März*, München, 6, 1912, S. 320), *Christian Wagner* (in *Die Neue Rundschau*, Berlin, 24, 1913, 3, S. 445), *Christian Wagner: Gesammelte Dichtungen* (in *Neue Zürcher Zeitung* Nr. 64 v. 14. 1. 1919).

Merkwürdige Nachricht von einem andern Stern

e 1915, VZ 1915; GW 6, 48–66.

Das Märchen von Faldum: Der Jahrmarkt, Der Berg

e 1916, VZ 1916; GW 6, 88–109. Auch u. d. T.: *Faldum*. Manuskript im Hesse-Nachlaß Marbach a. N.
Faldum: fiktiver Ort.

Eine Traumfolge

e 1916, VZ 1916; GW 6, 74–87.
Corot: Camille Corot (1796–1875), französischer Maler.
Wolf: Hugo Wolf (1860–1903), Komponist, Musikkritiker.
»Was wisset ihr, dunkle Wipfel ...«: Strophe 2 des Gedichts *Heimweh* (»Wer in die Fremde will wandern ...«) von Joseph von Eichendorff.

Zum Gedächtnis

e 1916, VZ 1916; GW 10, 121–133. Auch u. d. T.: *Erinnerung an den Vater*. Manuskript im Hesse-Nachlaß Marbach a. N.
H. Hs. Vater ist am 8. März 1916 in Korntal gestorben. Auf seiner Fahrt über Zürich nach Winterthur zu einer Vorlesung erfährt H. H. in Zürich durch Othmar Schoeck vom Tod seines Vaters; er reist nach Bern zurück und dann nach Deutschland. (Vgl. *Erinnerungen an Oth-*

mar Schoeck; GS 4, 652–664). H. Hs. Vater Johannes liegt auf dem Neuen Friedhof in Korntal begraben. Den Grabstein mit dem Psalmvers (Ps. 124, 7) gestaltete 1917 Otto Blümel (1881–1973), der seit 1908 mit H. H. befreundet war. 1953 wurde in diesem Grab auch H. Hs. jüngste Schwester Marulla beigesetzt und ein neuer Grabstein errichtet.

Der schwere Weg

e 1916, VZ 1917; GW 6, 67–73. Manuskript im Hesse-Nachlaß Marbach a. N.

»In meinen Märchen mußt Du keine Bedeutungen im einzelnen suchen, solche Sachen wie der Schluß des ›schweren Wegs‹ denke ich mir wie die Bilder eines Traumes, die man nicht Zug für Zug deuten kann, die man aber beim Erwachen noch sieht und von denen man fühlt, daß sie einen irgendwie nahe angehen.« (Aus einem Brief an seine Schwester Adele v. 2. 7. 1919; GB 1, 405)

Die Zuflucht

e 1916, VZ 1917; GW 10, 27–32. Manuskript im Hesse-Nachlaß Marbach a. N.
Schragen: Gestell.
Vers des schwäbischen Pfarrers: erster Vers aus Eduard Mörikes Gedicht *Verborgenheit.*
»*Das Reich Gottes ist inwendig in euch*«: Luk. 17, 21.

Im Jahre 1920

e Ende 1917, VZ in *Neue Zürcher Zeitung* Nr. 2150 und 2151 v. 15. und 16. 11. 1917. Erste der bisher aufgefundenen Arbeiten H. Hs., die unter dem Pseudonym Emil Sinclair erschienen sind. GW 10, 427–435. Auch u. d. T.: *Wenn der Krieg noch zwei Jahre dauert.*
von Zeit zu Zeit verschwinden: Vgl. dazu den Schluß des *Kurzgefaßten Lebenslaufs* (GW 6, 411).
jagte unbefriedigt durch Zeiten und Räume: später wieder in der *Morgenlandfahrt.*
ins Kosmische: Vgl. den Bereich der Unsterblichen im *Steppenwolf.*

Kubu

e 1914, VZ 1917; GW 4, 339–346. Auch u. d. T.: *Der Waldmensch.*
Kubu: vormalaiischer Volksstamm auf Südsumatra; z. T. noch nicht seßhafte Jäger; von H. H. hier als Eigenname gebraucht.

Von der Seele

e 1917, VZ 1917; GW 10, 33–43. Auch u. d. T.: *Ungelebtes Leben, Zwei junge Herren in der Eisenbahn.* Das Manuskript befand sich im Besitz von Max Bucherer (1883–1974), Ronco.

»Was hülfe es dir [...]«: Nach dem Jesuwort Matth. 16, 26. »Auch andre Sorgen drücken, aber sie sind klein neben der Hauptsorge: ›Was hülfe es mir, so ich die ganze Welt gewänne – ‹ Der ›Schaden an der Seele‹ will jetzt sein Recht haben.« (Aus einem Brief an Walter Schädelin v. 7. 5. 1916; GB 1, 323)

Weihnacht

e 1917, VZ 1917; GW 10, 43–47.
»Himmelreich [...]«: nach Luk. 17, 21.

Zu Weihnachten

e 1917, VZ 1917; *Kleine Freuden,* 1977, 116–117.

Das Reich

e 4. 12. 1918, VZ 1918; GE 3, 171–176. Typoskript im Hesse-Nachlaß Marbach a. N.

Der Europäer

Eine Fabel. e 1918, zunächst u. d. Pseudonym Emil Sinclair; GW 6, 423–431. – Anspielung auf die Sintflut (1. Mos. 7 und 8).
den uralten Patriarchen: Noah.
Mandrill: Gattung meerkatzenartiger Affen Westafrikas.
Gipfel des heiligen Berges: das Gebirge Ararat, das armenische Hochland. 1. Mos. 8, 4.

Der Leser

e 1918, VZ 1918; überarbeitet 1924; GW 4, 421–427. Auch u. d. T.: *Der Bücherwurm, Der Mann mit den vielen Büchern.*
Anna Karenina: Roman (1873/76) von Leo Nikolajewitsch Tolstoi (1828–1910).
»Erkenne dich selbst!«: Inschrift des Apollotempels in Delphi; sie wird einem der sieben Weisen, bald dem Thales (um 620–543 v. Chr.), bald dem Chilon, bald anderen zugeschrieben.

Der Maler

e 1918, VZ 1918; GE 3, 311–314. Auch u. d. T.: *Märchen vom Maler, Traum und Wandlung eines Malers*. Typoskript im Hesse-Nachlaß Marbach a. N.

Eigensinn

e 1. 12. 1917, VZ 1918; zunächst u. d. Pseudonym Emil Sinclair; GW 10, 454–460. Manuskript in der Hesse-Sammlung von Max Thomann (1879–1950) der Stadtbibliothek St. Gallen.
tragisch: Vgl. die Erzählung *Tragisch* (GW 6, 358–370).
»Schicksal und Gemüt sind Namen eines Begriffes«: »[...] daß Schicksal und Gemüt Namen e i n e s Begriffs sind« (Novalis, *Heinrich von Ofterdingen*. 2. Teil: Die Erfüllung).

Ein Stück Tagebuch

e 1918, VZ 1918; GW 10, 53–60. Auch u. d. T.: *Die Stimmen und der Heilige, Der Heilige mit dem kleinen Lächeln.*

Erinnerung an Indien

(Zu den Bildern des Malers Hans Sturzenegger). e 1916, VZ 1918; GW 6, 288–294. Das Typoskript im Hans-Sturzenegger-Nachlaß des Schweizerischen Instituts für Kunstwissenschaft in Zürich enthält einen Abschnitt mehr als die gedruckte Version. – Vgl. Kommentar zu *Aus Indien.*

Gedanken

e 1918, VZ *Wieland*, München, 4, (Nov.) 1918, 8, S. 21. Bisher noch nicht wieder gedruckt.

Heimat

e 1918, VZ 1918; GS 3, 932–933. Auch u. d. T.: *Calw, Die schönste Stadt zwischen Bremen und Neapel: Calw, Heimat. Erinnerungen an Calw, Heimat in Calw, Heimweh nach Calw, Mein Städtchen im Schwarzwald.* Manuskript im Carl-Seelig-Nachlaß der Zentralbibliothek Zürich.

Herbstabend im Studierzimmer

e 1918, VZ 1918; *Kleine Freuden*, 1977, 135–138. (Mit Buchbesprechungen.)

In einer kleinen Stadt

Eine unvollendete Romanhälfte. e 1917, VZ 1918; GE 3, 279–303; im Quellennachweis dazu (a.a.O. S. 369) ist vermerkt: »Es gibt Anhaltspunkte dafür, daß dieses Fragment bereits 1906/07 entstanden sein könnte.«
Bühel: Bühl = Hügel.
Kronengasse: Gasse in Calw vom mittleren Marktplatz zur Lederstraße.
Gerbergasse: H. H. bezeichnet damit die Bischofstraße.
Autochthone: Alteingesessener, Ureinwohner.
»Hans Sachs«: Eine solche Zeitschrift gab es nicht, offenbar handelt es sich um eine Anspielung auf den *Simplicissimus*.
Salzgasse: Straße in Calw am unteren Marktende.

Iris

Ein Märchen. e 1917, VZ 1918; GW 6, 110–129. Im Band *Märchen*, 1919, seiner Frau Mia gewidmet. »[...] jene kleine Erzählung, die zum Schönsten gehört, was Hesses Werk enthält [...]« (Hugo Ball, *Hermann Hesse*. Berlin: S. Fischer 1927, S. 115)

Künstler und Psychoanalyse

e 1918, VZ 1918; GW 10, 47–53.
Freud: Sigmund Freud (1856–1939), österreichischer Psychiater und Neurologe, Professor in Wien (emigrierte 1938 nach England), Begründer der Psychoanalyse.
Jung: Carl Gustav Jung (1875–1961), schweizerischer Psychologe und Psychiater, Professor in Zürich und Basel, Begründer der Tiefenpsychologie.
Leonhard Frank: sozialistisch-pazifistischer Erzähler (1882–1961).
die beiden Romane: Die Räuberbande (1914), *Die Ursache* (1916).
Stekel: Wilhelm Stekel (1868–1940), Arzt und Analytiker.
Nietzsche: Friedrich Nietzsche (1844–1900).
Otto Rank: österreichischer Psychologe (1884–1939).

Märchen vom Korbstuhl

e 1918, VZ 1918; GW 6, 419–422. Auch u. d. T.: *Der alte Korbstuhl, Der junge Mann und sein Stuhl. Eine Erzählung, Der Korbstuhl, Korbstuhl-Märchen*. Typoskript ohne Überschrift im Hesse-Nachlaß Marbach a. N.

Phantasien

e 1918, VZ 1918; GW 10, 60–66.

Schlechte Gedichte

e 1918, VZ 1918; überarbeitet 1945; GS 7, 156–161, und GW 11, 197–202 (in GS und GW ist fälschlicherweise das Jahr der Neufassung mit 1954 angegeben). Auch u. d. T.: *Über Gedichte, Über gute und ›schöne‹ Gedichte*.

Sprache

e 1917, VZ 1918; GW 11, 191–197. Auch u. d. T.: *Der Dichter und die Sprache*.
Walt und Vult: auch Gottwalt und Vult, Zwillingsbrüder in Jean Pauls Roman *Flegeljahre*.

Traum am Feierabend

e 1918, VZ 1918; GS 7, 113–117.

Weltgeschichte

e 1918, VZ 1918; GW 10, 439–444.
Sedansfest: zur Erinnerung an die Schlacht im deutsch-französischen Krieg 1870/71 und den deutschen Sieg am 1. und 2. September 1870. Sedanstag ist der 2. September.

Alemannisches Bekenntnis

e 1919, VZ 1919; *Kleine Freuden*, 1977, 146–150. Typoskript im Hesse-Nachlaß Marbach a. N.

Aus dem Jahre 1925

e 1918, VZ 1919, zuerst u. d. Pseudonym Emil Sinclair; GS 7, 101–104. Auch u. d. T.: *Wenn der Krieg noch fünf Jahre dauert.* Typoskript im Hesse-Nachlaß Marbach a. N.

Kaspar Hauser: Findelkind rätselhafter Herkunft, geboren angeblich 30. 4. 1812, gestorben in Ansbach am 17. 12. 1833, tauchte 1828 in Nürnberg auf. Seinen Angaben nach war er in aller Verborgenheit in einem dunklen Behältnis aufgewachsen.

Du sollst nicht töten

e 1919, VZ 1919; GW 10, 449–453. Typoskript ohne Überschrift im Hesse-Nachlaß Marbach a. N.

Du sollst nicht töten: 2. Mos. 20, 13.

Zoroaster: griechischer Name für den Religionsstifter Zarathustra.

Baron Wrangel: Peter Nikolajewitsch Baron v. Wrangel (1878–1928), russischer General, befehligte im Ersten Weltkrieg eine Kosakendivision, im russischen Bürgerkrieg seit April 1920 die Weiße Armee in Südrußland. Im November 1920 verließ er Rußland.

Peters: Carl Peters (1856–1918), Gründer des Schutzgebiets Deutsch-Ostafrika.

Eine Bücherprobe

e 1919, VZ 1919; GW 11, 214–216.

Vasari: Giorgio Vasari (1511–1574), italienischer Baumeister, Maler, Kunstschriftsteller; seine Lebensbeschreibungen italienischer Künstler sind eine der wichtigsten Quellen der Kunstgeschichte.

Mauthners Wörterbuch: Fritz Mauthner (1849–1923), Schriftsteller und Philosoph, gab 1910–1911 ein zweibändiges *Wörterbuch der Philosophie* heraus.

Eduard v. Hartmann: Philosoph (1842–1906).

Fechner: Gustav Theodor Fechner (1801–1887), Philosoph und Naturforscher.

Emerson: Ralph Waldo Emerson (1803–1882), amerikanischer Philosoph und Dichter.

Lafcadio Hearn: Schriftsteller (1850–1904), stammt von griechisch-irischen Eltern, lebte seit 1890 in Japan unter dem Namen Yakumo Kiozumi.

Sommertag im Süden

e 1919, VZ 1919; GW 6, 300–303.
Francis Jammes: französischer Dichter (1868–1938). Seine Novelle *Almaïde d'Etremont* erschien 1911, deutsch 1919; H. H. besprach sie in *Der Bücherwurm,* Dachau und Berlin, 5, 1919, 4, S. 128.

Aus der Kindheit des heiligen Franz von Assisi

e 1919, VZ 1920; GW 4, 214–223. Manuskript u. d. T. *Aus der Kindheit des heiligen Franz* in der Hesse-Sammlung Marbach a. N. – Siehe auch Kommentar zu *Franz von Assisi.*
Orlando: Orlando furioso (Rasender Roland), Epos von Ariost.
Lanzelot: Sagengestalt aus der Tafelrunde des König Artus (im Versroman von Chrétien de Troyes).
Trasimeno: Lago Trasimeno (Trasimenischer See), größter See Mittelitaliens, nordwestlich von Perugia.
Poverello: der Arme.

Außen und Innen

e 1920, VZ 1920; GW 4, 372–386. Auch u. d. T.: *Der verschwundene Götze, Innen und Außen.*
»Nichts ist außen, nichts ist innen [...]: nach Goethes Gedicht *Epirrhema* (»Müsset im Naturbetrachten . . .«).
von weißer Hand an weiße Wand geschrieben: Vgl. Belsazers Gastmahl Dan. 5, 5.
Hermes Trismegistos: griechische Benennung des ägyptischen Gottes Thot, der als Urheber aller Bildung, Künste und Wissenschaften und zeitweise als größter Zauberer galt.
»Fürstin Russalka«: Die Fürstin Russalka (1897), Novellen und Gedichte von Frank Wedekind (1864–1918).

Bedeutung des Unbedeutenden

e 1919, VZ 1920; GW 11, 209–214. Auch u. d. T.: *Variationen über ein Thema, Variationen über ein Thema von Wilhelm Schäfer, Vom ›großen‹ und ›kleinen‹ Dichtertum.*
Wilhelm Schäfer: Schriftsteller (1868–1952), Hrsg. der Zeitschrift *Die Rheinlande* (1900–1923). Schäfer hatte H. H. zur Neuausgabe des *Hermann Lauscher* (1907) ermuntert.

Der Weg der Liebe

e 1918, VZ 1920; GW 10, 444–449.
von persönlichem Regiment: gemeint ist das Regiment Kaiser Wilhelms II.
Wilson: Thomas Woodrow Wilson (1856–1924), 27. Präsident der USA (1913–1921).
General Foch: Ferdinand Foch (1851–1929), Marschall von Frankreich; er erzwang am 11. 11. 1918 gegenüber der deutschen Delegation die bedingungslose Annahme der Waffenstillstandsbedingungen.
General Hoffmann: Max Hoffmann (1869–1927) war als Chef des Generalstabs des Oberbefehlshabers Ost maßgeblich am Frieden von Brest Litowsk beteiligt.

Gang im Frühling

e 1920, VZ 1920; *Die Kunst des Müßiggangs,* 1973, 196–198. Auch u. d. T.: *Immer wird Ostern wiederkehren, Ostern kehrt immer wieder.*

Gespräch mit dem Ofen

e 1919, VZ 1920 u. d. Pseudonym Emil Sinclair; GE 3, 366–367. Auch u. d. T.: *Gespräch mit einem Ofen.* Manuskript im Hesse-Nachlaß Marbach a. N.
Benjamin Franklin: nordamerikanischer Staatsmann, Schriftsteller und Drucker (1706–1790); bekannt wurde Franklin durch seine physikalischen Arbeiten (Blitzableiter).

Kirchen und Kapellen im Tessin

e 1920, VZ 1920; *Die Kunst des Müßiggangs,* 1973, 198–201. Auch u. d. T.: *Tessiner Kapellen.*
auf meiner ersten jugendlichen Italienfahrt: 25. März bis 19. Mai 1901; vgl. Zeittafel.

Vom Bücherlesen

e 1920, VZ 1920; überarbeitet 1933; GW 11, 234–241. Auch u. d. T.: *Betrachtung über Bücher, Betrachtung über das Lesen.*
Theophrast: eigentlich Tyrtamos (372–287 v. Chr.), griechischer Philosoph; seine kleine Schrift *Charaktere* hatte für die Folgezeit große Bedeutung.

den vier Temperamenten: Diese Lehre geht auf Hippokrates zurück, der den sanguinischen, cholerischen, phlegmatischen und melancholischen Typ unterschied.

Bergson: Henri Bergson (1859–1941), französischer Philosoph.

Aus Martins Tagebuch

Fragment aus einem Roman. e 1918, VZ 1921; überarbeitet 1928; *Kleine Freuden,* 1977, 131–135. Auch u. d. T.: *Der wichtigste Tag meines Lebens, Tagebuchblatt. Aus einem unvollendeten Roman, Tagebuchblatt. Ein Romanfragment.*
»Liebe deinen Nächsten!«: 3. Mos. 19, 18.
»So ihr nicht werdet wie die Kinder«: Matth. 18, 3.
»Das Himmelreich ist inwendig in euch«: Luk. 17, 21.

Chinesische Betrachtung

e 1921, VZ 1921; GW 10, 66–69.
in Washington der Kongreß: Abrüstungskonferenz vom 12. November 1921 bis 6. Februar 1922. Ergebnis: 1. Flottenabkommen, 2. Viermächteabkommen (Pazifikabkommen), 3. Neunmächteabkommen über die Unabhängigkeit Chinas, 4. Schantungvertrag.

Der kleine Weg

Tessiner Skizze. e 1921, VZ 1921; GW 6, 316–319. Auch u. d. T.: *Aus einem Skizzenbuch vom Jahre 1919, Ein Weg im Tessin.*

Tessiner Abend

e 1921, VZ 1921; GW 6, 307–311. Auch u. d. T.: *Hochsommerabend, Hochsommerabend im Tessin, Sommerabend, Tessiner Sommerabend.* Das Manuskript ohne Titel im Hesse-Nachlaß Marbach a. N., eine frühe Version dieses Textes, war Grundlage für den Abdruck in *Die Kunst des Müßiggangs,* 1973, 201–204 u. d. T. *Tanz;* die Anmerkung »Hier erster Abdruck« trifft deshalb nur für diese Fassung zu.

Strand

e 1921, VZ 1921; GW 6, 312–316. Auch u. d. T.: *Am Luganer See, Gern sänge ich Halewijns Lied, Halewijns Lied, Ritter Halewijns Lied. Ein Sommererlebnis, Sommernachmittag am Wasser, Spätsommertag, Tag am stillen See, Tessiner Spätsommertag.*

den Berg hinab zum Strande: von Montagnola zum Luganer See; vgl. auch *Der kleine Weg.*

Ritter Halewijn: Heer Halewijn, Held einer nach ihm genannten und in ganz Europa bekannten Ballade, deren aus dem Mittelniederländischen stammende Fassung, das *Lied van Heer Halewijn,* als die ursprüngliche gilt. Heer Halewijn ist darin ein Blaubart, der von einer Königstochter enthauptet wird.

Vorrede eines Dichters
zu seinen ausgewählten Werken

e 1921, VZ 1921; GW 11, 7–12. Auch u. d. T.: *Vorrede Hermann Hesses zu seinen ausgewählten Werken.* Manuskript in der Hesse-Sammlung Marbach a. N.

»Schon Ende 1920 hatte er [S. Fischer] Hesse aufgefordert, eine volkstümliche, auf vier bis fünf Bände berechnete Auswahlausgabe vorzubereiten, und ihm vorgeschlagen, in einer Vorrede die Gesichtspunkte zu erläutern, nach denen er die Auswahl getroffen habe. Aber es kam nur die Vorrede zustande [...] Die Ausgabe unterblieb. Hesse entschloß sich lediglich zu einer Auswahl aus seinem lyrischen Werk, die freilich sehr knapp und streng ausfiel, und diesen schmalen Band *Ausgewählte Gedichte* konnte Fischer 1921 bringen. Aber Fischer hielt an dem Gedanken fest und schrieb Hesse anläßlich der Erneuerung ihres Generalvertrags am 22. Dezember 1920: ›Ich weiß, Sie nehmen eine Ausgabe Ihrer gesammelten Werke nicht feierlich. Indessen, Sie unterschätzen die moralische und finanzielle Bedeutung einer solchen Gesamtausgabe. Nach einiger Zeit werden Sie selbst zu der Erkenntnis kommen, daß das Gesamtbild Ihres Schaffens doch einmal zusammengefaßt sichtbar werden muß. So viel oder so wenig Sie auch von der Wirkung der Kunst erwarten, so ist doch das Eine sicher, daß es das Einzige ist, was auf die Dauer Bestand hat, und daß Sie in dem Gesamtbild des deutschen geistigen Lebens nicht fehlen dürfen, darüber brauchen wir ja kein Wort zu verlieren.

Würde es nach mir gehen, so würde ich sagen, daß wir in ein bis zwei Jahren die Ausgabe Ihrer gesammelten Werke vorbereiten. Verzeihen Sie, wenn ich Sie mit diesen Dingen gerade in diesen Tagen beunruhige. Sie nehmen sie nicht wichtig, aber ich habe die Pflicht, sie wichtig zu nehmen, denn ich habe den Ehrgeiz, das mir anvertraute Gut von Wert der Zukunft zu übermitteln und zu erhalten.‹

Es war nun nicht mehr von einer Auswahl, sondern von einer regelrechten Gesamtausgabe die Rede. Doch wurde, wie ein Brief Fischers vom 19. Januar 1921 besagt, ›wegen einer Gesamtausgabe zunächst in den Vertrag nichts eingefügt, weil Sie schreiben, daß Sie an die Ausführung dieses Planes noch lange nicht denken‹.

Fischer drängte in den nächsten zwei, drei Jahren nicht weiter.« (Peter de Mendelssohn, *S. Fischer und sein Verlag*. Frankfurt a. M.: S. Fischer 1970, S. 1019–1020).

Aus dem Tagebuch eines Wüstlings

e 1922, VZ 1922; *Materialien zu Hermann Hesses »Der Steppenwolf«*, 1972, 199–203. (Unvollendete Dichtung, Vorstudie zum *Steppenwolf*.) Auch u. d. T.: *Aus dem Tagebuch eines Entgleisten, Aus dem Tagebuch eines Mannes*. Manuskript ohne Titel mit einer ausführlicheren Version im Hesse-Nachlaß Marbach a. N.

Besuch aus Indien

e 29. 8. 1922, VZ 1922; GW 6, 294–299.
Bei dem Besucher handelt es sich um Kalidas Nag, Professor für Geschichte an der Universität Kalkutta. H. H. hatte am 21. 8. 1922 auf dem Friedenskongreß der internationalen Frauenliga in Lugano den Schluß seines *Siddhartha* vorgelesen und war anschließend zum Essen mit Romain Rolland und Kalidas Nag zusammen.

Das schreibende Glas

e 11. 6. 1922, VZ 1922; GW 6, 320–325. Manuskript ohne Überschrift im Hesse-Nachlaß Marbach a. N.
Balmelli: Hugo Ball (1886–1927), Erzähler und Essayist, seit 1920 mit H. H. befreundet, schrieb die 1927 erschienene Biographie *Hermann Hesse. Sein Leben und sein Werk*.
Emmy: Emmy Ball-Hennings (1885–1948), Schauspielerin und Lyrikerin, Frau von Hugo Ball, mit H. H. befreundet, 1956 erschienen ihre *Briefe an Hermann Hesse*.
Bergdorf: Carona.
der Vater: Theo Wenger, der Vater von Ruth Wenger, H. Hs. zweiter Frau.
Frau Lisa: Lisa Wenger geb. Ruutz (1858–1941), Schriftstellerin und Malerin, mit H. H. befreundet, Frau von Theo Wenger.
Rebekka: Ruth Wenger, Konzertsängerin und Malerin, H. Hs. zweite Frau.
Maria: Schwester von Ruth Wenger.

Erinnerungen an Conrad Haußmann

e 1922, VZ 1922; bisher nicht vollständig in einem Buch H. Hs. erschienen; Tdr. in GB 1, 501–504. Auch u. d. T.: *Dank an den guten Geist des schwäbischen Bodens*.

Conrad Haußmann (1857–1922), bürgerlicher Politiker, Mitarbeiter
am März, mit H. H. befreundet.

Exotische Kunst

e 1922, VZ 1922; *Die Kunst des Müßiggangs*, 1973, 207–209.

Notizblatt von einer Reise

e April 1922, VZ 1922; GS 3, 935–938. Auch u. d. T.: *Ein Begräbnis,
Ein Reise-Erlebnis Hermann Hesses, Reise-Erlebnis.*
Bruno Hesse, *Erinnerungen an meine Eltern* (Privatdruck 1978, 24 S.):
»Ich fragte ihn [H. H.], ob die in ›Notizblatt von einer Reise‹ be-
schriebene Beerdigung eines Landstreichers in einem ›Städtchen am
Fuße des Juras‹ wohl dort [in Aarburg] gewesen sei. Er erzählte:
›Nein, das war in Grenchen. Dort logierte ich bei Pfarrer [Ernst]
Hubacher, dem Bruder des Bildhauers, der hat die Bestattung dieses
unbekannten Landstreichers besorgen müssen. Die Sache hat dann
noch ein Nachspiel gehabt: ein Jahr oder mehr später hat sich heraus-
gestellt, daß es kein Selbstmord war. Der Landstreicher hatte eine
kleine Erbschaft gemacht. Sein Kamerad, mit dem er aus dem Ausland zurückgekommen war, hatte davon wohl gewußt, und hatte ihn
erschossen. Der Ermordete wurde später von Verwandten gesucht.‹«
(S. 17)

Die Offizina in Montagnola

e Oktober 1923, VZ 1923; *Kleine Freuden*, 1977, 150–153. Auch
u. d. T.: *Die Offizina Bodoni in Montagnola.*
Giambattista Bodoni (1740–1830), italienischer Buchdrucker, schuf
hervorragende Druckwerke, besonders Ausgaben altgriechischer, römischer und italienischer Klassiker und schnitt selbst viele Lettern (Bo-
doni-Schriften).

Madonna d'Ongero

e 1923, VZ 1923; überarbeitet 1935; GW 6, 325–332. Auch u. d. T.:
*Idyll am Spätsommerabend, Spätsommerabend, Spätsommerabend im
Tessin, Spaziergang im Tessin, Tessiner Abendskizze.* Manuskript im
Hesse-Nachlaß Marbach a. N.
Madonna d'Ongero ist ein großer Kuppelbau des 18. Jhs. mit einer
Vorhalle. Im Inneren wirkt die barocke Ausstattung überwältigend.
Die farbenfrohen Fresken stammen von Antonio Petrini (1624/25–

1710), einem italienisch-deutschen Baumeister, der auch fürstbischöflicher Baumeister in Würzburg war.
Carona: Siehe Kommentar zu *Klingsors letzter Sommer* und *Das schreibende Glas.*
Polentarauch: Rauch von verbranntem Maisgras.
Renoir: Auguste Renoir (1841–1919), französischer Maler.
Knut Hamsun: norwegischer Erzähler (1859–1952).

Tragisch

Eine Erzählung. e 2. 5. 1923, VZ 1923; GW 6, 358–370. Manuskript in der Hesse-Sammlung Marbach a. N.
das Nachtlied: aus Friedrich Nietzsches *Also sprach Zarathustra,* 2. Teil.
der große Pan: meist ein Hirten- oder Weidegott, besonders in Arkadien verehrt, galt als Urheber plötzlicher und unerklärlicher Schrekken.
Idiosynkrasie: angeborene Überempfindlichkeit gegen bestimmte Stoffe (z. B. Nahrungsmittel) oder Reize.

Das verlorene Taschenmesser

e 1924, VZ 1924; GS 3, 938–943. Auch u. d. T.: *Ein Messer und mein Leben, Mein Taschenmesser.*
meine Frau erwartete ihr erstes Kind: Bruno Hesse, geboren am 9. 12. 1905.
Bau eines eigenen Hauses: am Erlenloh in Gaienhofen am Bodensee.
einer schönen Schweizer Stadt: Bern. H. H. wohnte in Ostermundigen am Melchenbühlweg.

Goethe und Bettina

Eine Betrachtung. e 1924, VZ 1924; GW 12, 187–196.
»Goethes Briefwechsel mit einem Kinde«: von Bettina von Arnim, 1835 erschienen.
der echte, originale Briefwechsel: hrsg. von R. Steig 1922.

Jakob Boehmes Berufung

Dem Abraham von Franckenberg nacherzählt. e 1922, VZ 1924; überarbeitet 1929 u. d. T.: *Der Schuster von Görlitz*; GS 7, 272–275. Manuskript im Hesse-Nachlaß Marbach a. N.
Abraham von Franckenberg: deutscher Mystiker (1593–1652).

Madonnenfest im Tessin

e 1924, VZ 1924; GW 6, 332–337. Auch u. d. T.: *Eine Tessiner Wall-fahrtskirche*.
Monte Arbostora: Berg bei Lugano; auf diesem Berg liegt Carona. Die Wallfahrtskirche ist Madonna d'Ongero. Vgl. auch *Madonna d'On-gero*.

Über Hölderlin

e 1924, VZ 1924; GW 12, 224–228. Auch u. d. T.: *Ein Wort über Höl-derlin, Hölderlin*. Typoskript im Ninon-Hesse-Nachlaß Marbach a. N.

Angelus Silesius

e 1925, VZ 1925; GW 12, 97–99, hier um den Hinweis auf die Neu-ausgabe von Hans Ludwig Held gekürzt.
Abraham Franckenberg: siehe *Jakob Boehmes Berufung*.
»Cherubinischer Wandersmann«: nahezu 1700 meist zweizeilige Sprü-che (1674).
Robert der Teufel: Robert I., Herzog von der Normandie, gestorben 1035, Vater Wilhelms des Eroberers; seine Taten lebten in französi-schen Sagen und in einem deutschen Volksbuch fort.
Franz Werfel: deutscher Dichter (1890–1945).

Aus Indien und über Indien

e 1925, VZ 1925; *Kleine Freuden*, 1977, 162–166. Ein Literaturbericht, der bis 1977 nur im *Berliner Tageblatt* Nr. 452 v. 24. 9. 1925 veröf-fentlicht worden war.

Balzac

Zu seinem fünfundsiebzigsten Todestag. e 1925, VZ 1925; GW 12, 262–265. Auch u. d. T.: *Balzac sag Ja zum Leben*.
Demiurg: Weltbaumeister, Weltenschöpfer (bei Platon und späteren griechischen Denkern).
Niagara: die Wasserfälle des Niagara; 6000 m³ Wasser stürzen durch-schnittlich in der Sekunde herab.
Gaurisankar: Gipfel des Himalaja, 7145 m hoch.
Auguste Rodin: französischer Bildhauer (1840–1917), er schuf 1892–1897 das Denkmal für Balzac (Paris, Musée Rodin).

Die Fremdenstadt im Süden

e 1925, VZ 1925; GE 4, 162–166. Manuskript im Hesse-Nachlaß Marbach a. N.
Posilipo: Hügelzug südwestlich von Neapel.
Caruso: Enrico Caruso (1873–1920), italienischer Sänger, der berühmteste Operntenor seiner Zeit.

Gespräch

e 1925, VZ 1925; *Kleine Freuden,* 1977, 153–157. (Über das Buch *Fridericus* von Werner Hegemann.)

Kurzgefaßter Lebenslauf

e 1924, VZ 1925; GW 6, 391–411 (mit einleitenden Bemerkungen H. Hs.). Typoskript der ersten Fassung im Hesse-Nachlaß Marbach a. N.
in früher Abendstunde: H. H. wurde »abends halb sieben Uhr« (*Marie Hesse. Ein Lebensbild in Briefen und Tagebüchern von Adele Gundert.* Stuttgart: D. Gundert 1934, S. 175) geboren.
die Lateinschule einer andern Stadt: Göppingen.
Zögling eines theologischen Seminars: Maulbronn.
Dagesch forte implicitum: komplizierter starker Dagesch. Im Hebräischen ist Dagesch das Zeichen zur Verstärkung oder Abschwächung eines Lautes.
Flucht aus der Klosterschule: am 7. März 1892.
an einem Gymnasium: in Cannstatt.
drei Tage Kaufmannslehrling: im Oktober 1893 in der Buchhandlung Samuel Mayer in Eßlingen.
anderthalb Jahre lang Praktikant: vom Juni 1894 bis September 1895 bei Heinrich Perrot in Calw.
wurde ich Buchhändler: bei Heckenhauer in Tübingen.
ins Antiquariat: Am 1. August 1901 trat H. H. in das Antiquariat Wattenwyl in Basel ein.
im Alter von sechsundzwanzig Jahren: im Frühjahr 1903.
1905 half ich eine Zeitschrift begründen: Es war im Mai 1906 und handelt sich um die Zeitschrift *März*.
im Jahr 1915: Anspielung auf die Auseinandersetzung, die sich an die Veröffentlichung seiner Schilderung *Wieder in Deutschland (Neue Zürcher Zeitung* Nr. 1348 v. 10. 10. 1915) anschloß.
Der Artikel mit jener Anklage: ein anonymer Aufsatz u. d. T.: »Ein ›deutscher‹ Dichter«, zuerst im *Kölner Tageblatt* v. 24. 10. 1915 er-

schienen, am 27. 10. 1915 auch in der *Süddeutschen Zeitung,* Stuttgart.
wagten es nur zwei: Theodor Heuss und Conrad Haußmann. Vgl.
Hermann Hesse, *Politik des Gewissens.* Frankfurt a. M.: Suhrkamp
1977, S. 116–119 und 121–122.
eine entlegene Ecke der Schweiz: zuerst Minusio, dann Sorengo,
schließlich Montagnola.
Da machte ich mich klein und ging in mein Bild hinein: Vgl. dazu die
Notiz in H. Hs. *Tagebuch 1920/1921* (erstmals vollständig in *Eigensinn,* 1972) »Wunderbar ist die Erzählung vom Tode des berühmten
chinesischen Malers, des Wu Tao Tse: er malt, in Gegenwart von Zuschauern und Freunden, an eine Wand ein Landschaftsbild, dann geht
er magisch in sein gemaltes Bild hinein, verschwindet darin in einer
gemalten Höhle, und ist weg, mit ihm ist auch sein Bild verschwunden.« H. Hs. Quelle ist Otto Fischers Buch über *Chinesische Landschaftsmalerei* (München: Kurt Wolff 1921). Der Autor referiert dort
»Die Legende von dem zauberhaften Ende des Wu Tao-Tse, der vor
den Augen des Kaisers in die aufgetane Höhle der großen Landschaft
verschwindet, die er zuvor auf eine Wand des Palastes gemalt: hinter
ihm schließt sich der Fels, und bevor der Herrscher einen Schritt tut,
ist das ganze Gemälde verschwunden und die Wand weiß wie einst.
Den Meister aber hat nie ein Mensch wiedergesehen.« H. H. besprach
dieses Buch in der *Vossischen Zeitung,* Berlin, v. 28. 8. 1921.
Siehe auch Kommentar zu *Kindheit des Zauberers.*

Sehnsucht nach Indien

e 1925, VZ 1925; *Kleine Freuden,* 1977, 167–171.
Pedrotallagalla: Pidurutalagalla, höchster Berg auf Ceylon; vgl. Kommentar zu *Aus Indien.*
auf einer Reise, in Nürnberg: Vgl. Kommentar zu *Die Nürnberger
Reise.*
Martin Borrmann: Erzähler, Hörspielautor (Pseud. Matthias Born),
geb. 1895, lebt in Berlin; sein Reisebericht *Sunda* erschien 1925.
Batang: Hauptstrom eines Flußsystems.
Adamspik: Gneisberg auf Ceylon, 2243 m hoch, mit einer als Fußabdruck Adams gedeuteten Vertiefung.

Über Casanova

e 1925, VZ 1925; überarbeitet 1930; GW 12, 110–115. Auch u. d. T.:
Casanova, Gedanken über Casanova.
Grabbes Lustspiel: Scherz, Satire, Ironie und tiefere Bedeutung (1822).

310 ERZÄHLUNGEN, SCHILDERUNGEN, BETRACHTUNGEN

Über Dostojewski

e 1925, VZ 1925; GW 12, 304–307.
Raskolnikow: Held des Romans *Schuld und Sühne.*
Fürst Myschkin: Lew Myschkin, Held des Romans *Der Idiot.*

Über Novalis

e 1924, VZ 1925; GW 12, 234–236. Auch u. d. T.: *Nachwort zu Novalis. Das Leben des Novalis,* Ludwigs Tiecks Vorrede zur 5. Auflage
von Novalis' Schriften (1815) und die Novalisbiographie des Kreis-
amtmanns Just sind in *Novalis. Dokumente seines Lebens und Sterbens,* hrsg. von Hermann Hesse und Karl Isenberg (Berlin: S. Fischer
1925), abgedruckt. Eine von Volker Michels neu eingerichtete Ausgabe
dieses Bandes erschien 1976 im Insel Verlag Frankfurt a. M.

Abendwolken

e 1926, VZ 1926; mehrfach in veränderten Fassungen erschienen; *Die
Kunst des Müßiggangs,* 1973, 226–230. Auch u. d. T.: *Beim Spiel der
Abendwolken, Der goldene Karpfen, Die Goldfisch-Wolke, Goldkarp-
fen am Himmelszelt, Mein Goldfisch, Phantasien auf dem Balkon,
Spiele der Abendwolken, Tod des Goldfischs zwischen den Wolken-
schiffen, Wolken sind wie Kinder, Wolkenspiele.*
schmale Balkontür: Die Balkontür wurde von Gunter Böhmer (Hermann Hesse, *Abendwolken.* St. Gallen: Tschudy 1956, S. 3) gezeichnet, der Balkon von H. H. als »Klingsors Balkon« (Hermann Hesse,
Aquarelle aus dem Tessin. Baden-Baden: Woldemar Klein 1955, Umschlagbild) in einer aquarellierten Federzeichnung dargestellt. Vgl.
Klingsors letzter Sommer (Kapitel »Klingsor«).

Aquarell

e 1926, VZ 1926; überarbeitet 1928; *Die Kunst des Müßiggangs,* 1973,
230–234. Auch u. d. T.: *Abend für ein Aquarell, Aquarell im Tessin,
Beim Malen, Ein Malabend, Heute ging ich malen, Vom Malen.* Typoskript u. d. T.: *Spiel mit Farben* im Hesse-Nachlaß Marbach a. N.
bei der Walkmühle: An die ehemalige Walkmühle erinnert in Calw
heute noch der Walkmühleweg an der Nagold.
Sindaco: Bürgermeister.

Ausflug in die Stadt

e 1925, VZ 1926; überarbeitet 1940; *Die Kunst des Müßiggangs*, 1973, 222–226. Auch u. d. T.: *Der Dichter begegnet sich in der Stadt, Ein Einsiedler kommt in die Stadt.*

Am 19. 12. 1925 bezieht H. H. seine Zürcher Wohnung, Schanzengraben 31, die ihm von Fritz und Alice Leuthold zur Verfügung gestellt worden und die bis 1931 sein Winterdomizil geblieben ist.

vor einem großen jährlichen Feste: vor Weihnachten.

ein Hermann-Hesse-Abend: tatsächlich geschehen im Dezember 1925.

Die Sehnsucht unserer Zeit nach einer Weltanschauung

e 1926, VZ in *Uhu*, Berlin, 3, 1926, 2; vollständig u. d. T.: *Moderne Versuche zu neuen Sinngebungen* in: *Kleine Freuden*, 1977, 181–187.

Christian Science: Christliche Wissenschaft, von Mary Baker Eddy 1866 begründete Weltanschauung in religiös-kirchlicher Form. Gott ist für sie das allein Wirkliche und Krankheit das Unwirkliche, eine Frucht der Unwissenheit und Sünde, die durch Gebet zu beseitigen ist.

Theosophie: gnostisch-mystische Religionslehre, besonders des 17. und 18. Jhs. 1912 trennte sich die Gruppe um Rudolf Steiner von der – 1875 in New York gegründeten – Theosophischen Gesellschaft.

Mazdaznan: ein System der Lebensführung, das die Weisheit des Zarathustra erneuern will; die Bewegung ist um 1900 gegründet worden.

Neu-Sufismus: Der Sufismus, die Mystik im Islam, entstand im Zweistromland. Ansätze zeigten sich bereits um 700. Eine Neubelebung war in den zwanziger Jahren auch in Deutschland erkennbar.

Steinersche Anthroposophie: Rudolf Steiner (1861–1925) ist der Begründer der aus der Theosophie hervorgegangenen Anthroposophie, eines Erkenntnisweges, der das Geistige im Menschenwesen zum Geistigen im Weltall führen möchte.

Keyserling: Hermann Graf von Keyserling (1880–1946) vertrat eine irrationalistische Naturphilosophie. 1920 gründete er in Darmstadt eine »Schule der Weisheit«. Er lehrte eine auf Leib, Seele und Geist aufgebaute Anthropologie.

Richard Wilhelm: Sinologe (1873–1930), war von 1899 bis 1921 Missionar und Pfarrer in Tsingtau, wurde 1924 Professor des Chinesischen an der Universität Frankfurt. »[...] in Frankfurt [interessierte mich] der Chinese R. Wilhelm, der mir nun auch persönlich sehr lieb geworden ist. Bei Keyserling in Darmstadt war ich auch [...]« (In einem Brief an Heinrich Wiegand v. 3. Januar 1927; Hermann Hesse, *Briefwechsel mit Heinrich Wiegand 1924–1934*. Berlin, Weimar: Aufbau-Verlag 1978, S. 49)

Landauer: Gustav Landauer (1870–1919), Erzähler und Essayist, Vertreter des Anarchismus, wurde von konterrevolutionärer Soldateska in München ermordet.

Rosa Luxemburg: sozialistische Politikerin und Journalistin (1871–1919), führende linke Sozialdemokratin, Mitbegründerin der KPD, in Berlin ermordet.

Ragaz: Leonhard Ragaz (1868–1945), evangelischer Theologe, kämpfte als Führer der religiös-sozialen Bewegung der Schweiz gegen Militarismus und Kapitalismus.

Frederik van Eeden: niederländischer Schriftsteller (1860–1932), war Nervenarzt, gründete 1898 die sozialistische Kolonie Walden, die als Fehlschlag endete; 1922 trat er zum Katholizismus über.

Hugo Ball: Erzähler, Essayist (1886–1927), seit 1920 mit H. H. befreundet.

Martin Buber: jüdischer Religionsphilosoph (1878–1965).

Chassidim: die Anhänger einer jüdischen religiösen Bewegung, sie betonen das Gefühl in der Religion und dem Gesetzesglauben gegenüber die Offenbarung in der Natur.

Herbst. Natur und Literatur

e 1926, VZ 1926; überarbeitet 1928, 1932; *Kleine Freuden*, 1977, 198–202. Auch u. d. T.: *Herbst, Schon wieder Herbst, Wieder Herbst.*
nordwärts: Vgl. Kommentar zu *Ausflug in die Stadt.*

Inneres Erlebnis

Eine Aufzeichnung. e 1926, VZ 1926; GW 6, 341–357. Auch u. d. T.: *Traumfährte. Eine Aufzeichnung.* Typoskript in der Hesse-Sammlung Leuthold der Eidgenössischen Technischen Hochschule Zürich. Typoskript im Hesse-Nachlaß Marbach a. N.

Adonis: schöner Jüngling (nach der griechischen Sage von Adonis, dem Geliebten der Aphrodite).

Krösus: sehr reicher Mann (nach dem letzten König von Lydien, dessen Reichtum sprichwörtlich war).

Uhlands Frühlingslied: Frühlingslieder: 2. Frühlingsglaube (»Die linden Lüfte sind erwacht . . .«).

Bonne: Kinderwärterin, Erzieherin.

Kofferpacken

e 1926, VZ 1926; in den Buchberichten mehrfach verändert; *Kleine Freuden*, 1977, 208–213. Auch u. d. T.: *Beim Einpacken, Beim Kofferpacken, Über den Koffer gebückt, Wieder packen.*

»Loher und Maller«: Titel eines mittelalterlichen Ritterromans; Volksbuch von Elisabeth von Nassau-Saarbrücken (um 1397–1456), 1437 übersetzt; die lothringische Prinzessin hatte es sich zur Aufgabe gemacht, französische Heldenlieder in deutscher Prosa wiederzugeben; erneute Übersetzung von Karl Simrock 1868.
in Zürich: H. H. liest am 6. 5. 1926 aus dem *Steppenwolf.*
in Stuttgart: Am 17. 5. 1926 war H. H. in Stuttgart.

September

e 30. 8. 1926, VZ 1926; *Kleine Freuden,* 1977, 177–181. Auch u. d. T.: *Das Sterben eines Sommers, Herbstbeginn, Sinkender Sommer, Sommers Ausklang im Süden, Sommers Ende, Sommers Sterben, Spätsommer.*

Verbummelter Tag

e 1926, VZ 1926; *Kleine Freuden,* 1977, 171–175. Auch u. d. T.: *Verbummelter Vorfrühlingstag.*
in der Stadt: in Zürich.
eine unglaublich schöne Frau: Julia Laubi-Honegger, H. Hs. Tanzpartnerin. Photo in: *Materialien zu Hermann Hesses »Der Steppenwolf«,* Frankfurt a. M.: Suhrkamp 1972, S. 73.
»Erbe am Rhein« von René Schickele: Von Schickeles (1883–1940) Elsaß-Trilogie *Das Erbe am Rhein* erschien der 1. Band (*Maria Capponi*) 1925; um ihn handelt es sich hier. Der 2. Band (*Blick auf die Vogesen*) erschien 1927, der 3. (*Der Wolf in der Hürde*) 1931.
»Benkal«: Schickeles Roman *Benkal, der Frauentröster* war 1914 erschienen.
Vichy-Wasser: Die Kreisstadt im Departement Allier in Mittelfrankreich ist wegen ihrer alkalischen Quellen auch als Badeort bekannt.

Augenlust

e 1927, VZ 1927; in den Buchberichten mehrfach verändert; *Die Kunst des Müßiggangs,* 1973, 255–260. Auch u. d. T.: *Dezembergedanken, Schaufenster im Dezember, Schaufenster vor Weihnachten, Straßen im Dezember.* [Nicht zu verwechseln mit *Augenlust* in *Aus Indien!*]
Mèringues: Gebäck aus Eischnee und Zucker.
Kodak: vom Markennamen übernommener Begriff für einen Photoapparat.

Aus meiner Schülerzeit

e 1926, VZ 1927; GS 4, 596–609. Auch u. d. T.: *Hermann Hesse über seine Schulzeit in Göppingen, In der Lateinschule.*

Schmid: Von Professor Schmid aus Stuttgart berichtet H. H. auch in der Erzählung *Unterbrochene Schulstunde.* Der andere Lehrer, den H. H. *verehren und lieben konnte,* ist Otto Bauer (1830–1899), Rektor der Göppinger Lateinschule. Zu Otto Bauer vgl. auch den *Rundbrief aus Sils-Maria* (1954; GS 7, 906–921; GW 10, 384–399).

die sieben Schwaben: die Helden eines derben Schwanks aus dem Mittelalter, in dem der schwäbische Charakter sich selbst ironisiert.

Landexamen: Siehe Kommentar zu *Unterm Rad* (1).

ein älterer Verwandter von mir: H. H. meint vermutlich seinen Halbbruder Karl Isenberg (1869–1937).

meiner Pensionsmutter: die Witwe des Oberlehrers Schaible, Geißlinger Straße 3.

Chattus: zuerst von Otto Bauer gebrauchte Latinisierung des Namens Hesse.

Isokrates: athenischer Redner (436–338 v. Chr.).

Chrestomathie: für den Unterricht geeignete Auswahl aus (Prosa)-Schriftstellern.

einer meiner Göppinger Schulkameraden: Franz Schall (1877–1943).

Bei den Massageten

e 1927, VZ 1927; GE 4, 173–177. Auch u. d. T.: *Ironische Reise, Ironischer Reisebericht, Reise zu einem verschollenen Volke.*

Massageten: im Altertum Hirtenvolk iranischen Stammes zwischen Kaspischem Meer und Aralsee.

Cyrus: Kyros II., der Große, der Ältere, Gründer des alten Perserreiches, gestorben 528 v. Chr.; er soll im Kampf mit den Massageten in Iran gefallen sein.

Herodot: griechischer Geschichtsschreiber, »Vater der Geschichtsschreibung« (um 490– etwa 425 oder 420 v. Chr.).

jenes gewiß hochbegabten Joniers: Herodot wurde in Halikarnass in Karien, einer dorischen Kolonie in Kleinasien, geboren.

Besuch bei Nina

e 1927, VZ 1927; überarbeitet 1930; *Die Kunst des Müßiggangs,* 1973, 260–265. Auch u. d. T.: *Besuch, Eine Freundin, Einst im Tessin, Nina, Wiedersehen mit Nina.*

nach Monaten der Abwesenheit: H. H. hat die Winter 1925/26 und 1926/27 in Zürich zugebracht, er ist erst Mitte April 1927 nach Montagnola zurückgekehrt.

Liguno: Lugano.

Oh, Signor poeta, caro amico, son content di rivederla!: Oh, Herr Dichter, teurer Freund, ich bin froh, Sie wiederzusehen!

Sporca puttana!: Dreckige Hure!

Bilderbogen von einer kleinen Reise

e 1927, VZ 1927; überarbeitet 1929; *Kleine Freuden,* 1977, 231–235. Auch u. d. T.: *Kleine Eisenbahnfahrt, Kleine Fahrt im Sommer.*

H. H. ist Mitte April 1927 nach Montagnola zurückgekehrt. Am 16. Mai liest er in Zürich aus dem *Steppenwolf* vor.

bei Bern wußte ich ein altes Schloß: Schloß Bremgarten, seit 1917 im Besitz von Max Wassmer (1887–1970). Siehe auch Kommentar zu *Die Morgenlandfahrt* (I. *Bundesfeier in Bremgarten*).

Grock: eigentlich Dr. h. c. Adrian Wettach (1880–1959), wurde als musikalischer Clown weltbekannt.

Louis Moilliet: Siehe Kommentar zu *Klingsors letzter Sommer.*

Paul Barth: Paul Basilius Barth (1881–1955), schweizerischer Maler und Lithograph.

Blanchet: Alexandre Blanchet (geb. 1882), schweizerischer Maler und Graphiker; von ihm stammt eine Sepiakreidezeichnung (August 1944) Hermann Hesses (im Deutschen Literaturarchiv, Marbach a. N.).

Auberjonois: René Auberjonois (1872–1957), schweizerischer Bildnis- und Landschaftsmaler.

Bücher für unterwegs. Sommerliche Eisenbahnfahrt

e 1927, VZ 1927; mehrfach überarbeitet; *Die Kunst des Müßiggangs,* 1973, 243–247. Auch u. d. T.: *Auf einer Eisenbahnfahrt, Kleine Reise, Kleine Reise in der Schweiz, Sommerliche Eisenbahnfahrt.*

Lindwurm: Charles A. Lindbergh überquerte am 20./21. Mai 1927 allein im Flugzeug den Atlantischen Ozean auf der Strecke New York – Paris (rund 6000 km) in 33 Stunden.

Der Dichter

e April 1927, VZ 1927; überarbeitet 1929 und 1931; GW 11, 243–244. Auch u. d. T.: *Bekenntnis des Dichters, Der Dichter und unsere Zeit.*

Die Schreibmaschine

e 1927, VZ 1927; überarbeitet 1929; *Kleine Freuden,* 1977, 217–222. Auch u. d. T.: *Die alte Schreibmaschine, Die Scheidungsklage, Ich kaufe eine Schreibmaschine, Mißmutige Geschichte, Morgen-Erlebnis.*

Veronal: ein Schlafmittel (Abkömmling der Barbitursäure).
Ehescheidungsklage: H. H. hat sie am 18. 3. 1927 erhalten. Vgl. Brief
an Ludwig Finckh v. 18. 3. 1927 in: *Materialien zu Hermann Hesses
»Der Steppenwolf«.* Frankfurt a. M.: Suhrkamp 1972, S. 110–111.
Tdr. des Urteils des Zivilgerichts des Kantons Basel-Stadt v. 27. 4.
1927 a.a.O. S. 115–117.
eine große Schreibmaschine: H. H. hat sich Anfang 1908 eine Schreibmaschine gekauft. Vgl. H. Hs. offenen Brief an Jakob Schaffner v.
Februar 1908 (GB 1, 141–143), zuerst veröffentlicht in *März* v. 18. 2.
1908 u. d. T. *Die Schreibmaschine.*

Klage um einen alten Baum

e 1927, VZ 1927; in den Buchberichten mehrfach verändert; *Die Kunst
des Müßiggangs,* 1973, 247–251. Auch u. d. T.: *Der alte Baum, Der
Judasbaum, Ein Baum in Klingsors Garten, Gefallener Baum, Trauer
um einen alten Baum.*
einen alten, stillen, verzauberten Garten: Vgl. Kommentar zu *Klingsors letzter Sommer* und zu *Abendwolken.*
meinem lieben Freund: Hugo Ball; er starb am 14. 9. 1927 und wurde
am 16. 9. 1927 auf dem Friedhof S'Abbondio beigesetzt. »Es war an
diesem Tage, als wäre der Sommer schon in den Herbst gegangen. Es
regnete [. . .]« (Emmy Hennings-Ball, *Hugo Balls Weg zu Gott.* München. Kösel & Pustet 1931, S. 190.) Vgl. auch *Nachruf an Hugo Ball.*

Mai im Kastanienwald

e 1927, VZ 1927; in den Buchberichten mehrfach verändert; *Kleine
Freuden,* 1977, 222–226. Auch u. d. T.: *Frühling im Kastanienwald,
Frühling im Tessiner Wald, Kuckuck im Kastanienwald, Mai im Wald,
Sommerbeginn im Süden, Tessiner Mai.* Typoskript im Hesse-Nachlaß
Marbach a. N.
Hochlandfüchschen: Anspielung auf den Redakteur der Zeitschrift
Hochland, die im Verlag J. Kösel München seit 1903 (mit Unterbre-
chung von 1942–1945) erscheint, eine kulturelle Zeitschrift katholi-
scher Richtung.
Tobel: enge (Wald)schlucht.

März in der Stadt

e Februar 1927, VZ 1927; 1929 im Buchbericht verändert u. d. T.:
Vorfrühling in der Stadt; Kleine Freuden, 1977, 213–216.
Kanal vor meinem Fenster: H. H. verbringt die Winter 1925/26 und
1926/27 in Zürich, Schanzengraben 31, wo ihm das Ehepaar Fritz und

Alice Leuthold eine Wohnung zur Verfügung gestellt hat. Ein Photo des Hauses und des Kanals in: *Materialien zu Hermann Hesses »Der Steppenwolf«.* Frankfurt a. M.: Suhrkamp 1972, S. 56.
morgen ist Maskenball: H. H. nimmt am 20. Februar 1926 am Kunsthaus-Maskenfest im Hotel Baur au Lac in Zürich teil. Diese Betrachtung erscheint am 6. März 1927. Vgl. den Kommentar zu *Der Steppenwolf* unter dem Stichwort *Maskenball in den Globussälen.*

Nachruf an Hugo Ball

e 16. 9. 1927, VZ 1927; GS 4, 610–611. Typoskript im Hesse-Nachlaß Marbach a. N. – Vgl. *Klage um einen alten Baum.*
Zeitkritik: Hugo Balls Bücher *Zur Kritik der deutschen Intelligenz* (Bern 1919) und *Die Flucht aus der Zeit* (München 1927).
Heiligenleben: Hugo Balls Buch *Byzantinisches Christentum* (München 1923).

Ohne Krapplack

e 1927, VZ 1927; im allgemeinen Text und in den Buchberichten mehrfach verändert, auch ohne Buchberichte veröffentlicht; *Kleine Freuden*, 1977, 235–239. Auch u. d. T.: *Aquarellmalen, Ausflug in die Malerei, Beim Malen, Davongelaufen, Der Vormittag eines Malers, Die vergessene Farbe, Malen ohne Krapplack, Mal-Vormittag, Man sollte keine Bücher schreiben, So viel Maleifer und kein Krapplack, Vormittag im Sommer.* Typoskript im Hesse-Nachlaß Marbach a. N.
Addio la caserna, non ci vedremo più!: Leb wohl, Kaserne, wir werden uns nicht mehr sehen! – In *Kleine Freuden* fälschlich »caserma«.

Rückkehr aufs Land

e 1927, VZ 1927; im allgemeinen Text und in den Buchberichten mehrfach verändert, auch ohne Buchberichte veröffentlicht; *Die Kunst des Müßiggangs*, 1973, 289–291. Auch u. d. T.: *Frühling im Tessin, Tessiner Frühling, Wieder im Tessin.*

Schlafloser Gast im Hotelzimmer

e 1926, VZ 1927; im allgemeinen Text und in den Buchberichten mehrfach verändert, auch ohne Buchberichte veröffentlicht; *Die Kunst des Müßiggangs*, 1973, 239–242. Auch u. d. T.: *Im Hotelzimmer, Schlafloser Gast, Unzufriedene Gedanken.*
»Oh, daß ich tausend Zungen hätte . . .«: von Johann Mentzer (1658–1734).

Stiller Abend

e in der Nacht vom 8. zum 9. Dezember 1927; VZ 1927; im allgemeinen Text und in den Buchberichten mehrfach verändert, auch ohne Buchberichte veröffentlicht; *Kleine Freuden*, 1977, 239–244. Auch u. d. T.: *Ein Winterabend, Knopf-Annähen, Winterabend.* Typoskript im Hesse-Nachlaß Marbach a. N.

»Vom 1. April [1900] an wohne ich Mostackerstraße 10^{II} [...] ich hoffe dort gut bedient zu werden, auch mit Knopfannähen etc. [...]« (In einem Brief an seine Eltern v. 10. 3. 1900; KuJ 2, 456)

mein kleines Winterquartier in der Stadt: Schanzengraben 31 in Zürich; vgl. Kommentar zu *März in der Stadt.*

in die Fremde gehen: nach Göppingen.

Die Magnolie

e 1928, VZ 1928; *Kleine Freuden*, 1977, 244–249. Auch u. d. T.: *Malfreude, Malsorgen.* H. Hs. Aquarell *Magnolienzweig*, gemalt am 2. 5. 1928, ist abgebildet in: *Hermann Hesse als Maler.* Frankfurt a. M.: Suhrkamp 1977, S. 57.

Stadt am See: Zürich.

Stadtwohnung: in Zürich. Vgl. Kommentar zu *März in der Stadt* und *Stiller Abend.*

Ein Abend bei Doktor Faust

e 1927, VZ 1928; GW 4, 304–309. Auch u. d. T.: *Eine Geschichte vom Zauberer Dr. Faust, Eine sonderbare Geschichte, Neues über Dr. Faust.*

in magischen Spiegeln: Vgl. dazu das Spiegelmotiv im magischen Theater des *Steppenwolf.*

Nikolaus Unterschwang: erfundene Gestalt; das folgende Gedicht stammt von H. H.

Belial: [hebräisch: Verderber] Name des Teufels.

Ein Stück Heimatkunde

e 1928, VZ 1928; GW 6, 439–444. Auch u. d. T.: *Eine Lanze für Knörzelfingen, Knörzelfingen. Ein schwäbischer Scherz, Schwäbische Kunde, Schwäbische Parodie.*

Megerle: Johann Ulrich Megerle (1644–1709), d. i. Abraham a Santa Clara, Kanzelredner und satirischer Volksschriftsteller.

Bopfingen: Stadt im Kreis Aalen, Württemberg.

Mörikes tiefschürfende Forschungen über die Familie Wispel: Der durchtriebene, großsprecherische Barbier Wispel, von dem Mörike in seinem Roman *Maler Nolten* erzählt und der auch im *Letzten König von Orplid* eine Rolle spielt, wurde von Mörike erfunden. Im Jahre 1837 entstanden im Stile Wispels Gedichte, die die Verhunzung der deutschen Sprache glossieren. Sie galten dem eigenen Vergnügen und dem des Freundes Ludwig Amandus Bauer (1803–1846), der in Tübingen Freundschaft mit Mörike und Waiblinger schloß. Mörikes *Wispeliaden* (*Sommersprossen* und das einige Jahre früher entstandene Stück *Wispel auf Reisen*) fanden sich in seinem Nachlaß.

Knörzelfingen: fiktiver Ort.

Professor Hosiander: vermutlich Anspielung auf Prof. Osiander, einen Lehrer H. Hs. in Cannstatt.

knorzen: sich abmühen, knausern.

Knorzer: [landschaftlich für] kleiner Kerl.

Martin Kurtz: Anspielung auf Martin Lang (1883–1955), einen Freund H. Hs. besonders während der Gaienhofener Jahre. Mit ihm und Emil Strauß hat H. H. 1910 im S. Fischer Verlag die Sammlung deutscher Volkslieder *Der Lindenbaum* herausgegeben.

Barbara Klemm: möglicherweise Assoziation zu Barbara Blomberg, der schönen Regensburgerin, aus deren Liebesverbindung von 1546 mit Kaiser Karl V. Don Juan d'Austria hervorging.

Hammelehle: Anspielung auf Karl Hammelehle. Siehe Kommentar zu *Hinterlassene Schriften und Gedichte von Hermann Lauscher* (*Lulu* 1).

zwischen Zeus und der Europa: Zeus verwandelte sich in einen Stier, als er sich der Europa näherte und sie nach Kreta entführte.

»Und Joram zeugete den Usia«: Usia ist der Sohn Amazjas.

Mörike: Er war Pfarrvikar in Nürtingen und anderen Orten.

Justinus Kerner: deutscher Dichter (1786–1862).

Dr. Passavant: Johann David Passavant (1787–1861), Kaufmann, Kunsthistoriker und Maler.

Eine Erinnerung an Carl Busse

e 1928, VZ: *Neue Zürcher Zeitung* Nr. 2223 v. 3. 12. 1928, einmalige Veröffentlichung, Tdr. in GB 1, 494–495.

Carl Busse: Lyriker, Erzähler, Literarhistoriker (1872–1918). H. H. veröffentlicht diese Erinnerung zum 10. Todestag Busses. Busse hat H. Hs. *Gedichte* (1902) als Band III in seine Reihe »Neue deutsche Lyriker« aufgenommen und eine Einleitung dazu geschrieben. H. H. hat Busse persönlich nie kennengelernt.

Floßfahrt

e 1927, VZ 1928; überarbeitet 1929, 1940, 1941, 1957; GE 4, 185–189. Auch u. d. T.: *Der Fluß im Schwarzwald, Fahrt auf der Nagold, Fahrt*

*in die Welt, Flöße auf der Nagold, Floßfahrt im Schwarzwald,
Schwarzwälder Flöße.*
Vaterstadt im Schwarzwald: Calw.
Fluß: die Nagold.
dunkelblaue Wasserjungfern: Libellen.

Herbstgedanken

e 1928, VZ 1928; in den Buchberichten mehrfach verändert; *Die Kunst
des Müßiggangs,* 1973, 269–273. Auch u. d. T.: *Es wird Herbst, Oktober, Wenn es Herbst wird.*
reißen mich in Fetzen: Vgl. H. Hs. Stellungnahme zur Dissertation
von Hans Rudolf Schmid u. d. T.: *Brief an einen Bücherleser,* zuerst
in: *Dresdner Neueste Nachrichten* Nr. 261 v. 7. 11. 1928.
Klabund: d. i. Alfred Henschke (1890–1928), Lyriker, Erzähler. H. H.
besucht ihn in Davos, Klabund ist 1924 H. Hs. Gast in Montagnola.
Emmy Hennings: Schauspielerin, Dichterin (1885–1948), Frau von
Hugo Ball, mit H. H. seit ihrer ersten Begegnung am 2. 12. 1920 befreundet.
Hans Morgenthaler: Schriftsteller (1890–1928). Vgl. H. Hs. Brief an
Ernst Morgenthaler v. 27. 4. 1950 (AB 320–323).
Meine Freundin: Ninon Dolbin geb. Ausländer.

Herbstlicher Regensonntag

e 1928, VZ 1928; mehrfach, auch in den Buchberichten verändert;
Die Kunst des Müßiggangs, 1973, 285–289. Auch u. d. T.: *An einem
Regensonntag, Der Zauber der himmlischen Wasser, Regensonntag,
Regensonntag im November, Und zuletzt würde das Meer steigen . . .,
Verregneter Sonntag.*
in dem alten stillen Hotel: das Haus am Schanzengraben 31 in Zürich,
wo H. H. vom Dezember 1925 bis April 1931 sein Winterquartier hat.

Hochsommertag im Süden

e 1928, VZ 1928; später verändert und z. T. ohne Buchbericht veröffentlicht; *Die Kunst des Müßiggangs,* 1973, 265–269. Auch u. d. T.:
*Gegensätze, Magnolie und Zwergbaum, Zwei Bäume, Zwei Bäume –
zwei Pole.*

Ins Gebirge verirrt

e Mitte Januar 1928, VZ 1928; überarbeitet 1936; *Die Kunst des
Müßiggangs,* 1973, 234–238. Auch u. d. T.: *Brief aus dem Schnee, Tage
im Hochgebirge, Winterferien.*

H. H. hält sich im Januar 1928 in Arosa auf.
Ein vortreffliches Hotel: das Hotel Alpensonne.
eine Vorlesung halten: am 6. Februar 1928 in Zürich; H. H. liest *Vom Steppenwolf, Krisis*-Gedichte und *Piktors Verwandlungen.*

Nachbar Mario

e August/September 1928, VZ 1928; *Kleine Freuden,* 1977, 249–253. Auch u. d. T.: *Beim Zeichnen im Wald, Ein Tessiner Bauer, Mein Nachbar Mario.*

Nachweihnacht

e 1927, VZ 1928; später mehrfach verändert; *Die Kunst des Müßiggangs,* 1973, 295–300. Auch u. d. T.: *Bei der Heimkehr am Heiligenabend, Der goldgrüne Schmetterling, Der Schmetterling aus Madagaskar, Nach dem Fest, Nach der Weihnacht, Schmetterling. Dreifaches Gleichnis, Schmetterling zur Weihnacht, Schmetterling zur Weihnachtszeit, Tag nach der Weihnacht, Tage nach dem Fest, Weihnachts-Nachklang.*
meine Freundin: Ninon Dolbin geb. Ausländer, H. Hs. spätere Frau.
eine Violine geschenkt bekommen: Zu seinem neunten Geburtstag hat H. H. von seinen Eltern eine Geige bekommen.
die unbrauchbaren Geschenke: »Gestern abend habe ich mit Ninon bei den Siamesen [Fritz und Alice Leuthold in Zürich] Bescherung gehabt, ich bekam eine Füllfeder und eine ganze Winterausrüstung mit Sweater, Handschuhen, Ski-Socken etc. [...]« (In einem Brief an Heinrich Wiegand v. 25. 12. 1927; Hermann Hesse, *Briefwechsel mit Heinrich Wiegand.* Berlin, Weimar: Aufbau-Verlag 1978, S. 83)

Spätsommerblumen

e 1928, VZ 1928; später mehrfach verändert, mit und ohne Buchbesprechungen veröffentlicht; *Die Kunst des Müßiggangs,* 1973, 292–295. Auch u. d. T.: *Brief im Spätsommer, Brief über den ausklingenden Sommer, Ein Brief, Ein Strauß Zinnien, Etwas über Blumen, Im Angesicht der Spätsommerblumen, Letzter Sommerbrief, Liebeserklärung an eine Zinnie, Verliebtheit in die Zinnien, Verwelkende Zinnien im Zimmer, Zinnien.*
an der Arbeit zu sitzen: »Von meinem neuen Buch, dem ›Goldmund‹, habe ich etwa 200 Seiten Handschrift in diesem Sommer fertiggebracht [...]« (In einem Brief an Heinrich Wiegand v. 28. 9. 1928; Hermann Hesse, *Briefwechsel mit Heinrich Wiegand.* Berlin, Weimar: Aufbau-Verlag 1978, S. 110)

Spazierenfliegen

e 1928, VZ 1928; *Die Kunst des Müßiggangs*, 1973, 281–285. Auch u. d. T.: *Luftreise*.

Ich war nach Schwaben gefahren: Vgl. die Zeittafel. – »Wir treten eben eine Reise an, bald sind wir in Heilbronn u. Stuttgart.« (In einem Brief an Heinrich Wiegand; Poststempel: Lörrach, 9. 3. 1928; Hermann Hesse, *Briefwechsel mit Heinrich Wiegand*. Berlin, Weimar: Aufbau-Verlag 1978, S. 89)

in meinem Winterquartier: in Zürich; vgl. Kommentar zu *Herbstlicher Regensonntag*.

eine schöne kluge Kameradin: Ninon Dolbin geb. Ausländer, H. Hs. spätere Frau.

zu den dunkeln stillen Fischen: in Würzburg; vgl. *Spaziergang in Würzburg*.

Spaziergang im Zimmer

e 1928, VZ 1928; überarbeitet 1933, 1935; *Kleine Freuden*, 1977, 254–258. Auch u. d. T.: *Herbstlicher Tag, Übergang*.

Spaziergang in Würzburg

e 1928, VZ 1928; *Die Kunst des Müßiggangs*, 1973, 277–281. Auch u. d. T.: *Einst in Würzburg, Frühlingstag in Würzburg, Gang durch Würzburg, Wassermann und Madonna*.

Vgl. die Zeittafel und die Kapitel 10 ff. in *Narziß und Goldmund*.

eine Madonna: In der Kirche St. Burkard steht neben dem Flügelaltar (1593) an der Südwand des Querschiffs eine von Tilman Riemenschneider (um 1460–1531) um 1500 geschaffene Madonna.

Unentbehrliche Nacht

e 2. 12. 1928, VZ 1928; GW 11, 80–85. Auch u. d. T.: *Eine Arbeitsnacht, Eine Nacht, Gedanken zu einer Nachtstunde*. Vgl. Kommentar zu *Narziß und Goldmund*.

Virtuosen-Konzert

e 1928, VZ 1928; *Die Kunst des Müßiggangs*, 1973, 309–314. Auch u. d. T.: *Bericht über ein Konzert, Der Violinvirtuose, Gedanken nach einem Konzert, Nach einem Konzert*.

eines weltberühmten, mondänen Geigenvirtuosen: Fritz Kreisler (1875–1962), er gastierte am 7. Mai 1928 in Zürich.

Kreutzersonate: dem Geiger Rodolphe Kreutzer (1766–1831) 1805 gewidmete Sonate für Geige und Klavier von Beethoven (A-Dur, op. 47).

Bach: Johann Sebastian Bach (1685–1750), seine Chaconne der d-Moll-Partita für Geige wurde sehr berühmt.

Tartini: Giuseppe Tartini (1692–1770), italienischer Geiger und Komponist.

Sarasate: Pablo de Sarasate (1844–1908). Vgl. das Gedicht *Sarasate!* (»Auf fernen Schwingen fliegt ein Ton ...«), e 6. 12. 1897, und *Sarasate* in: Hermann Hesse, *Musik.* Frankfurt a. M.: Suhrkamp 1976, S. 132–134. Vgl. auch *Eine Konzertpause.*

Joachim: Joseph Joachim (1831–1907), Direktor der Berliner und Weimarer Hochschule für Musik und hervorragender Violinvirtuose und Komponist.

Paganini: Niccolò Paganini (1782–1840), italienischer Violinvirtuose.

Besitzer einer Geige: H. H. hat zu seinem neunten Geburtstag von seinen Eltern eine Geige bekommen.

einen Roman: Der Steppenwolf.

ein Saxophonbläser: Pablo.

Vom Steppenwolf

e 1927, VZ 1928; GW 6, 445–452. Manuskript und Typoskript u. d. T.: *Neues vom Steppenwolf (7. Nov. 1927)* im Hesse-Nachlaß Marbach a. N.

Gilet: Weste.

der Knabe Gustav: Parallele zum Schulkameraden Gustav im Roman *Der Steppenwolf* (vgl. Kommentar).

Harry: Der Protagonist des Romans ist Harry Haller, der Steppenwolf.

Bilderbeschauen in München

e 1929, VZ 1929; *Die Kunst des Müßiggangs*, 1973, 304–309. Auch u. d. T.: *Bilderbesehen in München, Galeriebesuch in München.* H. H. ist vom 16. bis 22. April 1929 in München.

Claude Lorraine: Claude Lorrain, eigentlich Claude Gelée (1600–1682), französischer Maler.

Renoir: Auguste Renoir (1841–1919), französischer Maler.

Tizian: eigentlich Tiziano Vecelli(o) (1476/77 oder 1489/90–1576), italienischer Maler.

Paris Bordone: italienischer Maler (um 1500–1570).

Reinhart in Winterthur: Georg Reinhart (1877–1955), Großkaufmann, Teilhaber und Seniorchef der Firma Gebr. Volkart & Co., Kunstsammler, Mäzen; Freund und Gönner H. Hs.

Olaf Gulbransson: Zeichner und Karikaturist (1873–1958), seit 1929 Professor an der Münchner Akademie der bildenden Künste.

Altdorfer: Albrecht Altdorfer (um 1480–1538), Maler und Graphiker. Die *Alexanderschlacht* entstand 1529 (München, Pinakothek).

Dürer: Albrecht Dürer (1471–1528).

Rembrandt: eigentlich Rembrandt Harmensz van Rijn (1606–1669), niederländischer Maler und Radierer.

Cézanne: Paul Cézanne (1839–1906), französischer Maler.

Marées: Hans von Marées (1837–1887), deutscher Maler.

Dirk Bouts: Dierick Bouts (um 1415–1475), niederländischer Maler.

Schuch: Carl Schuch (1846–1903), Maler, gehörte mit seinem Freund Trübner dem Leibl-Kreis an.

Leibl: Wilhelm Leibl (1844–1900), Maler; in München (1870/73) schlossen sich ihm Wilhelm Trübner, Carl Schuch, Th. Alt, Karl Haider, zeitweilig auch Hans Thoma an (Leibl-Kreis).

Hans Thoma: Maler (1839–1924).

Trübner: Wilhelm Trübner (1851–1917), Maler.

Manet: Edouard Manet (1832–1883), französischer Maler.

Kokoschka: Oskar Kokoschka (1886–1980), Maler, Graphiker, Schriftsteller.

Karl Valentin: eigentlich Valentin Fey (1882–1948), Komiker.

Notizen im Speisesaal

Der Intellektuelle – Der Unheimliche – Die blonden Schwestern.
e 1929, VZ 1929; *Kleine Freuden,* 1977, 258–261. Auch u. d. T.: *Figuren im Speisesaal, Ich sehe mich um im Speisesaal, Physiognomische Studien, Studien in einem Speisesaal.* Manuskript im Hesse-Nachlaß Marbach a. N.

Post am Morgen

e 1928, VZ 1929; GE 4, 201–205. Auch u. d. T.: *Abstecher in den Schwimmsport, Der Schwimmer, Verwechselte Post, Was die Morgenpost beschert.*

Ehrendoktor: H. H. wird – erst 1947 – Ehrendoktor der Philosophischen Fakultät I der Universität Bern.

Mazdaznan: ein System der Lebensführung, das die Weisheit des Zarathustra erneuern will. Der Mazdaznan ist heute in der ganzen Welt verbreitet.

Ungewohnte Lektüre

e 1928, VZ 1929; *Die Kunst des Müßiggangs,* 1973, 314–318. Auch u. d. T.: *Lektüre im Bett.*
Heiligenhof: der Verenahof in Baden bei Zürich; damaliger Besitzer war Franz Xaver Markwalder; vgl. *Der Kurgast.*
Sarastro: ein Verkünder hoher Weisheit, Gestalt aus Mozarts Oper *Die Zauberflöte.*
Dr. Eckener: Hugo Eckener (1868–1954); siehe Kommentar zu *Spazierfahrt in der Luft.*

Wie König Yu unterging

Eine Geschichte aus dem alten China. e 1929, VZ 1929; GW 6, 453–459. Auch u. d. T.: *Bau Si. Eine Erzählung aus der chinesischen Geschichte, Die Trommeln des Königs Yus, Es trommelt von den Türmen . . ., König Yu. Eine Geschichte aus dem alten China, König Yus Trommeln. Eine Erzählung aus der chinesischen Geschichte, König Yus Untergang.* Typoskript in der Hesse-Sammlung Bodmer, in der Hesse-Sammlung Leuthold der Eidgenössischen Technischen Hochschule Zürich und in der Hesse-Sammlung Thomann der Stadtbibliothek St. Gallen.
»Es handelt sich hier um die Bearbeitung eines Stoffes aus der chinesischen Geschichte. Derselbe Stoff hat auch Heinrich Heine angezogen, der ihn an den Anfang des dritten Buches der *Romantischen Schule* stellte, um im Gegensatz hierzu die ›Lächerlichkeit‹ der deutschen Romantik zu veranschaulichen. Otto Julius Bierbaum war der erste deutsche Schriftsteller, der diesen Stoff dann unter dem Titel *Das schöne Mädchen von Pao, Ein chinesischer Roman* bearbeitet hat. Es ist nicht bekannt, ob Hesse Bierbaums ›chinesischen Roman‹ kannte, sicher ist nur, daß er die (gekürzte) Übersetzung aus *Tung Chou Lieh Kuo Tse* (Geschichte der verschiedenen Länder unter der östlichen Chou-Dynastie) in Leo Greiners Übersetzung unter dem Titel ›Die Tochter aus Drachensamen‹ gelesen hatte. Diese mythologische, eine schicksalhafte Vorausbestimmung schildernde Geschichte handelt vom Untergang der Chou-Dynastie. Eine Palastdienerin wird schwanger durch Drachengeifer aus grauer Vorzeit. Nach vierzig Jahren gebärt sie ein Mädchen, das sie im Fluß aussetzt. Es wird gefunden und wächst zu unvergleichlicher Schönheit heran. Eine Familie kauft es, um es dem König zu schenken mit der Bitte, dafür ihr Familienoberhaupt freizulassen. Der König läßt den Mann, der ihn der Tyrannei bezichtigt hatte, frei. So kommt das schöne Mädchen Bau Si in den Palast, und der König verliebt sich in sie. Bau Si ist zwar wunderschön, doch ist sie immer betrübt. Der König versucht, ihr mit allen Mitteln zu schmeicheln, um sie zum Lächeln zu bringen. Er läßt Seide

zerreißen, weil Bau Si dieses Geräusch liebt. Aber sie freut sich nicht. Einer schlägt vor, man solle auf allen Wachtürmen Warnfeuer anzünden, um einen Barbarenüberfall vorzutäuschen, so daß die Lehensfürsten umsonst zur Rettung herbeieilten. Bau Si würde lachen, wenn sie die verwirrten und enttäuschten Gesichter der Soldaten sähe. Dieser Plan wird ausgeführt – und gelingt. Jedoch bald darauf überfallen die Barbaren tatsächlich das Land. Wieder werden die Warnfeuer angezündet, doch diesmal eilt keiner mehr zur Rettung herbei. Das ist das Ende der Chou-Dynastie.

In seiner Legende ›König Yu‹ hat Hesse diese Geschichte modernisiert und das Mythologische gänzlich ausgelassen. Es wird Bau Si nicht aus grauer Vorzeit vorherbestimmt, den Untergang der Dynastie herbeizuführen, und der König ist auch nicht wie im chinesischen Original ein Tyrann. Hesse hat aus dem Stoff eine psychologische Studie gemacht und die Geschichte für heutige Leser glaubwürdiger erzählt.« (A. Hsia, *Hermann Hesse und China*. Frankfurt a. M.: Suhrkamp 1974, S. 188–189)

Der Student Edmund

e 1930, VZ 1930; GW 6, 432–438. Auch u. d. T.: *Edmund*. Manuskript in der Hesse-Sammlung Bodmer.
Tantra: eine Gattung religiöser Schriften der indischen Literatur, die sich besonders mit Magie und Mystik beschäftigen.

Magie des Buches

e 1930, VZ 1930; GW 11, 244–255.

Notizen zum Thema Dichtung und Kritik

Über gute und schlechte Kritiker – Gespräch zwischen Dichter und Kritiker – Die sogenannte Stoffwahl – Die sogenannte Flucht in die Kunst – Die sogenannte Flucht in die Vergangenheit – Die Psychologie der Halbgebildeten.
e 1930, VZ 1930; GW 11, 256–271. Auch u. d. T.: *Über gute und schlechte Kritiker. Notizen zum Thema Dichtung und Kritik.* Manuskripte im Hesse-Nachlaß Marbach a. N.

Venezianische Nacht

e 1930, VZ 1930; überarbeitet 1931, 1950; *Die Kunst des Müßiggangs*, 1973, 320–324. Auch u. d. T.: *Das Feuerwerk am See, Feuerwerk*,

Hübscher Sommerabend, Raketen, Sommernacht mit Raketen. Vgl.
Notizen aus diesen Sommertagen.

Wahlheimat

e 1930, VZ 1930; *Die Kunst des Müßiggangs,* 1973, 319.

Zwischen Sommer und Herbst

e 1930, VZ 1930; überarbeitet 1930, 1950; *Kleine Freuden,* 1977, 261–
266. Auch u. d. T.: *Herbstklang.* Typoskript in den Hesse-Sammlungen Bodmer, Diener (Schweizerische Landesbibliothek Bern), Leuthold
(Eidgenössische Technische Hochschule Zürich) und Thomann (Stadtbibliothek St. Gallen).

Beim Einzug in ein neues Haus

»Diese Erinnerungen sind geschrieben Ende Mai 1931 für Herrn und
Frau H. C. Bodmer.« – Privatdruck 1931. – GW 10, 134–155. Manu-
skript in der Hesse-Sammlung Bodmer, Typoskripte in den Hesse-
Sammlungen Leuthold (Eidgenössische Technische Hochschule Zü-
rich), Welti (Schweizerische Landesbibliothek Bern) und Thomann
(Stadtbibliothek St. Gallen). Vgl. dazu das Gedicht *Beim Einzug in
ein neues Haus* (»Aus Mutterleib gekommen . . .«)
Hans C. Bodmer: Freund und Mäzen H. Hs., Dr. med., Dr. h. c., Mu-
siker, bekannter Beethoven-Sammler (1891–1956).
Elsy Bodmer: Frau von H. C. Bodmer, gest. 1968.
Emil Strauß: Dichter und Schriftsteller (1866–1960).
Stefan Zweig: Novellist, Biograph und Essayist (1881–1942).
Ruskin: John Ruskin (1819–1900), englischer Kunstkritiker und So-
zialreformer.
Morris: William Morris (1834–1896), englischer Schriftsteller, Kunst-
handwerker und Sozialreformer.
Ludwig Finckh: Arzt, Erzähler und Lyriker (1876–1964), Jugend-
freund H. Hs.
Bucherer: Max Bucherer (1883–1974), Maler und Graphiker.
in Flammen: am 2. Februar 1907.
Blümel: Otto Blümel (1881–1973), Maler und Graphiker, seit 1905
mit H. H. befreundet, entwarf die Einbände für mehrere Bücher
H. Hs.
Renner: Ludwig Renner, Maler.
Mitherausgeber einer Zeitschrift: März, im Verlag Albert Langen.
Albert Welti: Maler (1862–1912), seit 1905 mit H. H. befreundet. Vgl.
Das Haus der Träume.

den Freund in Winterthur: Georg Reinhart (1877–1955), Großkaufmann.

die lieben Siamesen: Fritz Leuthold (1881–1951), Großkaufmann in Zürich, und Frau Alice geb. Sprecher (1889–1957), seit 1916 mit H. H. befreundet.

Cuno Amiet: Maler und Graphiker (1868–1961), porträtierte H. H. 1920.

Judasbaum: Vgl. *Klage um einen alten Baum.*

»Arch« in Zürich: Das alte Zürcher Haus (17. Jh.) Hans C. Bodmers trägt diesen Namen.

Bücher-Ausklopfen

e Juni 1931, VZ 1931; *Die Kunst des Müßiggangs*, 1973, 324–328. Auch u. d. T.: *Das große Bücher-Ausklopfen, Verstaubte Bücher.* Typoskript in der Hesse-Sammlung Welti der Schweizerischen Landesbibliothek Bern.

Vor einem Umzuge stehend: Vgl. *Beim Einzug in ein neues Haus.*

Romain Rollands Schwester: Madeleine Rolland.

Landauer: Gustav Landauer (1870–1919), Erzähler und Essayist, Vertreter des Anarchismus, wurde von konterrevolutionärer Soldateska in München ermordet.

deren erster: Im Jahre 1920.

Tarzan: Dschungelheld in den Abenteuerbüchern des Unterhaltungsschriftstellers Edgar Rice Burroughs (1875–1950).

Mein Glaube

e 1931, VZ 1931; GW 10, 70–74. Typoskript im Hesse-Nachlaß Marbach a. N.

»Siddhartha«: Vgl. Kommentar zu *Siddhartha.*

Konventikel: außerkirchliche Versammlung zur religiösen Erbauung, besonders im Zeitalter des Pietismus.

Aus einem Tagebuch des Jahres 1920

e 1920–21, VZ 1932; erstmals vollständig in: *Eigensinn.* Frankfurt a. M.: Suhrkamp 1972, 118–148. Auch u. d. T.: *Tagebuch 1920/21.* Typoskripte im Hesse-Nachlaß Marbach a. N.

Siddhartha: Vgl. Kommentar zu *Siddhartha.*

Haßbriefe: Vgl. *Haßbriefe* (GB 1, 484–488).

»Tagebuch eines Wüstlings«: Vgl. *Aus dem Tagebuch eines Wüstlings.*

»Urwald der Kindheit«: Ein Manuskript mit diesem Titel ist bislang unbekannt.

»Traumbuch«: Aus meinem Traumbuch, unveröffentlichtes Manuskript im Hesse-Nachlaß Marbach a. N.

Englert: Josef Englert (1874–1957), Ingenieur, Freund H. Hs.; er erstellte H. Hs. Horoskop (GB 1, 573–576).

Garbe: Richard von Garbe (1857–1927), Sanskritist.

Dr. Jungs neues Buch: C. G. Jung, Psychologische Typen. Zürich: Rascher 1921.

In Fischers sehr schönem Werk: Otto Fischer, *Chinesische Landschaftsmalerei.* München: Kurt Wolf 1921.

einen alten Herrn in Basel: Missionsinspektor Frohnmeyer. Vgl. auch KuJ 2, 584–585.

dessen Tochter: Ida Frohnmeyer (1882–1968), Schriftstellerin und Redakteurin; sie verbrachte von 1897–1902 glückliche Jahre in H. Hs. Elternhaus, während ihre Eltern wieder in Indien waren.

die Heiligen der alten Kirche: Hugo Ball, *Byzantinisches Christentum.* München, Leipzig: Duncker & Humblot 1923.

das neue große Werk von Mauthner: Fritz Mauthner, *Der Atheismus und seine Geschichte im Abendlande.* 3 Bände. Stuttgart, Berlin: Deutsche Verlagsanstalt 1920–1924.

vollkommen meiner Meinung: H. H. war der Meinung, es sei für die Kinder besser, bei ihm oder in Pflege bei Freunden zu sein als bei seiner gemütskranken Frau.

Olaf Gulbransson: norwegischer Zeichner, Karikaturist und Maler (1873–1958), Mitarbeiter am *Simplicissimus.*

Oskar A. H. Schmitz: Schriftsteller (1873–1931), Autor moderner Entwicklungsromane und zeitkritischer Schriften. H. H. hat in einigen seiner Buchbesprechungen auf Werke von Schmitz verwiesen.

Dank an Goethe

e 1931, VZ 1932; GW 12, 145–154. Geschrieben auf die Bitte von Romain Rolland für die Goethenummer der Zeitschrift *Europe.* Manuskript der 1. (ungedruckten) Fassung im Hesse-Nachlaß Marbach a. N.

Ein Stückchen Theologie

e 1932, VZ 1932; GW 10, 74–88. Auch u. d. T.: *Stufen der Menschwerdung.* Typoskript im Hesse-Nachlaß Marbach a. N.

Ein Tessiner Herbsttag

e 1931, VZ 1932; GW 10, 156–162. Auch u. d. T.: *Herbst im Tessin, Herbstlied auf der Flöte.* Manuskript in der Hesse-Sammlung Bodmer.

magari: schön wär's.

santo cielo!: heiliger Himmel! – im Sinne von: Ach du liebe Zeit!

Ein Traum

e 1932, VZ 1932; *Die Kunst des Müßiggangs*, 1973, 328–331. Auch
u. d. T.: *Aus einem Notizbuch, Aus einem Notizbuch 1937, Ein Traum.
Aus einem Notizbuch 1937.*

Gedanken

e etwa 1923, VZ 1932; *Lektüre für Minuten.* Frankfurt a. M.: Suhr-
kamp 1977, 189 (Text 693). Auch u. d. T.: *Vom Überschätzen und
Unterschätzen.* Manuskripte im Hesse-Nachlaß und im Ninon-Hesse-
Nachlaß Marbach a. N.

Beim Lesen eines Romans

e 1932, VZ 1933; GW 11, 272–277. Auch u. d. T.: *Betrachtungen beim
Lesen, Nörgeleien.* Typoskript im Ninon-Hesse-Nachlaß Marbach
a. N.

Besuch bei Wilhelm Raabe

e 1933, VZ 1933; GW 10, 163–173 mit einer »Nachbemerkung«. Auch
u. d. T.: *Besuch bei einem Dichter.*
Wilhelm Raabe: H. Hs. Besuch bei Wilhelm Raabe (1831–1910) findet
Anfang November 1909 statt.
Sarasate und *Joachim:* Vgl. Kommentar zu *Virtuosen-Konzert.*
Knut Hamsun: norwegischer Dichter (1859–1952).
Moritz Busch: Julius Hermann Moritz Busch (1821–1899), deutscher
Publizist, während des Frankreichfeldzugs in Bismarcks unmittelbarer
Umgebung; seine *Tagebuchblätter* (3 Bände) sind 1899 in deutscher
Ausgabe erschienen.
Eduard Mörike: Er ist 1875 in Stuttgart gestorben.

Eduards des Zeitgenossen zeitgemäßer Zeitgenuß

Ein Scherz. e 1933, VZ 1933; *Die Kunst des Müßiggangs*, 1973, 331–
333 mit einer einleitenden Bemerkung H. Hs. Typoskript (ohne die
einleitende Bemerkung, u. d. T. *Eduard des Zeitgenossen vereinfachter
Zeitgenuß. Vorstudien zu einem Roman*) im Hesse-Nachlaß Marbach
a. N.

Vogel

Ein Märchen. e 1932, VZ 1933; GW 6, 460–479. Manuskript u. d. T.
Der Vogel in der Stadt- und Landesbibliothek Dortmund.
Vogel: Selbstdarstellung H. Hs., ähnlich wie Piktor.
Montagsdorf: dichterischer Name für Montagnola, ebenso in *Die Mor-genlandfahrt.*
Botschaft von Abels Tod: Vgl. H. Hs. Gedicht *Das Lied von Abels Tod* (»Tot in den Gräsern liegt Abel . . .«).
Morgenlandfahrer: Vgl. Kommentar zu *Die Morgenlandfahrt.*
Morbio: Vgl. Kommentar zu *Die Morgenlandfahrt.*
ein verzauberter Hohenstaufe: Vgl. Kommentar zu *Die Morgenland-fahrt.*
rotes Haus am Schlangenhügel: Das von H. H. bewohnte Haus in
Montagnola sah rot aus.
»Ausländerin«: Der Mädchenname von H. Hs. dritter Frau war »Aus-länder«.
Nina: Siehe *Besuch bei Nina.*
Mario: d. i. Zio Mario; siehe *Nachbar Mario.*
Maler Klingsor: Siehe Kommentar zu *Klingsors letzter Sommer.*
Morgenlandfahrer Leo: Siehe Kommentar zu *Die Morgenlandfahrt.*
Schalaster: Vermutlich Anspielung auf Hans Rudolf Schmids Buch
Hermann Hesse (Frauenfeld: Huber 1928), das den Gesamtdruck von
Schmids Dissertation darstellt, mit der er am 29. 10. 1927 in Zürich
promoviert hat. H. H. kommentiert dieses Buch in einem *Brief an
einen Bücherleser* (*Dresdner Neueste Nachrichten*, Nr. 261 v. 7. 11.
1928).
Geheimrat Lützkenstett: Anspielung auf den Namen Lützkendorf. Fe-lix Lützkendorf (geb. 1906) promovierte am 23. 5. 1932 in Leipzig mit
einer Dissertation *Hermann Hesse, als religiöser Mensch, in seinen Be-ziehungen zur Romantik und zum Osten.*
Gemeindeschreiber Balmelli: Anspielung auf den Namen seines ver-storbenen Freundes und Biographen Hugo Ball (1886–1927). Ball sel-ber gebrauchte gelegentlich, etwa in einem Brief an H. H. vom 10. 8.
1922 (H. Ball, *Briefe 1911–1927.* Einsiedeln, Zürich, Köln: Benziger
1957, S. 152), diese Form seines Namens.

Erinnerung an Hans

e 1936, VZ 1936; GW 10, 199–249. Manuskript im Hesse-Nachlaß
Marbach a. N. Zu diesem Ereignis gehört der Gedichtzyklus *Nach
einem Begräbnis* (1. »Am Sarge reiben sich die nassen Seile . . .«; 2. »In
jener Nacht, nachdem du fortgegangen . . .«; 3. »Seither indessen hab
in manchen Stunden . . .«)

»Hesse: Johannes, genannt Hans
Jüngster Sohn von Johannes und Marie Hesse. Geboren 13. Juli 1882
in Basel, getauft von Großvater Hermann Gundert am 6. August. Gestorben in Baden (Aargau) am 27. November 1935.
Hans Hesse wurde in der Schule in Calw von seinem Lehrer unsäglich
gequält, oft geschlagen. Er machte eine kaufmännische Lehre in Calw
durch und trat 1899 in Basel in ein Geschäft ein, dann arbeitete er
vorübergehend als Gehilfe im Basler Missionshaus.
Zwischen 1907 und 1911 arbeitete er in Deutschland und war mehrere
Monate in Hopfau bei seiner Schwester und dem Schwager Gundert,
lernte Maschinenschreiben und Stenographieren, übte sich im Französischen und Englischen. Dann kam er nach Basel, nahm dort Abend-
kurse und Tageskurse und wurde schließlich in der Firma Brown-Bo-
veri in Baden (Aargau) in der Abteilung Technische Korrespondenz
angestellt, wo er bis zu seinem Tode blieb.
1915 verheiratete er sich mit Frieda Gerber und wurde Vater von
Zwillingssöhnen, Paul und Ueli, geboren 8. 11. 1919.« (KuJ 1, 571–
572)
Ist's auch eine Freude …: von Rudolf Christian Flad (1804–1830);
die Verse entstanden am 16. 1. 1830, kurz vor dem Tode Flads.
»Wahrlich, so ihr nicht werdet […]«: nach Matth. 18, 3.
Scharade: Silbenrätsel.
ich als Zauberer: Dieses Motiv kehrt u. a. in *Kindheit des Zauberers*
wieder.
bekam er […] eine Violine: H. H. schenkt im Dezember 1897 seine
Geige seinem Bruder Hans.
um unsern Vater zu begraben: Vgl. Kommentar zu *Zum Gedächtnis.*
»Willen zu brechen«: Dies gleicht der Erziehung Harry Hallers in *Der
Steppenwolf.*
Anabasis: nach dem Namen zweier Geschichtswerke des Altertums:
der A. des Kyros von Xenophon und die A. Alexanders des Großen
von Arrian, die einen Feldzug vom Meer ins Binnenland beschreiben.

Herr Claassen

e 1934, überarbeitet 1936, VZ 1936; GW 10, 174–198. Typoskript in
der Hesse-Sammlung Leuthold der Eidgenössischen Technischen Hochschule Zürich. Nach einem beiliegenden Brief vom Oktober 1946 entstand die erste Fassung 1934.
im Jahr 1886: Johannes Hesse reiste am 3. Juli von Basel nach Calw
ab.
Johannes Claassen: »Gestern nun kam *Johannes Claassen von Münster,
der Theosoph,* der über Böhme, Baader, Hamann etc geschrieben hat
und gern *bei uns mitarbeiten möchte,* wenn er es als den Willen Gottes
erkennt. Wir hatten längere Verhandlung. Ich fürchte, der Mann ist

zu hoch für uns, d. h. er ist willig zu dienen und hält auch gemeine Arbeit für annehmbar, aber er ist 54 Jahre alt und war mit seinem größeren Vermögen (das er anfangs dieses Jahres verlor) so gestellt, daß er immer nur auf die innere Stimme zu hören brauchte, um was zu arbeiten [...]« (In einem Brief von Hermann Gundert an seinen Sohn Hermann v. 30. September 1889; KuJ 1, 26) – Johannes Claassen kam am 29. 9. 1889 nach Calw. Er hat die *Calwer Bibelkonkordanz. Vollständiges biblisches Wortregister,* hrsg. vom Calwer Verlagsverein 1893, in der Hauptsache fertiggestellt.

brach in der »Insel« ein Brand aus: am 28. Februar 1891.

Onkel Friedrich: Friedrich Ludwig Gundert (1847–1925), Onkel von H. H., sechstes Kind von Hermann Gundert, 1875–1925 kaufmännischer Geschäftsführer des Calwer Verlags der Vereinsbuchhandlung in Calw, bewohnte das alte Steinhaus in Calw, Bischofstraße.

Felsen über der Stadt: Am 11. April 1892 brennt H. H. auf dem »hohen Felsen« ein Feuerwerk ab und verbrennt sich Gesicht, Augen und Ohren.

vor kurzem konfirmiert: am 12. April 1891.

ein junger Basler Missionar: Härttner.

Ataraxie: Unerschütterlichkeit, Gleichmut.

Karma: im Buddhismus das die Form der Wiedergeburten eines Menschen bestimmende Handeln bzw. das durch ein früheres Handeln bedingte gegenwärtige Schicksal.

Ahimsa: in den indischen Religionen das Grundgebot, kein Lebewesen zu töten oder zu schädigen.

Samsara: Vgl. Kommentar zu *Siddhartha (Sansara).*

Frau Blavatsky: Helene Petrowna Blavatsky (1831–1891) gründete 1875 mit H. S. Olcott die Theosophische Gesellschaft. Vgl. auch *Taedium vitae.*

Mahatma: in der Theosophie von Blavatsky im Himalaja lebende Weise mit übernatürlichen Kräften.

nach einem andern Ort: Johannes Hesse übersiedelte 1905 nach Korntal.

Christoph Blumhardt: evangelischer Theologe (1842–1919); seine Sozialethik führte zum religiösen Sozialismus.

Ritschl: Albrecht Ritschl (1822–1889), evangelischer Theologe, Dogmatiker.

Thomas von Kempen: Mystiker (1379/80–1471).

Ignatius: Ignatius von Loyola (1491–1556), Stifter des Jesuitenordens, seine *Exercitia spiritualia* erschienen 1548.

Über Schmetterlinge

e 1935, VA als Vorwort zu *Falterschönheit* (Leipzig 1936); *Kleine Freuden,* 1977, 284–291 (die Angabe »hier erstmals vollständige Fassung« ist unzutreffend). Typoskript im Hesse-Nachlaß Marbach a. N.

Das Buch und die geistige Krise

e Februar 1937, VZ 1937 (Antwort auf eine Umfrage); GW 11, 278–279. Auch u. d. T.: *Weltkrise und Bücher*. Typoskripte in der Hesse-Sammlung Leuthold der Eidgenössischen Technischen Hochschule Zürich und im Hesse-Nachlaß Marbach a. N.

Ein paar Basler Erinnerungen

e 1937, VZ 1937; *Die Kunst des Müßiggangs*, 1973, 336–340. Auch u. d. T.: *Basler Erinnerungen*.
Vater stand im Dienst der Basler Mission: Vgl. Zeittafel.

Kindheit des Zauberers

e 1923, VZ 1937; GW 6, 371–390. Manuskript *Der Zauberer* (1. Fassung, vermutlich 1. Niederschrift) im Hesse-Nachlaß Marbach a. N., Faksimile dieser Handschrift, hrsg. von Bernhard Zeller (Marbach a. N. 1977) mit kommentierendem Nachwort. Typoskript (1937) *Zauberwelt der Kindheit* im Hesse-Nachlaß Marbach a. N. nahezu identisch mit dem Erstdruck in der Zeitschrift *Corona*. Fußnote H. Hs.:
»Die Erzählung ist vor fünfzehn Jahren geschrieben und war nicht etwa autobiographisch gemeint, sondern sollte einen märchenartigen Roman ›Aus dem Leben eines Zauberers‹ einleiten.«
Wieder steig ich und wieder ...: Gedicht von H. H. Manuskripte u. d. T.: *Dämmerung* und *Urwald der Kindheit* im Hesse-Nachlaß Marbach a. N.

Blatt aus dem Notizbuch

e März 1940, VZ 1940; GW 10, 88–91. Auch u. d. T.: *Ein Brief und ein Tagebuchblatt*. Typoskript im Hesse-Nachlaß Marbach a. N.
Julien Green: französischer Schriftsteller (*1900). H. H. besprach von ihm 1935 den Roman *Der Geisterseher*.
Aus einem Brief: An seinen Sohn Martin. Bei dem Gedicht handelt es sich um *Flötenspiel*. Die erste Fassung lautet:

Flötenspiel

> Vor einem Hause blieb ich stehn
> In wolkiger Vorfrühlingsnacht,
> Kaum wissend was mich hergebracht;
> Es war der Flötentöne Wehn.

Das fremde Haus durch Strauch und Baum
Ein Fenster leise schimmern ließ
Und dort im unsichtbaren Raum
Ein Flötenspieler stand und blies.

Es war ein Lied so altbekannt,
Es floß so gütig in die Nacht,
Als wäre Heimat jedes Land,
Als wäre jeder Weg vollbracht.

Es war der Welt geheimer Sinn
In seinem Atem offenbart,
Bezaubert gab das Herz sich hin
Und alle Zeit war Gegenwart.

(In: Hermann Hesse/R. J. Humm, *Briefwechsel*. Frankfurt a. M.:
Suhrkamp 1977, S. 85)
Die zweite Fassung lautet:

Flötenspiel

Ein Haus bei Nacht durch Strauch und Baum
Ein Fenster leise schimmern ließ,
Und dort im unsichtbaren Raum
Ein Flötenspieler stand und blies.

Es war ein Lied so altbekannt,
Es floß so gütig in die Nacht,
Als wäre Heimat jedes Land,
Als wäre jeder Weg vollbracht.

Es war der Welt geheimer Sinn
In seinem Atem offenbart,
Und willig gab das Herz sich hin
Und alle Zeit ward Gegenwart.

(GW 1, 117) – Weitere Ausführungen H. Hs. zu diesem Gedicht in
einem Brief an Frau G. S. v. 16. April 1940 (AB 193).

Gedenkblatt für Franz Schall

e Ende August 1943, VZ 1943; GS 4, 765–767. Typoskripte in den
Hesse-Sammlungen Leuthold (Eidgenössische Technische Hochschule
Zürich), Thomann (Stadtbibliothek St. Gallen) und im Hesse-Nach-
laß Marbach a. N.
Franz Schall: »Geboren 1877 in Faurndau, gestorben 1943 in Alten-
burg (Sachsen). 1891–1895 Seminare in Maulbronn und Blaubeuren.
Seit 1912 Oberlehrer (Altphilologe) am Herzoglichen Realgymnasium
in Altenburg. In einer Auseinandersetzung um H. H. in ›Deutsches

Volkstum‹, Hamburg 1930, trat er für H. H. ein. Seit 1930 in regem Briefwechsel mit H. H., dessen Motto zum Glasperlenspiel er ins Lateinische übersetzte.« (KuJ 1, 574)

Berthold

Aus einem Romanfragment. e 1907/08, VZ 1944; GS 1, 831–883.

Arkebusen: ursprünglich eine Armbrust, seit dem 15. Jh. ein Feuerrohr, das beim Schießen auf eine Hakenstange aufgelegt wurde.

Reliquien der elftausend Jungfrauen: An der Südwand des hochgotischen Chors von St. Ursula in Köln ist die Inschrifttafel eines Bürgers Clematius angebracht, der hier um 400 die Kapelle an der Stelle wiederherstellen ließ, »wo heilige Jungfrauen für den Namen Christi ihr Blut vergossen haben«. Ursprünglich waren es elf Jungfrauen, in der Legende wuchs ihre Zahl jedoch auf elftausend – an ihrer Spitze St. Ursula.

Graduale Romanum: in der katholischen Kirche der Gesang zwischen Epistel und Evangelium.

drei Brüder: Vgl. Kommentar zu *Drei Linden.*

Pater Girolamo in Florenz: Girolamo Savonarola (1452–1498), Dominikanermönch, Bußprediger; er nahm entscheidend an der politischen Neugestaltung von Florenz nach dem Sturz der Medici-Herrschaft teil.

Urbanstag: 25. Mai.

Bildschmuck im Eisenbahnwagen

e 1944, VZ in *Die Weltwoche,* Zürich, Nr. 577 v. 1. 12. 1944; seither nicht wieder veröffentlicht.

liebe Freunde: Max Wassmer und Frau Margrit geb. Ruffi.

Schlößchen in der Berner Gegend: Schloß Bremgarten.

Nachruf auf Christoph Schrempf

e 1944, VZ 1944; GW 10, 250–261.

Christoph Schrempf: evangelischer Theologe, Philosoph (1860–1944).

Der gestohlene Koffer

e Dez. 1944, VZ 1945; GW 8, 393–402. Typoskript im Hesse-Nachlaß Marbach a. N.

Quellen von Baden: Vgl. *Kurgast.*

»Nachtgedanken«: »Wir Menschen schlagen einer den andern tot . . .«, e 29. November 1938.

Besinnung: »Göttlich ist und ewig der Geist ...«, e 20. November 1933.

Mucius Scaevola: Gajus Mucius, der sagenhafte Stammvater des plebejischen Geschlechts der Mucier in Rom. Als 508 v. Chr. der Etrusker Porsenna Rom belagerte, versuchte Mucius ihn zu ermorden. Nach der Gefangennahme soll er zum Zeichen seiner Furchtlosigkeit seine rechte Hand im Altarfeuer verbrannt haben; daher Scävola (Linkshand).

unter dem Namen des schwarzen Königs: Georg Reinhart (1877–1955); vgl. *Der schwarze König.*

Frau meines einstigen Berliner Verlegers: Hedwig Fischer geb. Landshoff (1871–1952).

Der Pfirsichbaum

e 1945, VZ 1945; GW 8, 403–406. Auch u. d. T.: *Das Ende meines Pfirsichbaumes, Nachruf auf einen Pfirsichbaum.* Typoskript in der Hesse-Sammlung Leuthold der Eidgenössischen Technischen Hochschule Zürich.

Lieblingslektüre

e 1945, VZ 1945; GW 11, 279–283. Auch u. d. T.: *Über meinen Umgang mit Büchern, Was lese ich am liebsten.*

Literarischer Alltag

e 1945, VZ 1945; *Kleine Freuden,* 1977, 292–296. Auch u. d. T.: *Eine Aufzeichnung aus dem letzten Kriegsjahr.* Typoskript im Hesse-Nachlaß Marbach a. N.

mein treuster Freund und Verleger: Peter Suhrkamp.

Ferromonte: Karl Isenberg; siehe *Carlo Ferromonte* im Kommentar zu *Das Glasperlenspiel* (»Waldzell«).

die Insel-Auswahl meiner Gedichte: Vom Baum des Lebens, erstmals 1934 erschienen, 1942 wieder aufgelegt; Neuauflagen seit 1947.

ein befreundeter Maler: Ernst Morgenthaler.

Rigi-Tagebuch

e August 1945, VZ 1945; GW 8, 407–418. Typoskript in der Hesse-Sammlung Leuthold der Eidgenössischen Technischen Hochschule Zürich und im Hesse-Nachlaß Marbach a. N.; hier auch Manuskript und Tagebuchnotizen vom 5. August 1945.

eine kleine volkstümliche Auswahl meiner Gedichte: Der Blütenzweig,
H. Hs. Schwester Adele gewidmet, erschien im Herbst 1945 im Verlag
Fretz & Wasmuth in Zürich.

Über den von Frau M. Geroe-Tobler gewebten Teppich in meinem Atelier

e Februar 1945, VZ 1945; *Die Kunst des Müßiggangs,* 1973, 340–342.
Auch u. d. T.: *Über einen Teppich.* Typoskript in der Hesse-Sammlung von Heiner Hesse, Arcegno.
Maria Geroe-Tobler (1895–1963). Ein Foto (schwarzweiß) dieses Tep-
pichs ist veröffentlicht in: Heimatwerk. Zürich. 28, 1963, 1, S. 10 und
11.

Maler und Schriftsteller

e 1945, VZ 1945; GS 4, 780–786. Typoskripte (zwei Versionen) im
Hesse-Nachlaß Marbach a. N.
Ernst Morgenthaler: Maler (1887–1962), Freund H. Hs., porträtierte
H. H. mehrere Male.

Ansprache in der ersten Stunde des Jahres 1946

e 12. und 13. November 1945, VZ 1946; GW 10, 538–544. Typoskript
(erste Niederschrift) im Hesse-Nachlaß Marbach a. N.
Darum ist uns irrenden Brüdern . . .: Schlußverse des Gedichts *Besinnung* (»Göttlich ist und ewig der Geist . . .«), e 20. November 1933.

Danksagung und moralisierende Betrachtung

e 1946, VZ 1946; GW 10, 103–107. Im Hesse-Nachlaß Marbach a. N.
befinden sich das Manuskript der ersten Fassung, ein Typoskript mit
einer zweiten und ein weiteres Typoskript mit einer dritten – der gedruckten – Fassung.
H. Hs. Dank für die Verleihung des Goethepreises der Stadt Frankfurt an ihn. Die Verleihungsfeier fand am 28. August 1946 im Kleinen
Komödienhaus Frankfurt am Main statt. H. H. hat den Preis in Höhe
von RM 10 000,– nicht persönlich in Empfang genommen. Die Ehren-
urkunde hat folgenden Wortlaut: »Die Stadt Frankfurt am Main verleiht den von ihr gestifteten Goethepreis des Jahres 1946 dem Dichter Hermann Hesse. In diesem Preis ehrt die Geburtsstadt Goethes
einen Dichter, der über alle taggebundenen Strömungen hinweg den
Klang der deutschen Sprache rein bewahrt und der liebend vertraut

mit den Formen und Geheimnissen der Natur, wissend um das Kulturerbe des Abendlandes und des Ostens, nie die Aufrichtigkeit gegen sich selbst vergaß und in Lied und erzählender Dichtung um echte Wirklichkeit gerungen hat. In Sonderheit gilt die Ehrung dem Manne, der in einer Zeit der Wirren und der Masken den Glauben an die ewigen Werte und an die Würde des Menschen unwandelbar festhielt.«

Geleitwort

e 1946, VB in *Krieg und Frieden* 1946; GW 10, 544–548. Auch u. d. T.: ›Politische‹ Betrachtungen.
Ich habe meinen politischen Weg: »Ich begann ihn [meinen politischen Weg] weit früher als beinah alle deutschen Dichter meiner Generation. Ich habe nicht nur während des ersten Krieges meine Botschaft der Kriegshetze entgegengestellt, sondern habe schon im kaiserlichen Deutschland des Friedens die demokratisch-antiwilhelminische Zeitschrift ›März‹ mitbegründet.« (In einem Brief an Martin Pfeifer, Poststempel: Ravensburg, 11. 10. 1952; bisher unveröffentlicht.)

Traumgeschenk

e 1946, VZ 1946; GW 8, 419–424. Auch u. d. T.: *Das Geschenk meines Traumgottes, Landschaft als Traumgeschenk.*
Cézanne: Paul Cézanne (1839–1906), französischer Malèr.
Louis: Louis Moilliet; vgl. Kommentar zu *Klingsors letzter Sommer.*

Worte zum Bankett anläßlich der Nobelfeier

e 1946, VZ 1946; GW 10, 102–103. H. H. erhielt den Preis »för hans inspirerade författerskap, som i sin utveckling mot djärvhet och djup tillika företräder klassiska humanitetsideal och höga stilvärden«. H. H. war – ein Novum bei Nobelpreisverleihungen – nicht nach Stockholm gereist.

Beschreibung einer Landschaft

e 1946, VZ 1947; GW 8, 425–437. Manuskript im Hesse-Nachlaß Marbach a. N.
in einer mir ganz neuen Umgebung: im Sanatorium Préfagier in Marin am Neuenburger See, wo er sich gemeinsam mit seiner Frau von Oktober 1946 bis Januar 1947 aufhält.

Ein Satz über die Kadenz

e 1947, VZ 1947; H. H., *Musik*. Frankfurt a. M.: Suhrkamp 1976, 112–113; von Volker Michels in die zweibändige Auswahl *Die Gedichte* (Frankfurt a. M.: Suhrkamp 1977, S. 784–785) aufgenommen. Manuskript und Typoskript im Hesse-Nachlaß Marbach a. N.

Eine Konzertpause

e 1947, VZ 1947; H. H., *Musik*. Frankfurt a. M.: Suhrkamp 1976, 103–111. Manuskript im Hesse-Nachlaß Marbach a. N.

Edwin: Erwin Fischer (1886–1960), Pianist und Dirigent, Mozart-, Beethoven- und Brahms-Interpret. Seine H.-H.-Vertonung (op. 1, 1: Elisabeth: Wie eine weiße Wolke) liegt nicht gedruckt vor.

Habitué: [veraltet für] ständiger Besucher, Stammgast.

Joachim: Siehe Kommentar zu *Virtuosen-Konzert*.

die Welti-Herzog: Emilie Herzog (1859–1932), schweizerische Sopranistin, seit 1887 mit dem schweizerischen Musikschriftsteller Heinrich Welti verheiratet; bekannte Mozart-Interpretin.

Franz Liszt: Komponist und Pianist (1811–1886).

Cosmia Wagner: Tochter (1837–1930) von Franz Liszt, Frau von Richard Wagner.

Sarasate: Siehe Kommentar zu *Virtuosen-Konzert*.

Anton Rubinstein: russischer Pianist und Komponist (1829–1894).

Waldzell und Monteport: Stationen Josef Knechts im *Glasperlenspiel*.

Erlebnis auf einer Alp

e 1947, VZ 1947; *Kleine Freuden*, 1977, 296–298. Auch u. d. T.: *Ein Knabe spricht Verse (Tagebuchblatt 2. August 1947 in Wengen)*.

Geheimnisse

e 1947, VZ 1947; GW 10, 265–280.

Nicht abgesandter Brief an eine Sängerin

(An Ria Ginster.) e 1947, VZ 1947; *Die Kunst des Müßiggangs*, 1973, 342–348. Manuskript im Hesse-Nachlaß Marbach a. N.

Bei einer Musik von Schumann

e 1947, VZ 1948; H. H., *Musik*. Frankfurt a. M.: Suhrkamp 1976, 77. Auch u. d. T.: *Musik von Schumann*. Manuskript im Hesse-Nachlaß Marbach a. N.
Drôlerie: lustige Darstellung von Menschen, Tieren und Fabelwesen in der Gotik.

Das gestrichene Wort

e 1948, VZ 1948; *Die Kunst des Müßiggangs*, 1973, 350–353. Auch u. d. T.: *Liebe deinen Nächsten wie dich selbst*. Vgl. Kommentar zu *Kurgast* (»Besserung«: *jenes Wort [...]*).

Der Bettler

e 1948, beendet am 14. Juli 1948, VZ 1948; GW 8, 438–460. Typoskript im Hesse-Nachlaß Marbach a. N.

Notizen aus diesen Sommertagen

e 1948, VZ 1948; überarbeitet 1955; *Kleine Freuden*, 1977, 298–302, ohne Schluß; vollständiger Abdruck in: *Neue Zürcher Zeitung*. Nr. 2033 v. 1. 8. 1955. Auch u. d. T.: *Der Wanderer* (Tdr.), *Notizen aus diesen Tagen, Verschleiertes Feuerwerk* (Tdr.), *Zwei August-Erlebnisse*. Vgl. auch *Venezianische Nacht*.
1. August: Nationalfeiertag der Schweizer, er wird am Abend mit festlichen Feuern und Feuerwerk begangen. »Am Samstag hatten wir alle drei [H. H., seine Frau und beider Sohn Heiner] unsern [Sohn] Bruno in Oberhusen [oberhalb des Thuner Sees, wo er bei Lehrer Ernst Schiller zur Erholung weilte] besuchen wollen, da aber Heiner eben die Windpocken bekommen hatte, mußte Mia mit ihm daheimbleiben. Offiziell war keine Gefahr anerkannt, und auf den Abend des 1. August war in Bern Feuerwerk, Aarebeleuchtung etc. angesagt [...] Am Abend feierten wir hoch droben auf der Zelgg den 1. August mit Speerwerfen der Buben [...], etwas Feuerwerk etc.« (Aus einem Tagebucheintrag vom 1. August 1914; *Politik des Gewissens*. Frankfurt a. M.: Suhrkamp 1977, S. 3 und 4) – Vgl. auch Kommentar zu *Geleitwort* (zu *Krieg und Frieden*).
Anabasis: Siehe Kommentar zu *Erinnerung an Hans*.

Traumtheater

e 1948, VZ 1948; GW 10, 280–287. Auch u. d. T. *Nächtliche Spiele*. Typoskript im Hesse-Nachlaß Marbach a. N.

Papageno: der Vogelfänger in Mozarts Oper *Die Zauberflöte.*
Dr. Korrodi: Eduard Korrodi (1885–1955), schweizerischer Literarhistoriker und Kritiker, Feuilletonchef der *Neuen Zürcher Zeitung.*

Über Romain Rolland

e 1948, Einblattdruck 1948; GS 7, 468–469: »Geschrieben Ende 1948 für eine Rolland-Gedenkfeier des Radio Paris.« – Zwei Typoskripte (die erste und die gedruckte Fassung) im Hesse-Nachlaß Marbach a. N.

Unterbrochene Schulstunde

e 1948, VZ 1948; GW 8, 461–479. Typoskript im Hesse-Nachlaß Marbach a. N.
der Erzähler der Seldwyler Geschichten: Gottfried Keller.
der Lehrer: Professor Schmid; von ihm berichtet H. H. auch in *Aus meiner Schülerzeit* (vgl. Kommentar).
Banause: ungeistiger, unkünstlerischer Mensch; Spießbürger.
Morgenlandfahrer und Kastalier: Angehöriger des Gelehrtenstaates Kastalien in H. Hs. Roman *Das Glasperlenspiel;* vgl. Kommentar zu diesem Werk und zu *Die Morgenlandfahrt.*
Scholarch: Vorsteher einer mittelalterlichen Kloster- oder Domschule.

Gedenkblatt für Adele

e 1949, VZ 1949; GS 4, 898–913. Typoskript im Hesse-Nachlaß Marbach a. N.
Adele Hesse: »Geboren 15. August 1875, gestorben 24. September 1949. Verheiratet mit Hermann Gundert (›Vetter‹), 17. 4. 1906. Nach Absolvierung der Schule lernte Adele Hesse in Stuttgart in einer Malschule Malen und Zeichnen. Bis zur Übersiedlung des verwitweten Vaters nach Korntal (1905) lebte sie in Calw. Nach ihrer Verheiratung lebte sie als Pfarrfrau in Hopfau, Höfen/Enz, Unterreichenbach, Eckenweiler. Seit 1938 in Korntal.« (KuJ 1, 571)

Gedenkblatt für Martin

e 1949, VZ 1949; GW 8, 492–507. Auch u. d. T.: *Ein Schulkamerad, Schulkamerad Martin.* Typoskript in der Hesse-Sammlung Bodmer.
Martin: Martin Roos.

bei den Erinnerungsgängen [...], die ich mit Knulp tat: »Damals (1931) hat es mich etwas enttäuscht, daß Vater in Calw fast nur von Knulp sprach und mir Häuser und Gassen zeigte, die mit Knulp zu tun hatten, und kaum von seiner eigenen Kindheit und Jugend erzählte.« (In einem Brief von Bruno Hesse an Martin Pfeifer v. 5. 1. 1979)

E(manuel) von Bodman (1898–1956), Schriftsteller.

W(ilhelm) von Scholz (1874–1969), Dramatiker, Lyriker, Erzähler und Essayist.

Glück

e 1949, VZ 1949; GW 8, 480–491. Erste Niederschrift (März 1949) in der Hesse-Sammlung Kliemann (The Bancroft Library, Univ. of California, Berkeley).

Dschuang Dsi: Tschuang-tse, chinesischer Philosoph, lebte in der 2. Hälfte des 4. Jhs. v. Chr., Schüler von Laotse. Richard Wilhelms Übersetzung *Dschuang Dsi. Das wahre Buch vom südlichen Blütenland* erschien 1912. H. H. erwähnt Dschuang Dsi in *Bücher-Ausklopfen, Eine Bibliothek der Weltliteratur, Lieblingslektüre* und *Chinesische Betrachtung.*

Goethe und das Nationale

e 1949, VZ 1949; GW 12, 196–197.

das Gegenteil ebenso wahr und richtig: gleiche Thematik in *Bedeutung des Unbedeutenden* und *Chinesische Legende.*

Stunden am Schreibtisch

e 1949, VZ 1949; GS 7, 687–692. Auch u. d. T.: *Am Schreibtisch, Aus dem Sommer 1949, Notiz aus dem Sommer 1949.*

Aufzeichnung bei einer Kur in Baden

e 1949, VZ 1950; GW 8, 508–521.

ein wohlwollender Arzt: Professor Spiro in Basel.

zum Zweck einer Neuausgabe: zusammen mit *Die Nürnberger Reise* 1948 im Verlag Fretz & Wasmuth in Zürich.

das Gedicht »Nachtgedanken« und das Gedicht »Besinnung«: Vgl. Kommentar zu *Der gestohlene Koffer.*

Verschwinden meines Bruders Hans: Siehe *Erinnerung an Hans.*

Tat Twam Asi: [Sanskrit: Das bist du.] Kurzformel für die Hauptlehre der Upanishaden und des Wedanta-Systems. Der Satz will besagen: Das Absolute ist mit dir wesenseins. Vgl. Kommentar zu *Kurgast* (»Besserung«).

Begegnungen mit Vergangenem

e 1951, VZ 1951; GW 10, 347–354, hier fälschlich 1953 datiert.
Adele: Siehe *Gedenkblatt für Adele.*
ins Japanische übersetzt: Unterm Rad, übersetzt von Rokurobê
Akiyama, erschien im Verlag Kodakawa Shoten, Tokyo, 1953.

Bericht aus Normalien

Ein Fragment aus dem Jahre 1948. VZ 1951; GW 8, 531–544. Manuskript u. d. T. *Normalien. Briefe aus einer Heilanstalt. Fragment.
20. Januar 1948* und Typoskript u. d. T. *Bericht aus Normalien* im
Hesse-Nachlaß Marbach a. N.
Aquitanien: französisch: Guyenne; im alten Gallien das Land zwi-
schen den Pyrenäen und der Garonne. Die römische Provinz Aquita-
nien reichte bis zur Loire. 1453 wurde Aquitanien dauernd mit
Frankreich vereinigt.
Papagallo: [italienisch:] Halbstarker.
Morbio: im Muggiotal zwischen Luganer und Comer See, südöstlich
von Mendrisio.
Achmed: [arabisch: der Preiswürdige] König von Jemen (1896–1962),
führte erstmals westliche Reformen durch.
Ibrahim: [arabisch für] Abraham.

Die Dohle

e 1951, VZ 1951; GW 8, 545–552. Manuskripte *Die Dohle. 2. u. 3.
XII.* im Hesse-Nachlaß Marbach a. N. und in den Hesse-Sammlungen
Leuthold (Eidgenössische Technische Hochschule Zürich) und Bodmer.
wie Schillers Jüngling: »Er flieht der Brüder wilde Reih'n.« Vers 69
in Schillers *Lied von der Glocke.*

Weihnacht mit zwei Kindergeschichten

e 1950, VZ 1951; GW 8, 522–530. Dieser Text schließt die Kinderge-
schichte *Die beiden Brüder* (Calw 1887) ein. Auch u. d. T.: *Ein Weihnachtsabend. Die beiden Brüder,* Manuskript in der Hesse-Sammlung

von Martin Hesse, Typoskripte im Hesse-Nachlaß Marbach a. N., in der Hesse-Sammlung Leuthold der Eidgenössischen Technischen Hochschule Zürich und in der Hesse-Sammlung Bodmer.

Sibylle: Tochter (geb. 30. 8. 1945) von Martin Hesse und dessen Frau Isabelle geb. von Wursttemberger (geb. 1906).

Simeli: Simon (geb. 29. 6. 1941), Sohn von Bruno Hesse und dessen Frau Klara geb. Friedli (1910–1966).

Christine: Tochter (geb. 14. 5. 1938) von Bruno Hesse und dessen Frau Klara geb. Friedli.

Eva: Tochter (geb. 8. 10. 1943) von Heiner Hesse und dessen Frau Isa geb. Rabinovitch (geb. 1917).

Silver: Sohn (geb. 2. 1. 1942) von Heiner Hesse und dessen Frau Isa geb. Rabinovitch. H. H. hat meines Wissens nie erfahren, daß die Geschichte *Für den lieben Gott* nicht von Silver stammt, sondern einer Lesebuchgeschichte nacherzählt wurde.

Aladin mit der Wunderlampe: Märchen aus *Tausendundeiner Nacht:* Aladin holt auf Geheiß eines Zauberers eine alte Lampe aus einem Brunnen. Wenn man sie reibt, erscheint ein Geist, der jeden Wunsch erfüllt. Aladin entdeckt das Geheimnis. Er behält die Lampe, heiratet eine Prinzessin und überlistet den Zauberer.

Allerlei Post

Rundbrief an Freunde. e 1952, VZ 1952; GW 10, 287–294.

Dohle an der Limmat: beschrieben in *Die Dohle.*

von meinem amerikanischen Verleger: 1948 war *Demian,* 1949 *Das Glasperlenspiel* (u. d. T. *Magister Ludi*) bei Henry Holt in New York erschienen.

»Steppenwolf«: Eine Übersetzung des *Steppenwolf* ins Englische war bereits 1929 in London und New York (Holt) erschienen und 1947 in Toronto neu aufgelegt worden.

Kakemono: [japanisch: Hängesache] zum Aufhängen bestimmtes zusammenrollbares Bild, auf Seide oder Papier gemalt, oben und unten mit je einem waagerechten Holzstab.

meinem ostasiatischen Vetter: Wilhelm Gundert (1880–1971), Dr. phil., Prof. der Japanologie.

Aprilbrief

e 1952, VZ 1952; GW 10, 294–311.

»Der Blütenzweig«: Gedicht, e 1911–1914: »Immer hin und wider . . .«, GW 1, 41–42.

Anaxagoras: griechischer Denker aus Klazomenä in Ionien (um 500–428 v. Chr.), Lehrer in Athen, von wo er, der Gottlosigkeit angeklagt, fliehen mußte. Er erklärte die Wirklichkeit aus einer vom Nus, der Weltvernunft, verursachten Wirbelbewegung unendlich vieler Urteilchen.

Hofmannsthal: Hugo von Hofmannsthal (1874–1929).

Ihre Anzeige des »Lesebuches«: »Hofmannsthals Deutsches Lesebuch« in: *Der Lesezirkel.* Zürich. 11, 1923/24, S. 142–144.

die Herausgabe einer bescheidenen Zeitschrift: Neue Deutsche Beiträge (1922–1927) im Verlag der Bremer Presse, München; eine exklusive literarische Zeitschrift, in der Aufmachung äußerst gediegen.

Großväterliches

e 1952, VZ 1952; GW 10, 302–311. Auch u. d. T.: *Mein Großvater und die Geniereise.*

Hermann Gundert: Dr. Karl *Hermann* Gundert (1814–1893), Missionar, Sprachgelehrter, Leiter des Calwer Verlagsvereins.

den verwitweten Vater: Johann Christian *Ludwig* Gundert (1783–1854), Kaufmann, »Bibelgundert«, war in 1. Ehe mit Christiane Louise geb. Enßlin (1792–1833) verheiratet. Sie starb am 20. Januar 1833.

»Bekehrung«: »Im Sommer 1833 gab es eine Selbstmordepedemie unter den Studierenden in Tübingen. Es gelang H. G. einen Freund vom Selbstmord abzuhalten – und in diesem Augenblick beschloß er ›Missionar in Indien‹ zu werden, ohne sich erklären zu können, wie es zu diesem Entschluß kam.« (KuJ 1, 537)

Dr. Lützkendorf: Felix Lützkendorf, geb. 1906, Dramatiker, Erzähler, Funk- und Drehbuchautor, promovierte am 23. Mai 1932 in Leipzig mit seiner Dissertation *Hermann Hesse, als religiöser Mensch, in seinen Beziehungen zur Romantik und zum Osten.*

Welsch-Schweizerin: Julie Gundert geb. Dubois stammte aus einer Weingärtnerfamilie aus Corcelles (Neuchâtel), einer streng reformierten Dissidentengemeinde.

Herbstliche Erlebnisse

Gedenkblatt für Otto Hartmann. e 1952, VZ 1952; GW 10, 311–323.

Otto Hartmann (1877–1952), nach dem Besuch der Seminare Maulbronn und Blaubeuren (1891–1895) Jurastudium in Tübingen, Berlin und Leipzig, seit 1904 Rechtsanwalt in Eßlingen a. N., 1919–1933 Oberbürgermeister in Göppingen, von den Nationalsozialisten amtsenthoben, 1943–1946 Direktor der Landesdienststelle Württemberg des Deutschen Gemeindetages in Stuttgart.

mit der Kamera beschlichen: Ein Photo ist abgedruckt in: *Hermann Hesse. Eine Chronik in Bildern.* Bearbeitet und mit einer Einführung versehen von Bernhard Zeller. Frankfurt a. M.: Suhrkamp 1960. S. 180.

Ataraxie: Unerschütterlichkeit, Seelenruhe.

»Bene vixit qui bene latuit«: (eigentlich »bene qui latuit bene vixit«; Ovid, Tristia III, 4, 25) »Gut gelebt hat, wer sich gut verborgen hat«.

Causeur: Plauderer.

Sonnewald: Carl August Sonnewald, Inhaber der Buch- und Antiquariatshandlung J. J. Heckenhauer in Tübingen.

Drei Lieblingsgedichte

e 1952, VZ 1953; *Kleine Freuden,* 1977, 326–328.

Engadiner Erlebnisse

Rundbrief an Freunde. e August 1953, VZ 1953; GW 10, 324–347. Typoskript in der Hesse-Sammlung Bodmer und im Hesse-Nachlaß Marbach a. N.

vor beinah fünfzig Jahren: im Sommer 1905. Vgl. *Sommerreise.*

wo ich heute wieder bin: im Hotel »Waldhaus« in Sils Maria.

S. Fischer: Samuel Fischer (1859–1934), H. H.s. Verleger.

Arthur Holitscher: impressionistischer Erzähler und Dramatiker (1869–1941).

ein schwäbischer Freund von mir: Emil Molt (1876–1936), Gründer und Inhaber der Zigarettenfabrik Waldorf-Astoria, baute 1919 unter Rudolf Steiners Leitung eine Schule für die Kinder der in seiner Fabrik beschäftigten Arbeiter, die erste Freie Waldorfschule, auf. H. H. war im Januar und Februar 1917 auf ärztliches Anraten und nach Einladung durch Emil Molt dessen Gast in Chantarella in der Nähe von St. Moritz. Molt hat den im Ersten Weltkrieg für die Frontsoldaten bestimmten Tabakwaren kleine Heftchen mit belletristischer Literatur beigefügt, von H. H. die Erzählung *Der Hausierer* und einen *Brief ins Feld* (Weihnachten 1915; abgedruckt u. a. in GB 1, 312–316). H. H. und Emil Molt hatten sich im September 1915 kennengelernt.

Thomas Manns jüngstem Töchterchen: Elisabeth Mann Borgese, geb. 1918, Schriftstellerin. Thomas Mann war mit seiner Frau und seiner Tochter Elisabeth Anfang 1931 in Chantarella gewesen.

Louis der Grausame, Klingsor, Magier Jupp: Siehe Kommentar zu *Klingsors letzter Sommer.*

Edwin Fischer: Pianist, Dirigent, Mozart-, Beethoven- und Brahms-interpret (1886–1960). Seine H.-H.-Vertonung (op. 1, 1: Elisabeth: Wie eine weiße Wolke) liegt nicht gedruckt vor.

Otto Hartmann: Siehe *Herbstliche Erlebnisse.*

dona ferens: der Geschenke mitbrachte.

Pierre Fournier: französischer Cellist, geb. 1906.

Casals: Pablo Casals (1876–1973), spanischer Cellist.

Bruder Karl: Karl Isenberg (1869–1937), Halbbruder H. Hs., studierte Alt- und Neuphilologie und Mathematik und war Gymnasialprofessor. »Karfreitag [30. März 1893] sang Karl schön in der Matthaeuspassion als Christus und Adele und Marulla sangen im Chor mit.« (KuJ 1, 348)

Theo: Theodor Isenberg (1866–1941), Halbbruder H. Hs., fing nach dem Besuch eines Gymnasiums eine Apothekerlehre an, studierte von 1887–1889 in Stuttgart und Sondershausen Musik, bekam Engagements als Tenor an deutschen Bühnen und in Groningen (Holland), wurde 1890 Apothekergehilfe, studierte Pharmazie und wurde 1895 nach Bestehen der Examina Apotheker.

Klara Haskil: Pianistin (1895–1960) internationalen Ranges.

Scarlatti: Domenico Scarlatti (1685–1757), italienischer Cembalist, Kapellmeister und Komponist.

»der Wünsche Gewalt«: aus *All' mein Gedanken, die ich hab'* ... (Lochamer Liederbuch).

Nachruf für Marulla

e 22. und 23. März 1953, VZ 1953; GS 7, 927–935. Auch u. d. T.: *Für Marulla.* Typoskript im Hesse-Nachlaß Marbach a. N.

Marulla: H. Hs. jüngere Schwester, geb. 1880, gestorben am 17. März 1953 in Korntal; sie wurde am 21. März 1953 im Grab des Vaters beigesetzt. Sie hat eine Ausbildung als Lehrerin erhalten, war ein Jahr Hauslehrerin, betreute dann zunächst die Mutter und nach deren Tod den Vater, mit dem sie nach Korntal übersiedelt war, bis dieser starb; danach war sie wiederholt Hauslehrerin, seit 1927 unterrichtete sie Englisch und Französisch in Korntal.

Bischof Wurm: Theophil Wurm (1868–1953), evangelischer Theologe, war Pfarrer in Stuttgart und Ravensburg, wurde 1920 Dekan in Reutlingen, 1927 Prälat von Heilbronn, 1929 württembergischer Landesbischof; nach 1933 wurde er zum Wortführer der evangelischen Kirche im Kampf gegen den Nationalsozialismus; 1945–1949 war er Vorsitzender des Rates der EKD.

Geschichte vom Bettler: Der Bettler. H. H. hat für seine Schwester die Erzählung *Die beiden Brüder* geschrieben; sie ist enthalten in *Weihnacht mit zwei Kindergeschichten.*

Skizzenbuchblatt

e Februar 1953, VZ 1953; GW 8, 553–558. Auch u. d. T.: *Kaminfegerchen.*

Vom Altsein

e November 1952, VZ 1953; GW 10, 354–357. Auch u. d. T.: *Altsein ist eine schöne Aufgabe, Mögen die Jungen über die Alten lächeln ...*, *Tiefer Sinn des bewußten Alters, Über das Alter, Wir Alten.*
Vgl. dazu »Wie die Betrachtung *Über das Alter* entstand« in: *Schweizer Radio-Zeitung.* Zofingen. 16. 8. 1953, S. 11. Typoskript im Hesse-Nachlaß Marbach a. N.

Notizblätter um Ostern

e April 1954, VZ 1954; GW 10, 375–384. *Ein paar Notizen nach Ostern. Erste Niederschrift. IV. 54* sowie *Notizblätter um Ostern* (gedruckte Fassung), Typoskripte im Hesse-Nachlaß Marbach a. N.
Manzoni: Alessandro Manzoni (1785–1873), italienischer Dichter, bedeutendster Vertreter der Romantik in Italien.
Fogazzaro: Antonio Fogazzaro (1842–1911), italienischer Schriftsteller.
Onkel Friedrich: Friedrich Ludwig Gundert (1847–1925), sechstes Kind von Hermann Gundert.
meine beiden älteren Stiefbrüder: Theodor und Karl Isenberg; siehe Kommentar zu *Engadiner Erlebnisse.*
Volkmar Andreae (1879–1962), Komponist und Dirigent, mit H. H. seit etwa 1905 befreundet.
Ilona Durigo (1881–1943), Kammersängerin, seit 1914 mit H. H. befreundet; eine der bedeutendsten Konzert-Altistinnen ihrer Epoche, als Liedersängerin geschätzt, vor allem als Interpretin der Lieder von Othmar Schoeck.

Rundbrief aus Sils-Maria

e 1954, VZ 1954; GW 10, 384–399. Typoskript in der Hesse-Sammlung Bodmer und im Hesse-Nachlaß Marbach a. N.
Vetter Wilhelm: Wilhelm Gundert (1880–1971), Universitätsprofessor, Japanologe; vgl. *Allerlei Post.*
Thomas Mann: »Wieder einmal waren wir im Waldhaus Sils-Maria abgestiegen und trafen Hesses dort an, die Stammgäste waren [...] Im Speisesaal saßen Hesse und seine Frau nicht weit von uns, doch war es stillschweigend beschlossene Sache, daß man die Mahlzeiten gesondert einnahm. Erst nach Tisch, abends, kam man zusammen, und obwohl gewiß manches ernste Gespräch geführt wurde, sind diese Stunden mir als vorwiegend heiter und beschaulich in Erinnerung. Hesse lacht gern, kann auf eine bäurisch geruhsame Art und mit ausführlichen, exakt illustrierenden Handbewegungen selbst sehr drollig sein, und mein Vater war das dankbarste Publikum. Auch seiner-

seits erzählte er, packte Schulgeschichten aus und hegte die Asche seiner Zigarre, während Hesse ein weiteres Schöppchen roten Landweines kommen ließ. Urgemütlich und plauderhaft, gesellig, ja galant, so kennen wir den ›Steppenwolf‹, dessen Weltscheu und Einsamkeitsbedürfnis verfliegen, sobald er mit Freunden um den Tisch sitzt.« (Erika Mann, *Das letzte Jahr. Bericht über meinen Vater*. Frankfurt a. M.: S. Fischer 1956, S. 6 und 8–9)

I Ging: I King: das heilige Buch der Wandlungen, entstanden um 2400 v. Chr.; vgl. auch Kommentar zu *Das Glasperlenspiel* (»Studienjahre«).

Yin und Yang: die beiden Pole einer Einheit (des großen Einen): Erde und Himmel, dunkel und licht, negativ und positiv, das Empfangende und das Schöpferische.

Kathleen Ferrier: Opern- und Konzertsängerin (1912–1953), Altistin von Weltrang.

Marulla: Vgl. Kommentar zu *Nachruf für Marulla*.

Adele: Vgl. Kommentar zu *Gedenkblatt für Adele*.

Karl: Vgl. Kommentar zu *Engadiner Erlebnisse*.

Rektor Bauer: Otto Bauer (1830–1899), Rektor der Göppinger Lateinschule.

Hans: Hans Völter, geboren 1877; nach dem Besuch der Lateinschule in Göppingen (1888–1891) und der Seminare Maulbronn und Blaubeuren (1891–1895) und dem Einjährig-Freiwilligenjahr Studium der evangelischen Theologie in Tübingen (1896–1900) und in Berlin (1903–1904); Pfarrer in Bietigheim/Enz und Heilbronn (1908–1939), Dekan in Brackenheim (1939–1947), dann Pensionierung. Veröffentlichungen über Friedrich Schleiermacher, F. Wichern, Friedrich Naumann. Völter hielt die Ansprache zu H. Hs. Beisetzung.

Edmund: Edmund Natter, Rechtsanwalt, Freund H. Hs. und für ihn tätig.

Rundbrief im Februar

e 1954, VZ 1954; GW 10, 357–375. Auch u. d. T.: *Beschwörungen*.

Rektor Bauer: Otto Bauer (1830–1899), Rektor der Göppinger Lateinschule.

Ephorus Palm: August Palm (1848–1925), Ephorus in Maulbronn 1888–1897.

Rektor Weizsäcker: Dr. Weizsäcker leitete das Reallyceum (seit 1903 Realprogymnasium) Calw von Mai 1886 bis Juli 1912.

Eigentum meiner [...] Mutter: Marie Hesse, 1842 in Talatscheri (Ostindien) geboren, kam mit vier Jahren nach Europa, wuchs in Gundeldingen bei Basel auf, wurde 1854 in das Töchterinstitut Korntal gebracht, wo sie sehr unglücklich war. Ihr um drei Jahre älterer Bruder verschaffte ihr Schillers Gedichte; das wurde entdeckt, die

Lektüre ihr verboten. Die Eltern, denen dies nach Indien gemeldet worden war, nahmen sie aus dem Institut. Nach einem Jahr durfte sie im November 1857 zu den Eltern nach Indien reisen.

Olga: Olga Bunsen.

Cortot: Alfred Cortot (1877–1962), Pianist.

Ulrico Hoepli: italienischer Buchhändler und Verleger schweizerischer Herkunft.

Olschki: Leonardo Olschki (1885–1961), italienischer Philologe und Schriftsteller, Professor in Heidelberg, Rom und in den USA.

Pietro Aretino: italienischer Renaissanceschriftsteller (1492–1556).

Freund Zeller: Eugen Zeller (1871–1953), Gymnasialprofessor in Ulm.

Dankadresse

e 1955, VZ 1955; *Kleine Freuden,* 1977, 343–347. Auch u. d. T.: *Dank für den Friedenspreis des deutschen Buchhandels, Überwindung des Krieges als edelstes Ziel.*

In einer Feierstunde in der Frankfurter Paulskirche nahm Ninon Hesse den Preis entgegen und verlas diese Dankadresse H. Hs. Der Text der Verleihungsurkunde lautet: »Aus tief erlebtem Wissen um die Einheit der Schöpfung hat Hermann Hesse in seinem Leben und Werk mit bedingungsloser Aufrichtigkeit gegen sich selbst und gegenüber dem Sinn des Daseins immer neu die Harmonie der Welt zu erschließen gesucht und die Forderung nach tätigem Menschentum in ihrem Sinne in den Mittelpunkt des Bewußtseins gehoben. Er erfüllt damit ein Leben der höchsten menschlichen Freiheit und Verantwortung und wirkt, auch ohne ein Wort zur Zeit zu sprechen, mitten in der Zeit.

Durch die Verleihung des Friedenspreises des Deutschen Buchhandels bekennt sich der Buchhandel zu ihm und seinem Werk, das zugleich beispielhaft ist für die Aufgabe und den Sinn des Friedenspreises.«

H. H. schenkt den Preis seiner Frau Ninon.

Polykrates: Tyrann von Samos (um 538 v. Chr.), beherrschte mit seiner großen Flotte weithin das Ägäische Meer, entfaltete eine große Bautätigkeit und zog Dichter und Künstler an seinen Hof. Die Geschichte von Polykrates und seinem Ring gestaltete Schiller in der Ballade *Der Ring des Polykrates* (1797).

»Jeder hat's gehabt ...«: später u. a. T.: *Friede,* e 11. Oktober 1914.

»Krieg war immer [...]«: In *O Freunde, nicht diese Töne!,* veröffentlicht in der *Neuen Zürcher Zeitung* Nr. 1487 v. 3. 11. 1914.

Der Maulbronner Seminarist

e 1954, VZ *Stuttgarter Zeitung* Nr. 104 v. 7. 5. 1955 trägt die Angabe »Geschrieben April 1955«; GE 4, 301–304. Auch u. d. T.: *Ein*

Maulbronner Seminarist. Typoskript in der Hesse-Sammlung Bodmer.
Vgl. die Kommentare zu *Unterm Rad* und *Narziß und Goldmund.*
Otto Hartmann (1877–1952).
Wilhelm Häcker (1877–1959) war 1912–1923 Professor in Maulbronn.

Der schwarze König

Ein Gedenkblatt für Georg Reinhart. e 1955, VZ 1955; *Gedenkblätter,*
16.–18. Tsd. 1962, 325–334. Typoskript im Hesse-Nachlaß Marbach
a. N.
Georg Reinhart: Großkaufmann, Teilhaber und Seniorchef der Firma
Gebr. Volkart & Co.; Kunstsammler, Mäzen (1877–1955); Freund
und Gönner H. Hs.
Pierrot: [Peterchen] männliche Lustspielfigur der in Paris gespielten
italienischen Commedia dell'arte.
»Chinesisch«: e 27. September 1937.
»Bruchstück aus dem nur in Fragmenten erhaltenen Sagenkreis [...]«:
e 19. Oktober 1937.

Tagebuchblatt

13. März 1955; 14. Mai 1955; 15. Mai 1955; 1. Juli 1955; VZ 1955;
zusammengefaßt u. d. T.: *Tagebuchblätter 1955* in GS 7, 936–945.
Hugo Geißler: Maler und Graphiker (1895–1956).
Martin Lang: Schriftsteller (1883–1955), Jugendfreund H. Hs.
Onkel Friedrich: Friedrich Gundert (1847–1925).

Worte beim Tod eines nahen Freundes

e 1955; VZ *Neue Zürcher Zeitung* Nr. 262 v. 30. 1. 1955; bisher nicht
in einem Buch H. Hs. veröffentlicht.

Der Trauermarsch

Gedenkblatt für einen Jugendkameraden. e 1956, VZ 1956; *Kleine
Freuden,* 1977, 353–360.
Paul Eberhardts Freitod und dessen Bedeutung für H. H. stellt Martin
Pfeifer u. d. T. »Freitod in Tübingen. Zu einigen Kompositions- und
Gestaltungsmerkmalen in den Dichtungen Hesses« in *Text + Kritik,*
München, 1977, 10/11, S. 78–85 dar.

Die uralte Frage

Ein Brief und eine Antwort. e 1956, VZ *Neue Zürcher Zeitung* Nr.
1635 v. 7. 6. 1956; bisher nicht in einem Buch H. Hs. veröffentlicht.
Enthält einen Brief von Frau M. W. an H. H., H. Hs. Kommentar
und Antwort (diese in AB 465–466) v. 1. Juni 1956.

Ein Mittler zwischen China und Europa

e 1956, VZ 1956; Adrian Hsia, *Hermann Hesse und China*. Frank-
furt a. M.: Suhrkamp 1974, S. 320–323. Auch u. d. T.: *Über Richard
Wilhelm*.
Richard Wilhelm: Professor, Sinologe (1873–1930).

Kafka-Deutungen

e 1956, VZ 1956; GW 12, 489–491. Auch u. d. T.: *Leser und Dichtung,
Franz Kafka*.

Weihnachtsgaben

Ein Rückblick. e 1955, VZ 1956; *Kleine Freuden*, 1977, 347–353.
Marulla: Schwester H. Hs. (1880–1953).
Karl: Karl Isenberg (1869–1937), Halbbruder H. Hs.
Carlo Isenberg: (1901–1945), Sohn von Karl Isenberg.
Joachim Ringelnatz: eigentlich Hans Bötticher (1883–1934), Dichter
und Maler.

Wiederbegegnung mit zwei Jugendgedichten

e 1956, bisher nur in *Westermanns Monatshefte*, Braunschweig, 97,
1956, 9, S. 27–28 veröffentlicht. Enthält die Faksimile der Gedichthandschriften *Bergnacht* (»Wie der Sterne große Schar . . .«, e 28. 10.
1902) und *Bootsreise* (»Der Tag ist um; schon wird die Ferne trüber
. . .«, e 2. 11. 1902) und H. Hs. Kommentar. Typoskript im Hesse-
Nachlaß Marbach a. N.

Über das Wort »Brot«

e 1954, VZ 1957; GW 11, 283–286, hier fälschlich e 1959. Auch
u. d. T.: *Brot*.

Erinnerung an den jungen Alfons Paquet

e Dezember 1947, VZ *Frankfurter Neue Presse,* Frankfurt a. M., 20. 3.
1958; bisher nicht in einem Buch H. Hs. veröffentlicht. Typoskript
im Hesse-Nachlaß Marbach a. N.
Alfons Paquet: Erzähler und Essayist, Lyriker und Dramatiker (1881–
1944).

Über den Judenhaß

Ein Wort von Hermann Hesse an die deutsche Jugend. Geschrieben
1958 auf Ersuchen einer deutschen Jugendorganisation. VZ 1958;
Politik des Gewissens. Frankfurt a. M.: Suhrkamp 1977, 903–904.
Auch u. d. T.: *Ein Wort über den Antisemitismus, Hermann Hesse
über Juden- und Deutschenhaß.* Typoskript u. d. T.: *Ein Wort über
den Antisemitismus* im Hesse-Nachlaß Marbach a. N.

Bericht an die Freunde

e 1959, VZ 1959; *Briefe an Freunde.* Frankfurt a. M.: Suhrkamp
1977, 211–220 u. d. T.: *Bericht an Freunde.* Typoskript im Hesse-
Nachlaß Marbach a. N.
Haus zur Arch: altes Zürcher Haus (17. Jh.), damals im Besitz von
Frau Elsy Bodmer geb. Stünzi (gestorben 1968).
Herrin des Hügels: Nach dem Tod von Hans C. Bodmer (1956),
der H. H. Haus und Garten in Montagnola auf Lebenszeit zur Ver-
fügung gestellt hatte, war Elsy Bodmer Herrin des Hügels.
Freund Suhrkamp: Peter (eigentlich Johann Heinrich) Suhrkamp
(1891–1959), Verleger und Freund H. Hs.
»Morgenstunde«: »Grau und blau getürmtes Schattenland ...«,
e 8. Februar 1959.

Chinesische Legende

e Mai 1959, VZ 1959; *Die Kunst des Müßiggangs,* 1973, 357–358.
Meng Hsiä: In einem Brief an Otto Engel vom Oktober 1960 greift
H. H. auf Meng Hsiä zurück. »Die gelegentlichen Anpöbelungen oder
Verhöhnungen durch literarische Halbstarke nehme ich nicht so ernst.
Man ist in jungen Jahren grausamer als später, auch ich habe mich
einst über manches ehrwürdige Haupt schonungslos lustig machen
können, wenn auch nicht öffentlich. Meng Hsiä sagt in solchen Fällen:
›Knabe hat alten Kerl mit Dreck beworfen. Alter Kerl bürstet sich
den Rock.‹ Und dann ist ja etwas an der Kritik der Avantgardisten

richtig: Ich habe mich zwar stets um eine anständige Form bemüht, habe auch manche nur einem Spieltrieb folgende Künste geübt, im großen ganzen aber war mir doch beim Schreiben das Was ebenso wichtig wie das Wie, und diese Einstellung ist jedem reinen Artisten ein Greuel [...]« (*Schweizer Monatshefte*. Zürich. 41, 1961, 1, S. 63) – »Worte des Meng Hsiä« zitiert H. H. auch in einem Brief an Frau Fr. von Ende 1949 (AB 281), und »seinem lieben Böhmer am 1. 1. 61« schreibt er: »Von Meng Hsiä wird berichtet: Befragt, welche drei Dinge er auf eine rückkehrlose Reise nach dem Mond mitnehmen würde, gab er zur Antwort: ›Eine Rolle Papier, einen Pinsel und meine Tuscheschale.‹« (*Gunter Böhmer. Bilder und Zeichnungen*. St. Gallen: Tschudy 1963. Faksimile der Handschrift.) Adrian Hsia begründet (A. Hsia, *Hermann Hesse und China*. Frankfurt a. M.: Suhrkamp 1974, S. 196–199), »daß Meng Hsiä niemand anderes ist als Hesse selbst im chinesischen Gewand«.

Wir und die farbigen Völker

e 1959, VZ 1959; erweiterte Fassung u. d. T.: *Blick nach dem fernen Osten*, VZ 1960; *Mein Glaube*, 1971, 53–55. Auch u. d. T.: *Sturmwind über Asien, Lob des Buddhismus*.
vor fünfzig Jahren: 1911.
auf Sumatra: Vgl. *Aus Indien*.

Das Wort

e Ende September 1959, VZ 1960; GW 11, 287–288.
»du«: Schweizerische (kulturelle) Monatsschrift. Zürich, erscheint seit 1940.
»Das Wort«: Literarische Beilage der Zeitschrift *du*.

Ein paar Erinnerungen an Ärzte

Besuch bei einem Dorfarzt – Das Haus Rosengart – Ein Arzt großen Stils – Großvater Hesse.
e März 1960, VZ 1960; *Kleine Freuden*, 1977, 361–374 u. d. T.: *Erinnerungen an Ärzte*, die Reihenfolge der ersten beiden Stücke ist vertauscht. Auch u. d. T.: *Ärzte*. Typoskript im Hesse-Nachlaß Marbach a. N.
Opodeldok: ein von Paracelsus gebildeter Name für ein Harzpflaster, später gebraucht für ein Einreibungsmittel, ein Seifen-Kampfer-Liniment, ein Hautreizmittel.
in seiner Stadt: Frankfurt a. M.

Steinhausen: Wilhelm Steinhausen (1846–1924), Maler vor allem religiöser Bilder.
Ottilie Röderstein: schweizerische Malerin (1859–1937), lebte zuletzt in Hofheim (Taunus).
als Arzt: Vgl. GB 1, 161–162.
Albert Fraenkel: Internist (1848–1916). H. Hs. erste Kur in Badenweiler ist auch Gegenstand seiner Dichtung *Haus zum Frieden.* Vgl. auch GB 1, 159–160.
Großvater Hesse: Karl *Hermann* Hesse (1802–1896); vgl. KuJ 1, 520–533.
Monika Hunnius: Nichte (1858–1934) des Karl Hermann Hesse, Tochter seiner Schwester Henriette Hunnius. Gesangslehrerin, Konzertsängerin, später auch Schriftstellerin. Zu Monika Hunnius' Buch *Mein Onkel Hermann. Erinnerungen an Alt-Estland* hat H. H. 1921 ein Geleitwort geschrieben.

40 Jahre Montagnola

e 1959, VZ 1960; *Kleine Freuden,* 1977, 375–376.
Friedhof von St. Abbondio: Hier hat H. H. im November 1954 für sich und seine Frau eine Grabstelle gekauft. Hier wurden später beide beigesetzt.
Judasbaum: Vgl. *Klage um einen alten Baum.*

Vor dreiunddreißig Jahren

e 1960, VZ 1960; ohne Titel Einleitung zum Privatdruck *Rückgriff* (St. Gallen 1960).

Joseph Knecht an Carlo Ferromonte

e 1961, VZ 1961; *Briefe an Freunde.* Frankfurt a. M.: Suhrkamp 1977, 237–243.
Ein Essay in Form eines Briefes an seinen Neffen Karl Isenberg (Carlo Ferromonte, 1901–1945), der im Zweiten Weltkrieg an der Ostfront vermißt wurde.

Schreiben und Schriften

e 1961, VZ 1961; GW 10, 400–408. Manuskript der ersten Fassung und Typoskript der zweiten Fassung im Hesse-Nachlaß Marbach a. N.

Brief an Herrn Kilian Schwenckschedel in Cleve

e 1902 oder 1903, VB *Prosa aus dem Nachlaß* 1965, 94–104. Manuskript im Hesse-Nachlaß Marbach a. N.
Dem Brief (S. 94–95) folgt eine Episode aus dem Leben Quorms (S. 96–104); Brief und Episode erscheinen als Mittelteil der *Geschichten um Quorm.*

Der vierte Lebenslauf

e 1934, VB *Prosa aus dem Nachlaß* 1965: erste Fassung S. 443–538, zweite Fassung S. 539–593. Dieser nicht in *Das Glasperlenspiel* aufgenommene Lebenslauf sollte als dritter (nach »Der Beichtvater«) erscheinen. – Beim Abdruck in *Prosa aus dem Nachlaß* fehlt Text zwischen den Seiten 592 und 593. Vollständig abgedruckt in: *Der vierte Lebenslauf Josef Knechts.* Zwei Fassungen. Frankfurt a. M.: Suhrkamp 1966. – Manuskript der ersten Fassung ohne Überschrift und zwei Seiten Typoskript *Sch[wäbischer] Theologe im 18. Jahrhundert* sowie Manuskript II des nicht vollendeten 4. Lebenslaufs im Hesse-Nachlaß Marbach a. N.

Erste Fassung

Beutelsperg: fiktiver Ort, vielleicht in Anlehnung an Beutelsbach im Remstal gebildet, erinnert in vielen Zügen an Calw.
Friede von Rijswik: Er beendete 1697 den Pfälzischen Erbfolgekrieg.
Ludwig XIV: König von Frankreich (1643–1715), Sonnenkönig.
der tüchtige Herzog: Eberhard Ludwig, er regierte 1693–1733.
Prinz Eugen: (1663–1736), kaiserlicher Feldherr.
1688: Eroberung Belgrads; die Stadt ging aber 1690 wieder an die Türken verloren.
Herzog Ulrich: (1487–1550), selbstherrlicher und prachtliebender Herzog von Württemberg 1503–1519 und 1534–1550.
Brunnenmacher: Theodore Ziolkowski (*Der Schriftsteller Hermann Hesse. Wertung und Neubewertung.* Deutsch von Ursula Michels-Wenz. Frankfurt a. M.: Suhrkamp 1979, S. 154–156) verweist auf einen Brief Bengels: »Können diese Männer die Lebens-Bächlein hin und wieder zertheilen und furchtbarlich verbreiten, so sehe ich hingegen nach den Brunnen-Stuben, welches eine Arbeit ist, der Mancher nicht viel nachdenkt, und doch derselben genießt ...« und gelangt zu der Feststellung: »Man kann sich nicht vorstellen, daß Hesse erst auf diesen eher weithergeholten Beruf des Brunnenmachers gekommen wäre [...] und danach, durch Zufall, in Bengels Briefen ein solch passendes Zitat entdeckt hätte. Nein, es ist viel wahrscheinlicher, anzunehmen, daß dieser Brief Bengels Hesse beeindruckt hatte und er,

weil ihm die Anspielungen gefielen und er froh war, diesen Ausspruch mit einbauen zu können, Knechts Vater deshalb zum ›Brunnenmacher‹ machte.«
Brenz: Johann Brenz (1499–1570), schwäbischer Reformator.
Andreä: Johann Valentin Andreä (1586–1654), evangelischer Theologe.
Benigna: »So erhält Knechts Schwester Benigna [in der zweiten Fas-
sung] einen anderen Namen und heißt nun Babette. Der Name Benigna (übernommen aus Oetingers Autobiographie) stand nämlich in
einem lächerlichen Mißverhältnis zum Charakter dieser Schwester, wie
er sich im Laufe der Handlung entwickelte: alles andere als sanft und
mild (Benigna, von lat.: benignus, -a, -um: gütig, mild, wohlwollend,
sanft), hat das freimütige und impulsive Mädchen tatsächlich viel
mehr von einer Babette (Babette, franz. Koseform für Isabeau, Abart
von Elisabeth).« (Theodore Ziolkowski, *Der Schriftsteller Hermann
Hesse.* A.a.O. S. 161. 162)
Bilfinger: »ein Namensvetter des Konsistorialpräsidenten Georg Bernhard Bilfinger (1693–1750), der Theologieprofessor und Vorsteher des
Tübinger Stifts und ein Schützling Bengels und Kollege Oetingers
war« (Theodore Ziolkowski, *Der Schriftsteller Hermann Hesse.* A.a.O.
S. 147).
Der Spezial wohnte [...]: Abbild des Evangelischen Dekanats in der
Altburger Straße in Calw.
Mömpelgart: d. i. Mömpelgard, deutscher Name der Stadt Montbé-
liard, einer Kreisstadt im östlichen Frankreich, südlich von Belfort.
Die Grafschaft Montbéliard kam 1397 durch Heirat an die Grafen
von Württemberg, 1801 zu Frankreich.
Präzeptor Roos: Namensvetter des Pietisten Magnus Friedrich Roos
(1727–1803); die Gestalt erinnert an H. Hs. Lehrer Prof. Schmid.
Knörzelfingen: fiktiver Ort; vgl. Kommentar zu *Ein Stück Heimat-
kunde.*
Prälat Oetinger: Friedrich Christoph Oetinger (1702–1782).
Oknos: in der griechischen Mythologie Verkörperung des Zauderers.
Moffat: d. i. Georg Muffat (1645–1704), Komponist.
Präzeptor Bengel: Johann Albrecht Bengel (1687–1752).
Aorist: Form des Zeitworts, die eine in der Vergangenheit geschehene
Handlung ausdrückt; im Griechischen die erzählende Zeitform; in den
meisten indogermanischen Sprachen geschwunden.
Vade, festina, apage: Geh, eile, hebe dich weg!
»Rübchen zu schaben«: jemanden necken, verhöhnen, indem man ihm
»Ätsch!« zuruft und dabei den rechten Zeigefinger quer über den
linken hinunterstreicht, als schabe man Rübchen; man deutet damit
an, daß der Verspottete bloß eine Rübe sei.
Denkendorf: Ort bei Eßlingen. Bengel war hier 30 Jahre lang Prä-
zeptor.

Arnd: Johann Arnd(t) (1555–1621), Vorläufer des Pietismus, seine *Vier Bücher vom wahren Christentum* erschienen 1605–09.

Arnold: Gottfried Arnold (1666–1714), protestantischer Theologe, Anhänger des Pietismus, schrieb eine *Unparteiische Kirchen- und Ketzerhistorie.*

Cicero: Marcus Tullius Cicero (106–43 v. Chr.).

»De officiis«: Die Pflichten.

Leibniz: Gottfried Wilhelm Leibniz (1646–1716), bedeutender Mathematiker, Rechtsgelehrter, Politiker, Theologe, Philosoph, Physiker, Geschichts- und Sprachforscher.

minister verbi divini: Diener des göttlichen Wortes.

zwei Bücher über ihn: Johann Christian Friedrich Burk, *Dr. Johann Albrecht Bengel's Leben und Wirken, meist nach handschriftlichen Materialien.* Stuttgart 1831. – Oscar Wächter, *Johann Albrecht Bengel. Lebensabriß, Charakter, Briefe und Aussprüche.* Nebst einem Anhang aus seinen Predigten und Erbauungsstunden. Stuttgart 1865.

Maulbronn: Vgl. Kommentare zu *Unterm Rad* und *Narziß und Goldmund.*

Camisarden: (Kamisarden) [französisch: Blusenmänner] historische Bezeichnung der hugenottischen Bauern in den französischen Cevennen, die sich gegen Ludwig XIV. erhoben; nach Vertreibung beeinflußten sie die Inspirierten, die Anhänger einer Sekte des 18. Jhs., die an göttliche Eingebung bei einzelnen Mitgliedern glaubten.

Friedrich Rock: Johann Friedrich Rock (1678–1749) war eines der bedeutendsten Werkzeuge der Sekte der Inspirierten.

der Pächter der Pulvermühle: Ziolkowski (*Der Schriftsteller Hermann Hesse.* A.a.O. S. 156) verweist auf Oetingers Autobiographie, in der es heißt: »Durch Gottes Schickung geschah es, daß ich zur Erholung oft bei der Pulvermühle in Tübingen vorbeiging. Da fand ich in dem Pulvermüller den allergrößten Sonderling ... Er trug mir seine Träumereien vor; ich verlachte ihn, doch nur mit Mäßigung. ›Ihr Kandidaten‹, sagte er, ›seid Leute, die unter dem Zwang stehen; ihr dürft nichts studieren nach der Freiheit, die man in Christus hat; ihr müßt das studieren, wozu man euch zwingt.‹ Ich dachte bei mir: Es ist fast wahr, aber wir haben doch auch Freiheit. Er fuhr fort: ›Ist euch doch verboten, in dem Buch zu lesen, das nach der Bibel das allervortrefflichste ist!‹ ›Wieso?‹ sagte ich. Da bat er mich in seine Stube. Dort zeigte er mir *Jakob Böhme* und sagte: ›Das ist die rechte Theologie.‹ Da las ich zum erstenmal in diesem Buch.«

Jakob Böhme: protestantischer Mystiker (1575–1624), seit 1599 Schuhmachermeister in Görlitz.

Martin Luther: Reformator, Begründer des Protestantismus (1483–1546).

cantus firmus: im mehrstimmigen Gesang oder Instrumentalsatz die Melodie, die die feste Grundlage für die anderen Stimmen bildet.

Spener: Philipp Jacob Spener (1635–1705), lutherischer Theologe, Verfasser der Programmschrift des Pietismus *Pia desideria oder herzliches Verlangen nach gottgefälliger Besserung der wahren evangelischen Kirche.*

Francke: August Hermann Francke (1663–1727), evangelischer Theologe und Pädagoge.

Zinzendorf: Nikolaus Ludwig Graf von Zinzendorf (1700–1760), Stifter der Brüdergemeine.

Gemeinde Herrnhut: Stadt im Kreis Löbau, Bezirk Dresden, im Lausitzer Bergland, 1722 von Zinzendorf für evangelische Exulanten aus Mähren als Sitz der Brüdergemeine angelegt.

ecclesiola in ecclesiam: Gemeinschaft innerhalb der Kirche.

Synkretismus: Verquickung verschiedener philosophischer Lehren, Kulte und Religionen.

homo novus: neuer Mensch.

Bebenhausen: Gemeinde im heutigen Regierungsbezirk Südwürttemberg-Hohenzollern, im Schönbuch; die guterhaltene ehemalige Zisterzienserabtei, 1185 gestiftet, wurde 1560 evangelische Klosterschule und 1807 königliches Jagdschloß.

Sohar: Hauptwerk der Kabbala in aramäischer Sprache, das in der Form einer Erläuterung zum Pentateuch (Bezeichnung für die fünf Bücher Mosis im Alten Testament) ein System kabbalistischer Gotterkenntnis entwickelt. Es wurde wahrscheinlich von Moses de Leon († 1305) in Spanien verfaßt, galt jedoch als Werk des Simon bar Jochai (130–170 n. Chr.).

Kabbala: die Lehre und die Schriften der mittelalterlichen jüdischen Mystik.

Kappel Hecht: In Oetingers Autobiographie heißt es: »Herr Rat Fende brachte den gelehrtesten Kabbalisten, den Juden Cappel Hecht, zu mir. Dieser gewann mich sehr lieb wegen der ungewohnten Fragen aus der jüdischen Philosophie, die ich ihm vorlegte.« (Zit. nach Th. Ziolkowski, *Der Schriftsteller Hermann Hesse.* A.a.O. S. 152)

alexandrinische Bibliothek: die beiden von Ptolemäus II. (283–246 v. Chr.) gegründeten Büchereien Alexandrias; sie waren für die Ausbreitung des griechischen Geistes und die Entwicklung der antiken Wissenschaft entscheidend, enthielten 700 000 bzw. 40 000 Buchrollen und gingen 47 v. Chr. bzw. 391 n. Chr. zugrunde.

Voltaire: eigentlich François-Marie Arouet (1694–1778), französischer Schriftsteller.

Klopstock: Friedrich Gottlieb Klopstock (1724–1803).

Schubart: Christian Friedrich Daniel Schubart (1739–1791), Organist, Kapellmeister, Schriftsteller.

Mache den Gedanken bange . . .: von Zinzendorf.

Telemann: Georg Philipp Telemann (1681–1767), Komponist.

Schönbuch: flaches, bewaldetes Bergland südlich von Stuttgart.

Zweite Fassung

Nonnengasse: Name einer Gasse in Calw.

das baldige Erscheinen des Antichrist: »Außerdem sympathisierte Hesse mit dem chiliastischen Glauben Bengels an ein künftiges Reich des Geistes – obwohl er mit einem beiläufigen Hinweis auf die apokalyptischen Voraussagungen jener Zeit Bengel und dessen hartnäckiges Insistieren auf der Ankunft des Tausendjährigen Reiches im Jahre 1836 offensichtlich freundlich ironisierte.« (Th. Ziolkowski, *Der Schriftsteller Hermann Hesse.* A.a.O. S. 143)

adulescentule: Junge.

o Servus puer: o sklavischer Knabe.

pennam anseris: Gänsefeder, Gänsekiel.

homuncule, novarum rerum cupidus: Menschlein, das auf Neuigkeiten erpicht ist.

Einkehr

Bruchstück aus einem Roman. e 1918 oder 1919, VB *Prosa aus dem Nachlaß* 1965, 421–428. Typoskript im Hesse-Nachlaß Marbach a. N. Die Bemerkung Ninon Hesses (*Prosa aus dem Nachlaß*, S. 603), dieses Fragment sei bereits in der *National-Zeitung*, Basel, v. 24. 8. 1924 erschienen, ist unzutreffend. Bei dem von ihr gemeinten Text handelt es sich vielmehr um *Aufzeichnungen eines Herrn im Sanatorium.*

Erwin

e 1907 oder 1908, VB *Erwin*. Olten: Vereinigung Oltner Bücherfreunde 1965. Manuskript im Hesse-Nachlaß Marbach a. N. Das Nachwort von Ninon Hesse (S. 53) lautet: »Das Manuskript der Erzählung ›Erwin‹ fand sich im Nachlaß Hermann Hesses; es ist bisher niemals veröffentlicht worden. Die Erzählung, die vermutlich 1907 oder 1908 geschrieben wurde, berichtet von der Zeit und der Welt, die in ›Unterm Rad‹ (1903) geschildert ist. Die Gestalt des Freundes und seiner Mutter erinnern von ferne an ›Demian‹ und Frau Eva. Aber der Durchbruch zu ›Demian‹ erfolgte erst im Jahr 1916.«

das alte Kloster: das Kloster Maulbronn. Vgl. *Unterm Rad* und *Narziß und Goldmund.*

Paradies: Vorhof frühchristlicher Basiliken, in dem der Reinigungsbrunnen stand; in Maulbronn die Vorhalle.

Parlatorium: der Sprechraum, also der Raum, in dem die sonst zu völliger Schweigsamkeit verpflichteten Klosterinsassen ihren Oberen wichtige Mitteilungen machen durften.

Dormente: Schlafsäle.

Brunnenkapelle: Vgl. *Der Brunnen im Maulbronner Kreuzgang.*

Oratorium: [im Sprachgebrauch der katholischen Kirche] ein gottes-
dienstlicher Raum, der im Unterschied zu einer Kirche nicht für den
allgemeinen öffentlichen Gottesdienst bestimmt ist.
Refektorium: Speisesaal in Klöstern.
ein delphisches Orakel: In Delphi, einer altgriechischen Stadt in der
Landschaft Phokis, am Parnaß, befand sich in einem Heiligtum, einer
Hauptverehrungsstätte Apollos, das berühmte Orakel: auf einem
Dreifuß über einer Erdspalte, aus der angeblich betäubende Dünste
aufstiegen, verkündete die Priesterin Pythia im Zustand der Ver-
zückung die Sprüche, die in ganz Griechenland lange das höchste An-
sehen genossen.
Komment: Brauch, Sitte, Regel [des studentischen Lebens].
Xenien: Vgl. Kommentar zu *Unterm Rad* (2): *Fast alle Schüler be-
teiligten sich nun einige Tage lang am Xenienkampf.*
Ephorus: Leiter eines evangelischen Seminars.
Vita Nuova: (Das neue Leben), Dichtung von Dante Alighieri.
die ferne Stadt: Tübingen.
Claude Lorrain: eigentlich Claude Gelée (1600–1682), französischer
Maler.

Julius Abdereggs erste und zweite Kindheit

»Vor diesem Titel steht im Manuskript der durchgestrichene Titel:
›Der Antiquar‹. Die Erzählung ist undatiert. In einer unvollendeten
›Vorrede an seinen Freund Ludwig Finckh‹ erwähnt der Autor, daß
er den Hermann Lauscher geschrieben habe; danach habe ihm geschienen, er hätte mit ihm seine Jugend und seine Poesie begraben.
Aber das sei töricht gewesen, fährt er fort. ›... und nun will ich dir
die Geschichte meines Freundes Julius Abderegg erzählen.‹
Der ›Lauscher‹ war 1901 erschienen; vom ›Peter Camenzind‹, den er
im August 1903 beendet hatte, sagt H. H. hier nichts. So darf dieses
Fragment wohl 1901 oder 1902 datiert werden. Dem Namen Abderegg begegnet man später in der Erzählung ›Heumond‹, welche
1905 in der Neuen Rundschau, Berlin, erschien, doch hat jener Abderegg keine Beziehung zu der Kindheitsgeschichte.« (Anmerkung
Ninon Hesses in *Prosa aus dem Nachlaß,* 1965, S. 597.) Bisher einziger
Abdruck in *Prosa aus dem Nachlaß,* 1965, 7–13. Manuskript im Hesse-Nachlaß Marbach a. N.

Peter Bastians Jugend

»Das Blatt, auf dem der Autor bemerkt, daß ›diese Blätter‹ fünfundzwanzig Jahre alt sind, ist undatiert. Am ›Camenzind‹ arbeitete
H. H. von 1901 bis 1903, im Jahr 1903 erschien der Vorabdruck in
der Neuen Rundschau.

Die Vorbemerkung des Autors weist auf eine Veröffentlichung hin, für die ich keinen Beleg finden konnte. Doch befand sich das Schreibmaschinenmanuskript von Peter Bastians Jugend in einem Couvert, auf welches H. H. mit Blaustift ›Peter Bastian‹ geschrieben hatte. Das Couvert, an H. H., Montagnola, adressiert, trug den Poststempel 8. 8. 1927, Absender war die Schriftleitung von Velhagen & Clasings Monatsheften. Danach hat H. H. im Jahr 1927 das Manuskript etwas überarbeitet – es weicht vom handschriftlichen nur wenig ab – und es an V. & C. geschickt. Das Manuskript ist also 1902 zu datieren.« (Anmerkung Ninon Hesses in *Prosa aus dem Nachlaß*, 1965, S. 597–598.) Bisher einziger Abdruck in *Prosa aus dem Nachlaß*, 1965, 47–93 unter dem Sammeltitel *Geschichten um Quorm*. Manuskript und Typoskript (überarbeitete Fassung) und H. Hs. Vorbemerkung im Hesse-Nachlaß Marbach a. N. Der Abdruck in *Prosa aus dem Nachlaß* folgt der überarbeiteten Fassung.

Rembold oder Der Tag eines Säufers

Nach Ninon Hesse e 1925/26; Mileck (440) bemerkt dazu: »The above date of composition proposed by Ninon Hesse seems a little late. The text would suggest the pre-*Demian* period.« VB: *Prosa aus dem Nachlaß*, 1965, 429–440.

Aus einem Tagebuch vom Juli 1933

e 1933, VB: *Politische Betrachtungen*, 1970, 88–92. Erweiterter Abdruck in: *Eigensinn*, 1972, 183–196. Wiederum erweiterter Abdruck in: *Materialien zu Hermann Hesses »Das Glasperlenspiel«*. 1. Band, 1973, 64–74. Unter Aussparung einiger privater Bemerkungen in: *Politik des Gewissens*, 1977, 496–505. Typoskript u. d. T. *Juli 1933* im Hesse-Nachlaß Marbach a. N.

[Jenseits der Mauer]

Im Manuskript ohne Überschrift. e November 1925, VB: *Materialien zu Hermann Hesses »Der Steppenwolf«*, 1972, 203–209; auch: GE 4, 167–172. (Der Titel stammt von Volker Michels.)
mit dem scharfen Sperbergesicht: So charakterisierte H. H. sich auch andernorts selber.
in all den grünen Wandspiegeln: Vgl. das Spiegelmotiv im *Steppenwolf*.
Bündel von Persönlichkeiten: Vgl. das magische Theater im *Steppenwolf*.

[Der Sprung]

Im Typoskript ohne Überschrift. e (nach Volker Michels) »vermutlich während der fünfziger Jahre«; VB: *Die Kunst des Müßiggangs*, 1973, 354–357. (Der Titel stammt von Volker Michels.) Typoskript im Hesse-Nachlaß Marbach a. N.

Was der Dichter am Abend sah

e (nach Michels) ca. 1924, (nach Mileck) 1920–1923; VB: *Die Kunst des Müßiggangs*, 1973, 213–218. Manuskript im Hesse-Nachlaß Marbach a. N.

Das Rathaus

e 1902–1903; VB: GE 1, 51–77. Manuskript (50 Schreibseiten) im Hesse-Nachlaß Marbach a. N. Vgl. Marta Dietschy, Hermann Hesse und das Basler Rathaus. In: *Basler Woche* v. 12. 2. 1977: »[...] Das Thema ›Rathaus‹ war Hesse vertraut durch seinen Freund Heinrich Jennen, einen jungen Architekten, damals Bauleiter bei der Firma E. Fischer & Fueter, die mit dem Bau des Basler Staatsarchivs und dem Rathaus-Neubau betraut war [...] Hermann Hesse vermeidet in dieser Erzählung das Wort Basel; doch sind Marktplatz, Mittlere Brücke und Rathaus präzis geschildert und jedem Basler kenntlich [...] Als einen Künstler führt Hesse seinen Freund Jennen unter dem Namen ›Niklas‹ ein [...] Unter den jungen Leuten am Steintisch führt Hermann Hesse auch sich selber ein, als Freund von Niklas-Jennen, unter dem Namen ›Veit‹ [...] Daß Hermann Hesse selber die Baugerüste erklettert und die Maler angeleitet hat, ist nirgends belegt und ist wohl Dichtung. Hingegen ist sein Mittun bei Jennens Entwürfen am gemeinsamen ›riesigen Zeichentisch‹ durchaus möglich [...] Von einem rotgehefteten Traktat aus Hermann Hesses Feder ist nichts bekannt; offenbar entspricht er einem Wunschtraum. Für die geschilderten Geldspenden aus der Bürgerschaft hingegen gibt es eine amtliche Bestätigung.«
Blust: Blütezeit, Blühen.
der junge Arzt Ugel: Ludwig Finckh.

Die Wunder der Technik

e um 1908; VB: GE 4, 403–410. Manuskript (11 S., erste Fassung) und Typoskript (12 S., zweite Fassung) im Hesse-Nachlaß Marbach a. N.

C. GEDICHTE

Romantische Lieder

Dresden und Leipzig: E. Pierson 1899. – 600 Exemplare. Widmung: »Maria und Frau Gertrud gewidmet«.

Motto von Novalis: Strophe 8 aus dem Gedicht *Der Fremdling* (»Müde bist du und kalt, Fremdling, du scheinest nicht ...«). Faksimile-Ausgabe anläßlich der Ausstellung zum 100. Geburtstag H. Hs., hergestellt im Juni 1977 in 2000 Exemplaren von Konan Joshi Daigaku in Kobe (Japan).

»Die Zusammenstellung dieser Lieder geschah im Sommer (Juli) 1898. Die Manuskripte stammen aus den Monaten von Februar 1897 bis Juni 1898, mit Ausnahme der Lieder ›Ich bin ein Stern‹ und ›Chopin II/III‹, welche älter sind.« VB 18. Oktober 1898. Der Band konnte erst erscheinen, »nachdem sich Hesse bereit erklärt hatte, sich, mit der Aussicht auf eine spätere Tantieme, an den Herstellungskosten zu beteiligen; er zahlte 175 Mark, was bei seinem damaligen Lehrlingshandgeld ein beträchtlicher Betrag war; mancher nachher bei S. Fischer berühmt gewordener Autor hat sich mit einem Druckkostenzuschuß bei E. Pierson sein Debüt als Autor erzwungen« (Siegfried Unseld, *Der Autor und sein Verleger.* Frankfurt a. M.: Suhrkamp 1978, S. 70–71).

»Die ›romantischen Lieder‹ tragen im Titel ein ästhetisches und ein persönliches Bekenntnis. Ich nehme es als Abschluß einer Periode und glaube, daß auf mein ferneres Dichten von ihnen aus kein Schluß zulässig ist [...] Das Büchlein sollte kein Kunterbunt, sondern ein Ganzes, eine Reihe von Tönungen und Variationen desselben romantischen Grundmotivs werden.« (In einem Brief an seine Mutter v. 2. Dezember 1898; KuJ 2, 306)

Gedichte

Berlin: G. Grote 1902. *(Neue Deutsche Lyriker.* Hrsg. von Carl Busse. 3.)

Widmungsgedicht: *Meiner lieben Mutter (Am Tage der Vollendung dieses Buches)* (»Ich hatte dir so viel zu sagen ...«). Spätere Auflagen, auch u. d. T.: *Jugendgedichte*, mit verändertem Inhalt.

»Da kam eines Tages aus blauem Himmel ein Brief von Carl Busse aus Berlin. Er habe Verse von mir gelesen, schrieb er, und da er soeben

bei Grote eine kleine Reihe von Versbüchern jüngster Lyriker herauszubringen beginne, lade er mich ein, ihm einen Band ›Gedichte‹ zur
Herausgabe zu überlassen. Diese freundliche Aufforderung war die
erste wirkliche Freude, die ich in meinem jungen Literatenleben erfuhr. Ich machte mich sofort an die Auswahl und Ordnung des Ge-
dichtbandes und saß glücklich und ungeduldig Nacht für Nacht viele
Stunden an dieser Arbeit, bis ich das Manuskript an Busse absenden
konnte.« (Aus *Eine Erinnerung an Carl Busse*, Tdr. in GB 1, 494–
495)

»Ich habe apart ein Heft Lyrik, das ich mitsende. Es enthält unter
strenger Weglassung anderer Töne die Art von Liedern, die mir selbst
nicht am liebsten ist, aber am echtesten scheint. Sie werden wenig
Freude daran haben, denn, soviel ich Sie kenne, ist Ihre Philosophie
und Ihre Kunst positiver als meine. Aber ich bin eben als Hypochon-
der und Raisonneur in die Mitte zwischen Held und Dulder gefallen,
und mein Inneres und Äußeres ist etwas verbummelt. Die Lieder enthalten viel Schlechtes, aber nichts Gelogenes – mehr kann ich selbst
darüber nicht sagen.« (In einem Brief an Carl Busse v. 26. 9. 1901;
GB 1, 83)

Unterwegs

Gedichte. München: Georg Müller 1911. – 500 Exemplare. Zweite vermehrte Auflage mit dem Anhang *Zeitgedichte*. München: Georg Müller 1915.

Musik des Einsamen

Neue Gedichte. Heilbronn: Eugen Salzer 1915. (Salzers Taschenbü-
cherei, 11.) 116.–118. Tsd. (Salzers Volksbücher, 3.)

Gedichte des Malers

Zehn Gedichte mit farbigen Zeichnungen. Bern: Verlag Seldwyla
1920. – 1000 Exemplare. – Die einzige spätere Ausgabe erschien 1951
im Verlag Gerhard Kirchhoff, Freiburg i. Br., und war »Dem Freunde Dr. Hans C. Bodmer zu seinem sechzigsten Geburtstag« gewidmet.

»[...] etwas Malerisches, einige Gedichte mit Zeichnungen, ein Nachklang aus der Welt Klingsors, die inzwischen mir schon wieder ganz
erloschen ist [...]« (In einem Brief an Franz Karl Ginzkey v. 21. 12.
1920; GB 1, 465)

Ausgewählte Gedichte

Berlin: S. Fischer 1921. Letzte (6.–8.) Aufl. 1924.
»Fischer betrachtete die Lyrik nicht als sein Verlagsgebiet. Die Zahl der Lyrikbände in der Verlagsproduktion ist, über die Jahrzehnte hinweg gesehen, sehr gering [...] Hermann Hesse brachte den ersten seiner insgesamt vier bei Fischer erschienenen Lyrikbände erst 1921, nahezu zwanzig Jahre nach dem Beginn seines großen erzählerischen Werkes heraus. Immerhin waren es *Hermann Lauschers Gedichte*, die Fischer zu Hermann Hesse führten.« (Peter de Mendelssohn, *S. Fischer und sein Verlag.* Frankfurt a. M.: S. Fischer 1970, S. 379)

Krisis

Ein Stück Tagebuch. Berlin: S. Fischer 1928. 1000 numerierte und 150 nicht numerierte Exemplare. e 1925–1927. – *Nachwort an meine Freunde* S. 81–82. Nachwort und sämtliche Gedichte auch in: *Materialien zu Hermann Hesses »Der Steppenwolf«.* Hrsg. von Volker Michels. Frankfurt a. M.: Suhrkamp 1972, S. 161–195.
»Am 18. Juni 1926 schickte Hesse das Manuskript ›Krisis‹ an S. Fischer. Die im Winter 1925/26 entstandenen 45 Gedichte dieses Bandes, nach Hesses Meinung ›das rückhaltloseste Dichterbekenntnis seit Heine‹, verursachten im Verlag Unruhe. Zunächst wollte Hesse die Gedichte im Rahmen des *Steppenwolf* veröffentlichen, doch hat ihn wohl das Echo auf den Abdruck einiger Gedichte in der ›Neuen Rundschau‹ vom November 1926 zu einem Verzicht bewogen. Thomas Mann schrieb von der ›liebenswürdigen Hypochondrie‹ dieser Verse. S. Fischer war zu einer größeren Auflage bereit, aber Hesse empfand diese Gedichte doch als ›private Angelegenheit‹, als ein persönliches Bekenntnis, das es ›vor Mode- und Sensationslust zu schützen‹ galt. Deshalb die Idee der einmaligen teuren Sonderausgabe, deren Fortgang vom Verlag freilich nicht beschleunigt wurde. ›Von der *Krisis* wußte ich nur, daß sie als Privatausgabe schon seit einem halben Jahr fertig gesetzt ist, daß sie dem Verlag aber als entbehrlicher Pleonasmus neben dem Roman vorkommt und daher zurückgelegt wird. Mir einerlei, aber schade.‹ (Am 2. 11. 1927) – Die Ausgabe erschien schließlich im April 1928.« (Siegfried Unseld, *Hermann Hesse, eine Werkgeschichte.* Frankfurt a. M.: Suhrkamp 1973, S. 121)
»Ich wollte, daß diese Gedichte gedruckt seien, d. h. daß sie für immer niedergelegt wären, darum ließ ich sie drucken, statt bloß einige Abschriften zu verschicken. Ich wollte aber nicht, daß unter dem Volk, dessen Kritik über mich lediglich aus Schulmeisterei und krassem Unverständnis besteht, diese Gedichte etwa zu einem Sensations- und Modebuch würden, wie es ja der ›Steppenwolf‹ nahezu geworden ist. Dazu sind diese Gedichte zu wenig objektiv, dazu sind sie zu sehr Be-

kenntnis und momentane Notiz. Mit diesem Buch modeberühmt zu
werden und Geld zu verdienen, wäre mir ärger gewesen als alles
andre, was die vereinten Stämme der Germanen mir schon angetan
haben.« (In einem Brief an Heinrich Wiegand v. 8. 5. 1928; Hermann
Hesse, *Briefwechsel mit Heinrich Wiegand 1924–1934*. Berlin, Weimar: Aufbau-Verlag 1978, S, 97)

Trost der Nacht

Neue Gedichte. Berlin: S. Fischer 1929 (*Gesammelte Werke in Einzelausgaben*). – Letzte (11.–12.) Aufl. 1942. – e 1905–1928. Original-
Handschriften im Hesse-Nachlaß Marbach a. N. Motto von Eichendorff.

»In meinem Gedichtband ›Trost der Nacht‹ trugen viele Gedichte
Widmungen an Freunde, und unter ihnen waren auch Juden und
Emigranten. Ich wurde gefragt, ob ich bereit sei, diese Schönheits-
fehler auszumerzen. Das Buch war mir lieb, ich wünschte es zu ret-
ten, und so habe ich denn die Widmungen gestrichen, natürlich nicht
nur die unerwünschten, sondern alle.« (In einem Brief an Peter Suhrkamp v. 28. März 1951; AB 373–374)

Vom Baum des Lebens

Ausgewählte Gedichte. Leipzig: Insel-Verlag 1934 (Insel-Bücherei,
454). – 217. Tsd. Frankfurt a. M.: Insel Verlag 1970. Widmung: »Für
Ninon«.
»Das Gedichtbüchlein ist seit manchen Jahren vorbereitet und immer
wieder durchgesiebt worden und brauchte auch sonst von meiner Seite
allerlei Geduld. Seit mehr als zwölf Jahren spielt das, daß der Insel-
verlag für seine kleine Sammlung etwas von mir haben will und gleich
beim ersten mal fiel mir ein: in dieser Form möchte ich eine populäre
Auswahl meiner Gedichte bringen. Aber der Verlag dachte nicht so,
sondern rümpfte die Nase, als er von Gedichten hörte und wollte nur
eine Erzählung haben, und so ist das alle die Jahre hin und her gegangen, immer neue Aufforderungen des Verlags, immer neues Be-
harren auf meinem ersten Vorschlag – und als endlich meine Geduld
das Spiel gewann und der Verlag annahm, da ging der Kampf von
neuem los, denn sein damaliger literarischer Leiter wollte meine ganze,
in Jahrzehnten gesiebte Auswahl umstürzen und sie hübscher, mannig-
faltiger und gefälliger machen. Wieder mußte ich sitzen, schweigen
und warten, aber auch das verzog sich, jener Leiter verließ seine
Stelle, die Nachfolger teilten seinen Ehrgeiz nicht, auf einmal ging
alles glatt, und nun bin ich mit dem Büchlein, bei dem auch meine
Frau mitgeholfen hat, eigentlich durchaus zufrieden.« (In einem Brief

an Thomas Mann v. 4. August 1934; Hermann Hesse – Thomas Mann, *Briefwechsel*. Erweiterte Ausgabe. Frankfurt a. M.: Suhrkamp, S. Fischer 1975, S. 67)

Neue Gedichte

Berlin: S. Fischer 1937 (*Gesammelte Werke in Einzelausgaben*). – Letzte (7.–8.) Aufl. 1940. – e 1918–1936.
Widmung: »Hans C. Bodmer in dankbarer Freundschaft gewidmet«.
»Es freut mich, daß trotz allen Schwierigkeiten mein Gedichtbüchlein erscheinen konnte – wer weiß, ob es nicht das letzte Buch von mir ist, das in Deutschland erscheinen kann. Sollte meine Dichtung von Josef Knecht und dem Glasperlenspiel, wie es wohl möglich ist, ihre Vollendung nicht erleben, so wäre dies kleine Gedichtbuch, mit den Gedichten Knechts als Mittelpunkt, doch ein Vermächtnis für die paar Verstehenden.« (In einem Brief an Alfred Kubin v. Frühjahr 1937; Siegfried Unseld, *Hermann Hesse, eine Werkgeschichte*. Frankfurt a. M.: Suhrkamp 1973, S. 164)

Die Gedichte

Zürich: Fretz & Wasmuth 1942. – Letzte (erw.) Ausg. Berlin: Suhrkamp 1957.
Widmung: »Den Freunden Hans C. Bodmer und seiner Frau gewidmet«.
Erste Gesamtausgabe der Gedichte H. Hs. »Weggeblieben sind nur einige Gelegenheits- und Scherzgedichte sowie ein Teil der Gedichte aus dem Buch ›Krisis‹. Diese Gedichte hatten von allem Anfang an privaten Charakter.« (Aus dem Nachwort von H. H.) – Korrekturexemplar mit H. Hs. handschriftlichen Bemerkungen in der Hesse-Sammlung Leuthold der Eidgenössischen Technischen Hochschule Zürich.
»Ich wäre zwar an die große und zum Teil recht lästige Arbeit dieser Gesamtausgabe aus eigenem Bedürfnis niemals gegangen, aber als Auftrag von außen nahm ich sie an, und siehe, jener Grad von Geduld oder Reife, von Müdigkeit oder Senilität, der mir erlauben würde, zum Ganzen dieser dichterischen Produktion, auch zu ihren so offenkundigen Schwächen, Ja zu sagen und in Gottes Namen meinen Namen darunterzusetzen, dieser Grad war jetzt erreicht; ich habe mich der Arbeit unterzogen.« (Aus dem Nachwort von H. H.)
»Aber ich habe dabei, und beim Lesen der Tausende von Anfängergedichten, das mir später zugemutet wurde, eine eigentümliche Erfahrung gemacht: daß nämlich das Herumkorrigieren an fremden Gedichten viel weniger schwer fällt als das an den eigenen. Ein noch so

geschickter und energischer Chirurg, denke ich mir, schneidet einen fremden Hals oder Bauch leichter, sicherer und erfolgreicher auf als seinen eigenen. Wenn ich fremde schlechte Verse las, fand ich leichter die schwachen Stellen und beschnitt oder korrigierte sie kaltblütiger, als wenn es um meine eigenen ging.« (In einem Brief an Herrn R. v. Februar 1952; Siegfried Unseld, *Hermann Hesse, eine Werkgeschichte.* Frankfurt a. M.: Suhrkamp 1973, S. 168 und 170)

Der Blütenzweig

Eine Auswahl aus den Gedichten von Hermann Hesse. Zürich: Fretz & Wasmuth 1945. – Neuauflage 1957.
Widmung: »Meiner Schwester Adele gewidmet«.
»Im letzten Sommer habe ich mit Ninons Hilfe wieder einmal eine Auswahl aus meinen Gedichten gemacht, die dritte seit fünfundzwanzig Jahren. Es ist ein hübsches, handliches und billiges Büchlein geworden [...]« (In *Brief an Adele,* 1946; GS 7, 439–440)

Stufen

Alte und neue Gedichte in Auswahl. Frankfurt a. M.: Suhrkamp; Zürich: Fretz & Wasmuth 1961. – GW 1, 5–122 außer den 17 Gedichten, die in *Die späten Gedichte* (1963) aufgenommen wurden. Der Band *Stufen. Ausgewählte Gedichte* (Frankfurt a. M.: Suhrkamp 1972), identisch mit GW 1, 5–155, enthält die *Gedichte 1895 bis 1941* und *Die späten Gedichte 1944 bis 1962.*
»Die Auswahl *Stufen* wurde auf Wunsch des Suhrkamp Verlages von Hesse selbst vorgenommen; es sollte die Auswahl sein, die anstatt des vergriffenen und für den Gebrauch zu umfangreichen Bandes *Die Gedichte* treten sollte. Diese Auswahl ist nach Angaben, die Hesse dem Verleger machte, letztgültig. Die Auswahl umfaßt etwa ein Fünftel des gesamten lyrischen Œuvres.« (Siegfried Unseld, *Hermann Hesse, eine Werkgeschichte.* Frankfurt a. M.: Suhrkamp 1973, S. 229)

Die späten Gedichte

Frankfurt a. M.: Insel-Verlag 1963 (Insel-Bücherei, 803).

Die Gedichte

1892–1962. (Neu eingerichtet und um Gedichte aus dem Nachlaß erweitert von Volker Michels. [Mit einem Tdr. des Nachworts H. Hs. aus der Erstausgabe *Die Gedichte* 1942.])

Inhalt: *Die Gedichte*, 11.–13. Tsd. 1953. Darüber hinaus wurden die *Krisis*-Gedichte vervollständigt und wie im Band *Krisis*, 1928, abgedruckt. Das Gedicht *Morgen nach dem Markenball* erhielt die Überschrift *Morgen auf dem Maskenball*. Am Schluß folgt diese Ausgabe dem Band *Stufen* in der Ausgabe von 1972. Vom Gedicht *Einst vor tausend Jahren* fehlt die 1. Fassung, vom Gedicht *Knarren eines geknickten Astes* fehlen die 1. und 2. Fassung. Hinzugefügt sind als *Nachlese 1892–1960* 53 Gedichte.

*

Folgende Prosabände H. Hs. enthalten Gedichtzyklen:
Hinterlassene Schriften und Gedichte von Hermann Lauscher. Herausgegeben von Hermann Hesse, 1901;
Aus Indien, 1913;
Wanderung, 1920;
Das Glasperlenspiel, 1943.

*

Weitere Buchveröffentlichungen (auch Privatdrucke) H. Hs.:
Italien. Verse von Hermann Hesse. Berlin: Euphorion 1923, 23 S. (unpaginiert);
Verse im Krankenbett. Bern: Stämpfli & Cie. 1927, 20 S.;
Jahreszeiten. Zürich: Gebr. Fretz 1931, 43 S.;
Fünf Gedichte. Zürich: Gebr. Fretz 1934, 8 S. (unpaginiert);
Kriegerisches Zeitalter. Einblattdruck 1939;
Zehn Gedichte. Bern: Stämpfli & Cie. (1939), 14 S.;
Fünf Gedichte. Siegburg: Franz Schmitt (1942), 14 S. (unpaginiert);
Sechs Gedichte aus dem Jahr 1944. o. O. u. D. (1944), 7 S.;
Friede 1914. Dem Frieden entgegen 1945. Murnau: K. H. Silomon 1945, 4 S. (unpaginiert);
Gedichte. Stuttgart-Bad Cannstatt: Dr. Cantz'sche Druckerei 1946, 23 S.;
Die ihr meine Brüder seid. o. O. u. D. (1946), 16 S. (unpaginiert);
Späte Gedichte. St. Gallen: Tschudy & Co. (1946), 12 S., (unpaginiert);
Die Gedichte des jungen Josef Knecht. Stuttgart 1947, 24 S.;
Drei Gedichte. Zürich: Conzett & Huber 1948, 4 S. (unpaginiert);
Aus vielen Jahren. Gedichte, Erzählungen und Bilder. Bern: Stämpfli & Cie. 1949, 129 S.;
Zwei Gedichte. St. Gallen: Tschudy & Co. 1951, 12 S. (unpaginiert);
Gruß und Glückswunsch. Montagnola: Selbstverlag 1952, 4 S. (unpaginiert);
Dank für Briefe und Glückwünsche. St. Gallen: Tschudy 1954, 8 S.;

Gottfried Tritten: *Zeichnungen zu Gedichten von Hermann Hesse.* Thun: Lithographie Casserini 1956, 64 S. (unpaginiert);

Zum Frieden. Thal/SG: E. Christ (St. Gallen: Tschudy 1956), 15 S. (unpaginiert);

Treue Begleiter. 10. Folge. St. Gallen: Tschudy 1958, 32 S. (unpaginiert);

Dank für Briefe und Glückwünsche. Vier späte Gedichte. St. Gallen: Tschudy 1959, 8 S. (unpaginiert);

Gedichte. München: Gerhard Meyerolbersleben 1959, 12 S. (unpaginiert);

Das Glasperlenspiel nach Magister Ludi Josef Knechts hinterlassenen Schriften. Frankfurt a. M.: Ludwig & Mayer 1960, 40 S. (unpaginiert);

Bericht an die Freunde. Letzte Gedichte. Olten: Vereinigung Oltner Bücherfreunde 1960, 51 S.;

Dank für Glückwünsche und Briefe. Zürich: Gebr. Fretz 1961, 4 S. (unpaginiert);

Das letzte Gedicht von Hermann Hesse. o. O. u. J. (1962), 4 S. (unpaginiert);

Hermann Hesse zum Gedächtnis. (Enthält u. a. *Die letzten Gedichte.*) Hrsg. von Siegfried Unseld. Frankfurt a. M.: Suhrkamp 1962, 42 S., (unpaginiert);

Ein Blatt von meinem Baum. Ausgewählt von Friedrich Schnack. Freiburg i. Br.: Hyperion-Verlag 1964, 184 S.;

Vier Gedichte aus dem letzten Kriegsjahr. Kassel: 7. Privatdruck der Arche (o. J.), 9 S. (unpaginiert);

Poesiealbum 116. Hermann Hesse. Berlin: Neues Leben 1977, 32 S.

*

DICHTUNGEN IN HEXAMETERN

Stunden im Garten

Eine Idylle. Wien: Bermann-Fischer 1936. – GS 5, 323–351.
e 19.–23. 7. 1935, VZ 1935.
Ein Exemplar mit 21 handschriftlichen Veränderungen H. Hs. in der Hesse-Sammlung Marbach a. N. In dieser Fassung erschien die Idylle 1948 bei der Büchergilde Gutenberg, Zürich, und in späteren Ausgaben. – Manuskript der ersten Niederschrift und Typoskript im Hesse-Nachlaß Marbach a. N.
Natalina: Natalina Bazzari (1886–1942), Haushälterin bei Hesses.
Lorenzo: Gärtner bei Hesses.
Löwe, Tiger: Hesses Katzen.

Äquinoktialstürme: die z. Z. der Tagundnachtgleiche besonders am Rand der Tropen auftretenden Stürme.

Und nun beginnt im Gemüt mir . . .: Vgl. Kommentar zu *Das Glasperlenspiel* (Entstehungsgeschichte, 1935).

Der lahme Knabe

Eine Erinnerung aus der Kindheit. Zürich: Gebr. Fretz 1937 (Privatdruck). – GS 5, 353–370.
e November 1935, VZ 1936.
Die Ausgabe Zürich 1937 erschien in einer Auflage von 400 numerierten Exemplaren zum 70. [muß heißen 60.] Geburtstag des Dichters.
Der lahme Knabe: Hermann Rechtenheil.

D. DIE DRAMATISCHEN WERKE

»Dramatisch fühle ich mich nicht veranlagt« (KuJ 1, 466), heißt es in
einem Brief H. Hs. vom Mai 1895 an seinen ehemaligen Cannstatter
Lehrer Ernst Kapff (1863–1944), und in einem Brief an seinen Vetter
Wilhelm Gundert (1880–1971) vom April 1951 steht die Bemerkung:
»[...] zum Theater habe ich ja überhaupt nie eine Beziehung gehabt,
die Oper ausgenommen« (AB 376). Es nimmt deshalb nicht wunder,
daß H. H. sich auf diesem Gebiet kaum versucht und von dem Wenigen nur zwei Stücke veröffentlicht hat. Bislang liegt auch nur ein
einziges weiteres Stück, aus dem Nachlaß veröffentlicht, vor. Die
Kommentare zu den einzelnen Versuchen können deshalb in Abwei-
chung von der in diesem Band geübten Gepflogenheit auch die ungedruckten Werke enthalten und chronologisch nach ihrer Entstehungszeit angeordnet werden.

Ein Weihnachtsabend

Trauerspiel in 1 Aufzug. e November 1890. Unveröffentlicht. Manuskript (nicht von H. Hs. Hand) im Hesse-Nachlaß Marbach a. N.

> »Personen: Vater
> Hans
> Anna   *Kinder*
> Bettelkind

Es wird ein Weihnachtsabend geschildert in einer Familie, wo die
Mutter gestorben. Alles geht, wie bei einem sonstigen netten [?]
Christabend. Da kommt ein Bettelkind. Es muß seine Lebensgeschichte
erzählen. Sie erzählt von ihrer toten Mutter u. diese wollte sie nun
suchen, sie suche den Weg zum Paradies. Sie fiebert stark, sieht im
Traum ihre Mutter u. stirbt zuletzt. Das ist der gedrängte Inhalt.« (In
einem Brief an seine Eltern v. 25. 11. 1890; KuJ 1, 74)

Die Dichter

Eine Jugenddichtung. e Frühjahr 1900, VZ: *Die Schweiz.* Zürich.
25. Jg., Mai 1921, S. 241–251.
Manuskript der ersten Fassung (ohne Überschrift) sowie Typoskript
der gedruckten Fassung im Hesse-Nachlaß Marbach a. N. (Gespräch
zwischen drei Dichtern.)

Die Rosen duften heut so stark

Ein Spiel in Versen. e 1900. Ungedruckt. Manuskript der ersten und Manuskript der zweiten Fassung im Hesse-Nachlaß Marbach a. N.

Der blaue Tod

(Barke auf einem abendlichen Meerbusen. Darin zwei Knaben in hellen Sommerkleidern.) e 1900–1902. Unveröffentlicht. Zwei handschriftliche Fassungen einer Szene im Hesse-Nachlaß Marbach a. N.

Der verbannte Ehemann oder Frau Schievelbeins Männer oder die Familie Schievelbeyn

e 1905–1907. VB u. d. T.: *Der verbannte Ehemann. Komische Oper in fünf Akten* in: *Der verbannte Ehemann oder Anton Schievelbeyn's ohnfreywillige Reisse nacher Ost-Indien.* Frankfurt a. M.: Insel Verlag 1977 (insel taschenbuch, 260), 191 S., S. 129–191. – Manuskript der ersten Fassung und Typoskript der zweiten Fassung im Hesse-Nachlaß Marbach a. N. Geschrieben etwas später als *Anton Schievelbeyn's ohnfreiwillige Reise nacher Ost-Indien*; vgl. Kommentar zu dieser Erzählung.

[Dramatisches Fragment ohne Titel]

»Hans: So du gehst heim? Du mußt jetzt schlafen.« Begonnen etwa 1904. Manuskript (aus den Jahren 1907 oder 1908) im Hesse-Nachlaß Marbach a. N. Unveröffentlicht.

Bianca

Oper in drei Aufzügen. e 1908–1909. Unveröffentlicht. Zwei Typoskripte (verschiedene Fassungen) im Hesse-Nachlaß Marbach a. N. »Diese Dichtung ist ein Versuch, die romantische Oper zu erneuern. Verse und Gesang gehen durch, ohne unterbrechende Prosa, die Höhepunkte sind durchaus liedhaft lyrisch, die Dramatik ruht in der Handlung selbst und im Ton des Dialogs, der teils an die Ballade, teils ans Volkslied anklingt. Daß diese Form ungewöhnlich hohe Anforderungen an den Komponisten stellt, sehe ich wohl ein, doch schien mir das kein Grund, den Versuch zu unterlassen.« (Zit. nach Mileck 1069)

Die Flüchtlinge

Lyrische Oper in drei Akten. e 1910. Unveröffentlicht. Manuskript (Opernlibretto in vier Akten), Typoskript der zweiten Fassung (von Werner Kaegi, Hans Reinhart und Meinrad Schütter bearbeitet und gekürzt) im Hesse-Nachlaß Marbach a. N. Geschrieben für Alfred Schlenker.

»Obwohl ich auch damals schon wußte, daß ich keine dramatische Begabung habe, so hatte ich doch viel Vertrauen zur Macht der Musik, die auch die Mängel eines unzulänglichen Textes ausgleichen würde. Und so entstand der Operntext ›Die Flüchtlinge‹, hingeworfen mit einer ahnungslosen Frechheit, wie man sie nur in der sorglosen Jugend und in der anregenden Luft einer lebhaften Freundschaft besitzt.« (*Zum Tode Alfred Schlenkers*, 1950; Hermann Hesse, *Musik.* Betrachtungen, Gedichte, Rezensionen und Briefe. Mit einem Essay von Hermann Kasack. Ausgewählt und zusgest. von Volker Michels. Frankfurt a. M.: Suhrkamp 1976, S. 198–199)

Romeo

e 1915. Unveröffentlicht. Manuskript der ersten und Typoskript der zweiten Fassung im Hesse-Nachlaß Marbach a. N. H. H. schrieb 1915 das Opernlibretto *Romeo* in vier Akten nach Schlegels deutscher Übertragung von Shakespeares *Romeo und Julia* für Volkmar Andreae (1879–1962), mit dem er etwa seit 1905 befreundet war und der 1912 vier Gedichte von ihm vertonte, die im Jahre darauf, gesungen von Ilona Durigo, in Zürich uraufgeführt wurden.

Heimkehr

Erster Akt eines Zeitdramas. e Januar 1919, VZ 1920; PdG 308–325. Urlesung Anfang April 1953 im Heidelberger Zimmertheater unter der Regie von Ulrich Brecht. Erstsendung im Hessischen Rundfunk, Frankfurt a. M., als Hörspiel am 29. 12. 1958.

E. DIE BUCHBESPRECHUNGEN

»Von Hermann Hesse liegen mehrere tausend Äußerungen zur Literatur vor – Aufsätze, Einleitungen, Nachworte, Literaturberichte, Rezensionen, Bücherempfehlungen usw. Die Referate und Besprechungen, die der Schriftsteller von 1900 bis etwa 1936 fast regelmäßig, später nur noch sporadisch an Zeitungen und Zeitschriften lieferte, gehen weit über den Bereich der schöngeistigen Literatur hinaus; sie behandeln auch Werke der Kunst- und Kulturgeschichte, der Sprachwissenschaft, Philosophie, Psychologie usw. Nach einer von ihm selbst geführten, doch wahrscheinlich nicht vollständigen Kartei hat Hesse allein zwischen 1920 und 1938 fast zwölfhundert Titel in über dreißig Zeitungen und Zeitschriften angezeigt und rezensiert. Die von Heiner Hesse zusammengetragene und in Marbach aufbewahrte Sammlung der Referate und Rezensionen umfaßt über dreitausend Arbeiten aus mehr als sechzig verschiedenen Zeitungen und Zeitschriften.« (Fritz Hofmann in: Hermann Hesse, *Über Literatur*. Berlin, Weimar: Aufbau-Verlag 1978, S. 665)
Von den in über sechs Jahrzehnten verstreuten, in über dreißig verschiedenen Blättern erschienenen Texten liegt bislang nur ein kleiner Teil in Buchform vor.

Gesammelte Werke. Elfter Band

Schriften zur Literatur 1. Über das eigene Werk – Aufsätze – Über seine Verleger – Einführungen zu Sammelrezensionen – Eine Bibliothek der Weltliteratur. Frankfurt a. M.: Suhrkamp 1970. – Auch als Sonderausgabe. *Schriften zur Literatur 1*, 1972.

Gesammelte Werke. Zwölfter Band

Schriften zur Literatur 2. Eine Literaturgeschichte in Rezensionen und Aufsätzen. Ausgewählt und zusgest. von Volker Michels. Frankfurt a. M.: Suhrkamp 1970. – Auch als Sonderausgabe *Schriften zur Literatur 2*, 1972; auch u. d. T.: *Eine Literaturgeschichte in Rezensionen und Aufsätzen*, 1975.

Über Literatur

Hrsg. von Fritz Hofmann. Berlin, Weimar: Aufbau-Verlag 1978. Mit kommentierenden Anmerkungen.

H. Hs. in *Bonniers Litterära Magasin*, Stockholm, in den Jahren 1935 und 1936 veröffentlichte Buchbesprechungen, der einzigen bisher erschienenen Zusammenfassung seiner Besprechungen in einem Journal, erschienen u. d. T.:

Neue deutsche Bücher

Literaturberichte für Bonniers Litterära Magasin 1935–1936. Hrsg. von Bernhard Zeller. Marbach a. N.: Schiller-Nationalmuseum 1965. Mit kommentierenden Anmerkungen.

»Ich habe sehr viele Tausende von Briefen geschrieben, ohne je daran zu denken, Abschriften zurückzubehalten. Erst seit dem Zusammenleben mit meiner Frau, von 1927 an, haben wir gelegentlich Briefe aufbewahrt, deren Thema uns charakteristisch schien oder in denen wir ein Problem von allgemeinerem Interesse besonders genau formuliert fanden. Manchmal schrieb meine Frau sich einen Brief ganz oder teilweise ab, manchmal tat ich es selber, um ihr mit einem Zuwachs zu ihrer Sammlung eine Freude zu machen.« (Aus dem *Nachwort zur zweiten Auflage 1954*, e Januar 1952; GS 7, 784) Dennoch schränkt er ein: »Meinen brieflichen Formulierungen etwas wie Endgültigkeit oder axiomatische Geltung zuzuschreiben, ist mir niemals eingefallen.« (In *Eine Rechtfertigung*, Brief an einen deutschen Professor v. August 1951; AB 378)

Briefe

Berlin und Frankfurt a. M.: Suhrkamp 1951 (*Gesammelte Werke in Einzelausgaben*).
Der Band enthält 200 Briefe aus den Jahren 1927–1951.
»Hermann Hesse [...] gibt nun zu Lebzeiten eine umfangreiche Sammlung seiner Briefe an Zeitgenossen. Er legt diese Schreiben aus mehreren Lebens- und Schaffensjahrzehnten sogar als in sich geschlossenen Band der Gesamtausgabe vor, wodurch unterstrichen werden soll, daß diese ›privaten‹ Briefe einen Bestandteil des Gesamtwerkes ausmachen. Das hatte es bisher in der literarischen Produktion noch nicht gegeben. Denn nun mußte sich der Leser (nicht minder aber auch der Empfänger dieser Briefe) fragen, ob Hesse als Briefschreiber überhaupt jemals eine wirkliche und höchst persönliche Korrespondenz geführt hatte, oder ob all diese Briefe insgeheim mit dem Blick auf Setzer, Verleger und Publikum von Anfang an abgefaßt worden waren.« (Hans Mayer, Johannes R. Bechers »Tagebuch 1950«. In: *Aufbau*. Berlin. 7, 1951, 9, S. 822–834; hier S. 822)
Neue und erweiterte Auflagen 1954, 1957 (GS 7), 1959, 1964, 1974, 1976 (mit Register). Das Bändchen *Eine Handvoll Briefe* (Zürich: Büchergilde Gutenberg 1951) enthält 36 Briefe aus der Ausgabe von 1964.

Hermann Hesse – Romain Rolland, Briefe

Zürich: Fretz & Wasmuth 1954. – Briefe aus der Zeit vom 26. 2. 1915 bis 1. 4. 1938. – Erweiterte französische Ausgabe: D'une rive à l'autre. Hermann Hesse et Romain Rolland. Correspondance, fragments du Journal et textes divers. Paris: Albin Michel 1972. (Cahiers Romain Rolland, 21.)

Kindheit und Jugend vor Neunzehnhundert

Hermann Hesse in Briefen und Lebenszeugnissen. (Hrsg. von Ninon Hesse. Fortgesetzt und erweitert von Gerhard Kirchhoff.) Frankfurt a. M.: Suhrkamp.
1: 1877–1895. (1966.)
2: 1895–1900. (1978.)

Hermann Hesse – Thomas Mann, Briefwechsel

Frankfurt a. M.: Suhrkamp, S. Fischer 1968. – Briefe aus der Zeit vom 1. 4. 1910 bis 10. 6. 1955, dazu H. Hs. *Ein Abschiedsgruß* v. 13. 8. 1955. Erweiterte Ausgabe 1975 (Bibliothek Suhrkamp, 441). – Übersetzungen ins Japanische, Englische, Spanische.

Hermann Hesse – Peter Suhrkamp, Briefwechsel 1945–1959

Frankfurt a. M.: Suhrkamp 1969. – H. Hs. Briefwechsel mit Peter Suhrkamp begann 1935 und endete 1959 mit Suhrkamps Tod.

Hermann Hesse – Helene Voigt-Diederichs, Zwei Autorenporträts in Briefen 1897 bis 1900

Düsseldorf, Köln: Diederichs 1971. Privatdruck in 800 und Verkaufsauflage in weiteren 800 Exemplaren. Der Briefwechsel begann 1897 und endete 1957. H. Hs. Briefe sind im Besitz von Dr. Peter Diederichs, Düsseldorf; Helene Voigt-Diederichs' Briefe befinden sich in der Schweizerischen Landesbibliothek Bern.

Hermann Hesse – Karl Kerényi, Briefwechsel aus der Nähe

München, Wien: Langen-Müller 1972. – Der Briefwechsel begann Ende 1939, der erste Brief dieses Bandes trägt das Datum 25. 12. 1939, der letzte datiert v. 3. 4. 1956.

Gesammelte Briefe

In Zusarb. mit Heiner Hesse hrsg. von Ursula und Volker Michels. Frankfurt a. M.: Suhrkamp. – Die Briefe sind umfangreich kommentiert.

1. Band: 1895–1921. (1973.)
2. Band: 1922–1935. (1979.)
3. Band: 1933–1945.
4. Band: 1946–1962.

»Von den ungezählten, im Laufe seines langen Lebens an ihn gerichteten Briefen hat er selbst etwa 35 000 für aufbewahrenswert gehalten. Diese Briefe, die vom ausgehenden 19. Jahrhundert bis in unsere Gegenwart reichen, bilden ein Stück Zeit- und Kulturgeschichte von einmalig unmittelbarer Anschaulichkeit. Unversehrt hat diese Sammlung die beiden Weltkriege überstanden und wird heute, teils von der Schweizerischen Landesbibliothek in Bern, teils vom Schiller-Nationalmuseum in Marbach aufbewahrt. Da Hesse nahezu jeden der an ihn gerichteten Briefe beantwortet hat (erst im Alter half er sich zuweilen mit Privatdrucken und vorgedruckten Rundbriefen), lassen sich die Dimensionen erkennen, die dieser Korrespondenz zukommen, und ermessen läßt sich zudem, in welchem Verhältnis sich selbst eine auf drei umfangreiche Bände konzipierte Sammlung zur Gesamtheit der Briefe verhält, die Hesse selber geschrieben hat. Allein die Zahl der aufbewahrten, an ihn gerichteten Briefe zeigt, daß dieser Band noch nicht einmal den dreißigsten Teil dessen enthält, was er bis 1921 geschrieben und beantwortet haben muß.« (Aus dem »Nachwort« von Volker Michels; GB 1, 580)

Hermann Hesse – R. J. Humm, Briefwechsel

Hrsg. von Ursula und Volker Michels. Franfurt a. M.: Suhrkamp 1977. – Briefe aus der Zeit vom 25. 1. 1929 bis 1. 2. 1959. Die Briefe sind umfangreich kommentiert.

Politik des Gewissens

Die politischen Schriften. Hrsg. von Volker Michels. Frankfurt a. M.: Suhrkamp 1977. 2 Bände. V, 960 S.

1: 1914–1932.
2: 1932–1964 (muß heißen: 1962).
Die Bände enthalten zahlreiche Briefe H. Hs., z. T. gekürzt; sie werden durch das Umfeld der anderen Texte und durch Einzelanmerkungen kommentiert.

Christian Wagner – Hermann Hesse,
Ein Briefwechsel

Hrsg. von Friedrich Pfäfflin als Beiheft zum *Marbacher Magazin* 6/1977. Marbach a. N.: Deutsche Schillergesellschaft 1977. – Briefe aus der Zeit vom 26. 5. 1909 bis 30. 8. 1915.

Briefe an Freunde

Rundbriefe 1946–1962. Frankfurt a. M.: Suhrkamp 1977. (suhrkamp taschenbuch, 380.)
Ein Brief nach Deutschland – Statt eines Briefes – Geheimnisse – Antwort auf Bittbriefe – An einen jungen Kollegen in Japan – Nicht abgesandter Brief an eine Sängerin – Das gestrichene Wort – Nächtliche Spiele – An einen jungen Künstler – Stunden am Schreibtisch – Rundbrief an einige Freunde in Schwaben – Antwort auf Briefe aus Deutschland – Weihnacht mit zwei Kindergeschichten – Aus einem Brief an Freunde – Begegnungen mit Vergangenem – Allerlei Post – Ahornschatten – Großväterliches – Aprilbrief – Geburtstag – Herbstliche Erlebnisse – Über das Alter – Engadiner Erlebnisse – Notizblätter um Ostern – Beschwörungen – Yin und Yang – Rundbrief aus Sils-Maria – Weihnachtsgaben – Leser und Dichtung – Brief an den Verfasser eines Kriegsromans – Ein paar indische Miniaturen – Bericht an die Freunde – Sommerbrief – An einen Musiker – Yüan Wu's Niederschrift von der smaragdenen Felswand – Josef Knecht an Carlo Ferromonte – Schreiben und Schriften – Brief im Mai.

Briefwechsel mit Heinrich Wiegand 1924–1934

Hrsg. von Klaus Pezold. Berlin, Weimar: Aufbau-Verlag 1978. Die Briefe sind umfangreich kommentiert.

REGISTER

A. WERKREGISTER

1. Epik

2. Lyrik

a) Gedichtüberschriften

b) Gedichtanfänge

3. Dramatik

B. PERSONEN